Idealna róża

Mary Jo Putney

Idealna róża

Przekład
Maria Wójtowicz

AMBER

Redakcja stylistyczna
Eugeniusz Melech

Korekta
Katarzyna Pietruszka

Zdjęcie na okładce
© Zbigniew Foniok

Projekt graficzny okładki
Małgorzata Foniok

Druk
Opolgraf S.A.

Tytuł oryginału
One Perfect Rose

ISBN 978-83-241-3319-2

Warszawa 2009. Wydanie II

Wydawnictwo AMBER Sp. z o.o.
00-060 Warszawa, ul. Królewska 27
tel. 620 40 13, 620 81 62

www.wydawnictwoamber.pl

Dla Pat Rice:
przyjaciółki, sojuszniczki i współautorki powieściowych wątków

Wierzę i dziś, tak jak wierzyłem, będąc dzieckiem,
że życie ma swój sens, swój cel i swoją cenę;
że żadne cierpienie nie jest daremne;
że każda kropla krwi i każda łza są policzone;
że tajemnica świata kryje się w słowach świętego Jana:

Deus Caritas est – „*Bóg jest Miłością*".
François Mauriac

Prolog

Dziecko stało cicho jak myszka, nie odrywając oczu od młodej pary, która przemierzała spacerowym krokiem obskurną uliczkę nad brzegiem rzeki. Jakże różnili się oni od stałych mieszkańców ubogiej dzielnicy! Ubrania spacerowiczów były czyste, w ich głosie brzmiał śmiech.

W dodatku oboje jedli gorące paszteciki z mięsem. Mała dziewczynka chciwie wdychała smakowity zapach.

Wysoki dżentelmen wykonał ręką gest tak zamaszysty, że spory kawałek pasztecika odłamał się i upadł na zabłocony bruk. Nawet nie zwrócił na to uwagi.

Strach nauczył dziecko cierpliwości, zaczekało więc do chwili, gdy nieznajomi oddalili się nieco. Dłużej nie mogło zwlekać w obawie, że jakiś bezpański pies albo szczur porwie smakowity kąsek. Sądząc, że ze strony spacerowiczów nic jej już nie grozi, mała w kilku susach dopadła łupu i wepchnęła do ust kawałek pasztecika. Był jeszcze ciepły i wydał się jej najwspanialszym na świecie smakołykiem.

Młoda dama ni stąd, ni zowąd obejrzała się. Dziewczynka znieruchomiała, mając nadzieję, że nie zostanie dostrzeżona. Życie bardzo wcześnie nauczyło ją, że lepiej nie rzucać się nikomu w oczy. Źli chłopcy ciskali w nią kamieniami. Jakiś zły człowiek zwabił ją do siebie kawałkiem kiełbasy, a potem podniósł na wysokość swojej twarzy i zaczął obmacywać. Mała była przekonana, że chce ją pożreć, więc ugryzła go, a on natychmiast ją puścił.

Co prawda zaraz rzucił się w pogoń za uciekającą, obsypując ją wyzwiskami, ale przecisnęła się pod chwiejnym ogrodzeniem i ukryła na śmietnisku. Zjadła tam kawałek kiełbasy, który dostała. Od tej pory miała się na

7

baczności przed nim, a także przed innymi mężczyznami; w ich oczach mógł również pojawić się ten sam złowrogi błysk.

Śliczna ciemnowłosa dama uniosła brwi i zwróciła się z uśmiechem do swego towarzysza:

– Spójrz, Thomasie! Jaka porządnicka, sprząta po nas okruchy!

Uśmiechała się przy tym miło, ale dziewczynka cofnęła się ze strachem.

Wówczas nieznajoma przykucnęła i jej błękitne oczy znalazły się na wysokości oczu dziecka.

– Nie bój się, kochanie! Chcesz jeszcze kawałek?

I wyciągnęła rękę z resztką pasztecika, by przywabić małą.

Dziecko się zawahało. Przecież tamten zły człowiek też ją kusił jedzeniem!... Ale to była pani... a pasztecik tak pachniał...

Jednym susem znalazła się obok nieznajomej i porwała leżący na jej dłoni smakołyk. Cofnęła się natychmiast i kilka kroków dalej pożarła smakołyk, przez cały czas obserwując bacznie swych dobroczyńców.

– Biedne maleństwo! – odezwał się mężczyzna, nazwany przez swą towarzyszkę Thomasem. Jego niski głos rozbrzmiał gromkim echem po uliczce. – A jej rodzicom chętnie bym wyłoił skórę. Jak można pozwolić takiej kruszynie błąkać się po ulicach!

Z jakiegoś ciemnego zakątka odpowiedział mu zgrzytliwy głos:

– Rodzice? To bezpański dzieciak! Łazi po okolicy od paru miesięcy i żywi się czym popadnie.

Dziecko rozpoznało głos. Należał do starej, siwej kobiety, która całymi dniami wystawała za drzwiami jednego z domów, niewidoczna w mrocznej sieni, ściskając bezzębnymi dziąsłami glinianą fajeczkę. Dziewczynka zapamiętała, że starucha dała jej raz coś do jedzenia i że nigdy nie rzucała w nią kamieniami. Była nieszkodliwa.

Śliczna pani zmarszczyła brwi.

– A więc to znajda?

– Raczej sierota – mruknęła staruszka i wzruszyła ramionami. – Podobno przypłynęła tu z jakąś kobietą, która umarła na nadbrzeżu, gdy ledwie zeszły na ląd. Strażnik próbował złapać smarkulę, żeby odesłać ją do sierocińca, ale gdzieś się zaszyła. Od tej pory błąka się w tych stronach i żeruje jak mewa: tu coś złapie, tam coś znajdzie...

Śliczna pani była przerażona.

– Och, Thomasie! Nie możemy jej tu zostawić! Przecież to takie maleństwo, ma najwyżej trzy latka!

– To nie kotek, Mario. Nie można wziąć jej pod pachę i zabrać ze sobą – odparł dżentelmen.

– Czemu nie? Przecież nikomu na niej nie zależy! Widać sam dobry Bóg skierował nas tutaj, byśmy spotkali to dziecko! Nie mamy własnego, a On najlepiej wie, jak bardzo go pragniemy! – Na ślicznej twarzy Marii malował się smutek. Zaraz jednak odwróciła się do małej i łagodnym gestem wyciągnęła rękę. – Podejdź do nas, kochanie! Nie zrobimy ci nic złego.

Dziewczynka się zawahała. Przekonała się na własnej skórze, że lepiej być ostrożną. Ale na widok Marii powróciło wspomnienie innej ślicznej damy, z poprzedniego, całkiem odmiennego życia, w którym nie było głodu, łachmanów i brudnych zaułków, zanim... zanim...

Nie chcąc wracać myślą do przeszłości, dziecko spojrzało w błękitne oczy Marii. Dostrzegło w nich dobroć i coś więcej... Obietnicę nowego życia?

Z wolna, krok po kroku, dziewczynka przysuwała się do dwojga nieznajomych. Jej oczy biegały nieustannie od twarzy ślicznej pani do postaci towarzyszącego jej dżentelmena. Gdyby się poruszył, uciekłaby w popłochu, gdyż mężczyzn bała się dużo bardziej niż kobiet. Ten jednak stał spokojnie. A oczy miał tak samo błękitne i tak samo dobre jak jego żona.

Kiedy dziewczynka znalazła się w zasięgu jej ręki, śliczna pani pogłaskała ją czule po głowie.

– Masz jasne włosy, prawda? Są takie brudne, że nie domyśliłam się tego od razu. Jakie to ładne: blondyneczka z wielkimi brązowymi oczami! Chciałabyś mieć nową mamę i nowego tatę, kochanie?

Mama... Tata... To były słowa z odległej, cudownej przeszłości. Dziecko stanęło w obliczu dramatycznej alternatywy. Co przeważy – trwoga przed ponownym zagrożeniem czy rozpaczliwa tęsknota? I nagle nadzieja zatriumfowała nad lękiem. Dziecko rzuciło się w ramiona ślicznej pani.

Maria porwała małą w objęcia i przygarnęła do siebie. W jej uścisku dziecku było ciepło i bezpiecznie... Tak samo tuliła je piękna dama w dawnym, utraconym raz na zawsze świecie.

– Nie bój się, moje serduszko! – powiedziała Maria. – Choć niektórzy spoglądają na nas z góry, bo nie podoba im się nasza profesja, nie zaznasz u nas krzywdy. Nigdy ci nie zabraknie jedzenia ani miłości! – Dziecko zdziwiło się na widok łez w błękitnych oczach ślicznej pani, która spojrzawszy na męża, dodała: – Nie rób takich groźnych min, irlandzki oszuście! Dobrze wiem, że masz równie miękkie serce jak ja!

– To nie miękkie serce, lecz raczej rozmiękczenie mózgu – odparł cierpko Thomas. – Masz jednak słuszność: nie możemy jej tutaj zostawić.

Trzeba ją wsadzić do wanny i porządnie wyszorować… im prędzej, tym lepiej! – Wziął dziecko za rękę. – Jak ci na imię, kochanie?

Speszone zainteresowaniem nieznajomego mężczyzny dziecko wtuliło buzię w szyję nowej mamy. Pachniała czysto i słodko – jak kwiaty po deszczu.

– Chyba musimy sami wymyślić dla niej imię – powiedziała Maria, głaszcząc delikatnie małą po plecach. – Jest śliczna jak różyczka… i bardzo dzielna. Pomyśl tylko: tygodniami błąkała się po ulicach, samiuteńka… taka kruszynka!

– Wobec tego dajmy jej imię Rosalinda, które nosiła najbardziej nieustraszona ze wszystkich bohaterek dramatów! – zaproponował Thomas. Uścisnął delikatnie rączkę dziecka. – Szczęście uśmiechnęło się dziś do ciebie, mała Różyczko!

– Mylisz się, Thomasie. – Maria przycisnęła gorące usta do skroni dziecka. – Szczęście uśmiechnęło się dziś do nas!

1

Śmiertelnie chory...

Okrutnie szczere słowa doktora zawisły w powietrzu. Stephen Edward Kenyon, piąty książę Ashburton, siódmy markiz Benfield, posiadacz połowy tuzina innych tytułów niewartych wzmianki, skamieniał w trakcie wkładania koszuli po skończonym badaniu.

Śmiertelnie chory. Wiedział, że z jego zdrowiem było coś nie w porządku, ale nie spodziewał się... czegoś podobnego! Doktor z pewnością się mylił! To prawda, że w ciągu ostatnich kilku tygodni niedomagania gastryczne nasiliły się: z nieznacznych przeistoczyły się w ataki przeszywającego bólu. Jednak z pewnością było to tylko owrzodzenie żołądka – bolesne, ale niezagrażające życiu.

Z trudem ukrywając swoje uczucia, Stephen zabrał się znów do zapinania koszuli.

– Wydawało mi się, doktorze, że przedstawiciele pańskiego zawodu nie kwapią się do wygłaszania tak ponurych przepowiedni.

– Wszyscy wiedzą, że wasza książęca mość nade wszystko ceni sobie szczerość. – Doktor George Blackmer wydawał się zajęty bez reszty starannym układaniem instrumentów w lekarskiej torbie. – Uznałem więc, że nie należy ukrywać prawdy. Zwłaszcza że ze względu na wysoką pozycję potrzeba będzie waszej książęcej mości wiele czasu na... uporządkowanie wszelkich spraw.

Do Stephena dotarło wreszcie, że lekarz wygłasza te przerażające bzdury ze śmiertelną powagą.

– Ależ doktorze, sytuacja nie przedstawia się aż tak tragicznie! Czasem brzuch mnie pobolewa, ale poza tym jestem zdrowy jak ryba!

– Gdy wasza książęca mość zaczął się uskarżać na częste bóle, początkowo łudziłem się, że moje obawy są bezpodstawne. Teraz jednak nie mogę dłużej ukrywać prawdy. – Lekarz podniósł wzrok; jego szarozielone oczy były pełne troski. – Książę cierpi na obrzęk żołądka i wątroby. To ta sama choroba, która powaliła pana Nixona, gajowego waszej książęcej mości.

Dla Stephena był to kolejny cios. Dobrze pamiętał, że Nixon w ciągu kilku miesięcy przeistoczył się z pełnego werwy, krzepkiego chłopa, amatora ruchu na świeżym powietrzu, w ruinę człowieka, wstrząsanego atakami bólu. I nawet śmierć, gdy przyszła, nie okazała temu nieszczęśnikowi litości.

Stephenowi zabrakło odwagi, by spojrzeć na swe odbicie w lustrze. Związał więc fular na oślep, wykonując bezmyślnie dobrze znane ruchy.

– Nie ma na to lekarstwa?

– Niestety.

Książę włożył granatowy surdut i wygładził fałdki na rękawach.

– Wspomniał pan, doktorze, o sześciu miesiącach. Jak dokładne bywają tego rodzaju prognozy?

Blackmer się zawahał.

– Niełatwo przewidzieć rozwój choroby. No, cóż… Powiedzmy, że książę ma wszelkie szanse na przeżycie co najmniej trzech miesięcy, ale pół roku… to raczej mało prawdopodobne.

Stephen pomyślał, że jeśli diagnoza jest trafna, nie doczeka Bożego Narodzenia.

A jeśli Blackmer się myli? Oczywiście było to możliwe, choć miał jednak opinię wiarygodnego, sumiennego lekarza. Był znajdą, wychowywanym na koszt parafii. Dowiedziawszy się jednak o niezwykłych zdolnościach chłopca, stary książę, ojciec Stephena, wysłał go na studia medyczne. W podzięce Blackmer otaczał niezwykle troskliwą opieką nie tylko swego dobroczyńcę, ale całą rodzinę Kenyonów. Nie do pomyślenia, by synowi i następcy swego patrona ogłosił wyrok śmierci, nie mając absolutnej pewności co do swej diagnozy.

Stephen zmusił się do zadania lekarzowi pytania:

– Czy mam nadal zażywać pigułki, które dał mi pan ostatnim razem, doktorze? A może nie ma to już sensu?

– Proszę je nadal zażywać. Przygotowałem nawet kolejną porcję. – Blackmer wyjął ze swej torby starannie zakorkowaną fiolkę. – Ich głównym składnikiem jest opium, środek przeciwbólowy, oraz mieszanka ziołowa na oczyszczenie krwi. Proszę brać co najmniej jedną pastylkę dziennie. W razie dolegliwości należy zwiększyć dawkę.

Dobre maniery, wszczepiane księciu od kolebki, okazały się w godzinie próby niezwykle pomocne. Wziąwszy fiolkę z lekarstwem, powiedział uprzejmie:

– Dziękuję, doktorze. Cenię sobie pańską szczerość.

– Nie wszyscy moi koledzy po fachu zgodziliby się z tym… Ja wszakże uważam, że gdy zbliża się nieuchronny kres, pacjent powinien o tym wiedzieć i przygotować się odpowiednio. – Doktor zatrzasnął torbę, ale ociągał się z odejściem. Na jego twarzy malowała się głęboka troska. – Czy wasza książęca mość nie ma więcej pytań?

Kiedy zapadł wyrok śmierci, o cóż więcej pytać?

– Nie, dziękuję. Życzę miłego dnia, doktorze!

Stephen sięgnął do dzwonka.

– Proszę się nie fatygować. Dobrze znam drogę. – Blackmer zmierzył swego pacjenta bacznym, nieodgadnionym spojrzeniem, wziął do ręki torbę lekarską i skierował się ku drzwiom. – Zjawię się za dwa tygodnie.

– Po co? – spytał Stephen z nutką irytacji, której nie był już w stanie ukryć. – Sam pan przyznał, doktorze, że nie ma dla mnie ratunku. Po jakiego licha miałbym znosić dalsze opukiwanie i osłuchiwanie?

Na twarzy Blackmera pojawiło się napięcie.

– Mimo to pozwolę sobie odwiedzić księcia za dwa tygodnie. Na razie proszę zażywać lekarstwo, a w razie potrzeby wezwać mnie. Przybędę niezwłocznie.

To rzekłszy – wysoki, nieco przygarbiony – wyszedł z saloniku przylegającego do książęcej sypialni.

Stephen stał pośrodku pokoju, starając się ogarnąć myślą sens i konsekwencje niesłychanego werdyktu. Pozostało mu tylko kilka miesięcy życia? Niewiarygodne! Miał zaledwie trzydzieści sześć lat. To nie pierwsza młodość, ale do starości daleko. No i był w całkiem dobrej formie. Nie licząc astmy, z którą miał niewielkie problemy w dzieciństwie, cieszył się zawsze dobrym zdrowiem.

Przez otępienie, które było następstwem szoku, zaczął przedzierać się gniew. Do diabła! Kto jak kto, ale on powinien wiedzieć, że śmierć nie ma nic wspólnego z wiekiem! Jego żona Louisa, nie dożywszy nawet trzydziestki, zmarła na gorączkę, która się przyplątała nie wiedzieć skąd. Śmierć żony poraziła go jak grom z jasnego nieba… ale przynajmniej biedaczka nie męczyła się długo.

Wzrok Stephena padł na wiszące nad kominkiem lustro w złoconych ramach. Spojrzał na własne odbicie. Niczym się nie różniło od tego, co widział przed godziną: wysoka, smukła sylwetka, kasztanowate włosy, twarz o wydatnych rysach Kenyonów, pasujących jak ulał do ich wrodzonej arogancji... Jednak przed godziną był mężczyzną w kwiecie wieku, który po zakończeniu rocznej żałoby po śmierci żony zaczyna snuć plany na przyszłość... A teraz jest żywym trupem.

Znów rozgorzał w nim gniew. Równie silny jak wówczas, gdy miał piętnaście lat i ojciec powiadomił go, że zapadła właśnie decyzja w sprawie jego małżeństwa. Lady Louisa Hayward była jedynaczką, bardzo ładną i niezwykle starannie wychowaną. Stary książę oświadczył synowi, że jego narzeczona, gdy dorośnie, będzie idealną żoną i idealną księżną.

Rozwścieczony Stephen zaprotestował gwałtownie. Jak można było podjąć tak istotną decyzję bez jego wiedzy i zgody?! Ale krótkotrwały chłopięcy bunt załamał się pod pełnym pogardy wzrokiem ojca. Stephen opuszczał gabinet starego księcia pogodzony z losem, gotów spełnić swój obowiązek.

Trzeba przyznać, że przepowiednia ojca co do Louisy przynajmniej częściowo się spełniła. Wyrosła rzeczywiście na idealną księżnę, nawet jeśli nie okazała się idealną żoną.

Stephen podszedł do drzwi łączących jego apartamenty z pokojami księżnej. Jego noga nie postała tam od ponad roku. Od śmierci Louisy. Prawdę mówiąc, wcześniej też niezbyt chętnie tam zaglądał.

Sypialnia żony i jej gotowalnia były idealnie wysprzątane i puste. Nie pozostał najmniejszy ślad po zmarłej żonie... z wyjątkiem haftów, świadczących o jej mistrzostwie we władaniu igłą. Prześlicznie zdobione poduszki, obicia mebli tak piękne, że wprost nie godziło się siadać na podobnych arcydziełach... Ilekroć wspominał żonę, zawsze stawała mu przed oczami pochylona nad tamborkiem. Przeszła przez życie bez rozgłosu, zgodnie z zasadą, że nazwisko prawdziwej damy pojawia się na łamach gazet tylko trzykrotnie: z okazji jej narodzin, ślubu i zgonu.

Stephen opuścił pokoje żony i zamknąwszy za sobą drzwi, wrócił do saloniku. Naprzeciw niego wisiał na ścianie portret Louisy. Dzieło sir Anthony'ego Seatona, najznakomitszego portrecisty w całej Anglii. Mistrz oddał wiernie pastelową urodę księżnej; zdołał także pochwycić ulotny cień smutku w jej zagadkowym spojrzeniu.

Stephen po raz chyba tysięczny starał się dociec, czy za doskonale piękną, niewzruszoną maską, którą Louisa prezentowała całemu światu, kryły się jakieś silne uczucia. Namiętność, gniew, miłość, nienawiść – cokolwiek! Jeśli nawet istniały, nigdy ich nie odkrył. Przez wszystkie lata ich

14

małżeństwa nigdy nie doszło między nimi do sprzeczki. Ktoś pozbawiony uczuć nie może wpaść w gniew.

Co prawda Louisa żałowała, że nie może urodzić dziecka, ale jej zmartwienie wynikało z poczucia niespełnienia istotnego obowiązku. W odróżnieniu od męża nie tęskniła do własnych dzieci. Była jednak niezmordowana w wypełnianiu powinności małżeńskich, nalegając na Stephena, by regularnie odwiedzał jej sypialnię, mimo że wzajemne pożycie żadnemu z nich nie sprawiało przyjemności.

Czy po śmierci odnajdzie Louisę na tamtym świecie? A może spotykają się tam tylko ci małżonkowie, których łączyła miłość? Oni zaś byli… jak by to określić?… W najlepszym wypadku parą dobrych przyjaciół. W najgorszym zaś dwojgiem osób niemających ze sobą nic wspólnego, które od czasu do czasu spotykały się w łóżku.

Stephen podszedł do okna i spojrzał przez nie na rodową posiadłość, Ashburton Abbey – szachownicę pól i łąk na rozległym, pagórkowatym terenie. Niewielkie jeziorko połyskiwało jak srebrne zwierciadło. Stephen nie pamiętał, kiedy i od kogo dowiedział się, że w przyszłości majątek będzie należał do niego; zrósł się jednak z tą świadomością tak dalece, że Ashburton Abbey stało się częścią jego istoty. Przez całe życie najwięcej powodów do radości czerpał z tej ziemi.

Jeśli diagnoza Blackmera jest trafna, niebawem Ashburton przejdzie w ręce jego młodszego brata Michaela. Stephen od dawna pogodził się z myślą, że tytuł książęcy odziedziczy po nim jego brat lub bratanek. Sądził jednak, że nastąpi to w odległej przyszłości. Liczył na wiele lat życia… na całe dekady.

Michael był niewątpliwie godny książęcego tytułu: zdolny, sprawiedliwy, obowiązkowy, ale… Było tylko jedno „ale". Brat nie znosił Ashburton Abbey. Od najmłodszych lat. Stephen nie miał o to pretensji do brata ani się nie dziwił. Dobrze wiedział, ile Michael musiał znieść od całej rodziny, która upatrzyła go sobie na kozła ofiarnego. Jednakże skutkiem tego nowy książę z pewnością pozostanie w swoim ukochanym majątku w Walii. Ashburton Abbey, milczące i puste, będzie czekać na kogoś z następnych pokoleń, kto upodoba sobie jego stare kamienne mury, imponującą salę paradną i pełen spokoju klasztorny ogród, założony w czasach, gdy Ashburton Abbey było opactwem.

Wściekły gniew ogarnął znów Stephena. Przez całe życie wypełniał swe obowiązki, starał się wywiązać jak najlepiej z ciążących na nim powinności, okazać się godnym swego tytułu i wysokiej pozycji w świecie. W Harrow a następnie w Cambridge przodował zarówno w sporcie, jak i w nauce. Z całym rozmysłem starał się wyzbyć arogancji, którą ojciec w nim podsycał, uważając ją za zaletę godną Kenyonów. Stephen jednak doszedł do wniosku, że prawdziwy dżentelmen nie musi wspierać swego autorytetu aroganckim zachowaniem ani przechwałkami. Swojej żonie okazywał zawsze szacunek i nie szczędził należnych jej względów. Nigdy też nie czynił jej wyrzutów, że nie spełniła jego oczekiwań; nie była po prostu do tego zdolna.

Przez całe życie przestrzegał obowiązujących zasad… diabli wiedzą po co! No i ma nagrodę!

W przypływie wściekłości jednym ruchem ręki zmiótł z blatu stojącego pod ścianą stolika porcelanowe ozdóbki i wazon pełen świeżych kwiatów. Skorupy rozsypały się po podłodze. Całe życie zaplanowano mu z góry. On sam nie miał nic do gadania. Czy to w ogóle było życie?! A teraz, kiedy wreszcie mógł snuć własne plany na przyszłość, okazuje się, że żadnej przyszłości nie będzie. To nie w porządku! To krzycząca niesprawiedliwość, do jasnej cholery!

Długotrwałe wojny skończyły się wreszcie, zamierzał więc udać się w podróż: ujrzeć Wiedeń i Florencję, zwiedzić Grecję… Cieszył się z góry na myśl, że pofolguje sobie i spełni wszystkie swoje zachcianki, choćby niemądre… po prostu dlatego, że ich realizacja sprawi mu przyjemność. Chciał się przekonać, czy jest jeszcze zdolny do namiętności… Może nawet poszuka sobie drugiej żony – takiej, która byłaby prawdziwą towarzyszką życia, a nie idealną księżną Ashburton.

Miotał się po pokoju, dusząc się z wściekłości. Nie miał najmniejszego zamiaru powiadamiać kogokolwiek o swej chorobie. I tak prawda niebawem wyjdzie na jaw. Wkrótce wszyscy będą obserwować go ukradkiem i zgadywać, jak długo jeszcze pociągnie… Ale jeszcze gorsza będzie litość. Szepty sąsiadów… Łzy w oczach wiernego Hubble'a… Nie, nie i jeszcze raz nie!

Po raz pierwszy w życiu Stephen zapragnął porzucić Ashburton Abbey i uciec od wszystkiego, co symbolizowała rodowa siedziba. Przemierzał pokój szybkimi krokami. Choć otaczało go mnóstwo ludzi, nie miał nikogo, komu mógłby się zwierzyć. W Ashburton był zawsze „księciem panem" – niezmiennie chłodnym i obiektywnym. Teraz jednak musiał się stąd wyrwać – za wszelką cenę! Chciał dotrzeć do miejsca, gdzie nikt go nie znał, i tam przemyśleć w spokoju diagnozę Blackmera i oswoić się z perspektywą rychłej śmierci. Łaknął anonimowości, prywatności, wolności – choćby na tych kilka ostatnich tygodni.

Czemu, u diabła, miałby sobie tego odmawiać?! Przestał krążyć po pokoju. Nic go przecież nie zatrzymuje w Ashburton Abbey. Może udać się, dokąd tylko zechce. I kiedy zechce. Może wędrować z jarmarku na jarmark, może puszczać oczko do wszystkich ładnych dziewcząt. Zatrzymywać się w zajazdach, na które jego służba kręciłaby nosem. Sierpień to wymarzona pora na konną wycieczkę po Anglii.

Może to jego ostatnie lato?

Poczuł skurcz żołądka. Przeszedł do sypialni, jednym szarpnięciem otworzył szufladę i wyjął kilka sztuk bielizny. Ponieważ wyrusza konno, weźmie ze sobą tylko to, co niezbędne. Ciekawe, jak zwykli ludzie radzą sobie z praniem koszul i gatek… Nareszcie się dowie!

Drzwi otworzyły się i do sypialni wkroczył osobisty lokaj księcia.

– Słyszałem jakiś dźwięk, wasza książęca mość… Czy coś się stłukło, milordzie? – Hubble stanął jak wryty, wytrzeszczając wielkie oczy na widok totalnego chaosu. – Wasza książęca…

Stephen schylony nad stosem ubrań, porozrzucanych po całym łóżku, wyprostował się. Jeśli Hubble już tu wlazł, trzeba go zagonić do roboty! Dzięki temu wyruszy w drogę znacznie wcześniej.

– Wybieram się w daleką podróż – oznajmił nieco dwuznacznie, czego służący nie mógł, rzecz jasna, docenić. – Spakuj mi rzeczy tak, by zmieściły się do juków.

Hubble przyjrzał się z powątpiewaniem stercie ubrań.

– Tak jest, wasza książęca mość. Wolno spytać, dokąd się wybieramy?

– Ty, Hubble, nie wybierasz się donikąd! Jadę sam.

Mówiąc to, Stephen dodał do ciągle rosnącego stosu mocno sfatygowany tom swego ukochanego Szekspira.

Lokaj, sądząc z jego miny, był całkiem zbity z tropu. Doskonale wyszkolony, dobroduszny z natury służący nie był w stanie zrozumieć dziwacznych zachcianek swego pana.

– Ale… ale kto będzie się troszczył o garderobę waszej książęcej mości?

– No, cóż… wygląda na to, że sam będę się o nią troszczył. – Stephen podszedł do biurka, otworzył zamkniętą na klucz szufladę i wyjął garść złota. Tyle, by starczyło na kilka tygodni. – Jak to mówią: człowiek do śmierci się czegoś uczy!

Hubble skrzywił się na samą myśl o tym, jak fatalnie będzie się prezentował książę przez następnych kilka tygodni. Uprzedzając wszelkie jego protesty, Stephen rzucił ostrym tonem:

– Żadnych sprzeciwów, żadnych uwag! Masz spakować rzeczy tak, by się zmieściły w jukach!

Lokaj z trudem przełknął ślinę.

– Według rozkazu, milordzie! Jakiego rodzaju ubrania będą waszej książęcej mości potrzebne?

Stephen wzruszył ramionami.

– Jak najprostsze. Nie zamierzam uczestniczyć w przyjęciach ani balach!

Wziął z biurka szkatułkę z biletami wizytowymi, ale odstawił ją z powrotem. Zamierza podróżować incognito, więc po diabła mu to potrzebne?!

Następnie zasiadł za biurkiem i sporządził krótkie notatki do swego sekretarza i do rządcy, zalecając obu, by pilnowali swych obowiązków i realizowali to, co zostało z nim uzgodnione. Potem przyszło mu do głowy, że powinien chyba napisać również do brata i siostry. Ostatecznie jednak zrezygnował z tego pomysłu. Na powiadamianie rodzeństwa będzie jeszcze dość czasu!

Kiedy książę zajęty był pisaniem, Hubble pakował jego rzeczy. Uporawszy się z tym, lokaj spytał zrezygnowanym tonem:

– Dokąd mam przesyłać korespondencję?

Stephen zapieczętował liściki.

– Donikąd. Nie będę sobie zawracał głowy korespondencją.

– Ależ, wasza… – Hubble chciał zaprotestować, ale książę uciszył go jednym przenikliwym spojrzeniem. Lokaj ograniczył się więc do pytania: – Jak długo waszej książęcej mości nie będzie w domu?

– Nie mam pojęcia – odparł wymijająco Stephen. – Wrócę, kiedy zechcę. Ani chwili wcześniej!

Bliski już paniki Hubble jęknął:

– Ależ, milordzie!… Wasza książęca mość nie może przecież tak uciec od wszystkiego!

– Tytułujesz mnie co chwila, a żądasz, żebym się przed tobą opowiadał? – odparł z goryczą Stephen. – Zrozum wreszcie, że książę Ashburton może robić, co tylko zechce.

…Na przykład żyć wiecznie, gdy śmierć puka do drzwi?

Juki były tak wypchane, że ledwie starczyło miejsca na fiolkę z pigułkami doktora Blackmera.

Stephen odwrócił się na pięcie i ruszył ku drzwiom. Nie miał pojęcia, ile życia jeszcze mu zostało, ale zamierzał cieszyć się każdą darowaną chwilą!

2

Różyczko! – zawołała Maria Fitzgerald. – Lewe skrzydło mi opada!

– Za chwilkę, mamusiu – odparła Rosalinda.

Kończyła umocowywać połyskliwą szaroniebieską tkaninę do jednej ze ścian stodoły, zbudowanej z nieheblowanych desek. Obfite fałdy tego materiału wielokrotnie odgrywały już rolę draperii w królewskich komnatach lub udawały tonące we mgle morskie przestworza. Tym razem posłużą za sklepienie czarodziejskiej groty. Rosalinda przymocowała drugi koniec tkaniny, oceniła, że efekt jest całkiem dobry, i pospieszyła z pomocą matce.

W stodole było rojno i gwarno. Trupa teatralna Thomasa Fitzgeralda gotowała się do występu. Przedstawienie miało się rozpocząć za kilka minut. I chociaż wystawiali *Burzę* Szekspira w położonym na uboczu miasteczku, a połowę obsady stanowili amatorzy zamiast profesjonalistów, cały zespół traktował występ jak najbardziej serio.

Jedno ze srebrnych skrzydeł Marii rzeczywiście opadało. Rosalinda wydobyła igłę i nitkę z podręcznego przybornika i poleciła:

– Odwróć się, mamo!

Matka posłusznie obróciła się na pięcie, a przybrana córka przystąpiła do naprawy kostiumu. Bujne kobiece kształty Marii Fitzgerald nie predestynowały jej do roli zwiewnego duszka imieniem Ariel... Jednakże kostium złożony z wielu powiewnych warstw przejrzystej gazy z pewnością przypadnie do gustu męskiej widowni, a Maria dzięki swemu talentowi i doświadczeniu potrafiła wcielić się w każdą postać i nadać jej cechy prawdopodobieństwa.

Rosalinda pospiesznie umocowała opadające skrzydło, przyszywając je do stanika szaty solidnym ściegiem.

– Gotowe! Wygląda wspaniale. Uważaj tylko przy lataniu, mamo, nie wpakuj się na jakieś drzewko!

Matka zachichotała. W tejże chwili kryształowo czysty sopran zaczął biadolić:

– Różyczko, ratuj! Naszyjnik Mirandy gdzieś się zawieruszył: nie mogę go znaleźć!

Rosalinda pospieszyła z pomocą młodszej siostrze. Jessica, rodzona córka Thomasa i Marii Fitzgeraldów, odziedziczyła po rodzicach urodę i artystyczny temperament. Unosząc ku górze okolone czarnymi rzęsami oczy, oświadczyła z patosem:

– Jeśli nie będę miała tego naszyjnika, wszyscy będą się gapić tylko na Edmunda! A to zakłóci cały układ sceniczny!

Rosalinda zbyła tę uwagę niezbyt taktownym prychnięciem.

– Doskonale wiesz, że wszyscy mężczyźni, którzy nie gapią się na mamę, nie odrywają wzroku od ciebie! A twój naszyjnik powinien być w skrzyni z kostiumami.

Jessica rzuciła się do skrzyni, która pełniła funkcję ważnego rekwizytu w morskiej grocie Prospera. Po chwili trzymała już w ręku jedwabny sznur długi na bez mała trzy jardy, z którego zwisały pozłacane muszelki, rozgwiazdy i koniki morskie.

– Jest!… Jakim cudem zawsze umiesz wszystkiemu zaradzić?!

– No, cóż… Zmysł organizacyjny to nagroda pocieszenia dla takiego beztalencia jak ja – odparła Rosalinda, owijając długi sznur z błyskotkami wokół smukłej szyi siostry.

Jessica się roześmiała.

– Brednie! Masz nie jeden talent, ale całe mnóstwo! Co byśmy zrobili bez ciebie?! – Zmierzyła wzrokiem wyższą od siebie siostrę. – I gdyby nie ten okropny kostium, mężczyźni gapiliby się na ciebie tak samo jak na nas!

– Doskonale się obejdę bez takich dowodów popularności. – Rosalinda przypięła naszyjnik do kostiumu siostry, żeby nie osunął się niżej, tak jak w Leominster, gdy Jessica potknęła się o dyndającą rozgwiazdę. Wylądowała na kolanach burmistrza, który zresztą nie miał o to wcale pretensji. – A poza tym dobrze się czuję w tym „okropnym kostiumie". Musisz przyznać, że Kaliban to rola w sam raz dla mnie. Nie wymaga wielkiego kunsztu aktorskiego.

Słowa siostry wyraźnie zabolały Jessicę. Ponieważ nie wyobrażała sobie życia bez teatru, nie mogła pojąć, że jej przybrana siostra zapatruje się na to inaczej.

– Jesteś całkiem dobrą aktorką! – zapewniła ją lojalnie. – Możesz z powodzeniem zagrać każdą rolę!

– Chcesz powiedzieć, że mam dobrą dykcję i występując na scenie, nie potykam się o własne nogi? Zgoda! Ale to nie wystarczy, by zostać prawdziwą aktorką, kochanie!

– Rosalindo! – Soczysty baryton zagrzmiał z taką mocą, że przycupnięte na krokwiach gołębie zerwały się z trzepotem skrzydeł. – Pomóż mi przy światłach!

– Już idę, papo!

Przebiegła na drugi koniec prowizorycznej sceny, gdzie Thomas Fitzgerald, odziany już w czarnoksięską szatę Prospera, ustawiał światła rampy.

Rosalinda ostrożnie ujęła jedną z olejnych lamp zaopatrzonych w lustro i przesunęła ją w lewo.

– Stąd lepiej oświetli kąty.

– Masz rację jak zawsze! – odparł Thomas z czułym uśmiechem. Wskazał gestem wierzeje stodoły. – Brian powiada, że na zewnątrz zebrał się cały tłum!

– Nic dziwnego. Nasze występy to dla mieszkańców Fletchfield największa atrakcja lata!

Gdy ojciec oddalił się, Rosalinda rozejrzała się po scenie. Dekoracje stały gdzie trzeba, wszyscy aktorzy przebrali się już w kostiumy. Na zewnątrz Calvin Ames sprzedawał bilety, rzucając co chwila żarciki w gwarze rdzennych mieszkańców Londynu. Wszystko było gotowe do spektaklu.

Ileż to razy Rosalinda dokonywała podobnych oględzin... Setki... A może tysiące razy... Stłumiła mimowolne westchnienie. Większość życia spędziła w objazdach. Zatrzymywali się w miasteczkach podobnych do Fletchfield i roztaczali przed oczyma ich mieszkańców czarowną iluzję, by zaraz potem pakować manatki i ruszać w dalszą drogę. Miała już dwadzieścia osiem lat... pewnie była po prostu za stara do takiego cygańskiego życia. Chociaż... w przypadku jej przybranych rodziców wiek nie przygasił młodzieńczego entuzjazmu. No, tak... ale oni byli aktorami z powołania! Podczas gdy Rosalinda Jordan – znajda, wdowa, inspicjent w tym teatrze – nie miała aktorskiej duszy. Nieraz myślała tęsknie: jak by to było dobrze mieć własny dom!...

Miała za to wokół siebie ludzi, których kochała, co wynagradzało jej z nawiązką wszelkie niedogodności koczowniczego życia.

Zawołała donośnym głosem:

– Wszyscy na miejsca! Zaczynamy!

Aktorzy występujący w tym przedstawieniu błyskawicznie znikli za prowizorycznymi kulisami. Rosalinda poszła za ich przykładem, dając znak młodszemu braciszkowi, Brianowi, by otworzył drzwi i wpuścił do środka czekających przed stodołą widzów.

Niechaj teatr roztoczy swe czary!

Jeszcze tylko osiemdziesiąt trzy dni...

Tydzień bezcelowej włóczęgi przytępił ostrze gniewu, jakim Stephen zareagował na wieść o zbliżającej się nieuchronnie śmierci. Jego nastroje ulegały zmianie – od wściekłości, poprzez trwogę, do żarliwej nadziei, że Blackmer się pomylił, choć dwa ataki okrutnego bólu dobitnie potwierdzały słuszność diagnozy. Na szczęście w obu wypadkach bóle chwyciły go w nocy, w zaciszu wynajętego pokoju. Stephen miał nadzieję, że Bóg oszczędzi mu publicznego upokorzenia, choć podejrzewał, że wcześniej czy później do tego dojdzie. Wolał o tym nie myśleć.

W przystępie wisielczego humoru postanowił odliczać ostatnie dni swego życia. Zakładając, że ma przed sobą co najmniej trzy miesiące, uznał bieżący dzień za dziewięćdziesiąty przed ostateczną katastrofą i miał zamiar liczyć tak do zera. Gdyby do niego dotarł i żył nadal, liczyłby dalej, tylko w odwrotnym kierunku: pierwszy, drugi itd., gdyż każdy dzień stanowiłby nieoczekiwaną gratyfikację.

Z zegarem tykającym w głowie, odliczającym sekundy jego życia, Stephen Kenyon książę Ashburton jechał na północ, aż dotarł do pogranicza, terenów spornych, o które Walijczycy i Anglicy walczyli od stuleci. Na starym rzymskim trakcie, biegnącym przez Walię na zachód, wzdłuż południowego wybrzeża, Stephen zatrzymał konia i zastanawiał się przez chwilę, czy nie złożyć wizyty bratu. Michael był żołnierzem i dzięki temu wiedział najlepiej, z własnego doświadczenia, jak zachować godność w obliczu nieuchronnej śmierci.

Ale Stephen nie był jeszcze gotów do posępnych zwierzeń przed bratem. Może wzdragał się przed tym, ponieważ był starszy od niego? Choć przez ostatnie półtora roku żyli z Michaelem w wielkiej przyjaźni, nie chciał wyjawić mu swych uczuć. Najlepszy dowód, że duma Kenyonów stanowi nadal dominującą cechę jego charakteru!

Jechał więc dalej na północ i dotarłszy do hrabstwa Herefordshire, skręcił na wschód. Przez cały czas napawał się urokami późnego lata, wdychając jego wonie i podziwiając widoki. Sam wynajmował pokoje w zajazdach i zaczął już orientować się w cenach noclegów i posiłków. Uznał to za interesujące doświadczenie. Ponieważ nie ulegało wątpliwości, że był dżentelmenem, zawsze traktowano go uprzejmie, ale bez ubóstwiania i czołobitności, do których przywykł. Niewątpliwa zmiana na lepsze! Wieczne odgrywanie roli półboga piekielnie go nużyło.

Była to jednak podróż samotnika. Stephen zawsze trzymał się na uboczu, stroniąc od gwałtownych, często infantylnych wybuchów emocji, którym chętnie ulegała reszta ludzkości. Teraz miewał niekiedy wrażenie, że jest już duchem, obserwującym krzątaninę śmiertelników, ale niebiorącym w niej udziału. Czuł wtedy, że czas już zawrócić konia, udać się z powrotem do domu i wejść znowu w skórę księcia. Czekały go przecież ważne obowiązki. Musiał zaktualizować swoją ostatnią wolę; uprzedzić kogo trzeba o swej rychłej śmierci; podjąć decyzję, czego jeszcze pragnie dokonać w Ashburton Abbey, nim posiadłość przejdzie w ręce brata. Musiał również odwiedzić swoją starszą siostrę Claudię. W ostatnich latach oddalili się od siebie, ale Stephen pragnął spotkać się z nią przed śmiercią. Może dojdą do porozumienia, zanim będzie za późno.

Burzowe chmury zbierały się nad głową Stephena, gdy dotarł do niewielkiego miasta o nazwie Fletchfield. Nie było sensu jechać dalej w deszczu. Przyjrzał się więc bacznie dwóm konkurencyjnym zajazdom, stojącym naprzeciw siebie po obu stronach głównej ulicy, i postanowił zatrzymać się Pod Czerwonym Lwem, gdyż spodobały mu się pełne kwiatów skrzynki w oknach tej oberży.

Stephen wynajął pokój na piętrze i już miał udać się na górę, gdy zauważył wiszący na ścianie afisz. WYSOCE PROFESJONALNA TRUPA TEATRALNA FITZGERALDA zapraszała na przedstawienie sztuki Williama Szekspira *Burza*. Spektakl miał się odbyć tego właśnie wieczoru. Stephen był miłośnikiem teatru, a opowieść o wygnanym księciu czarnoksiężniku, mieszkającym na odludnej wyspie wraz ze swą młodą córką, była mu szczególnie droga. Ale Bóg raczy wiedzieć, co zrobi z tym arcydziełem trupa podrzędnych aktorów…

Spojrzał na oberżystę i zagadnął go:

– Widzę, że będzie tu dziś przedstawienie… Czy warto je obejrzeć?

– No, cóż… Nie wiem, czy się spodoba wielmożnemu panu – odparł ostrożnie oberżysta – ale my radzi witamy tych aktorów. Przyjeżdżają do nas co roku. I zawsze mamy z tego wiele uciechy. – Uśmiechnął się szeroko. – Jest tam kilka bardzo ładnych aktorek… czasem pokażą zgrabną nóżkę… czasem i coś więcej…

Taka rekomendacja nie gwarantowała wysokiego poziomu artystycznego, ale była to zawsze jakaś rozrywka. Stephen odpoczął, zjadł obiad i wyszedł na główną ulicę miasteczka. Powietrze było ciężkie po skwarnym dniu, a odległy pomruk burzy zwiastował rychłą ulewę, która powinna odświeżyć atmosferę.

Stephen trafił bez trudu do przekształconej naprędce w salę teatralną stodoły, położonej na obrzeżach miasta. Większość mieszkańców Fletchfield spieszyła w tamtym kierunku. Kilka osób zerknęło ciekawie na nieznajomego, ale w zasadzie podekscytowani miłośnicy teatru nie zwracali uwagi na Stephena.

Przed stodołą, w której miano grać Szekspira, zebrało się już pięćdziesiąt czy sześćdziesiąt osób, a ryży człowieczek (rdzenny londyńczyk, sądząc z wymowy i słownictwa) sprzedawał bilety. Za szylinga otrzymywało się drewniany krążek z literą „F", który uprawniał do wejścia na salę, gdy drzwi zostaną otwarte. Ma się rozumieć, o takich luksusach jak boczne loże nikt tu nie słyszał.

Stephen stał w kolejce po bilety, gdy przyciągnęły jego uwagę dwie starsze panie, niewątpliwie siostry. Suknie miały wytarte i zniszczone, ale niezwykle schludne.

– Ach, cóż by to była za przyjemność obejrzeć ten spektakl! Ale nie możemy sobie pozwolić na taki wydatek. Dwa szylingi! – powiedziała niższa z dam.

Druga z sióstr, o bardzo miłej twarzy, odrzekła z wyraźnym żalem:

– Wiem, Fanny, wiem! Musi nam starczyć na chleb. Ale doskonale pamiętam, jak pięć lat temu, kiedy kury wyjątkowo dobrze się niosły, obejrzałyśmy *Romea i Julię*… Jakież to było piękne!…

– Jest jak jest i nie warto wzdychać do gwiazdki z nieba! – Fanny, grająca niewątpliwie pierwsze skrzypce w tym duecie, wzięła siostrę pod rękę i odciągnęła ją od pokusy. – Wracajmy do domu: napijemy się malinowej herbatki!

Przyszła właśnie kolej na Stephena. Pod wpływem nagłego impulsu wręczył sprzedającemu bilety trzy szylingi i otrzymał trzy drewniane żetony. Potem okrężną drogą, z przeciwnej strony, zbliżył się do dwóch starszych pań. Ukłonił się i zagadnął je grzecznie:

– Łaskawe panie wybaczą… Czy mogę prosić o wyświadczenie przysługi?

Fanny przyjrzała mu się podejrzliwie.

– Chodzi panu o wskazanie drogi?

Przecząco pokręcił głową.

– Miałem się spotkać tu z dwoma przyjaciółmi i obejrzeć wraz z nimi spektakl… ale właśnie dowiedziałem się, że coś im wypadło i nie zdołają przybyć. Czy nie zechciałyby panie wykorzystać ich biletów? – Wyciągnął rękę z dwoma krążkami.

Oczy wyższej z sióstr rozbłysły.

– Och, Fanny!

Siostra burknęła:

– Nie może ich pan zwrócić?

– Nie mam ochoty wykłócać się ze sprzedawcą biletów.

Fanny, rozważając w duchu ofertę nieznajomego, przeniosła wzrok z twarzy Stephena na pełną nadziei twarz siostry. W jej oczach błysnęło zrozumienie.

– Bardzo panu dziękuję. Jest pan wyjątkowo uprzejmy.

Wyciągnęła rękę po żetony. Sama może nie przyjęłaby darmowych biletów, ale nie miała serca odmówić siostrze takiej radości.

– To ja jestem wdzięczny paniom za wyjątkową uprzejmość.

Wręczył drewniane krążki, skłonił się i odszedł. Zrobiło mu się ciepło na sercu. Co roku wspierał tysiącami funtów miejscową parafię i wszelkiego rodzaju akcje dobroczynne, od wspomagania wdów po żołnierzach po budowę szkół dla dzieci robotników, ale była to bezosobowa filantropia: nawet czeków nie wypełniał sam. Dzisiejszy incydent – uszczęśliwienie dwóch starszych pań kosztem dwóch szylingów z własnej kieszeni – sprawił Stephenowi więcej satysfakcji niż którakolwiek z poprzednich szczodrych dotacji. Może warto przekonać się na własne oczy, jak użyteczne są jego datki?

Stephen spochmurniał, gdy uprzytomnił sobie, iż nie zostało mu wiele czasu na zmianę przyzwyczajeń. Miał jednak jeszcze przed sobą kilka miesięcy. Postanowił poświęcić trochę tego czasu na upewnienie się, że jego dotacje służą szczytnym celom i są w pełni wykorzystywane. Kto wie, może nawet odwiedzi kilka wdów i którąś ze szkół? Nie po to, by słuchać podziękowań z powodu czegoś, co było jego obowiązkiem, lecz by zapoznać się lepiej z tymi ludźmi, którym udzielił wsparcia.

Drzwi stodoły, mocno popchnięte od wewnątrz przez dziesięcioletniego chłopca, rozwarły się na oścież.

– Wchodźcie, wchodźcie, panie i panowie! – zawołał sprzedawca biletów. – Tylko patrzeć, jak zacznie się *Burza*!

W tym momencie nadciągająca nawałnica wsparła go iście teatralnym efektem: w dali zahuczał grom. Powitano go ogólnym śmiechem i tłum ruszył do wnętrza. Przy wejściu każdy oddawał drewniany krążek, otrzymując w zamian afisz z obsadą dzisiejszego spektaklu. Powietrze w sali teatralnej było, co tu ukrywać, pełne zapachu, świadczącego niezbicie o tym, że zazwyczaj przebywały tu krowy. Toporne drewniane ławy ustawiono w rzędach na wprost sceny, czyli odgrodzonej od widowni tylnej części pomieszczenia. Światło wpadało przez wąskie, pozbawione szyb okna. Oświetlenie sceny stanowił rząd wyposażonych w lusterka lamp, które, stojąc na ziemi, odgradzały widownię od aktorów.

Stodoła zapełniła się szybko; dwóm niemłodym siostrom udało się zasiąść w pierwszym rzędzie. Ponieważ nie starczyło dla wszystkich miejsca na ławach, Stephen stanął pod ścianą. Nie tylko miał tu miły przewiew, ale mógł ulotnić się dyskretnie, gdyby spektakl okazał się szmirą niewartą oglądania.

Stopniowo wszyscy widzowie zajęli takie czy inne miejsca; nastrój radosnego podniecenia i oczekiwania udzielił się Stephenowi. Teatr – nawet w takich skromnych warunkach – roztaczał swój niepojęty czar. I choć książę miał własną lożę w każdym z liczących się londyńskich teatrów, od lat nie czekał z takim napięciem na początek przedstawienia. Oby tylko aktorzy okazali się w miarę znośni!

Metaliczny odgłos teatralnego grzmotu rozbrzmiał echem w całej stodole, wywołując piski bardziej nerwowych kobiet. Potem, w świetle imponujących sztucznych błyskawic, które rozświetlały mroczne kąty, zza lewej kulisy wyszli, zataczając się jak podczas sztormu, kapitan i bosman. Gromkimi głosami przeklinali burzę, wyrażając obawę, że statek pójdzie na dno.

Do załogi okrętu wkrótce przyłączyli się pasażerowie, lamentując nad swym losem w obliczu nieuchronnej – jak sądzili – zagłady. Gdy znikli ze sceny, nastąpiła chwila ciszy, po czym zza prawej kulisy, zasłoniętej przemyślnie udrapowaną kotarą, wyłonił się czarnoksiężnik Prospero i jego śliczna, młodziutka córka Miranda. Oboje byli ciemnowłosi, niebieskoocy i mieli podobne rysy. Bez wątpienia łączyło ich bliskie pokrewieństwo! Stephen zerknął na afisz: Thomas i Jessica Fitzgerald.

Aktor grający rolę Prospera okazał się tak wielką indywidualnością, że dopiero po dłuższej chwili Stephen zwrócił baczniejszą uwagę na Mirandę. Spojrzał raz, potem drugi… Prawdziwa piękność! Publiczność powitała ją oklaskami, a co gorętsi wielbiciele gwizdami wyrażali najwyższe uznanie. Miranda rzuciła im figlarny uśmiech i nie odzywała się, póki nie zapadła kompletna cisza. Upewniwszy się, że skupia na sobie uwagę całej widowni, przemówiła czystym, dźwięcznym jak kryształ głosem, który słychać było wyraźnie w całej stodole.

Znów zabrał głos Prospero. Okazało się, że jest w rzeczywistości księciem Mediolanu, a Miranda księżniczką. Stephen, który dotąd opierał się od niechcenia o ścianę, wyprostował się, wyraźnie zaintrygowany. Fitzgerald i jego córka byli wspaniałymi aktorami! Ich styl gry, pełen swobody i naturalności, doskonale harmonizował z prostotą i intymnością pomieszczenia przekształconego na ten jeden wieczór w salę teatralną. Stephen przysiągłby, że nigdy jeszcze nie widział tej sceny zagranej z równym mistrzostwem!

Jako następny pojawił się na scenie duch Ariel, witany kolejnymi brawami i gwizdami widzów. Rolę tę grała aktorka w wieku dojrzałym, o posągowych kształtach – Maria Fitzgerald. Ani chybi żona Prospera i mamusia Mirandy w życiu prywatnym. Ona również doskonale wiedziała, jak grać, i wykorzystała swój aksamitny głos, by przydać wiarygodności roli zwiewnego ducha, który służy wiernie czarnoksiężnikowi, lecz marzy o swobodzie.

Stephen skrzyżował ramiona na piersi i oparł się znów o ścianę. Całkowicie poddał się urzekającej iluzji. Natura wspomagała spektakl efektami akustycznymi towarzyszącymi prawdziwej burzy; huk piorunów i bębnienie deszczu dodawały mocy wypowiadanym przez aktorów kwestiom. Widzom stłoczonym w mrocznym wnętrzu stodoły nietrudno było uwierzyć, że przenieśli się na odległą wyspę, pełną mgieł i czarów.

Choć pozostali członkowie obsady nie dorównywali talentem trójce Fitzgeraldów, wszyscy grali całkiem nieźle. Wiele śmiechu wywołało pojawienie się potwora Kalibana w kosmatym, przypominającym małpę przebraniu; nie sposób było ocenić, w jakim wieku jest grający tę rolę aktor ani jak naprawdę wygląda. Potwór beztrosko hasał po scenie ku wielkiej uciesze widzów. Przystojny młody człowiek, który grał rolę Ferdynanda zakochanego w Mirandzie, nie był zbyt dobrym aktorem, ale jego uroda wywoływała westchnienia zachwytu u żeńskiej części widowni.

Akcja *Burzy* nie jest najmocniejszą stroną tej szekspirowskiej komedii. Stephen jednak miał szczególną słabość do tej sztuki; fascynowała go zwłaszcza scena pojednania. Prospero wybaczył wielkodusznie swojemu bratu, który przed dwunastoma laty próbował go zgładzić. Na świecie zbyt rzadko ktoś komuś wybacza. Stephen zadał sobie wiele trudu, by pojednać się z własnym bratem. Po latach obopólnych uraz i nieporozumień byli znów z Michaelem prawdziwymi braćmi.

Kiedy zakochana para połączyła się wreszcie, rozradowany Ariel doczekał się wolności w nagrodę za wierną służbę u czarnoksiężnika, a Prospero zatopił swą magiczną księgę, Stephen odkrył, że czuje się znakomicie – po raz pierwszy od bardzo dawna. Trupa teatralna Fitzgeralda okazała się prawdziwym klejnotem. Książę z zapałem przyłączył się do gorących braw, które zagrzmiały po wygłoszeniu przez Prospera epilogu sztuki.

Aktorzy wyłaniali się jeden po drugim zza kulis, by pożegnać widzów ukłonem. Maria Fitzgerald nie była już psotnym duszkiem, ale pełną godności królową sceny, a jej córka Jessica okazała się uroczą kokietką.

Potem na scenę wkroczył Kaliban i ściągnął z głowy maskę. Ukazały się włosy i sympatyczna twarz młodej, atrakcyjnej kobiety. Wprawdzie nie była tak piękna jak Jessica Fitzgerald, ale w roześmianej twarzy „pani Kaliban" było coś niesłychanie pociągającego – przynajmniej dla Stephena. Pomyślał, że chętnie zawarłby z nią bliższą znajomość.

Spojrzała w jego kierunku i wówczas przekonał się, że ma ciemnobrązowe oczy. Cóż za niezwykłe połączenie: jasne włosy i prawie czarne oczy! Była starsza od Jessiki – dwadzieścia pięć lat, może trochę więcej. Nie młodziutka dziewczyna, lecz dojrzała kobieta.

Zerknął znów na afisz teatralny i dowiedział się, że w roli Kalibana wystąpiła pani Rosalinda Jordan. Żadnego pana Jordana nie było w obsadzie. Stephen spojrzał znów na scenę; aktorzy właśnie z niej zeszli. Na chwilę popuścił wodze fantazji: wyobraził sobie, że jest w Londynie i nic mu nie dolega. Z pewnością udałyby się za kulisy, by spotkać się z tą płowowłosą, roześmianą kobietą. Przekonać się, czy jest z bliska równie pociągająca jak na scenie… i jaka figura kryje się pod bezkształtnym kostiumem Kalibana.

Tylko że znajdowali się nie w Londynie, lecz w Fletchfield. A jemu bardzo wiele brakowało do dobrego zdrowia. Szkoda… Szczęśliwej drogi, pani Kaliban!

Na zakończenie aktorzy mieli jeszcze odegrać jakąś jednoaktówkę. Stephen jednak doszedł do wniosku, że ma już dość duchoty i „krowich perfum" w przekształconej na salę teatralną stodole. Przecisnął się w miarę dyskretnie do drzwi i wyszedł na zewnątrz. Burza minęła, ale w dalszym ciągu padał lekki deszcz i wiał chłodny, orzeźwiający wiatr. Sierpniowe dni są bardzo długie i noc jeszcze nie zapadła. Mglisty zmierzch, zacierając kontury, przemienił Fletchfield w baśniową krainę.

Stephen szedł bez pośpiechu główną ulicą, całkiem wyludnioną. Rozkoszował się aromatem wilgotnej ziemi i zlanych deszczem roślin, zapachem polnych kwiatów i smakowitą wonią świeżo upieczonego chleba. Czuł deszcz na twarzy i sprawiało mu to przyjemność; ile uroku dodają pejzażowi te maleńkie, przejrzyste kropelki. Nauczył się ostatnio doceniać wiele rzeczy, które dawniej mijał obojętnie. Jedynym pozytywnym efektem druzgoczącego werdyktu Blackmera było to, że życie Stephena – o dziwo! – stało się pełniejsze, bardziej świadome.

Dzięki wrażeniu, jakie zrobiła na nim Rosalinda Jordan, Stephen zrozumiał, że choć umiera, nie jest jeszcze nieboszczykiem. Jak zatem powinien zachować się w podobnych okolicznościach? Nie tak dawno zamierzał ożenić się powtórnie… ale było to, zanim Blackmer wydał nań wyrok śmierci. Co prawda i teraz znaleźliby się tacy, którzy namawialiby go do ożenku, by mógł spłodzić syna i spadkobiercę. Jego brat Michael byłby zachwycony takim obrotem rzeczy!

Jednakże w poprzednim związku, mimo że nie uchylał się od obowiązków małżeńskich, nie doczekał się potomstwa. I wcale nie był przekonany, że winę za to ponosiła Louisa. Równie prawdopodobne było to, że on sam nie jest zdolny do powołania nowego życia. A może ze związku wypranego z wszelkich uczuć nie mogło powstać coś tak witalnego jak żywe niemowlę?

Na samą myśl o zawarciu kolejnego małżeństwa z rozsądku, wyłącznie dla zapewnienia ciągłości rodu, usta Stephena zacisnęły się w wąską linię. Już raz ożenił się z tych względów i prędzej szlag go trafi, niż on zrobi podobne głupstwo po raz drugi! Nie będzie szukał żony!

A co z nawiązaniem romansu? W Londynie nie zabraknie pięknych kobiet, które znakomicie odegrają wielką komedię namiętności dla kogoś, kto im za to sowicie zapłaci.

Tylko czy naprawdę tego pragnie? Najboleśniej odczuwał swą samotność, leżąc w łóżku żony, kiedy ich ciała łączyły się, a on na próżno czekał na jakiś – choćby najsłabszy – emocjonalny odzew ze strony Louisy. Kupiona za ciężkie pieniądze imitacja miłości mogła okazać się równie przygnębiająca, zwłaszcza że miał na głowie tyle problemów ważniejszych niż porywy namiętności.

Nie, nie! Jeśli ma umrzeć, to umrze tak samo jak żył – samotnie. Wielu mężczyzn… i kobiet zresztą też, zdołało umrzeć z godnością. Jego również na to stać!

Padał coraz gęściejszy deszcz. Stephen zwrócił twarz ku niebu i przymknął oczy; czuł chłodne strużki na czole i policzkach, a w myśli powtarzał dobrze znane wersy ze sztuki, którą dopiero co oglądał: „Ojca tulą morskie fale, z kości jego są korale…"* A może lepiej by pasowały słowa nabożeństwa żałobnego: „Z prochu powstałeś, w proch się obrócisz"?

No, cóż… Nawet książę Ashburton musi obrócić się w proch.

Z posępnym wyrazem twarzy oderwał wzrok od nieba i kontynuował swój samotny spacer w deszczu.

---

* William Szekspir *Komedie*, tom 1, *Burza*, akt I, scena 2, przeł. Leon Ulrich, PIW, Warszawa 1980.

3

Thomas Fitzgerald z posępną miną spoglądał na padający nieustannie deszcz z okna saloniku zarezerwowanego dla stałych gości.

– Granie *Burzy* podczas prawdziwej burzy było ciekawym eksperymentem, ale ta ulewa ze szczętem rozmyła nam drogi!

Rosalinda podniosła wzrok znad kostiumu, który właśnie naprawiała.

– Deszcz niebawem ustanie, a do Redminster mamy niecałe dziesięć kilometrów.

– Zmitrężymy cały dzień, zanim tam dobrniemy – odparł ponuro Thomas.

Maria nachyliła się przez stół nakryty do śniadania i dolała mężowi herbaty.

– Czyżbyś miał jakieś inne plany na ten dżdżysty dzień, mój panie i władco?

Thomas uśmiechnął się uwodzicielsko do żony.

– Moglibyśmy zatrzymać się dłużej w tej zacisznej gospodzie. Przypomniałbym ci, czym najlepiej zająć się w taką pluchę, zamiast marnowania czasu i siły na wyciąganie wozów z błocka!

Maria zatrzepotała długimi czarnymi rzęsami i zrobiła natychmiast skromną minkę.

– Młodym jakoś nie spieszno do śniadania, więc starczy nam chyba czasu na niewielką repetycję…

– Zachowujcie się przyzwoicie! – fuknęła Rosalinda, podkarmiając chyłkiem leżącego pod stołem charta o imieniu Aloysius. – Właśnie za względu na pogodę musimy wyruszyć jak najprędzej. I jeśli masz zamiar taplać się w błocie, papo, przebierz się w najgorsze ubranie!

– Ani źdźbła romantyzmu! – obruszył się ojciec.

– Na szczęście! – odpaliła Rosalinda.

W tym momencie do pokoju wpłynęła z gracją Jessica.

– Czyżbym trafiła na pokaz małżeńskich zalecanek w wykonaniu czcigodnych rodziców?

– Nie mylisz się, niestety. – Rosalinda odcięła nitkę i schowała przybory do szycia. – Z kim mamy dziś rano przyjemność? Z Julią Capuletti?

Jessica osunęła się na krzesło i przybrała teatralną pozę.

– Istotnie. Zamierzam w najbliższym czasie umrzeć z miłości. Zauważyłaś wczoraj na sali tego fantastycznego dżentelmena? Stał pod ścianą. Ta postawa! Ta prezencja! Ten szyk! To z pewnością arystokrata. Już się cieszę na płomienny romans!

– Ani się waż! – ostrzegła ją surowo matka. – Nie jesteś aż tak dorosła, bym ci nie mogła dać w skórę.

Jessica dokonała drobnych zmian w scenariuszu i kontynuowała:

– Jego lordowska mość rozkocha się we mnie do szaleństwa, lecz ja odrzucę ze wzgardą jego awanse. Trawiony miłością oświadczy mi się, nie zważając na mój niski stan. Odpowiem mu wszakże, iż nigdy nie porzucę sceny dla jałowej egzystencji wielkoświatowej damy. Moja odmowa złamie lordowi serce. Uschnie i umrze jako ofiara nieodwzajemnionej namiętności.

Rosalinda również zwróciła uwagę na tego widza. Każda kobieta by go dostrzegła – był postawny, pewny siebie, przystojny. Miło pomarzyć o kimś takim! Tego ranka nie było jednak czasu na marzenia.

– Wygląda raczej na wziętego prawnika niż para Anglii – odparła. – A może to kupiec zbożowy, który dorobił się majątku. Weź od razu jajko na miękko, nim się zjawi Brian i pożre wszystko, co nie zostało przybite hufnalami do stołu!

Siostra roześmiała się i wstała z krzesła. Jej afektowana poza znikła bez śladu, gdy nakładała sobie na talerz potężną porcję.

– Założę się, że Julia nie musiała uwijać się z jedzeniem w obawie, że młodszy brat spałaszuje wszystko!

– Z pewnością by się uwijała, gdyby Brian był synkiem państwa Capulettich! – Rosalinda starannie złożyła naprawioną część garderoby i schowała ją do skrzyni z kostiumami teatralnymi. – O wilku mowa…

Dał się słyszeć głośny tupot. Ktoś zbiegał na łeb na szyję ze schodów. Potem rozległ się straszliwy łoskot. Rosalinda zmarszczyła brwi. Wyprostowała się i w tejże chwili do pokoju wszedł jej mały braciszek. Na pierwszy rzut oka można było rozpoznać w nim członka rodziny Fitzgeraldów: miał jak oni ciemne włosy i błyszczące, niebieskie oczy. Z pobladłą buzią trzymał się za rękę.

– Spadłem ze schodów i chyba złamałem sobie nadgarstek – poskarżył się.

W rodzinie Fitzgeraldów nie było wyraźnej różnicy między wydarzeniami realnymi a fikcyjnymi. Tym razem jednak chłopiec wrzasnął z autentycznego bólu, gdy Rosalinda dokładnie obmacywała jego prawy przegub.

– Nic poważnego, lekkie skręcenie – orzekła, dokonawszy oględzin. – Mocno ci obandażuję nadgarstek i za kilka dni wszystko będzie w porządku. A następnym razem nie leć jak wariat po schodach.

– Chyba z chorą ręką nie będę rozwiązywał zadań – powiedział Brian z nadzieją w głosie.

– Właśnie że będziesz – odparł surowo ojciec. – Do matematyki potrzebna jest przede wszystkim głowa, nie ręka!

– Mylisz się, papo: Brian umie liczyć tylko na palcach! – odezwała się Jessica prowokacyjnym tonem.

– Nieprawda! – oburzył się braciszek. – To ty nie mogłaś ani rusz wbić sobie do głowy algebry!

Lewą ręką całkiem zręcznie zgarnął pozostałe jajka z półmiska na swój talerz. Aloysius obserwował te poczynania z żywym zainteresowaniem.

Jessica wojowniczo pokręciła główką. Uczyniła to po mistrzowsku.

– Królowa sceny nie musi znać algebry. Całkiem mi wystarczy, że raz rzucę okiem na salę i wiem z grubsza, ile mamy w kasie!

Rosalinda pokręciła głową.

– Idę po apteczkę. Może przez ten czas przestaniecie się kłócić!

Skierowała się ku drzwiom.

Ponieważ Brian cierpiał na charakterystyczną dla dziesięciolatków skłonność do autodestrukcji, Rosalinda, pakując rzeczy, zawsze kładła apteczkę na wierzchu, by mieć ją pod ręką w razie potrzeby. Zanim jednak wyszła z pokoju, zatrzymała się i obdarzyła spojrzeniem każdego ze swoich najbliższych.

Serce jej wezbrało miłością. Po raz kolejny dziękowała opatrzności, że skłoniła Thomasa i Marię do spaceru po obskurnej nadbrzeżnej uliczce i podszepnęła, by wielkodusznie zaopiekowali się małą znajdą. Rosalinda zachowała bardzo nieliczne, niepowiązane ze sobą, koszmarne wspomnienia z dni, gdy tułała się po ulicach Londynu. Za to pamiętała bardzo wyraźnie każdy szczegół spotkania z Fitzgeraldami. Choćby miała dożyć setki, nie zapomni do końca życia pełnych dobroci oczu Marii.

Dostrzegła już u rodziców pierwsze oznaki zbliżającej się starości i ją to zabolało. Oboje byli nadal bardzo przystojni, ale niewiele im brakowało do pięćdziesiątki; w ich ciemnych włosach pojawiły się srebrne nitki. Życie nie rozpieszczało wędrownych aktorów! Jak długo jeszcze rodzice będą w stanie znieść wieczną tułaczkę? I co się stanie, gdy ciągłe zarywanie nocy i ustawiczny pośpiech okażą się ponad ich siły? Teraz można byłoby określić ich jako „dość zamożnych", ale nie potrafili zgromadzić oszczędności. Gaże dla członków trupy, kostiumy, dekoracje, transport – wszystko to pochłaniało mnóstwo pieniędzy.

Thomas nie martwił się tym; wierzył, że Pan Bóg zatroszczy się o nich. Jednak Rosalinda nie podzielała jego niezłomnej wiary, że Bóg zainteresuje się kłopotami finansowymi Fitzgeraldów.

Wyszła z pokoju, bezszelestnie zamykając za sobą drzwi. Możliwe, że Jessica spróbuje swych sił na londyńskiej scenie i odniesie taki sukces, że będzie mogła wspierać materialnie starych rodziców. Albo Brian… Chłopiec wykazywał już niewątpliwy talent dramatyczny. Na nich dwojgu opierały się nadzieje całej rodziny. Niestety zdolności przybranej córki były mierne. Mówiąc zaś bez ogródek – żadne.

Rosalinda z westchnieniem udała się na górę do niewielkiego pokoiku, który zajmowały razem z siostrą. Coś jej mówiło, że szykują się istotne zmiany. Czuła to po prostu w kościach! Wiedziała od dawna, że ich rodzina nie będzie wiecznie trzymać się razem. Jessica mogła stroić żarty i udawać zakochaną to w tym, to w owym przystojnym widzu… ale te fantazje były najlepszym dowodem, że dojrzała do prawdziwej miłości. Pewnego dnia – zapewne niedługo – znajdzie sobie męża i opuści trupę.

Rosalinda miała nadzieję, że wychodząc za mąż, jej piękna młodsza siostrzyczka będzie miała więcej szczęścia i rozsądku niż ona przed kilku laty.

Jeszcze tylko osiemdziesiąt dwa dni…

Zanim Stephen zjadł bez pośpiechu śniadanie, deszcz przestał padać. Postanowił więc wyruszyć w drogę powrotną do Ashurton Abbey. Nocny atak gwałtownych bólów brzucha uświadomił mu, że najwyższy czas skończyć tę podjętą dla kaprysu eskapadę i wrócić do roli oraz obowiązków księcia. Zostało jeszcze wiele do zrobienia, zarówno w Ashburton, jak i w Londynie.

Opuściwszy Fletchfield, przejechał po łukowatym kamiennym moście na drugi brzeg rzeki. Biegła ona, z grubsza rzecz biorąc, równolegle do drogi, która poprzedniego dnia przywiodła go do miasteczka. Rzeka wydała mu się wówczas spokojna i malownicza. Tego jednak ranka, po całonocnym ulewnym deszczu, wody wezbrały niesłychanie i niepozorna rzeczka zmieniła się w rwący potok. Ponieważ Stephen postanowił wracać tą samą drogą na południe, usiłował sobie przypomnieć, czy gdzieś w pobliżu przekraczał bród. Nie, rzeka i droga nigdzie się nie przecinały. Całe szczęście, gdyż przy tak wysokiej wodzie przeprawa przez bród byłaby wielce ryzykowna.

Zbliżało się już południe, gdy słońce wyłoniło się zza chmur. Stephen zatrzymał się na szczycie najwyższego w okolicy wzgórza, by podziwiać roztaczający się stamtąd widok. Postąpił tak zgodnie z powziętym postanowieniem, że bez względu na to, ile dni jeszcze mu pozostało i jak bardzo będzie zajęty, nigdy nie pożałuje czasu na podziwianie widoku lub powąchanie kwiatu. Dostrzegał teraz piękno w rzeczach, koło których dawniej przechodził obojętnie, i znajdował w tym gorzką przyjemność.

Widok ze wzgórza był rzeczywiście godny podziwu. Przed oczyma Stephena rozciągały się całe akry żyznej angielskiej ziemi – różnobarwna szachownica pól rozdzielonych kwitnącymi żywopłotami, tu i ówdzie zagajnik... Po prawej stronie wezbrana rzeka toczyła groźne fale przez zielone łąki. Koryto wydawało się zbyt ciasne, a nurt jeszcze bardziej rwący niż poniżej, koło Fletchfield.

Wzrok Stephena powędrował ku biegnącej pod nim drodze. Jakieś pół kilometra przed nim powóz i cztery wyładowane furmanki musiały się zatrzymać na poboczu, gdyż ostatnia fura ugrzęzła w błocku. Na oczach Stephena dwóch mężczyzn wyprzęgło konie ze środkowego wozu; zapewne chcieli ich użyć do wyciągnięcia furmanki z błota.

Krzątające się przy wozach postacie wydały się Stephenowi dziwnie znajome. Przyjrzał się im uważniej i uświadomił sobie, że są to członkowie trupy teatralnej Fitzgeralda. Widać zespół ruszył w drogę wczesnym rankiem. Dyrektor trupy osobiście komenderował akcją ratunkową. Mały chłopiec odłączył się od grupy i skierował w stronę rzeki. Kobiety przechadzały się po poboczu drogi; towarzyszył im chudy pies.

Tylko jedna dama pozostała na miejscu. Stephen uśmiechnął się na widok odkrytej płowej główki Rosalindy Jordan. Tym razem także trudno było ocenić jej kształty, gdyż okutała się wielkim szalem. Nic dziwnego: wydobycie fury z błota z pewnością długo potrwa. Stephen uznał, że zdąży zrównać się z nimi, zaoferować swoją pomoc i przyjrzeć się z bliska pani Kaliban. Cmoknął na Jowisza, swego wierzchowca, i ruszył truchtem w dół po zboczu. Wjechał na drogę w miejscu oddalonym zaledwie o dziesięć jardów od wezbranej rzeki. Zwrócił uwagę na jej szybki nurt i nagle zmarszczył czoło. Ciemnowłosy chłopiec należący do trupy wspinał się na pochyłą wierzbę, której gałęzie zwisały nad rozszalałymi falami. Rodzice powinni bardziej uważać na dzieciaka! Choć, prawdę mówiąc, kto takiego smarkacza upilnuje?...

Ledwie odwrócił oczy od rzeki, gdy rozległ się głośny trzask i krzyk strachu. Spojrzał w tamtym kierunku i dostrzegł, że gałąź, do której przy-

34

lgnął chłopiec, jest nadłamana i powoli odrywa się coraz bardziej od pnia… W końcu odpadła całkowicie, a wczepione w nią dziecko runęło w rozhukane fale.

Wśród ludzi zebranych wokół wozów podniósł się krzyk trwogi. Stephen, który natychmiast popędził konia ku rzece, dostrzegł kątem oka, że pobiegli na pomoc dziecku.

Nie było jednak mowy o tym, by zdążyli na czas. Rwący prąd unosił chłopca w kierunku Stephena, który ponaglił konia do jeszcze szybszego biegu. Mała ciemna główka znikła w mętnej, brunatnej toni. Chłopiec albo nie umiał pływać, albo nie miał siły walczyć z rwącym prądem wezbranej rzeki.

Stephen dotarł nad brzeg i zeskoczył z konia. Próbował uporządkować rozszalałe myśli. On jeden znajdował się na tyle blisko, że miał pewne szanse ocalenia dziecka. Tylko jak to uczynić?! Na tym odcinku rzeka płynęła wśród pól, więc nigdzie w pobliżu nie było ułamanej gałęzi, którą można by podsunąć chłopcu, żeby się jej uchwycił. Jowisz był wspaniałym koniem, ale woda zawsze budziła w nim lęk. Wątpliwe, by dał się skłonić do wejścia w nurt rzeki… a jeśli nawet, trwałoby to zbyt długo. Nie było czasu do namysłu.

Stephen zrzucił surdut. Spojrzał na rwącą rzekę i zamarł. Prąd był tak wartki, że mógł zbić z nóg nawet doskonałego pływaka. Stephen nie był bohaterem. Gdyby skoczył na ratunek chłopcu, prawdopodobnie utonąłby również. Nie spotkałaby go taka śmierć, z jaką się już pogodził – lepsza czy gorsza, ale w każdym razie nie natychmiastowa. Zginąłby od razu, w biały dzień, na oczach obcych ludzi.

Nie był jeszcze gotów umrzeć. Zmartwiały ze strachu, wpatrywał się w groźny żywioł, nie mogąc zmusić się do działania.

Nagle rozszalałe fale podrzuciły swą ofiarę do góry i głowa chłopca ukazała się nad powierzchnią wody. Stephen na ułamek sekundy napotkał wzrok tonącego, ujrzał w nim strach i rozpacz. Wystarczyło tego, by otrząsnął się z odrętwienia. W dwóch susach znalazł się na samym brzegu rzeki i dał nurka w jej wzburzone fale. Błotnista woda była lodowato zimna mimo ciepłego letniego dnia. Stephen zamrugał powiekami, pod które dostało się nieco szlamu, i popłynął pod prąd. Fale atakowały go zażarcie, gdy z trudem przedzierał się przez nie, dążąc na sam środek rzeki. Mimo wszelkich przeszkód posuwał się naprzód. Jeszcze tylko kilka ruchów ramion i nóg i zagrodzi drogę chłopcu unoszonemu przez fale.

Gdy był już bardzo blisko, chłopczyk znów zniknął pod wodą. Stephen zanurkował i sięgnął ręką najdalej jak mógł. Chwycił dziecko za nadgarstek, pociągnął ku sobie. Przez cały czas pracował energicznie nogami, chcąc wydostać się czym prędzej na powierzchnię.

Gdy ich głowy wynurzyły się z wody, chłopiec rozpaczliwie chwytał ustami powietrze. Zachowywał się nad wyraz rozsądnie, usiłując pomóc swemu wybawcy, a przynajmniej mu nie przeszkadzać. Nie wyrywał się, nie czepiał się go, jak to czyni wielu tonących. Stephen skierował się ku brzegowi.

Mając do dyspozycji tylko jedną rękę, z trudem płynął pod rwący prąd. W pewnej chwili omal nie puścił chłopca. Unosząca się na wzburzonej wodzie gruba gałąź uderzyła Stephena w szyję. Zakrztusił się i zniknął pod powierzchnią. Gdy ponownie wynurzył się wraz z dzieckiem, był kompletnie wyczerpany. Na szczęście do brzegu pozostało zaledwie kilka metrów. Płynął uparcie w tamtą stronę, aż nagle usłyszał krzyk. Ktoś ostrzegał go o niebezpieczeństwie.

Ale było już za późno. Stephen poczuł straszliwe uderzenie w głowę i stracił przytomność.

4

Sapiąc z wysiłku, Rosalinda wraz z innymi biegła przez pola nad rzekę, do której wpadł Brian. Pędziła, choć wiedziała, że nie zdążą na czas. Jeśli nie zdarzy się cud, jej mały braciszek utonie na ich oczach. Modliła się w duchu: Proszę Cię, Boże! Błagam, dobry Boże! Zaklinam Cię, nie pozwól mu umrzeć…

I nagle ujrzała jeźdźca, który zjechał z drogi i pogalopował w stronę płynącej w dole rzeki. Dotarłszy na sam brzeg, zeskoczył z konia i zrzucił surdut. Zbadał uważnie wzrokiem toń i dał nurka. Prął fale, śpiesząc Brianowi na ratunek.

Biegnący u boku Rosalindy Calvin Ames, woźnica, bileter i złota rączka, zaklął siarczyście, kiedy Brian i nieznajomy znikli pod wodą.

– Przeklęty dureń! Już po nich!

– Nie! – zaprotestował z rozpaczą Thomas Fitzgerald. Oddech mu się rwał, twarz spurpurowiała, ale nie zwolnił biegu. – Zdążymy na czas! Musimy zdążyć!

Nieznajomy wynurzył się na powierzchnię. Jednym ramieniem obejmował mocno Briana.

– Spójrzcie! – krzyknęła Rosalinda, wznosząc w duchu żarliwe modły dziękczynne, gdy wybawca z trudem płynął do brzegu. Czy jednak mimo swej siły zdoła tam dotrzeć, posługując się tylko jedną ręką?

Nagle przeszył ją znowu strach. Unoszący się na falach pień drzewa zmierzał wprost na Briana i jego wybawcę. Głęboko zanurzony i ledwo widoczny sunął ku nim z szybkością rozpędzonego powozu. Rosalinda krzyknęła, chcąc ostrzec nieznajomego. Za późno!

Pień staranował ich. Obie ciemne głowy znikły pod wodą.

Minęła minuta dłużąca się jak wieczność. A potem Rosalinda dostrzegła, że nieznajomy znów wynurza się z wody, nadal obejmując mocno Briana. Na sam koniec dopisało im szczęście: unoszeni prądem, znaleźli się na zadrzewionym terenie. Mężczyzna płynął z dzieckiem wprost na wierzbę, rosnącą nad samą wodą. Uchwycił się kurczowo gałęzi jedną ręką (drugą nadal obejmował Briana) i zastygł w bezruchu. Nie próbował nawet wyjść na brzeg; był widocznie wyczerpany do cna, niezdolny do najmniejszego wysiłku.

Chwilę potem członkowie trupy dotarli do dziwnie chybotliwej wierzby. Rosalinda spostrzegła z przerażeniem, że wezbrana woda podmyła korzenie. Wyciągnięcie mężczyzny i chłopca na brzeg będzie bardzo ryzykowne.

Oceniwszy sytuację jednym spojrzeniem, Calvin Ames rzucił lakonicznie:

– Ja pójdę. Jestem najlżejszy.

Gruba gałąź sterczała w odległości jakichś parunastu cali od powierzchni wzburzonej rzeki, dotykając niemal obu nieruchomych postaci. Calvin wdrapał się na drzewo i ostrożnie – cal po calu – pełzł po gałęzi, która trzeszczała złowieszczo pod jego ciężarem. Wąskie wierzbowe listki drżały. Gdy znalazł się w zasięgu ręki chłopca, zawołał do niego:

– Hej, Brian! Chwyć mnie za grabę, dobra?

Dzieciak uniósł lekko głowę. Oczy miał szkliste, ale dotarły do niego słowa Calvina. Pochwycił mocno wyciągniętą ku niemu rękę i wyśliznął się z uścisku nieznajomego. Calvin doholował go bezpiecznie do brzegu.

Z twarzą zalaną łzami, Thomas wyciągnął synka z wody i uścisnął z całej siły.

– Niech cię wszyscy diabli, smarkaczu! Jak jeszcze raz wytniesz nam taki idiotyczny numer, utopię cię własnymi rękami!

Roztrzęsiony dzieciak wtulił się w ojcowskie ramiona.

Dziękując Bogu za ocalenie brata, Rosalinda skoncentrowała uwagę na jego wybawcę. Calvin zawołał:

– Panie szanowny! Może pomóc?

Nie było odpowiedzi. Nieznajomy nadal trzymał się kurczowo gałęzi; jego ciało kołysało się na falach bez oznak życia. Rosalinda zmarszczyła brwi.

– Chyba cię nie słyszy. Jest ogłuszony po uderzeniu.

Zdjęła długą szarfę, którą była opasana, i podała Calvinowi, mówiąc:

– Obwiąż go tym w pasie, żeby woda go nie uniosła!

Calvin skinął głową i po raz drugi podpełzł po gałęzi. Jednym końcem szarfy opasał nieprzytomnego śmiałka, drugi owinął sobie wokół ręki. Zabezpieczywszy się w ten sposób, zawołał:

– Hej, Jeremiahu! Pomóż mi wyciągnąć tego wielkoluda!

Jeremiah Jones kiwnął głową. Był to mocno zbudowany, znany z zimnej krwi aktor charakterystyczny i stajenny w jednej osobie. Ostrożnie zaczął posuwać się po gałęzi. Drzewo trzeszczało i chyliło się coraz bardziej ku wodzie, na szczęście utrzymało jednak podwójny ciężar. Wspólnymi siłami obaj mężczyźni rozwarli zaciśnięte wokół gałęzi palce nieznajomego, a następnie doholowali go do brzegu. Ale dopiero z pomocą dwóch innych mężczyzn zdołali wyciągnąć z wody i położyć na ziemi na wznak.

Rosalinda przyklękła obok nieznajomego, by zbadać jego obrażenia. W tym samym czasie dotarła reszta kobiet; Aloysius sadził wielkimi susami obok nich. Pies i matka omal nie zadusili roztrzęsionego chłopca. Maria jednym tchem składała dzięki Bogu i sztorcowała syna.

Rosalinda całą uwagę skupiła na nieprzytomnym mężczyźnie. Przekazawszy Briana w matczyne objęcia, Thomas podszedł do nieznajomego i przyjrzał mu się z niepokojem.

– Chyba nasz chwat nie utopił się, Różyczko?

– Serce mu bije i oddycha normalnie. Ale ten pniak strasznie mocno uderzył go w głowę.

Rosalinda przeczesywała palcami jedwabiste, mokre włosy nieznajomego. Jak wyschną, pewnie będą kasztanowate. O! Zarobił potężnego guza!

Obejrzawszy dokładnie obrażenia, zawyrokowała:

– Moim zdaniem to nic groźnego, ale powinniśmy zawieźć go do lekarza. Najbliżej nam będzie do Redminster. Ułożymy go wygodnie na jednym z wozów i zawieziemy do miasta, a wy tymczasem wyciągniecie tę furmankę z błota. Czy nie warto, żeby i Brian pojechał z nami do doktora?

– Nic mi nie jest – zapewnił ją brat drżącym jeszcze głosem. – Opiekuj się nim dobrze, Różyczko! Myślałem, że już po mnie... ale on mnie uratował!

– Święta prawda! – potwierdził bardzo uroczyście Thomas. – Gdyby nie on... – Głos mu się załamał. – Calvinie, zajmij się koniem naszego bohatera! Jeremiahu, podjedź tu jak najbliżej pierwszym wozem. Różyczko, zaopiekuj się tym biedakiem. Spotkamy się w Redminster Pod Trzema Koronami.

Calvin i Jeremiah pospieszyli spełnić rozkazy Fitzgeralda. Jessica podeszła do siostry i popatrzyła na nieznajomego.

– Wielkie nieba! – zawołała. – Przecież to on! Ten przystojny mężczyzna, na którego zwróciłam uwagę podczas spektaklu!

Po raz pierwszy Rosalinda przyjrzała się uważnie poszkodowanemu.

– Chyba masz rację... Ale trzymaj się od niego z dala. W tej chwili jest nieprzytomny i całkowicie bezbronny!

Jessica prychnęła lekceważąco i przyklękła obok siostry.

– Może nie jest księciem z bajki... ale prawdziwy z niego bohater!

Rosalinda skinęła głową w milczeniu. Przyjrzała się dokładnie twarzy nieznajomego, niewątpliwie przystojnej, ale dziwnie surowej... Zmysłowe usta mocno zaciśnięte – widać, że twardo trzyma w ryzach swoje emocje. Przywykł do rozkazywania... Nic dziwnego, nawet z ubioru można od razu poznać dżentelmena... Jednak stwardniałe dłonie i szczupła, atletyczna sylwetka wskazywały, że przywykł do fizycznego wysiłku.

– Może sprawdzimy, czy ma przy sobie jakieś papiery? – spytała Jessica. – Warto poznać imię, nazwisko i adres, żebyśmy mogli zawiadomić kogo trzeba.

Rosalinda zastanowiła się i pokręciła głową.

– Lepiej nie grzebać w jego rzeczach, póki nie jest to konieczne. Sam powie nam wszystko, kiedy się ocknie.

– Ale wtedy przestanie być tajemniczym nieznajomym! – powiedziała z żalem Jessica. – Okaże się statecznym, pompatycznym nudziarzem z żoną i ośmiorgiem dzieci!

Było to całkiem możliwe. Ale Rosalinda, otulając troskliwie szalem nieznajomego, wiedziała, że nie ma to dla niej znaczenia. Kimkolwiek jest, dla niej zawsze pozostanie bohaterem.

Stephen powoli odzyskiwał świadomość. Czuł jakieś kołysanie… czyżby był na okręcie? Nie, na jakimś wozie. Leżał na plecach i nie mógł się poruszyć, tak było ciasno. A poza tym wszystko go bolało.

Boże święty! Czyżby omyłkowo uznano go za zmarłego i włożono do trumny?! Przypomniały mu się koszmarne opowieści o pogrzebanych żywcem. Otworzył szeroko oczy i stwierdził z ulgą, że znajduje się na wozie krytym plandeką. A swobodę ruchów miał ograniczoną, gdyż ze wszystkich stron otaczały go paki i skrzynie. Spoczywał jednak na całkiem wygodnym sienniku, otulony miękką, pikowaną kołdrą.

Głowa bardzo go bolała. Uniósł drżącą rękę, ale ktoś ujął go za przegub i powstrzymał łagodnie, ale stanowczo.

– Lepiej nie dotykać bandaży. – Usłyszał niski kobiecy głos. – To było bardzo mocne uderzenie w głowę.

Stephen spojrzał w bok i zamrugał oczami. Obok niego klęczała pani Kaliban. A raczej pani Rosalinda Jordan. Właśnie jakimś cudem pod płócienny dach zabłądził promień słońca i padł na jej płowe włosy. Zapłonęły brązem, złotem i bursztynem. Wszystkie barwy jesieni… A głupcy bez wyobraźni powiedzą: ciemna blondynka, i tyle… Na jej twarzy malowała się wesołość i inteligencja. Zwrócił na nie uwagę, gdy była jeszcze na scenie.

Ale kompletnym zaskoczeniem był dla niego ciepły, serdeczny wyraz jej ciemnobrązowych oczu. Zapatrzył się w ich czekoladową głębię, urzeczony tym, że życzliwość i troska młodej kobiety koncentruje się na jego osobie.

– Jak się pan czuje? – spytała.

Oczy czekoladowe, głos jak najprzedniejszy koniak o wspaniałym bukiecie. I ta piękna śmietankowa karnacja! Przywodziła mu na myśl najwspanialsze smakołyki, jakimi się rozkoszował w życiu.

Z pewnością uzna go za skończonego durnia! Usiłował odpowiedzieć na jej pytanie, ale z zaschniętego gardła wydobył się tylko żałosny skrzek.

Sięgnęła po stojący obok niej dzbanek.

– To zabrzmi groteskowo po tym wszystkim, co pan przeszedł… ale może podać panu wody?

Kiedy skinął głową potakująco, nalała z dzbanka wody do cynowego kubka. Potem napoiła go, przytykając naczynko do jego warg.

– Pamięta pan, co się wydarzyło?

Wzdrygnął się na wspomnienie atakujących go fal i ciągnącego w głąb nurtu.

– Co… z chłopcem?

– Brian ma się doskonale. Znacznie lepiej niż pan. To mój braciszek. Wieziemy pana do lekarza, żeby się upewnić, czy nie doznał pan poważniejszych obrażeń.

– Dziękuję – wymamrotał ledwie dosłyszalnym głosem.

– To my powinniśmy dziękować. Cała nasza rodzina będzie panu dozgonnie wdzięczna za to, co pan dla nas uczynił. – Zmarszczyła nagle brwi. – Czy pan mieszka w Fletchfield? Może powinniśmy pana tam odwieźć, ale wybraliśmy Redminster, bo to bliżej.

Pokręcił głową.

– Mieszkam… daleko stąd… w West Country – zdołał wykrztusić.

– Wobec tego zaopiekujemy się panem, póki nie wyzdrowieje pan na tyle, by wrócić do domu. – Położyła dłoń na jego ręce. – Nazywam się Rosalinda Jordan. Nie znam, niestety, pańskiego nazwiska.

– Ash…

Tak mu zaschło w gardle, że nie mógł wymówić całego słowa.

Pani Jordan przechyliła głowę na bok.

– Pan… Ashe?

Chciał ją poprawić, ale wóz akurat podskoczył na paskudnym wyboju. Stephen zderzył się z czymś twardym. Chyba z kufrem. Zanim znów stracił przytomność, zdążył pomyśleć: Jak to dobrze, że pani Kaliban trzyma mnie za rękę…

Biegał po łące pełnej kwiatów, usiłując schwytać śmiejącą się kobietę. Rozwiane włosy płynęły za nią, gorejąc wszystkimi barwami jesieni. Dogonił ją na skraju łąki i obróciwszy ku sobie, zaczął całować. Jej usta miały smak poziomek. Zanurzyła ręce w jego włosach i przegarniała je pieszczotliwie. Słyszał jej przyspieszony oddech. I nagle – jak to bywa we śnie – oboje leżeli, trzymając się w objęciach. Odpowiadała na jego żarliwe pieszczoty z równym zapałem.

Przyciągnął ją bliżej i pocałował raz jeszcze. Poziomki, słodkie poziomki… Poddawała się pieszczocie bez reszty, odwzajemniała pocałunki z szaleńczym zapałem.

Nagle położyła mu ręce na piersi i odsunęła go stanowczo. Nieco zdyszanym głosem powiedziała:

– Widzę, że czuje się pan znacznie lepiej.

Sen rozwiał się i Stephen uświadomił sobie, że spogląda w zdumione czekoladowe oczy. Znajdowały się niesłychanie blisko jego twarzy. Leżał na boku, tym razem w prawdziwym łóżku. W mrocznym pokoju paliła się tylko jedna świeca. Trzymał w ramionach Rosalindę Jordan, z rozwichrzonymi włosami, z soczystymi ustami stworzonymi do całowania... Najwyraźniej nie wiedziała, czy śmiać się, czy gniewać.

Pragnął znów ją całować... Ciągle jeszcze miał w pamięci pieszczoty jej ust, dotyk jej ciała. Pożegnał jednak z żalem sen o kwitnącej łące i odsunął się również.

– Dobry Boże!... Przepraszam najmocniej, pani Jordan! Jak... Jak to się stało? Gdzie jesteśmy?

Wsparła się na łokciu i odgarnęła niesforny kosmyk za ucho. Była całkowicie ubrana i leżała na kołdrze.

– Ładna ze mnie pielęgniarka! – mruknęła. – To ja powinnam pana przeprosić, że nie wywiązałam się jak należy z obowiązków! Spał pan tak spokojnie, że położyłam się obok, by troszkę odpocząć... No i masz: zasnęłam jak suseł! – Ziewnęła, zakrywając usta ręką. – Bardzo przepraszam! To był naprawdę męczący dzień. Jesteśmy Pod Trzema Koronami w Redminster. Doktor już pana zbadał. Powiedział, że będzie pan miał bóle głowy i że będzie pan musiał odpocząć kilka dni. Uznał jednak, że nic poważnego się nie stało. Jak się pan teraz czuje?

Siląc się na spokojny ton, Stephen odpowiedział:

– Doktor miał rację: rzeczywiście boli mnie głowa, ale poza tym czuję się zupełnie dobrze. Jestem ogromnie zobowiązany, pani Jordan.

– Proszę mnie nazywać Rosalindą, wszyscy tak do mnie mówią... Choć rodzina częściej nazywa mnie Różyczką. – Obdarzyła go cudownym, promiennym uśmiechem. – Zresztą po tym pocałunku wszelkie oficjalne formułki są chyba zbędne, nieprawdaż?

Stephen poczerwieniał i zaczął znów się usprawiedliwiać. Rosalinda ziewnęła raz jeszcze i zwiesiła nogi z łóżka.

– Może zjadłby pan trochę zupy? Oberżysta przysłał garnuszek owinięty słomą i w koszyku, więc chyba nie wystygła. Mam też dzbanuszek mleka, gdyby pan wolał.

Ostatnimi czasy jedzenie na ogół nie wychodziło Stephenowi na zdrowie, tym razem jednak czuł się naprawdę głodny.

– Z przyjemnością skosztuję zupy.

Ostrożnie podciągnął się na łóżku, wyprostował i oparł plecami o wezgłowie. Poczuł zawrót głowy, który na szczęście szybko minął. Uświadomił sobie, że jest w nocnej koszuli. Ciekawe, kto mu ją włożył?

– Czy mi się tylko zdaje, czy też naprawdę znaleźliśmy się w dość... niestosownej sytuacji?

Rosalinda się roześmiała.

– Pewnie ma pan rację. Ale my, ludzie teatru, nie zwracamy większej uwagi na konwenanse. – Urwała nagle. – Chyba powinnam pana uprzedzić. Mój ojciec jest dyrektorem i reżyserem trupy teatralnej Fitzgeralda. Widać w przeszłości narażona była na docinki z powodu profesji rodziców.

– Wiem, wiem! Oglądałem waszą *Burzę* w Fletchfield. Znakomite przedstawienie!

Nieufność Rosalindy rozwiała się bez śladu.

– Jestem tego samego zdania! Prospero to jedna z największych kreacji papy. Ilekroć mówi: „A czarnoksięską złamię potem różdżkę i w głębokościach ziemi ją zagrzebię, a potem księgę na dno rzucę morza…"*, przebiega mnie dreszcz. Za każdym razem!

– Ze mną było tak samo. Pani ojciec zdołał wyrazić całą głębię tego, co człowiek czuje, kiedy musi rozstać się z życiem. – Stephen zamilkł w obawie, że samym brzmieniem głosu zdradzi zbyt wiele. Po chwili podjął lżejszym już tonem: – Wszyscy grali doskonale, zwłaszcza Miranda i Ariel. A pani wcieliła się w takiego Kalibana, jakiego nigdy dotąd nie widziałem!

Wstała i przeszła na drugi koniec pokoju. Jej wysoka postać okazała się na jawie równie piękna jak we śnie.

– W tym małpim kostiumie każdy może zagrać rolę Kalibana. Na przykład dziś wcieli się w niego Calvin Ames, nasz bileter. – Przelała zupę do głębokiej miseczki. – Nie chcieliśmy zostawić pana bez opieki.

– Jesteście wszyscy tacy dobrzy dla mnie – powiedział, żałując, że nie umie znaleźć właściwych słów.

– Zasłużył pan na znacznie więcej. – Wręczyła mu miseczkę i łyżkę. – Przecież ocalił pan Brianowi życie i omal nie przypłacił tego własnym… Jest pan bohaterem.

Skosztował zupy. Była bardzo smaczna, z warzywami, na dobrej wołowinie.

– Skądże znowu! Kiedy przyjrzałem się z bliska rzece, ogarnął mnie taki strach, że mało brakowało, a odwróciłbym się, wsiadł na konia i tyle byście mnie widzieli!

– Ale nie zrobił pan tego – zauważyła ciepło, spoglądając nań wielkimi, ciemnymi, błyszczącymi oczyma. – Jeśli odczuwał pan strach, a mimo

---

* William Szekspir *Burza*.

to ryzykował życie, pański czyn jest jeszcze bardziej chwalebny. Przynajmniej ja tak sądzę.

Poczuł się nieswojo. Dobrze wiedział, że jej podziw jest nieuzasadniony. Co to za poświęcenie oddać życie, które i tak nie potrwa dłużej niż kilka miesięcy!

Rosalinda sobie również nalała nieco zupy i usadowiła się w fotelu stojącym obok łóżka.

– A, prawda: pański koń jest w stajni przy oberży. – Jej wyraziste oczy błyszczały wesołością. – Każdy, kto go ogląda, pieje z zachwytu. Juki leżą tam, w kącie. Obawiam się tylko, że pańskie buty nigdy już nie wrócą do dawnej świetności. Mimo to nasz specjalista od wyrobów rymarskich, Jeremiah, suszy je i twierdzi, że jutro będą się już nadawały do włożenia.

Stephen wzruszył ramionami. Przez całe życie mógł sobie kupować wszystko, czego tylko zapragnął, toteż nie przywiązywał większej wagi do przedmiotów. Z wyjątkiem konia. Jowisz nie był żadnym przedmiotem, tylko jego przyjacielem.

– Może powinniśmy zawiadomić kogoś o pańskim wypadku, panie Ashe? – Rosalinda spojrzała na niego znad miseczki parującej zupy. – Z pewnością żona i dzieci niepokoją się, że pan nie wraca!

Stephen pomyślał o swojej służbie z Ashburton Abbey. Wystarczyłby krótki liścik zawiadamiający o jego wypadku, by zwalił mu się na głowę tabun zdenerwowanych i bardzo go irytujących ludzi! Równie łatwo mógłby zaalarmować swych krewnych lub tak zwanych przyjaciół. Ale nie było wśród nich nikogo, komu naprawdę zależało na nim.

– Bardzo dziękuję, ale nikt się o mnie nie niepokoi. Nie podałem konkretnego terminu swego powrotu. I proszę nie nazywać mnie „panem Ashe".

– Bardzo przepraszam – odparła skonsternowana. – Jak wobec tego mam się do pana zwracać?

Miał już powiedzieć prawdę, ale ugryzł się w język. Jeśli zdradzi Rosalindzie, że jest księciem, zniknie ta cudowna przyjacielska swoboda. Jeśli Rosalinda Jordan jest osobą interesowną, może spróbuje znowu, tym razem z całym rozmysłem, wśliznąć się do jego łóżka – o ile uzna, że opłaci się jej uwiedzenie księcia. Jeżeli zaś jest taka, na jaką wygląda, czyli prostolinijna i szczera, będzie skrępowana jego wysoką pozycją. Może ucieknie w popłochu...

Spojrzał w jej oczy pełne ciepła, nie mogąc znieść myśli o takiej przemianie.

– Mam na imię Stephen – odparł. – Sama pani zachęcała mnie do tego, żebyśmy mówili sobie na ty!

– Doskonale! – Przechyliła głowę na bok. – Więc nazywasz się Stephen Ashe, tak?

Pomyślał, że to najlepszy moment, by zdradzić jej swe prawdziwe nazwisko. Gdyby jednak poinformował ją, że nazywa się Kenyon, musiałby się teraz tłumaczyć, skąd się wzięło „Ash", które wymamrotał... a także monogramy AS, widniejące na niektórych należących do niego przedmiotach. Znacznie łatwiej było skinąć głową i zmienić temat.

– A więc jesteś córką dyrektora waszej trupy. Czy pan Jordan również do niej należy?

Rosalinda westchnęła, nagle przygasła.

– Kiedyś był członkiem naszego zespołu. Ale nie żyje od kilku lat.

– Bardzo mi przykro – wybąkał ze współczuciem Stephen, choć faktycznie uradował się w duchu. A więc pani Kaliban jest wdową! Prześliczną, niezważającą na konwenanse wdówką, która nie czuje się bynajmniej speszona, budząc się w jednym łóżku z nieznajomym mężczyzną!

Wzmianka o mężu sprawiła, że Rosalinda zerwała się na równe nogi.

– Nie powinnam ci dłużej przeszkadzać, Stephenie! Sen to najlepsze lekarstwo. A ponieważ czujesz się zupełnie dobrze, wrócę do swego pokoju. Czy mogę coś jeszcze dla ciebie zrobić, zanim odejdę?

Powstrzymując się od zgoła nieprzystojnej propozycji, która mu się cisnęła na usta, Stephen zapytał:

– Czy wasza trupa opuszcza jutro Redminster?

– Nie, to większe miasto niż Fletchfield. Zabawimy tu kilka dni. – Uśmiechnęła się. – Mamy tu znacznie lepsze warunki. Nasze przedstawienia odbywają się w tak zwanej sali zgromadzeń w zajeździe Pod Królem Jerzym.

– Czemu wobec tego nie zamieszkaliście tam? Czyżby miłośnicy teatru zbytnio się naprzykrzali ulubionym artystom?

– Może trochę... Ale przede wszystkim chodzi o to, że Pod Królem Jerzym jest dla nas za drogo – wyznała beztrosko i dorzuciła na odchodnym: – Do zobaczenia jutro rano, Stephenie!

Kiedy drzwi się za nią zamknęły, Stephen ostrożnie podniósł się z łóżka i stanął na własnych nogach. Znowu poczuł zawrót głowy, który i tym razem szybko minął. Musiał przejść przez cały pokój, by dostać się do swego bagażu, złożonego pod przeciwległą ścianą. Podczas tej wyprawy dały o sobie znać wszystkie obrażenia, jakich się nabawił podczas kąpieli w rzece.

45

Dotarł jednak do celu i wydobył z juków fiolkę z pigułkami doktora Blackmera. Zażywał je regularnie, choć okazały się niezbyt skuteczne. Dziś powinny przynajmniej uśmierzyć ból głowy. Połknął dwie pigułki i popił je wodą.

Wrócił po tym wyczynie do łóżka zupełnie wykończony, ale zasypiając, był znowu w wyjątkowo dobrym nastroju.

Po obejrzeniu *Burzy* postanowił, że nie będzie szukał ani żony, ani kurtyzany, która dałaby mu kosztowną namiastkę miłości. Bardzo łatwo wyrzec się tego wszystkiego, gdy zmysły śpią. Teraz jednak obudziły się i wielkim głosem upominały się o swoje prawa. Gdybyż udało mu się spotkać w jednym łóżku z pełną ciepła, uroczą kobietą, wystarczająco niekonwencjonalną, by potraktować przelotny romans jako miłą i niezobowiązującą rozrywkę! Czy Rosalinda Jordan właśnie tak zapatruje się na te sprawy?

O Boże! Jak bardzo pragnął, żeby tak było!

Rosalinda powróciła do pokoju, który dzieliła z siostrą. Była rada, że Jessica nie wróciła jeszcze z teatru. Padła na łóżko, przyciskając rękę do swych ust.

Bliższe oględziny potwierdziły to, co obie z Jessicą dostrzegły już podczas przedstawienia *Burzy*: Stephen Ashe był niezwykle atrakcyjny. I to nie tylko dlatego, że był wysoki, silny i przystojny. Trafnie odgadła z jego rysów, że jest namiętny z natury, czego chyba sobie nie uświadamiał. Prawdę mówiąc, Rosalinda głowę by dała, że pod powłoką lekkiej ironii i obojętności kryje się charakter równie skomplikowany, skłonny do gwałtownych porywów jak u postaci stworzonych przez Szekspira. Ukryty płomień namiętności, mroczna, a jednak nieodparcie pociągająca natura… Przypominał jej Hamleta – bardziej zdeterminowanego, o wrodzonych cechach przywódczych. A równocześnie odznaczał się niezwykłą delikatnością i dyskretną uprzejmością.

A na dodatek miał prawdziwy talent do całowania! W skrytości ducha Rosalinda żałowała, że nie pozostali znacznie dłużej w tym osobliwym zawieszeniu pomiędzy jawą a snem. W ciepłym uścisku ramion Stephena czuła się bezpieczna, godna pożądania.

Dość tego! Zbytnio popuściła cugli rozigranej wyobraźni! Prawie się nie znali z panem Ashe'em; intrygował ją przede wszystkim dlatego, że ogromnie się różnił od mężczyzn z jej najbliższego otoczenia.

W swoim wędrownym życiu miała do czynienia przeważnie z aktorami i innymi przelotnymi ptakami. I przysięgła sobie, że nigdy więcej nie wyjdzie za aktora. Charles Jordan olśniewał swą urodą i – jeśli uznał, że warto się trochę wysilić – urokiem osobistym. Poza tym był nieuczciwy i niegodny zaufania. I miał zbyt wysokie mniemanie o swych zdolnościach aktorskich… doprawdy miernych!

Ostatni zarzut pod adresem męża rozśmieszył Rosalindę. No, no! Widać przejęła coś z natury Fitzgeraldów, jeśli brak talentu zaliczała do jego największych wad!

A jednak różniła się bardzo od reszty przybranej rodziny… Okryci mgłą tajemnicy prawdziwi rodzice, których nawet nie pamiętała, pozostawili na niej trwałe piętno. Odziedziczyła po nich cechy fizyczne i psychiczne. Pozostałym Fitzgeraldom bardzo odpowiadało koczownicze życie, ale Rosalinda często spoglądała na domy, które mijali, i marzyła o tym, by zamieszkać w którymś z nich na stałe. Rozmawiając zaś z mężczyznami pokroju Stephena myślała: o ileż łatwiej byłoby współżyć z kimś pozbawionym artystycznego temperamentu! Niekiedy marzyła o poślubieniu jakiegoś poczciwego chłopa, prowadzeniu gospodarstwa i wychowywaniu dzieci.

Westchnęła głęboko. Jej marzenia miały takie same szanse realizacji jak budowa zamków na lodzie lub oczekiwanie na rycerza w lśniącej zbroi! Gorzka prawda przedstawiała się następująco: Rosalinda była prawdopodobnie bezpłodna. I nigdzie nie zagrzała miejsca dość długo, by zawrzeć bliższą znajomość z mężczyzną, który przypadł jej do gustu.

Zresztą, choćby nawet spotkała solidnego, godnego szacunku dżentelmena, widziałby w niej tylko aktorkę – czyli uosobienie grzechu. Na samą myśl o tym znów porwał ją śmiech, gdyż nie była ani grzesznicą, ani aktorką. A Stephen Ashe nie był poczciwym chłopem.

Doprawdy lepiej obrócić wszystko w żart niż spojrzeć w oczy bolesnej prawdzie: najbardziej interesujący mężczyzna, jakiego znała, za kilka dni zniknie z jej życia na zawsze i nie będzie miała okazji poznać go bliżej.

5

Jeszcze tylko osiemdziesiąt jeden dni…

Stephen już zasypiał, gdy poczuł w brzuchu straszliwe pieczenie. Natychmiast ocknął się całkowicie i zadrżał gwałtownie na myśl o tym, co będzie dalej. Pieczenie w żołądku przekształciło się w ból tak obezwładniający, że z najwyższym trudem wygramolił się z łóżka. Na szczęście Rosalinda zostawiła zapaloną świecę.

Zdążył w ostatniej chwili dotrzeć do nocnika, nim porwały go wymioty. Gdy po długiej chwili pozbył się całej zawartości żołądka, legł na podłodze zlany zimnym potem, z sercem walącym na alarm. Chryste Panie! Jak mógł w ogóle myśleć o nawiązaniu romansu z Rosalindą?! Nie panował przecież nad własnym ciałem!

Usiadł i otarł twarz z potu rękawem nocnej koszuli. Z posępną determinacją zmusił się do spojrzenia prawdzie w oczy. Do tej pory nie uświadamiał sobie w pełni, że jest umierający. W głębi duszy łudził się, że musiała zajść jakaś pomyłka. Był przecież księciem Ashburton, mężczyzną w kwiecie wieku! Z pewnością istniało jakieś lekarstwo na jego chorobę! Dopiero ten nocny atak sprawił, że przestał okłamywać samego siebie. Wkrótce umrze. Śmierć nie okazywała specjalnych względów nawet książętom.

„Nie pysznij się, o Śmierci, swą potęgą, choć zwą ciebie mocarną i straszliwą!" Stephen uśmiechnął się gorzko, gdy przyszły mu na myśl słowa Johna Donne'a, angielskiego duchownego, poety i metafizyka. Drżał na samą myśl, że prędzej czy później choroba powali go na oczach ludzi. Cóż za upokorzenie! Wszyscy dowiedzą się, że książę Ashburton to żałosny strzęp człowieka, wstrząsany torsjami… Zdumiewające, że właśnie choroba uświadomiła mu w pełni, jak bardzo grzeszy dumą…

Co prawda nigdy nie chełpił się swym bogactwem i urodzeniem, ale dumny był ze swej opinii człowieka nieugiętego i skrzętnie ukrywał przed światem wszelkie oznaki słabości. Obecna sytuacja – gdy jego choroba w każdej chwili mogła się ujawnić, a cały świat prędzej czy później musiał się o tym dowiedzieć – stanowiła bez wątpienia cenną lekcję pokory. Stephenowi nie było jednak pilno do tej lekcji. Im później nastąpi ów moment, tym lepiej. Jak tylko wydobrzeje na tyle, by dosiąść konia, musi ruszyć w drogę powrotną. W Ashburton Abbey odrażające wybryki jego ciała, nad którym już nie panował, będą znane wyłącznie służącym. I to nie wszystkim.

Słaniał się na nogach, pożar trawił mu wnętrzności, a w głowie kręciło się jeszcze mocniej niż przedtem. Zażywanie pigułek nie miało sensu. Musiał jednak ugasić dręczące go pragnienie. Przypomniał sobie na szczęście o mleku, które oberżysta kazał przynieść do jego pokoju. Stało w niewielkim dzbanku, chłodne i świeże. Zawsze bardzo lubił mleko, choć uchodziło za napój prostaków, a teraz, gdy choroba dała mu się we znaki, pił go znacznie więcej niż przedtem.

Opróżniwszy dzbanuszek, położył się do łóżka i okrył wstrząsane dreszczami ciało czym tylko mógł. Zapadł wreszcie w sen, tym razem bez żadnych rozkosznych marzeń.

Poranne słońce obudziło Stephena, nie rozproszyło jednak szarych chmur jego rezygnacji. Ubiegłej nocy myśli księcia krążyły wokół Rosalindy Jordan; dziś wydawały mu się gorączkowymi majakami. Ta kobieta mogła pozostać dla niego jedynie marzeniem. Miał zbyt wiele rozsądku i – co tu ukrywać – dumy, by wiązać się z kimkolwiek, kiedy nasilała się jego choroba i nadchodziła śmierć.

Ostrożnie wstał z łóżka. Był słaby, miał bóle i zawroty głowy. Poza tym jednak czuł się nie najgorzej. Jutro albo pojutrze wzmocni się na tyle, by ruszyć w drogę powrotną.

Zerknął do lustra wiszącego nad umywalką i wzdrygnął się na widok swojej twarzy. Z obandażowaną głową, z zarośniętą i posiniaczoną twarzą wyglądał na rzezimieszka. Postanowił zrobić użytek z zapakowanej do juków brzytwy. Po goleniu zdjął bandaż i obejrzał dokładnie ranę. Doktor zgolił włosy wokół niej i bardzo starannie zszył jej brzegi. Ponieważ nie było ani śladu krwawienia czy infekcji, Stephen założył plaster zamiast bandaża, a następnie zaczesał włosy tak, by zakrywały opatrunek. W nowym uczesaniu wyglądał na podchmielonego hulakę, ale nie na ofermę, który oberwał po łbie.

Potem zaczął się ubierać. Zgodnie z zapowiedzią Rosalindy buty nadawały się do włożenia, choć osobisty lokaj księcia kazałby wyrzucić je niezwłocznie. Ale jakiś tam pan Ashe nie był księciem i nie musiał ubierać się jak z igły. Uświadomiwszy to sobie, Stephen od razu poczuł się lepiej.

Codzienne czynności, takie jak mycie czy ubieranie, jeszcze bardziej poprawiły mu humor. Ponieważ żołądek na razie nie dawał mu się we znaki, Stephen postanowił zejść na dół na śniadanie. Oberża Pod Trzema Koronami należała do tych skromnych, ale czystych zajazdów, z którymi Stephen zetknął się dopiero teraz, podczas swej samotnej wyprawy. Dotarłszy do podnóża schodów, zatrzymał się. Zza drzwi obok dolatywał donośny głos Thomasa Fitzgeralda. Widocznie rodzina Fitzgeraldów posilała się w saloniku zarezerwowanym dla stałych gości.

Stephen mógł, rzecz jasna, zjeść śniadanie w swoim pokoju, ale miał już dość samotności, a nic nie zapowiadało kolejnego ataku choroby. Zastukał więc do drzwi i otworzył je, gdy tylko Maria zawołała: „Proszę wejść!" Cała piątka Fitzgeraldów siedziała przy stole zastawionym do śniadania.

49

Stanowili bardzo miłą dla oka grupę: wszyscy tacy przystojni, ciemnowłosi i niebieskoocy, tylko Rosalinda wyróżniała się kolorytem... zadziwiające!

Na widok Stephena zapadła nagle cisza. A potem wszyscy – z wyjątkiem Rosalindy – zerwali się z miejsc i na wyprzódki rzucili się do niego. Nawet chart wylazł spod stołu i poszedł za ich przykładem.

Maria Fitzgerald jako pierwsza dopadła Stephena. Chwyciła go za rękę i przyciskając ją do swej piersi, przemówiła głębokim, pełnym wzruszenia głosem:

– Wiemy o panu wszystko od Rosalindy... O, panie Ashe! Zechciej przyjąć żarliwe błogosławieństwo matki, której dzieciątko ocaliłeś! Przysięgam na Boga, że masz we mnie odtąd korną niewolnicę. Spełnię każdy twój rozkaz, choćbyś żądał mojej śmierci!

Stephen wpatrywał się w jej wspaniałe błękitne oczy, pełne łez. Maria była niezrównana w rolach tragicznych! Ale też uczucia wyrażane przez nią z takim patosem były absolutnie szczere. Gdyby Stephen chciał pozbawić ją życia, sama wręczyłaby mu pistolet.

Delikatnie wycofał rękę z jej uścisku.

– Ależ, droga pani! Każdy postąpiłby tak samo na moim miejscu. Gdybym zaś miał... Boże, uchowaj!... decydować o pani życiu, nie wyobrażam sobie, bym mógł zrobić z niego lepszy użytek niż to, co sama czyni pani obecnie!

Usłyszawszy tę odpowiedź, Thomas Fitzgerald wyraził gromkim śmiechem swą aprobatę i pochwyciwszy dopiero co uwolnioną z uścisku Marii rękę Stephena, potrząsnął nią z zapałem.

– Dobrze powiedziane, panie Ashe! Ale proszę mi wierzyć, że podzielam całkowicie uczucia mojej żony! – Spojrzał czule na stojącego obok synka. – Okropny nicpoń z naszego Briana, ale bardzo by go nam brakowało.

Jessica Fitzgerald zmierzwiła bratu czuprynę.

– Jeszcze jak! Jest niemożliwy, ale trudno go nie lubić... nawet wtedy, gdy gonię go ze szczotką w ręku, żeby dać mu w skórę!

W roli Mirandy Jessica zapierała dech. Jako kochająca siostrzyczka była zniewalająca!

Zarumieniony Brian skłonił się i oświadczył uroczyście:

– Będę panu wdzięczny do końca życia. Zdaję sobie sprawę, że lekkomyślnie naraziłem nie tylko własne, lecz i pańskie życie... i gorąco dziękuję Bogu, że nie odniósł pan cięższych obrażeń z mego powodu!

Zbity z tropu Stephen nie wiedział, co powiedzieć. Wybawiła go z kłopotu Rosalinda, mówiąc żartobliwym tonem:

– Przestańcie zawstydzać tego biedaka, który z pewnością woli śniadanie od tych panegiryków! Filiżankę herbaty, panie Ashe?

Z niekłamaną wdzięcznością Stephen przebił się przez mur wylewnych Fitzgeraldów i przyjął filiżankę herbaty z rąk Rosalindy. Wypiwszy łyk krzepiącego napoju, odpowiedział:

– Doprawdy jesteście dla mnie zbyt łaskawi, drodzy państwo. Bardzo się cieszę, że okazałem się pomocny. I nie mówmy o tym więcej!

Jednak rodzina Fitzgeraldów nie zamierzała porzucić tak ekscytującego tematu jak ocalenie życia przez bohaterskiego nieznajomego. Kiedy Stephen nałożył sobie na talerz skromną porcyjkę, złożoną z grzanki i jajka na miękko, po czym zajął miejsce obok Rosalindy, wrócono znów do wczorajszych wydarzeń, rozpamiętując wszelkie dramatyczne szczegóły. W bardzo plastyczny sposób i z wielkim zapałem oddawano uczucia miotające świadkami tych wydarzeń – osłupienie, trwogę i ulgę.

Stephen był nieco zażenowany tym, że stał się głównym bohaterem dramatu, a równocześnie zafascynowany uroczą rodzinną sceną. Jakże różniło się śniadanie Fitzgeraldów od posiłków, w których sam uczestniczył w dzieciństwie! Jego nowi przyjaciele byli kochającą się rodziną, a nie grupką ludzi całkiem sobie obcych, których wiązało jedynie pochodzenie i majątek. Każdy członek tej aktorskiej rodziny był kochany i akceptowany przez pozostałych. Dobrze o tym wiedział i odwzajemniał się równym przywiązaniem i poszanowaniem.

Jedyną osobą, która nie przyłączyła się do ożywionej, bezładnej paplaniny, była Rosalinda. Zamiast tego w dyskretny sposób zatroszczyła się, by wszyscy – z Aloysiusem włącznie – zostali należycie obsłużeni. Sprawiała wrażenie niewzruszonego filaru, wokół którego kręci się barwna karuzela Fitzgeraldów.

Siedząc obok Rosalindy, odbierał również inne wrażenia – czysto fizyczne: delikatny zapach wody różanej, który nasilał się przy każdym ruchu głowy; niemal niedosłyszalny szelest spódnic, kiedy wstała, by zadzwonić na służbę, gdy zabrakło herbaty. Stephen starał się nie gapić na nią, ale nigdy jeszcze nie spotkał kobiety, której obecność robiłaby na nim tak piorunujące wrażenie.

Wracając na swoje miejsce, Rosalinda pochyliła się nad nim, by sprawdzić, jak się goi rana na głowie. Dotknięcie jej palców, gdy odgarniała mu włosy, miało dla Stephena niemal posmak pieszczoty.

– Ładnie się goi, panie Ashe – zauważyła. – Ale wygląda pan na zmęczonego. Mam nadzieję, że zostanie pan w Redminster jeszcze dzień czy dwa. Zbyt wczesna podróż mogłaby panu zaszkodzić.

– Czyżby pani zapomniała, że mam na imię Stephen? A co do wyjazdu… zamierzam pozostać tu nieco dłużej.

Jej ciepły uśmiech trafił prosto do jego serca.

– Bardzo się cieszę, Stephenie.

– Proszę pamiętać, że jest pan moim gościem przez cały czas pobytu Pod Trzema Koronami! – wtrącił tonem nieznoszącym sprzeciwu Thomas Fitzgerald. – Niech pan zamawia, co tylko zechce! Choćby się pan miał kąpać w szampanie!

Stephen miał wyrzuty sumienia, przyjmując ten dar od człowieka, który zapewne nie bardzo mógł sobie pozwolić na podobną rozrzutność. Zwłaszcza że sam miał dość pieniędzy, by kupić całą oberżę z przyległościami i potraktować to jako drobny wydatek. Doskonale jednak rozumiał, że Fitzgerald chciał godnie wyrazić swoją wdzięczność, toteż nie protestował. Wiedział z obserwacji, jak gorzka bywała dla podopiecznych pogardliwa filantropia jego ojca. Zauważył więc tylko żartobliwie:

– Kąpiel w szampanie? To byłoby marnotrawstwo! Wolałbym zamiast tego zejść później na piwko i postawić po kufelku wszystkim obecnym.

– Znakomity pomysł! – odparł Fitzgerald. – Udamy się tam razem i z miłą chęcią wzniosę toast za pańskie zdrowie i długie życie!

Słowa te w mgnieniu oka przywróciły Stephena do rzeczywistości. Żaden, choćby najszczerszy toast nie mógł mu zapewnić ani długiego życia, ani zdrowia. Odechciało mu się jeść, wstał więc od stołu.

– Lepiej zajrzę do stajni i zobaczę, jak się miewa Jowisz.

– Pójdę z panem! – wyrwał się Brian.

– Masz lekcje do odrabiania, mój panie! – sprzeciwiła się stanowczo matka. – A ty, Thomasie, musisz iść z Jessicą na próbę… Może ty, Różyczko, zaprowadzisz pana Ashe'a do stajni, a potem spotkamy się wszyscy razem Pod Królem Jerzym? – Maria urwała i zakończyła nieśmiało: – O ile, oczywiście, chciałby pan obejrzeć z bliska przygotowania do spektaklu.

– O niczym bardziej nie marzę! – zapewnił ją Stephen z całkowitą szczerością. Bywał nieraz za kulisami londyńskich teatrów, ale o życiu wędrownych aktorów wiedział niewiele. Bliższe kontakty z trupą teatralną Fitzgeralda okażą się na pewno interesującą rozrywką.

Rosalinda wstała również i oboje wyszli razem na zalany słońcem dziedziniec. Kiedy skierowali się do stajni, Rosalinda zauważyła z wesołym błyskiem w oku:

– Mam nadzieję, że śniadanie z rodziną Fitzgeraldów nie było dla ciebie zbyt ciężkim przeżyciem.

Stephen uśmiechnął się, nie tyle rozbawiony jej pytaniem, co zachwycony blaskiem słońca na jej płowych włosach.

– Było to niezwykle miłe przeżycie…

Dotarli do stajni. Stephen otworzył drzwi i przepuścił swą towarzyszkę przodem. Ponieważ dręczyła go ciekawość, zagadnął:

– Nie jesteś wcale podobna do reszty rodziny. Czyżbyś była podrzutkiem wróżek, znalezionym przez śmiertelników wśród pierwiosnków czy w kępie poziomek?

– Prawda jest znacznie mniej poetyczna. – Twarz Rosalindy posmutniała. – Jestem przybranym dzieckiem Fitzgeraldów. Znaleźli mnie w Londynie, błąkającą się nad brzegiem rzeki. Miałam wtedy trzy lub cztery latka. Podobno wysiadłam ze statku z matką, która zaraz potem umarła. Bóg jeden wie, co by się ze mną stało, gdyby nie Fitzgeraldowie!

Stephen wpatrywał się w nią, zdjęty lodowatym dreszczem na myśl, co się mogło stać błąkającemu się samotnie dziecku. Zwłaszcza ładnej dziewczynce.

– To wprost niewiarygodna historia… a ty mówisz o tym tak obojętnie! Czy Fitzgeraldowie zdołali dowiedzieć się o tobie czegoś więcej?

– Nie mieli na to czasu, gdyż dostali angaż w Colchester i musieli wyjechać z Londynu. Mama powiada, że moja sukienka była bardzo starannie uszyta i że wyrażałam się poprawnie… Żyłam więc zapewne w dostatku… – Wzruszyła ramionami. – To wszystko, co wiem o sobie.

Jowisz wysunął głowę ze swego boksu i parsknął, domagając się, by zwrócono na niego uwagę. Stephen pogładził go po aksamitnym pysku.

– Myślisz czasem o swej utraconej rodzinie?

Rosalinda się zawahała.

– Owszem… choć starannie to ukrywam przed mamą i papą. Bardzo by ich to zabolało. Sądziliby, że myślę o prawdziwych rodzicach, gdyż przybrani nie stanęli na wysokości zadania… A przecież nikt nie mógł okazać więcej miłości i dobroci niż oni!

– Tego rodzaju ciekawość jest czymś zupełnie naturalnym – zauważył Stephen.

– Jak dobrze mnie rozumiesz! – Rosalinda machinalnie głaskała jedwabiście gładką szyję Jowisza. – Całkiem możliwe, że mam krewnych… ale nie wiem gdzie. Dawniej przyglądałam się ukradkiem widzom w nadziei, że zauważę kogoś podobnego do mnie… A czasem zastanawiam się, jak naprawdę mam na imię… I czy wtedy w Londynie ktoś czekał na mnie i na moją matkę? Minęło już prawie ćwierć wieku… Któż by pamiętał po tylu latach o zaginionej dziewczynce?

Spojrzała na Stephena oczyma pełnymi smutku. Ręka głaszcząca dotąd Jowisza znieruchomiała na końskiej szyi. Stephen dotknął jej dłoni, chcąc dodać Rosalindzie otuchy. Gdy ich palce zetknęły się, przeszył go nagły dreszcz. Cofnął rękę i spytał:

– Naprawdę nie pamiętasz niczego, co wydarzyło się przed spotkaniem z Fitzgeraldami?

– Kilka niepowiązanych ze sobą obrazów... Ktoś obejmował mnie... ale to pewnie była Maria. I kamienny dom, który wydawał mi się bardzo duży... Tylko że małemu dziecku wszystko wydaje się ogromne.

– Nie pamiętasz nawet swego imienia?

Dostrzegł w jej oczach błysk przerażenia.

– Nie pamiętam.

Uznał, że najwyższa pora zmienić temat.

– To musi być dziwne uczucie: nie pamiętać nikogo z rodziny. Ale wszystko ma dobre strony. Przypuszczam, że niejedno dziecko roi sobie, że jest królewną lub królewiczem wykradzionym przez Cyganów i podrzuconym obcym ludziom, którzy teraz podają się za jego rodziców!

Rosalinda się uśmiechnęła.

– Tak, to prawda. Ludzka natura jest niepoprawna! Zawsze wzdychamy do tego, co nieosiągalne.

Znaczenie wypowiedzianych od niechcenia słów dopiero po chwili dotarło do niej samej. Podobnie jak koń, którego nęci trawa po drugiej stronie ogrodzenia, Rosalinda pragnęła tego, co znajdowało się „za płotem" i nie miało nic wspólnego z teatrem ani z trupą Fitzgeralda. Zapewne dlatego tak ją zauroczył Stephen, należący do innego, niedostępnego dla niej świata. A poza tym był naprawdę miły i pociągający.

Jeszcze jak pociągający! A w nowej fryzurze było mu ogromnie do twarzy! Ale cóż z tego? Nie pasowali do siebie: on – dżentelmen, ona – prowincjonalna aktorka. Nie najlepsza prowincjonalna aktorka. Na tyle jednak znała swe rzemiosło, że zdołała odpowiedzieć lekkim tonem:

– Następnym razem, gdy zatęsknię do utraconej rodziny, przypomnę sobie, że dzięki temu nie mam na karku wścibskich cioć i podchmielonych kuzynków!

– Gdybyś za nimi kiedyś zatęskniła, mógłbym ci wypożyczyć kilka sztuk. Mam istne hordy krewniaków – odparł Stephen z całą powagą, choć oczy mu się śmiały. – Można znaleźć w tej menażerii niejedną starowinkę, która chyłkiem dolewa sobie koniaku do herbaty, a potem klnie jak pijany majtek! Albo stryjeczno-wujecznych pociotków w dziesiątej linii, którzy przepuściwszy własny majątek w karty czy kości, łażą od krewniaka do krewniaka i wyciągają łapę. No i hipokrytów, deklamujących głośno o cnocie i oddających się po kryjomu grzesznym uciechom. Mam ich na pęczki i chętnie odstąpię.

– Ach, gdzież bym śmiała pozbawiać cię takich skarbów! – odparła i dorzuciła: – Mam nadzieję, że nie brak ci również milszych krewnych!

– Znajdzie się kilkoro. Moja starsza siostra jest dość sztywna, ale ma dobre serce, a jej dzieciaki są rozkoszne! – Stephen wyjął z kieszeni kawałek cukru i podsunął Jowiszowi. Koń delikatnie ujął leżący na dłoni przysmak. – Mam też młodszego brata, który służył w wojsku. We wczesnej młodości darliśmy ze sobą koty, ale bardzo się zbliżyliśmy, odkąd zrezygnował z kariery wojskowej. Chyba z latami obu nam przybyło życiowej mądrości.

Rosalinda zauważyła, że nie wspomniał ani słowa o żonie. Nie znaczyło to wcale, że nie był żonaty. Może się pokłócili i właśnie dlatego włóczył się samotnie po Anglii? Rosalinda powiedziała sobie bardzo stanowczo, że stan cywilny Stephena to nie jej interes.

– Ponieważ Jowisz dobrze się miewa, może sprawdzimy, jak sobie radzi nasza trupa? – zaproponowała.

Stephen chętnie na to przystał i podał jej ramię. Opuścili stajnię i wyszli na główną ulicę Redminster. Rosalinda dobrze się czuła, mogąc się wesprzeć na mocnym męskim ramieniu. Radowały ją także spojrzenia kobiet, wyraźnie zazdroszczących jej przystojnego towarzysza. Prawdę mówiąc, cieszyła się tą wspólną przechadzką aż za bardzo. Skarciwszy się w duchu, że nie było to przecież umówione spotkanie, tylko przypadkiem znaleźli się we dwoje na ulicy, wróciła do przerwanej konwersacji.

– Czy jesteście z bratem podobni do siebie?

– Tylko zewnętrznie. Michael, w odróżnieniu ode mnie, jest skłonny do gwałtownego wyrażania swych emocji – odparł po namyśle. – Nawet teraz, kiedy ożenił się i ustatkował, nie zatracił swego, jak to kiedyś określiłem, „siedmiomilowego wzroku". Nieustannie obserwuje wszelkie zmiany w otaczającym go świecie. Być może podobna czujność cechuje wszystkich ludzi, którzy narażeni są ustawicznie na niebezpieczeństwo. Przypuszczam, że właśnie dzięki temu Michael powrócił z wojny zdrów i cały.

– „Siedmiomilowy wzrok"… – powtórzyła Rosalinda. – Warto zapamiętać to określenie. Może się przydać komuś, kto będzie grał rolę żołnierza.

– Czy na tym właśnie opiera się kunszt aktorski? Na stałej obserwacji i wychwytywaniu wszelkich wskazówek pomocnych w interpretacji takiej czy innej roli?

Rosalinda się roześmiała.

– W moim wypadku trudno mówić o „kunszcie aktorskim"! Potrafię załatać dziurę... to znaczy wystąpić w razie potrzeby w każdej roli, nawet męskiej, bo jestem wysoka jak na kobietę. Ale prawdziwą aktorką jest Jess! Ja nadaję się znakomicie na inspicjenta i suflera. Prowadzę ewidencję kostiumów, dekoracji oraz egzemplarzy ról i zajmuję się innymi tego rodzaju sprawami, dzięki którym podczas objazdów wszystko idzie gładko.

– Czy jesteście w objazdach przez cały rok?

– Niezupełnie. Najbardziej mroźne miesiące spędzamy w Birmingham i dajemy przedstawienia tylko w najbliższej okolicy. Ale z nadejściem wiosny ruszamy znowu w drogę. I gramy... – ruchem głowy wskazała widoczną już w oddali najbardziej reprezentacyjną gospodę w Redminster – Pod Królem Jerzym, jeśli nam szczęście dopisze... a jak nie, to w stodole czy na ogrodzonym dziedzińcu.

– Musi to być diablo niewygodne – powiedział otwarcie Stephen. – Czy wędrujecie na los szczęścia, gdzie oczy poniosą?

– Skądże znowu! Mamy stałe trasy objazdowe po West Midlands. Widzowie już nas tam oczekują. Z góry wiemy, w jakich warunkach przyjdzie nam grać w każdym mieście i na jakie możemy liczyć udogodnienia. – Dotarli już Pod Króla Jerzego i Rosalinda poprowadziła Stephena sklepionym przejściem na tylny dziedziniec. – Wędrowni aktorzy należą do najniższej kasty. W teatralnej hierarchii najwyższe miejsca zajmują oczywiście ci, co dostali angaż w Londynie. Potem aktorzy z większych prowincjonalnych ośrodków, takich jak Bath czy York. A na samym dole są tacy jak my. Grywamy po miasteczkach zbyt małych, by chciał się tam pofatygować szanujący się zespół.

– Przecież twoi rodzice są wybitnie utalentowani! Z pewnością odnieśliby sukces w którymś z renomowanych teatrów!

Rosalinda uśmiechnęła się niewesoło.

– Talent to jeszcze nie wszystko. Mój ojciec potrafi zagrać po mistrzowsku każdą rolę, od króla Lira do Falstaffa, a moja matka w *Izabelli* albo innej melodramatycznej roli wzruszy do łez najbardziej nieczułych widzów. Ich talenty zostały dostrzeżone i, gdy byłam małą dziewczynką, John Philip Kemble zaangażował ich oboje na okres próbny w teatrze przy Drury Lane. Występowali tam tylko przez miesiąc. Według rodzinnej wer-

sji wydarzeń Kemble był zazdrosny, bo papa miał wspaniałe recenzje…
i zapewne jest w tym nieco prawdy. Ale prawdą jest również to, że papa
lubi wszystko robić po swojemu. Większość dyrektorów teatru i reżyserów
to banda aroganckich zarozumialców; szybko się pozbędą aktora, który ma
własne zdanie.

– Zwłaszcza jeśli bawi w Londynie od niedawna i nie zdobył jeszcze
powszechnego uznania. Gdyby miał wsparcie w publiczności, Kemble patrzyłby przez palce na jego wybuchy artystycznego temperamentu.

Rosalinda skinęła głową.

– W tej sytuacji jedynym wyjściem było stworzenie własnego zespołu.
Trupa teatralna Fitzgeralda nie jest może sławna, ale papa ma wolną rękę.

Podprowadziła Stephena do wielkiego pawilonu, w którym odbywały
się wszelkiego rodzaju spotkania i imprezy. Właśnie wspinali się po schodkach do drzwi, gdy wyszedł z nich przystojny młodzieniec o wyglądzie
i sposobie bycia dandysa. Stephen rozpoznał w nim Edmunda Chesterfielda, aktora grającego w *Burzy* rolę Ferdynanda, zakochanego w Mirandzie.

Chesterfield uśmiechnął się szeroko na widok Rosalindy.

– Jakże się dziś miewa moja niezrównana Róża?

– Ani twoja, ani niezrównana – odparła Rosalinda ze swobodą świadczącą o długiej zażyłości. – Pozwól, Edmundzie: to pan Ashe, który uratował Brianowi życie.

Chesterfield przyjrzał się bacznie Stephenowi. Najwidoczniej w każdym mężczyźnie upatrywał potencjalnego rywala lub mecenasa sztuki.
Gdy uznał, że Stephen nie należy do żadnej z tych dwu kategorii, rzucił
nieco protekcjonalnie:

– Odważny z pana chłop, Ashe! Ryzykować życie dla takiego smarkacza… Gdyby to była nasza rozkoszna Jessica, to co innego! Sam skoczyłbym do rzeki.

– I zniszczył bezpowrotnie nowiutki surdut? Jakoś nie mogę w to
uwierzyć – zauważyła słodko Rosalinda.

– Niestety, piękna Rosalindo, zbyt dobrze znasz me słabostki – odrzekł Chesterfield z wytwornym ukłonem. – A zatem do wieczora, okrutna damo!

Rosalinda się zdziwiła.

– Już po próbie?

– Dla mnie tak. – Młody aktor się skrzywił. – W innych trupach nie
zmusza się aktorów do codziennych repetycji. Nasz dyrektorunio lubi dręczyć swoich podwładnych!

57

– Nasz dyrektorunio lubi wystawiać dobrze grane sztuki – odcięła się ostro Rosalinda. – Dzięki temu twoje zdolności aktorskie wyraźnie rozwinęły się od czasu, gdyś przystał do nas.

– Może i tak – przyznał Chesterfield – ale to było przed rokiem. Mam już wystarczająco dużo doświadczenia i nie zamierzam marnować pięknego dnia na próby. Rolę znam na pamięć, a tu aż się roi od wiejskich piękności, które łatwo oczarować.

Skinął im głową na pożegnanie i zbiegł ze schodków.

Stephen mruknął pod nosem:

– Czarujący młodzian! Czy nie gra przypadkiem króla Duncana w „szkockiej sztuce"?* Jeśli tak, warto by chyba teatralny sztylet podmienić na prawdziwy, dobrze wyostrzony!

Rosalinda uśmiechnęła się mimo woli.

– Edmund jest co prawda próżny i leniwy, ale to jeszcze nie powód, by papa za poduszczeniem mamy zadźgał go w drugim akcie!

– Masz słuszność. Lepiej niech zagra Antygona i niedźwiedź się z nim rozprawi!

– Naprawdę znasz Szekspira! – stwierdziła Rosalinda z aprobatą.

– Zawsze kochałem teatr, a zwłaszcza sztuki Szekspira. Grałem w nich nawet… oczywiście na przedstawieniach amatorskich. – Otworzył przed nią drzwi pawilonu. – A potem słowa wieszcza pozostawały długo w mojej pamięci, jak smak przedniego koniaku na podniebieniu.

Nagle przemknęła mu przez głowę jedna z takich kwestii: „Że jest tak piękna, trzeba ją zdobywać, że jest kobietą, więc można ją zdobyć". Wielki Boże, z czego to? A prawda: z *Henryka VI***.

Odetchnął głęboko i podążył za nią do głównej sali. Na jej przeciwległym końcu znajdowało się podwyższenie, mogące służyć za scenę lub podium dla orkiestry. Krzątało się tam sporo ludzi: część ustawiała dekoracje, reszta brała udział w próbie pod kierunkiem dyrektora.

– Ilu ludzi liczy sobie wasza trupa? – zapytał Stephen.

---

* Czyli w *Makbecie*. Ta szekspirowska tragedia przynosi podobno takiego pecha, że mimo jej ogromnych walorów scenicznych aktorzy (ludzie z reguły przesądni!) grywają w niej niechętnie i z duszą na ramieniu. Nie wymienia się nawet tytułu sztuki, zastępując ją podanym wyżej określeniem.

** William Szekspir *Dzieła*, *Król Henryk VI*, część I, akt V, scena 3, przeł. Maciej Słomczyński, Wydawnictwo Literackie, Kraków 1987.

– Osiemnastu. Dziesięcioro to profesjonalni aktorzy. Inni, jak Calvin Ames i Ben Brady, który tam stoi, to muzycy lub pracownicy sceniczni; grają czasem ogony. – Rosalinda zmarszczyła brwi. – Wygląda na to, że Ben ma jakieś kłopoty. Sprawdzę, o co chodzi!

Stephen udał się za nią w kierunku sceny, gdzie aktorzy zarzucali sobie nawzajem to zdradę, to znów zawiść.

– Co to za sztuka?

– *Głos zza grobu*. Pójdzie jutro. – Rosalinda rzuciła mu szelmowski uśmiech. – Sztuczka jest niewiele warta, ale będziemy mogli wykorzystać tutejszą zapadnię. Ilekroć tu występujemy, gramy co najmniej jedną sztukę o duchach.

– Istotnie, szkoda byłoby zmarnować taką okazję – przytaknął Stephen. – A co gracie dziś wieczorem?

– *Sen nocy letniej*. To jedna z moich ulubionych sztuk. Gram w niej najpierw Hipolitę, potem elfa z orszaku Tytanii. Będę się zwijać jak w ukropie przez cały wieczór!

– Przewidujesz jakieś kłopoty ze zmianą kostiumu?

– Raczej nie. W tej sztuce wszyscy mamy długie, fałdziste szaty… Wystarczy zmienić płaszcz i przybranie głowy. – Rosalinda przystanęła i zwróciwszy się twarzą do Stephena, z narzuconego na głowę szala, który przedtem okrywał jej ramiona, uformowała błyskawicznie coś w rodzaju średniowiecznego kaptura. – Oto jak szata – odezwała się niskim, tajemniczym głosem – z jednej aktorki czyni dwie!

– Masz znacznie więcej talentu, niż ci się zdaje! – powiedział zachwycony Stephen.

– Po prostu znam wszystkie sztuczki naszego rzemiosła! – Okryła znów ramiona szalem. – Mama i papa tego dopilnowali. Ale brak mi wewnętrznego ognia.

Być może nie płonęła entuzjazmem do swej profesji, ale Stephen podejrzewał, że nie brakowało jej ognia namiętności. Miała piękne kształty stworzone do miłości.

Uznał jednak, że bezpieczniej będzie zająć się czymś innym. Zwrócił uwagę na zgromadzone pod ścianą rekwizyty.

– Pewnie te dekoracje i kostiumy wykorzystujecie na wiele różnych sposobów?

Skinęła potakująco głową i weszła na scenę. Aktorzy byli tak zajęci próbą, że nawet jej nie dostrzegli.

– To malowane drzewo, które Ben trzyma w objęciach, osłaniało Makbeta i trzy wiedźmy. Ukrywał się za nim dobry książę Charles. Przetrwało dzielnie wiele scenicznych burz.

Jednak w chwili obecnej drzewo nie prezentowało się najlepiej. Odłamały się dwie jego rozłożyste, acz dwuwymiarowe gałęzie.

– Jak to się stało, Ben? – Rosalinda spytała żylastego mężczyznę, który oglądał smutne resztki.

– Ten mój pomagier, skończona oferma, upuścił drzewo – odparł kwaśno Ben. – Wczoraj przez to całe zamieszanie spóźniliśmy się z robotą, a teraz masz! Drzewo diabli wzięli.

Rosalinda zmarszczyła brwi.

– Co jeszcze zostało do zrobienia?

Ben wyrecytował długą listę niezbędnych czynności i zakończył posępnie:

– Niewiele z tego bym zrobił, gdybym zajął się tym drzewem. Po mojemu trzeba grać bez niego, i tyle.

– Chętnie pomogę przy dekoracjach – zaofiarował się Stephen. – Na stolarce się nie znam, ale mogę przynieść co trzeba i ustawić.

Rosalinda się zawahała.

– Nie powinieneś dźwigać ciężarów, miałeś uraz głowy!

– Obiecuję, że niczego nie będę nosił na głowie – rzekł z całą powagą.

Nim Rosalinda zdążyła zaprotestować, odezwał się Ben:

– Skorzystaj z jego pomocy, jeśli sam się naprasza, Różyczko! Przyda się nam każda para rąk.

– No, dobrze… Ale jeśli się zmęczysz, Stephenie, przerwij natychmiast i odpocznij!

– Jasne!

Prowadzony przez Bena, Stephen wyszedł drzwiami za scenę. Na dziedzińcu stały wozy pełne dekoracji; wrócił z naręczem połyskliwych, szaroniebieskich draperii, które należało rozwiesić na tylnej ścianie. Rozpoznał je: to one posłużyły przy inscenizacji *Burzy* za sklepienie groty Prospera. Tym razem zostaną wykorzystane z równym powodzeniem jako tło zaczarowanego lasu.

Przez następnych kilka godzin Stephen odnajdywał, dźwigał i ustawiał dekoracje zgodnie ze wskazówkami Bena; przez cały ten czas zdumiewał się, jak wspaniałe efekty można osiągnąć za pomocą tak prostych środków. Odpowiadała mu również charakterystyczna dla teatru atmosfera twórczego chaosu; podczas montowania dekoracji aktorzy to zjawiali się, to znikali, dramatyczne sceny rozgrywały się dosłownie pod bokiem Stephena, a poszczególne kwestie fruwały nad jego głową.

Zakurzony i trochę zmęczony, podziwiał właśnie gotową dekorację, gdy za jego plecami rozległ się okrzyk Marii Fitzgerald:

– Szukasz księcia, Thomasie?! Masz tutaj pana Ashe'a!

Skonsternowany Stephen odwrócił się raptownie, głowiąc się, jakim sposobem Maria odkryła jego sekret. Może ktoś go jej wskazał?

Wykrzyknik Marii Fitzgerald sprawił, że wszyscy oderwali się od swoich zajęć i skierowali wzrok na Stephena. Incognito diabli wzięli!

Najuważniej przyglądał mu się Thomas Fitzgerald; on też pierwszy odezwał się po namyśle:

– Masz rację, złotko! Nadaje się znakomicie. Oszczędziłoby mi to dwukrotnej zmiany kostiumu… Ale może pan Ashe nie ma wcale ochoty występować razem z nami na scenie?

Zupełnie zdezorientowany Stephen zamrugał.

– Co proszę?

Maria obdarzyła go promiennym uśmiechem.

– Byłby z pana wspaniały książę Aten, panie Ashe! Rosalinda wspomniała, że grywał pan w przedstawieniach amatorskich… więc może zechciałby pan wcielić się dziś wieczorem w Tezeusza?

Stephen poczuł ogromną ulgę, pojąwszy, że nie został rozpoznany. Ale jak to, książę Ashburton miałby wystąpić w sztuce odgrywanej w gospodzie ku uciesze gawiedzi?! Wpatrywał się bez słowa w Marię Fitzgerald. Grać razem z profesjonalnymi aktorami to całkiem co innego niż bawić się w teatr w gronie przyjaciół w czyjejś wiejskiej rezydencji!

– Nie każdy ma ochotę popisywać się na scenie, mamo – odezwała się Rosalinda. – Dla większości ludzi byłaby to udręka.

– A poza tym pan Ashe nie wrócił jeszcze do zdrowia – dodała Jessica.

Marii zrzedła mina.

– No, tak… Nie pomyślałam o tym.

Widząc, jak jest rozczarowana, Stephen nagle pojął, czemu wystąpiła z tą propozycją. Dla Marii występ na scenie był największą radością. Postanowiła podzielić się nią z człowiekiem, który ocalił jej syna. Postąpiła jak kot, przynoszący swemu panu w darze upolowaną mysz.

Był to absurdalny pomysł, a jednak… Otrząsnąwszy się z pierwszego szoku, Stephen odkrył, że ma ochotę wziąć udział w tym… bulwersującym eksperymencie.

– Z pewnością pożałuję swego zuchwalstwa – odparł z uśmiechem. – Ale mimo wszystko chciałbym spróbować swoich sił. O ile jest pani pewna, że nie położę sztuki!

Twarz Marii rozjaśniła się, a Thomas roześmiał się gromko.

– Znakomicie! Szekspir się ostoi, choćbyś położył Tezeusza, drogi chłopcze. Ale to niewielka rólka i jak nad nią razem popracujemy, nikt się nie domyśli, że to twój debiut!

Jessica radośnie klasnęła w ręce, a Rosalinda uśmiechnęła się ciepło do Stephena.

– Witaj w trupie teatralnej Fitzgeralda!

– To przecież tylko jeden występ – powiedział skromnie.

Kiedy Thomas odprowadził go na bok i wziął w obroty, by dopracować rolę, Stephen odkrył, że jest bardzo zadowolony z podjętej decyzji.

6

Kiedy czekali za kulisami na rozpoczęcie spektaklu, Rosalinda stała tuż obok Stephena; nie tylko dlatego, że mieli wspólne wejście. Nawet najbardziej doświadczeni aktorzy miewają tremę przed występem. Stephen ukrywał swe zdenerwowanie pod maską obojętności, ale Rosalinda wiedziała, co musiał teraz czuć.

Thomas Fitzgerald, już w kostiumie Oberona, króla elfów, zerknął z ukrycia na widownię.

– Komplet! – oznajmił z satysfakcją, zwracając się do aktorów. – Powiem naszym muzykusom, żeby zaczynali marsza!

Stephen rzucił Rosalindzie żałosne spojrzenie.

– Chyba już za późno, by zrezygnować z roli Tezeusza?

– Obawiam się, że tak. Ale nie martw się – uspokoiła go. – Pójdzie ci jak po maśle. Mama miała całkowitą rację: pasujesz do roli księcia jak mało kto!

– Coś mi się zdaje, że łatwiej być księciem niż aktorem.

– Bzdury! Znasz rolę na pamięć i doskonale ci szło, kiedy papa przejechał się z tobą po tekście, scena po scenie. – Obejrzała go od stóp do głów. W fałdzistej purpurowej szacie, w złotych łańcuchach i w diademie Stephen promieniował dostojeństwem; od razu można w nim było rozpoznać bohaterskiego księcia. Rosalinda spodziewała się, że Stephen zrobi w tej roli niemałe wrażenie na publiczności; prawie takie jak jej ojciec. – Tylko mów wyraźnie i nie potknij się na scenie! A jeśli chodzi o interpretację roli, to sprawa jest całkiem prosta. Musisz wyrazić tylko dwa uczucia: władcze dostojeństwo księcia Aten i miłość do kobiety, którą masz niebawem poślubić.

– Łatwo ci mówić, Hipolito! – rzucił cierpko.

– Zobaczysz, że i tobie pójdzie łatwo, kiedy wypowiesz pierwsze słowa – zapewniła go. – A gdyby ci się zdarzyła wpadka, zatuszuję ją tak, że nikt tego nie zauważy.

Muzycy odegrali już uwerturę. Zabrzmiały pierwsze tony dziarskiego marsza poprzedzającego wejście Tezeusza, księcia Aten, i jego narzeczonej Hipolity, królowej amazonek. Rosalindę ogarnęło podniecenie, które odczuwała zawsze przed wejściem na scenę. Wzięła Stephena za rękę.

– Odwagi, miły książę! To tylko Redminster. Choćbyś nawet położył rolę, kto się o tym dowie?

– Szekspir może wstać z grobu i porazić mnie swoim gniewem – odparł posępnie.

– Nie pochlebiaj sobie! Spał spokojnie przez całe wieki, choć setki ludzi na wszelkie sposoby kaleczy i maltretuje jego dzieła! Z całą pewnością nie okażesz się tak zły, jak mnóstwo znanych mi aktorów.

Uśmiechnął się blado, ale Rosalinda była pewna, że marzył tylko o tym, by znaleźć się jak najdalej stąd! Na szczęście marsz poprzedzający ich wejście na scenę rozległ się, zanim zdenerwowanie Tezeusza przerodziło się w paniczny strach. Wzięli się za ręce i razem wkroczyli dostojnie na scenę.

Obserwując ukradkiem swego partnera, Rosalinda zorientowała się, w którym momencie poczuł na sobie spojrzenia całej widowni. Twarz stężała mu w nieprzeniknioną maskę.

– Uważaj na kwestie i nie potknij się! – szepnęła tak cicho, że nikt jej nie usłyszał prócz Stephena.

Przymknął oczy na ułamek sekundy i wziął się w garść. Potem zwrócił się do niej i władczym, donośnym głosem, który docierał w najdalsze kąty sali, rzekł:

– „Już się nam zbliża, piękna Hipolito, godzina ślubu"*.

Rosalinda wstrzymała dech, zdumiona gorącym spojrzeniem Stephena. Być może z tej przyczyny, że nie był zawodowym aktorem, nie dostrzegła

---

* William Szekspir *Komedie*, tom II, *Sen nocy letniej*, akt I, scena 1, przeł. Stanisław Koźmian, PIW, Warszawa 1980.

w jego interpretacji żadnych manier, charakterystycznych dla starych wyjadaczy, którzy popadli w rutynę. Biła od niego taka szczerość, że przez chwilę Tezeusz, książę Aten, wydał się Rosalindzie bardziej realny niż scena, dekoracje i pozostali aktorzy. Stephen po prostu był Tezeuszem – władcą, bohaterem, najwspanialszym z mężczyzn. A także jej kochankiem, który przybył po nią, by zatrzymać ją przy sobie na wieki. Pragnęła podać mu usta do pocałunku i przylgnąć do niego całym ciałem.

Ktoś z widzów zakasłał i ten dźwięk przywrócił Rosalindę do przytomności. W samą porę! Gdyby nie to, przegapiłaby swoją pierwszą kwestię, nie odpowiedziałaby Tezeuszowi. Przywołując na pomoc swe wieloletnie doświadczenie, uśmiechnęła się uwodzicielsko do Tezeusza (Tezeusza, nie Stephena!) i pięknym szekspirowskim wierszem zaczęła go przekonywać, jak prędko miną dni dzielące ich od ślubu.

Przedstawienie toczyło się dalej, a Rosalinda odczuwała coraz większe podniecenie. Trupa odpowiedzialnych profesjonalistów w każdych warunkach potrafi zagrać poprawnie, ale tylko od czasu do czasu wszystkie elementy widowiska stapiają się w idealnie harmonijną całość – i wówczas zaczyna działać magia teatru. Rosalinda wyczuwała, że ten wieczór będzie właśnie taki. Choć Stephen nie był zawodowym aktorem, Tezeusz w jego interpretacji stał się postacią władczą i fascynująco męską. Stworzona przez niego iluzja podziałała na jego partnerkę tak, że dała z siebie wszystko i osiągnęła szczyt swych możliwości. Ona również utożsamiła się z wojowniczą królową, której serce Tezeusz zdobył „pogromem wojny", a ich zaślubiny miały uświetnić „pompa, tryumfy i huczne igrzyska"*.

Pełne zachwytu milczenie publiczności dowodziło, że ich także zafascynował urok szekspirowskiego dzieła i urzekła magia teatru. Tego wieczoru trupa teatralna Fitzgeralda zawładnęła sercami wszystkich widzów.

Na scenie pojawili się piękna Hermia, jej ojciec oraz dwóch zalotników, potem zaś Helena, zakochana w jednym z nich. Wszyscy błagali Tezeusza, by rozstrzygnął ich problemy i oddawali się pod jego sprawiedliwy sąd. Jessica, Edmund, Jeremiah i pozostali aktorzy poddali się płynącym ze sceny czarom i wcielili się bez reszty w szekspirowskich bohaterów.

Wkrótce scena pierwsza dobiegła końca. Rosalinda i Stephen znikli za kulisami. Czekała ich tam Maria w srebrzystej szacie Tytanii, królowej elfów. Uścisnęła gorąco Stephena, a Rosalinda pozazdrościła matce swobo-

---

* William Szekspir *Sen nocy letniej.*

dy, z jaką to uczyniła. Sama była zbyt nim zafascynowana, by zdobyć się na taki gest.

– Byłeś wspaniały, Tezeuszu! – powiedziała Maria. – Nie mówiłam, że będzie cudownie?

– Moja królowa amazonek strzegła pilnie, bym nie zrobił z siebie głupca. – Stephen rzucił Rosalindzie gorące spojrzenie ponad głową jej matki. – Dziękuję, że pozwoliliście mi grać razem z wami. Mało który spośród nas, profanów, może dostąpić takiego zaszczytu.

Rosalinda poczuła radość i ulgę, słysząc, że jej podopieczny uznał ten niezwykły eksperyment za doniosłe przeżycie. Zeszła do maleńkiej garderoby dla pań, by przebrać się do swojej drugiej roli. Zmiana kostiumu nie nastręczała żadnych trudności.

Gorzej było z przedzierzgnięciem się z narzeczonej Stephena w elfa z orszaku mamy.

Ponieważ książę Aten występował w trzech tylko scenach, na samym początku i przy końcu sztuki, Stephen większą część wieczoru spędził za kulisami, obserwując stamtąd grę innych wykonawców. Jessica błyszczała w roli ślicznej, zdezorientowanej nieoczekiwanym obrotem spraw Hermii, Thomas i Maria w rolach zwaśnionych małżonków, króla i królowej elfów, łączyli urok osobisty z tajemniczością postaci z innego świata. Puk w interpretacji Briana był przemiłym, psotnym chochlikiem. Stephen nigdy nie oglądał lepszej inscenizacji tej komedii. Thomas Fitzgerald mógł być dumny ze stworzonego przez siebie zespołu. Ciekawe, czy miłośnicy teatru z West Midlands uświadamiają sobie, jakie mają szczęście, mogąc podziwiać te arcydzieła?

Stephen odczuwał zdumienie i radość na myśl, że i on ma swój udział w tym niezwykłym spektaklu. Jego rola była niewielka. Trupa doskonale obeszłaby się bez niego. A jednak w pewnym stopniu przyczynił się do powstania tego żywego gobelinu; uczestniczył w wydarzeniu artystycznym, które urzekło widownię. Stephen odkrył, że potęga teatru jest równie wielka, choć całkiem odmienna od znanej mu potęgi bogactwa i pozycji.

Śledząc rozwój wypadków na scenie, od czasu do czasu wracał myślą do początku pierwszego aktu, w którym grał z Rosalindą. Ileż radości sprawiało mu przemawianie do niej słowami kochanka! Na krótką chwilę owiany czarem letniej nocy zapominał o swym nieszczęsnym losie. Nic dziwnego, że komedianci i bajarze cieszyli się taką popularnością od zarania dziejów. I ci, i tamci dobrze wiedzieli, że porywająca, interesująco przekazana opowieść przynosi pokój i radość – choćby krótkotrwałą.

Tezeusz i Hipolita znów pojawili się razem na scenie. Jeszcze przed chwilą Rosalinda fruwała po scenie jako jedna ze służek Tytanii, strojna w powiewne tiule, które pozwalały ocenić wszystkie jej uroki. Teraz pojawiła się znowu we wspaniałej szacie Hipolity, równie królewska jak prawdziwa monarchini… albo księżna.

Uśmiechnęła się do Stephena.

– Nie boisz się już publiczności, prawda?

Spojrzał na nią wyniośle.

– Mniemasz, że ten gmin ośmieliłby się okazać brak szacunku władcy Aten?

Uśmiech Rosalindy stawał się coraz szerszy, coraz bardziej łobuzerski.

– Z każdą chwilą masz więcej królewskiego… książęcego majestatu!

Gdybyż wiedziała!

Zagrzmiały rogi myśliwskie i na ten znak dostojnie wkroczyli na scenę. Stephen był zaskoczony, gdy powitano ich oklaskami, Rosalinda szepnęła:

– Przypadłeś im do gustu, książę panie!

Czysty nonsens… ale sprawiło mu to niewątpliwą przyjemność.

W ostatnich dwóch scenach wygłaszał swe kwestie z jeszcze większą swadą. Raz się zaciął, ale gdy Rosalinda podszepnęła mu bezgłośnie pierwsze słowo, poprawił się natychmiast. Schodząc po raz ostatni ze sceny, czuł zawrót głowy: ogarnęły go poczucie triumfu i zarazem ogromna ulga. Książę Ashburton podjął ryzyko. Mógł okryć się śmiesznością, ale wyszedł cało z tej próby.

Po zamykającym sztukę monologu Puka widownia rozbrzmiała gromkimi oklaskami. Aktorzy po kolei – począwszy od najmniej znaczących rólek, po role wiodące – wychodzili na proscenium i kłaniali się publiczności. Kiedy przyszła pora na Tezeusza i Hipolitę, Stephen ujął znów rękę Rosalindy. Przywykł już do tego i wydawało mu się to całkiem naturalne.

Wkroczyli razem na scenę i zostali powitani z entuzjazmem. Zwinięta w kłębuszek koronkowa chusteczka wylądowała u stóp Stephena. Rosalinda zauważyła ze śmiechem:

– Masz już swoją wielbicielkę, Stephenie!

Rozbawiła go ta sugestia.

– O Boże, tylko nie to!

A jednak aplauz publiczności uderzył mu do głowy. Nadal trzymając się za ręce, pożegnali widzów: on ukłonem, ona zaś głębokim dygiem, którego nie powstydzono by się na królewskim dworze. Potem odsunęli się na bok, by następni aktorzy mogli przeżyć swój moment chwały.

Kiedy już cała obsada znalazła się na scenie, wszyscy wzięli się za ręce i skłonili po raz ostatni. Stephen po lewej stronie miał Jessicę, po prawej Rosalindę. Co też pomyśleliby jego przyjaciele, gdyby ujrzeli go w takim towarzystwie? Pewnie uznaliby go za szaleńca. Wcale się tym nie przejął. Poza tym zazdrościliby mu niewątpliwie ślicznych towarzyszek!

I oto było już po wszystkim. Widzowie wstawali z miejsc i opuszczali salę. Za sceną Thomas Fitzgerald objął Stephena.

– Dobra robota, chłopcze! Najlepszy książę Aten, jakiego widziałem.

– Zadzierałem tylko nosa, a im się to widocznie spodobało – stwierdził skromnie Stephen.

Zarumieniona z podniecenia Maria roześmiała się i powiedziała:

– Pora wracać Pod Trzy Korony! Zjemy razem kolację i uczcimy pański debiut sceniczny.

Stephen przyjął zaproszenie, rad, że czeka go jeszcze jeden wieczór w tym miłym gronie, zanim uda się w drogę powrotną. Skierował się do zatłoczonej męskiej garderoby. Zdjął już purpurową szatę Tezeusza, pod którą miał własną koszulę i spodnie, gdy do garderoby wszedł Edmund Chesterfield i powiedział kąśliwie:

– Pewnie wyobrażasz sobie, że jesteś już aktorem, Ashe?

Jeremiah Jones tylko pokręcił głową. Stephen zdążył się już zorientować, że Chesterfield nie cieszy się popularnością wśród kolegów.

– Bynajmniej – rzekł spokojnie. – Jestem tylko amatorem, który miał szczęście wystąpić na scenie w towarzystwie znakomitych profesjonalistów. – Zaczął wiązać sobie chustę pod szyją. – A tak nawiasem mówiąc: wspaniale zagrał pan Demetriusza.

Nieco udobruchany Chesterfield odparł:

– Byłem naprawdę dobry, nieprawdaż? Demetriusz to znacznie trudniejsza i ciekawsza rola niż Lyzander!

Stephen uśmiechnął się dyskretnie i wyszedł z garderoby. Okazuje się, że nie tak trudno rozbroić stosownym komplementem zawistnego aktora!

Będzie mu brakowało tych ludzi.

Wszyscy członkowie trupy teatralnej Fitzgeralda ubóstwiali przyjęcia, a debiut sceniczny Stephena Ashe'a stanowił doskonały pretekst po temu. Tak więc po kolacji specjalnie przygotowanej przez oberżystę i po wielu, wielu toastach za zdrowie i pomyślność debiutanta wszyscy byli usposobieni przyjaźnie do całego świata. Należący do trupy muzycy zabrali ze sobą instrumenty i teraz grali w kąciku dla własnej przyjemności, podczas gdy pozostali członkowie trupy rozbili się na niewielkie grupki, rozprawiające na różne tematy.

Rosalinda zawsze lubiła takie wieczory. Jej ojciec musiał co prawda pokrywać koszta owych „przyjątek" (szeroki gest Thomasa był jedną z przyczyn, dla których nie dorobił się nigdy majątku), ale dzięki temu w jego trupie panowała ciepła, rodzinna atmosfera – prawdziwa rzadkość w środowisku teatralnym.

Spojrzenie Rosalindy powędrowało na drugi koniec okropnie zatłoczonego saloniku, który był dla nich zarezerwowany. Stephen rozmawiał z Landersami; Jane i Will byli młodym aktorskim małżeństwem i na razie grywali role drugoplanowe. Rosalinda zwróciła się do siedzącej obok niej Jessiki.

– Nadal zamierzasz wystawić tragedię własnego pomysłu ze Stephenem w roli arystokratycznego bohatera usychającego z nieodwzajemnionej miłości do nisko urodzonej pierwszej amantki… oczywiście w twoim wykonaniu?

Siostra roześmiała się i przełknęła ostatni kęs wieprzowego pasztetu.

– Wygląda zbyt groźnie, by mógł uschnąć z równie błahego powodu.

Rosalinda zjadła korzenne ciasteczko i popiła szampanem.

– Dopasował się do nas całkiem nieźle… jak na dżentelmena. Mam wrażenie, że jest już na ty z całą trupą.

– To dlatego, że jest prawdziwym dżentelmenem, a nie nędzną imitacją – stwierdziła w zadumie Jessica. – Nie musi demonstrować swej wyższości jak nowobogaccy.

W przeciwległym końcu pokoju Stephen, ubawiony jakimś powiedzonkiem Jane, wybuchnął śmiechem. W tej chwili nie było w nim ani śladu zwykłej powagi. Rosalinda wpatrująca się bacznie w twarz Stephena spostrzegła, że ukrywany pod maską obojętności jego posępny nastrój zniknął również… przynajmniej na razie. Była szczerze rada, że mogli dać mu chwilę beztroskiej radości w zamian za to, co dla nich uczynił. Równocześnie jednak odczuwała ból na myśl, że Stephen jutro rano odjedzie. I nigdy więcej go nie zobaczy.

Świadomość tego popchnęła ją do zuchwalstwa.

– Ponieważ Stephen stał się członkiem naszej trupy… choćby tylko na jeden dzień, powinien przejść chrzest bojowy!

Jessica roześmiała się, w jej niebieskich oczach błysnęły wesołe iskierki.

– Znakomity pomysł! Ciekawa jestem, czy jego wyniosła pewność siebie wytrzyma taką próbę!

– Wytrzyma – odparła pogrążona w myślach Rosalinda. – To nie wyniosłość, tylko wrodzona godność, która nie opuści go nawet na łożu śmierci.

W oczach Jessiki znów coś błysnęło. Tym razem był to znak, że zapamiętała złotą myśl siostry i zrobi z niej w przyszłości użytek.

– Zaraz ogłoszę, że chrzest bojowy Stephena właśnie się rozpoczyna!

Odstawiła kieliszek i wybiegła na środek pokoju, unosząc ręce gestem nakazującym milczenie.

– Słuchajcie! Słuchajcie! Słuchajcie! – zawołała. Jej doskonale postawiony głos przedarł się przez gwar rozmów i wybuchy śmiechu. – Ponieważ Stephen Ashe z powodzeniem występował dziś na scenie jako jeden z nas, najwyższa pora, by odbył chrzest bojowy i stał się pełnoprawnym członkiem trupy teatralnej Fitzgeralda!

Wszyscy gruchnęli śmiechem. Tylko Edmund Chesterfield naburmuszył się i milczał. Był wściekły, ilekroć ktoś inny, a nie on znajdował się w centrum uwagi, toteż przeważnie chodził naburmuszony.

Stephen zapytał podejrzliwie:

– Na czym ma polegać ów chrzest, piękna Hermio? Zamierzacie mnie skąpać z głową w poidle dla koni?

– Każdy nowy członek trupy musi ucałować wszystkie należące do niej osoby płci odmiennej – wyjaśnił Thomas, uśmiechając się od ucha do ucha.

Jeremiah zachichotał.

– To nie takie straszne, Stephenie!

– A ja będę pierwsza! – oznajmiła Jessica.

W kilku susach znalazła się obok Stephena i objęła go za szyję, odchylając głowę do tyłu w geście całkowitego oddania, doskonale wyćwiczonym w jednej z ról teatralnych. Stanowili ze Stephenem bardzo efektowną parę. Po raz pierwszy w życiu Rosalinda pozazdrościła młodszej siostrze urody. Jakiż mężczyzna mógłby się oprzeć tej pełnej życia istocie, która sama wskoczyła mu w ramiona? Jednakże Stephen odwzajemnił jej zaledwie przyjacielski pocałunek. Rosalinda poczuła z tego powodu ogromną satysfakcję, której się natychmiast zawstydziła.

Pozostałe kobiety ustawiły się jedna za drugą, czekając na swoją kolej. Chichotały przy tym jak pensjonarki, nie wyłączając Nan, która grywała role staruszek oraz pełniła obowiązki garderobianej. Stephen przyłączył się beztrosko do zabawy, całując wszystkie damy z teatralną swadą.

Rosalinda żałowała teraz, że pod wpływem nagłego impulsu wspomniała o „chrzcie bojowym", by zdobyć upragniony pocałunek Stephena. To, co się teraz działo, nie miało nic wspólnego z jej marzeniami.

Lepiej o tym nie myśleć.

Maria była ostatnia w kolejce. Stephen otrzymał od niej głośnego całusa, żywcem wziętego z *Wesołych kumoszek z Windsoru*. Potem matka odwróciła się do Rosalindy i skinęła na nią.

– Twoja kolej, moja droga! Ostatni pocałunek, żeby Stephen zapamiętał nas na zawsze!

Wszyscy przyglądający się tej scenie zaczęli klaskać. Rosalinda z ociąganiem podeszła do Stephena, uniosła głowę i ujrzała napięcie w jego spojrzeniu. On również czuł się nieswojo w tej sytuacji. Jakaż była głupia, zachęcając Jessicę do idiotycznej zabawy, która mogła zbrukać łączącą ich delikatną, lecz wyraźnie wyczuwalną więź!

Wyciągnął do niej rękę.

– Pójdź, Hipolito!

Odwołanie się do roli, którą odgrywała, osłabiło nieco napięcie Rosalindy. Poczuła się znów królową amazonek, która przybywa na wezwanie kochanka, nie tracąc godności. Ujęła jego dłoń i skłoniła się nisko.

– Miły mój książę…

Ujrzała w jego oczach tęskny błysk, kiedy pochylił się, by ją pocałować. Gorące wargi zaledwie musnęły jej usta, a jednak ta pieszczota wstrząsnęła nią całą. Tak, naprawdę coś ich łączyło i w innych okolicznościach mogło rozwinąć się w głębsze uczucie. Nie mieli jednak tyle szczęścia.

Pocałunek dobiegł końca. Nadal jednak spoglądali sobie w oczy; Rosalinda szepnęła:

– Dziękuję, Stephenie.

Odpowiedział równie cicho:

– To ja dziękuję, Rosalindo.

Salon zatrząsł się od oklasków, a Thomas podszedł do Stephena, by dolać mu wina do kieliszka. Rosalinda powróciła na dawne miejsce. Już nie żałowała, że namówiła Jessicę do tej zabawy. Nawet pocałunek na oczach wszystkich był lepszy niż żaden.

Z żołądkiem Stephena coś było nie w porządku, unikał więc jedzenia i wymknął się do swego pokoju, by zażyć pigułkę. Miał wrażenie, że szampan łagodzi jego dolegliwości, toteż popijał po troszku przez cały wieczór. Rozmowa w tym aktorskim gronie różniła się diametralnie od konwersacji w londyńskich salonach. Na przykład Ben Brady objaśniał szczegółowo, jak przygotować efektowny wybuch za kulisami, nie obracając przy tym w perzynę budynku, w którym odbywało się przedstawienie. Nan, żona Bena, zwierzyła się ochrypłym teatralnym szeptem, że przepada za melodramatami, w których cnotliwa dzieweczka ujarzmia niepoprawnego rozpustnika. Aż dziw, bo przecie własną cnotę straciła, zanim jeszcze Jerzy III stracił swe kolonie w Ameryce! Gadali jak najęci. W całej trupie nie było ani jednego nudziarza… z wyjątkiem Edmunda Chesterfielda.

Odbywszy swój chrzest bojowy, Stephen usadowił się w pobliżu Thomasa i Marii, którzy raczyli go pikantnymi anegdotkami z poszczególnych etapów swej kariery teatralnej. Stephen zazdrościł tej starzejącej się parze wzajemnej miłości i zrozumienia. O tym, jak byli sobie bliscy, świadczyło choćby to, że wiecznie trzymali się za ręce.

Na ten widok Stephen jeszcze silniej odczuwał własną samotność. Poszczęściło mu się jednak pod wieloma innymi względami. Nie miał prawa użalać się nad sobą!

Jego rozmyślania przerwał Thomas, który zerknął na swój zegarek kieszonkowy, a potem skinął na Briana.

– Północ! Dawno już powinieneś być w łóżku, mój chłopcze!

Przyłapany na ziewaniu chłopak wybąkał:

– Nie odrobiłem jeszcze łaciny…

– To ją odrobisz jutro rano – orzekła Maria. – Byleś skończył do południa! I nie zapomnij o zadaniach rachunkowych. Sprawdzę!

Kiedy Brian pocałował matkę na dobranoc i wyszedł, Stephen spytał:

– Uczy się łaciny?

Thomas skinął głową.

– Moja greka zbyt zardzewiała, bym się z nią afiszował, ale łacinę nadal pamiętam. Chłopak tłumaczy już Cezara.

Stephen uniósł brwi.

– Świetnie! Będzie miał znakomite podstawy humanistyczne.

Na widok zdumionej miny Stephena oczy Thomasa rozbłysły wesołością. Chętnie wyjaśnił:

– Studiowałem w Kolegium św. Trójcy w Dublinie. Podobno nawet się dobrze zapowiadałem. Moi rodzice marzyli, że zostanę biskupem albo wziętym prawnikiem. Ale spotkałem tę oto rozpustną dziewuszkę. Kiedy zobaczyłem ją w roli Julii, porzuciłem wszystkie szczytne ambicje i złożyłem serce u jej stóp.

Maria zrobiła pogardliwą minkę wielkiej damy.

– Nie wierz temu irlandzkiemu łgarzowi, Stephenie! To prawda, że pochodzi z dobrej ziemiańskiej rodziny, ale to skończony obwieś! – Posłała mężowi czuły uśmiech. – Mam z nim krzyż pański, bo wiecznie wpada w tarapaty! Uparł się, że zostanie aktorem, więc zasypywał mnie słodkimi słówkami, jak to Irlandczyk, i przysięgał wieczną miłość! A ja w swej naiwności nawet nie podejrzewałam, że chce się tylko wżenić w aktorską rodzinę z najlepszymi tradycjami. Liczył, że nauczę go fachu.

– Ożeniłem się z herod-babą – westchnął z rezygnacją Thomas. – Robi ze mną co chce, słowo honoru! – Nie skończył jeszcze zdania, gdy żona położyła mu rękę na udzie w niezwykle prowokacyjny sposób. Uśmiechnął się szeroko i energicznie przyciągnął ją do siebie tak, że siedzieli teraz na dębowej skrzyni biodro w biodro.

Przepłynęła obok nich Jessica.

– Nie zwracaj uwagi na moich rodziców, Stephenie! – oświadczyła wyniosłym tonem. – Nie mają ani trochę przyzwoitości! Ciągle muszę się za nich rumienić!

Stephen roześmiał się, ubawiony zamianą ról między pokoleniami. Wielka szkoda, że jego rodzice nie żywili do siebie choćby dziesiątej części tego serdecznego przywiązania, jakie łączyło Fitzgeraldów!

Poczuł znowu pieczenie w żołądku. Nasilało się. Znał już na pamięć wszelkie objawy i nie przypuszczał, by zanosiło się na poważny atak. Wolał jednak nie ryzykować. Wypił resztę szampana i odstawił kieliszek.

– Pora do łóżka! To był naprawdę męczący dzień.

Wstał i zachwiał się na nogach; omal nie upadł. Niech to wszyscy diabli! Nie wypił aż tyle szampana… Dotknął ręką bolącej głowy, modląc się w duchu, by bóle nie chwyciły go w tym pokoju pełnym ludzi.

Rosalinda natychmiast zjawiła się u jego boku.

– Mój Boże! Zapomnieliśmy na śmierć o twojej przygodzie z pniakiem! – Objęła go ręką w pasie. – Pomogę ci dojść do pokoju; ja też zamierzałam już wyjść.

Stephen prawie już zapomniał o urazie głowy, ale to była dobra wymówka. Opierając się na Rosalindzie, zdołał jakoś utrzymać równowagę. Przeszli przez pokój, życząc wszystkim dobrej nocy.

Ulżyło mu, gdy wyszedł na chłodny korytarz. Od razu poczuł się lepiej, ale nie zamierzał rozstać się tak szybko z Rosalindą. Była taka cudownie miękka i doskonale pasowała do niego wzrostem; przy Louisie czuł się zawsze groźnym olbrzymem.

Obejmując się nawzajem, weszli po schodach na górę do pokoju Stephena. Gdy stanęli pod drzwiami, Rosalinda spojrzała na niego z niepokojem w swych ciemnych oczach.

– Czujesz się trochę lepiej?

Skinął głową.

– To był tylko niewielki zawrót głowy. Dobrze wiesz, że wczoraj oberwałem mocno po łepetynie. Wczoraj... a mam wrażenie, że to było bardzo dawno.

Odgarnęła mu włosy zakrywające zaszytą ranę.

– Ani śladu infekcji! Ale... może lepiej, żebyś jutro nie wyjeżdżał. Zwłaszcza że nadal masz zawroty głowy.

Uchwycił się tej wymówki.

– Słusznie! Wstrzymam się z tym przynajmniej jeszcze jeden dzień.

Powinni byli rozstać się, ale żadne z nich nie kwapiło się do tego. Stali zapatrzeni w siebie. Rosalinda znajdowała się nadal w zasięgu jego ramion, ciepła, kobieca i kusząca. Pragnął gładzić ją po jasnych, jedwabistych włosach, całować pełne wargi jak wczoraj w nocy, kiedy jeszcze nie obudził się całkowicie, a ona leżała obok niego...

Bez zastanowienia przyciągnął ją do siebie i pocałował. Westchnęła cichutko i zarzuciła mu ręce na szyję. Jej pocałunek miał smak szampana i korzennych przypraw. Stephen pogładził jej zaokrąglone biodra i pożądanie zapłonęło w nim jak pożar. Ten uścisk był czymś całkowicie odmiennym od krępującego całowania się na pokaz w pokoju pełnym ludzi. Teraz doszło do głosu jakieś uczucie głębokie, tajemne i takie... naturalne.

O, nie! To było sprzeczne z naturą.

Oderwał się od Rosalindy, czując zawrót głowy, niemający nic wspólnego z pływającym pniem. Zamrugała zamglonymi oczyma. Pewnie jego oczy były równie nieprzytomne.

– Bardzo mi przykro... – powiedział rwącym się głosem, przerażony i zawstydzony swym brakiem opanowania.

– Masz na mnie okropny, demoralizujący wpływ. Zapominam przy tobie, że jestem skromną, stateczną wdową. – Rosalinda bez pośpiechu zdjęła ręce z jego szyi i cofnęła się o krok. – Być może to dowód mej grzesznej natury, ale mnie nie jest wcale przykro. Ten pocałunek był rozkoszny!

– Też tak sądzę. A ty jesteś stworzona do całowania... Drugiej takiej nie spotkałem! Jednak mimo wszystko powinienem był oprzeć się pokusie. – Zawahał się, pragnął powiedzieć znacznie więcej. – Chodzi nie tylko o to, że jesteś taka śliczna... Po prostu... masz nade mną jakąś moc.

Uniosła ręce i dotknęła jego policzków, przesunęła lekko palcami po jego twarzy.

– Coś nas łączy, prawda? Jakaś… szczególna więź. Kruchy kwiat, który nigdy nie wyda owocu. A jednak cenny. – Musnęła jego usta najdelikatniejszym z pocałunków. – Niezwykle cenny!

Odwróciła się i ruszyła korytarzem w stronę swego pokoju. W jej ruchach była nieświadoma prowokacja. Stephen musiał wytężyć wszystkie siły, by nie ulec pokusie i nie pobiec za nią.

Wszedł do swego pokoju i zamknął drzwi. Oparł się o nie. Ręce same zacisnęły się w pięści. Życie księcia nie jest słodkie. To przeklęta wieczna samotność! Pochlebiano mu i zapewne przeklinano go za jego plecami. Jeśli nie liczyć garstki przyjaciół, zawsze był sam, odizolowany od zwykłych ludzi.

Dziś na kilka godzin stał się cząstką przyjaznej grupy, która akceptowała go takim, jakim był. Ciepłe wspomnienie o tym niczym puchowa pierzynka chroniło go przed lodowatym podmuchem wieczności.

Stał tak, wpatrując się w ciemny pokój i jasne firanki, łagodnie falujące na uchylonym oknie. Nie miał pojęcia, że tak bardzo pragnie kontaktu z innymi; uświadomił to sobie dopiero dziś, gdy udało mu się nawiązać ten kontakt na jakże krótką chwilę. Jak zdoła znieść rozstanie z tymi ludźmi?

Gdyby chodziło o samą Rosalindę… albo tylko o stosunki z resztą trupy… nie byłoby mu tak ciężko oderwać się i wrócić do domu. Ale te dwa czynniki łączyły się ze sobą w niezwykle niebezpieczną całość. I właśnie dlatego powinien wynieść się stąd czym prędzej. Sam fakt, że zależało mu na czymś do tego stopnia, był fatalnym, niepokojącym objawem. Zwłaszcza teraz, gdy właściwie nie miał już przed sobą przyszłości.

Jednak po gruntownym przemyśleniu sprawy doszedł do wniosku, że nie ma powodu do natychmiastowego odjazdu. Stan jego zdrowia nie pogorszył się zbytnio; będzie mógł nadal ukrywać swą chorobę. Nikt z trupy nie powie mu chyba prosto z mostu, żeby się od nich odczepił, zwłaszcza jeśli okaże się użyteczny. Tak, zostanie z nimi przez kilka dni. Może przez tydzień.

Kiedy doszedł do tego wniosku, poczuł ogromną ulgę. Przecież nawet skazaniec ma prawo do jakiejś przyjemności przed egzekucją! Wyrobił w sobie tyle samokontroli, że powinno go to utrzymać z dala od Rosalindy. Będzie unikał szampana i wszelkiego sam na sam z nią.

Nieco uspokojony rozebrał się po ciemku i wszedł pod kołdrę. Kiedy leżał już oparty o poduszki, nawiedziło go niezwykle wyraźne, niemal namacalne wspomnienie z poprzedniej nocy: leżeli tu z Rosalindą, trzymał ją w ramionach... Poczuł bolesną pustkę. Ta przeklęta choroba rzucała cień na wszystko, z czym się zetknął!

Zamknął oczy świadomy tego, że postąpił niewłaściwie. A jednak, choć pocałowanie Rosalindy było wielkim błędem, zachowa w pamięci chwilę, gdy trzymał ją w ramionach. Nie zapomni o tym do śmierci! Co prawda, niezbyt odległej.

7

George Blackmer wysiadł z kabrioletu i wspiął się po masywnych kamiennych stopniach do frontowych drzwi Ashburton Abbey. Kiedy otworzyły się w odpowiedzi na jego stukanie, doktor polecił majordomowi:

– Zawiadom księcia, że chcę z nim mówić.

Niewzruszony zazwyczaj Owens tym razem nie był w stanie ukryć zdenerwowania.

– Jego książęca mość jest w tej chwili... nieosiągalny.

Blackmer ściągnął rękawiczki.

– Zaczekam. Kiedy się go spodziewacie? – Ponieważ majordomus nie odpowiedział, doktor rzucił niecierpliwie: – Do licha, człowieku! Jestem jego lekarzem, a nie natarczywym żebrakiem! Kogo jak kogo, ale mnie przyjmie na pewno.

Owen milczał jeszcze przez chwilę, jakby zastanawiał się, czy powinien udzielić wyjaśnień, potem zaś wyrzucił z siebie:

– Jego książęcej mości nie ma w rezydencji. Wyjechał nagle, bez uprzedzenia, zupełnie sam. Ja... to znaczy my wszyscy... jesteśmy nieco zaniepokojeni.

Blackmer uniósł brwi.

– Zupełnie sam?

Majordomus przytaknął.

– Pojechał konno i nie zabrał ze sobą nawet osobistego lokaja. Wyruszył zaraz po pańskiej ostatniej wizycie, panie doktorze.

– I nie mieliście od niego żadnych wiadomości przez dwa tygodnie? – spytał z niedowierzaniem lekarz.

– Absolutnie żadnych.

– Czy powiadomiliście kogoś o wyjeździe księcia pana?

– Kogo mielibyśmy powiadamiać? Jego książęca mość ma prawo wyjechać, kiedy zechce, tak jak teraz. Chociaż… – Owen przełknął z trudem ślinę. – …Nigdy dotąd tak się nie zachowywał. To takie do niego niepodobne!

Istotnie, było to zachowanie zupełnie nietypowe. Blackmer od wielu lat obserwował bacznie Stephena Kenyona. Mógłby przysiąc, że nigdy dotąd nie zachowywał się tak nieobliczalnie. No cóż… po otrzymaniu wyroku śmierci każdy może zareagować w najdziwniejszy sposób.

– Jeśli wróci lub da o sobie znać, muszę o tym wiedzieć natychmiast! To bardzo ważne – powiedział doktor.

I opuścił Ashburton Abbey, klnąc pod nosem. Jego pacjent mógł być teraz wszędzie, dosłownie wszędzie w obrębie Wielkiej Brytanii. Bóg wie, co mu się przydarzyło! Zapewne jest nadal w stosunkowo dobrej kondycji, ale w każdej chwili mógł nastąpić kryzys.

Blackmer po powrocie do domu udał się do swego gabinetu, gdzie krążąc niespokojnie, zastanawiał się, co ma teraz zrobić. Było oczywiste, że służba dworska nie spieszy się z podejmowaniem jakichś działań, żeby się nie narazić księciu panu. Jednakże ktoś powinien zareagować, a tylko on domyślał się, co skłoniło księcia do nagłego wyjazdu.

Kogo więc i jak powiadomić? Nasuwała się tylko jedna logiczna odpowiedź: musi napisać do Walii, do młodszego brata księcia. Całkiem możliwe, że książę tam właśnie się udał, chcąc znaleźć pociechę w towarzystwie najbliższego krewnego, a równocześnie przygotować swego następcę do czekających go niebawem obowiązków. Blackmer prawie nie znał lorda Michaela Kenyona. Wiedział tylko, że jest to człowiek ostry, niebezpieczny; powiadomienie go o zaistniałej sytuacji mogło pociągnąć za sobą nieobliczalne skutki. Lord Michael albo ucieszy się perspektywą odziedziczenia tytułu i majątku… nawet po trupie brata, albo przeciwnie – zareaguje wściekłością na przekazane mu nowiny, wyładowując gniew na osobie informatora – czyli na osobistym lekarzu księcia. Albo też… Istniało wiele możliwości. Co jedna, to gorsza.

Czy było jednak jakieś inne wyjście? Lekarz zaklął. Potem siadł przy biurku i napisał list do lorda Michaela, dobierając słowa z największą ostrożnością.

8

Rosalinda przyjrzała się grupce osób, krzątających się po niezbyt imponującej sali teatralnej, gdzie dostrzegła Stephena.

– Mógłbyś mi pomóc przy dekoracjach, Stephenie?

– Oczywiście. – Podszedł do Rosalindy i podniósł z podłogi teatralną ściankę z oknem. – Gdzie to postawić?

– Tutaj! W tym miejscu, gdzie się wyleguje Aloysius. Zawsze rozwali się tam, gdzie najbardziej zawadza!

Podczas gdy Stephen próbował skłonić charta do zmiany miejsca, Rosalinda obserwowała jego poczynania, uśmiechając się do własnych myśli. Usłyszała kiedyś arabskie przysłowie: „Jeśli nos wielbłąda wciśnie się do namiotu, niebawem znajdzie się w nim cały wielbłąd!" Co prawda porównywanie wielbłądziego nosa z arystokratycznym nosem Stephena było grubym nietaktem, ale reszta powiedzonka pasowała jak ulał. W ciągu tygodnia zdołał z iście wielbłądzim sprytem wśliznąć się do namiotu... czyli w tym wypadku do trupy teatralnej Fitzgeralda. Harował ciężko przy ustawianiu i rozbieraniu dekoracji, powoził jednym z wozów, gdy przenosili się z miejsca na miejsce, grywał ogony i uczył Briana łaciny, gdy Thomas nie miał na to czasu.

Ponieważ rana na głowie ładnie się zabliźniła, Rosalinda doszła do wniosku, że Stephen pozostał z nimi po prostu dlatego, że dobrze się czuł w ich gronie. Był teraz znacznie pogodniejszy niż wówczas, gdy przyłączył się do nich.

Często powracała myślą do tego cudownego, zapierającego dech pocałunku, który wymienili. Teraz jednak – jakby na mocy milczącej umowy – oboje unikali wszelkiego sam na sam. W towarzystwie pozostałych członków zespołu rozmawiali ze sobą o wszystkim i o niczym, starając się nie zwracać uwagi na niezwykle silny wzajemny pociąg.

Obserwując Stephena ustawiającego ostatni element dekoracji na wskazanym przez nią miejscu, Rosalinda zadawała sobie w duchu pytanie, jak długo jeszcze pozostanie z nimi ten nieoceniony pomocnik. Nie zapytała go o to, gdyż ubrdała sobie, że jeśli poruszy otwarcie ten temat, w Stephenie odezwie się poczucie obowiązku i skłoni go do powrotu. A dojdzie do tego z całą pewnością, i to niebawem. Rosalinda nie zamierzała jednak przyspieszać tej chwili.

Stephen zwrócił się do niej.

– Czy będę jeszcze do czegoś potrzebny, pani inspicjentko?

Rozejrzała się uważnie dokoła, odfajkowując w myśli każdy szczegół dekoracji, rozmieszczenie świateł i rozstawione już ławy dla publiczności.

– Chyba wszystko gotowe. W tej sali znacznie łatwiej przygotować scenę i widownię niż gdzie indziej.

Stephen podrapał Aloysiusa za uszami.

– Co dziś pójdzie?

– *Izabella czyli Ofiara małżeństwa*. Niezwykle wzruszająca historia uciśnionej niewinności, ginącej w dodatku straszliwą śmiercią. – Rosalinda się roześmiała. – Jedna z najlepszych ról mamy! Publiczność nikogo nie widzi na scenie oprócz niej i zapłakuje się nad jej tragicznym losem. Po raz pierwszy ujrzałam mamę w tej roli właśnie tu, w Whitcombe. Miałam wtedy cztery czy pięć lat. Wbiegłam na scenę ze strasznym krzykiem, bo myślałam, że naprawdę umiera. Widzowie byli zachwyceni! Za każdym razem, kiedy tu przyjeżdżamy, gramy *Izabellę* na specjalne żądanie publiczności.

Stephen uniósł brwi.

– Tak o tym mówisz, jakby to było zabawne… a przecież dla małego dziecka musiała to być prawdziwa tragedia.

Rosalinda zesztywniała; słowa Stephena trafiły w czułe miejsce, budząc pozornie zapomniane emocje. Przebiegł ją zimny dreszcz, przycisnęła rękę do piersi. Wróciło wspomnienie matki leżącej na ziemi, umierającej… Co za ból, jaka trwoga… Nie zniesie tego!

Stephen chwycił ją za ramię. Dostrzegła niepokój na jego twarzy.

– Źle się czujesz?

Przeniesiona raptownie do teraźniejszości, zmusiła się do śmiechu.

– Jakie to dziwne… Ujrzałam znów tamtą scenę tak wyraźnie, jakby to było dziś… Ależ ze mnie głuptas!

– Skądże znowu! – zaoponował półgłosem. – Przecież już raz straciłaś matkę. Nic dziwnego, że przeraziła cię pozorna śmierć drugiej mamy! Cały świat nagle się zawalił…

– Tak! Właśnie tak było!

Poczuła, że w jej pamięci budzi się mroczne, przerażające wspomnienie. Śmierć matki… Koniec świata…

Rosalinda zadrżała. Ogromnym wysiłkiem woli odepchnęła odżywające wspomnienie w mroczną otchłań. Dziwne, że Stephen natychmiast dostrzegł związek obu tych wydarzeń, a ona nigdy na to nie wpadła! Co prawda starała się nie myśleć o tym wszystkim, co miało miejsce przed poznaniem Fitzgeraldów.

Uścisnął jej rękę, pragnąc dodać odwagi.

– Próbujesz nadal przypomnieć sobie, jaka była twoja rodzona matka?

– Od czasu do czasu. Zawsze bez skutku. Maria twierdzi, że z całą pewnością miałam troskliwą mamę, gdyż byłam bardzo dobrze wychowana jak na takie małe dziecko. – Zaniepokojona nieoczekiwanym obrotem rozmowy Rosalinda rozejrzała się po sali. – W dalszym ciągu ani śladu Edmunda! A mieliśmy zrobić próbę dzisiejszej jednoaktówki... Dawno jej nie grywaliśmy.

Stephen pogodził się ze zmianą tematu. Puścił rękę Rosalindy i spytał:

– Co to za jednoaktówka?

– *Niewierny kochanek*. Niezbyt mądra, ale pikantna farsa. Idealne odprężenie po takim wyciskaczu łez jak *Izabella*. – Spochmurniała na widok ojca krążącego nerwowo w pobliżu wejścia na salę teatralną.

– Papa jest zły, że Edmund gdzieś się zapodział.

Istotnie, chwilę potem Thomas Fitzgerald trzasnął zwiniętym w rulon tekstem roli o dłoń drugiej ręki, zawrócił na pięcie i podszedł do sceny.

– Stephenie, musisz zagrać niecnego uwodziciela z dzisiejszej jednoaktówki. Na szczęście, niewiele ma do gadania. Łatwiutka rola! Wystarczy stroić wzgardliwe albo lubieżne miny i pójść do łóżka z kim innym, niż zamierzałeś.

– Co takiego?! – zdumiał się Stephen.

Rosalinda parsknęła śmiechem. Sądząc z wyrazu twarzy, odzyskała dobry humor.

– Wystąpisz w roli Claudia, rozpustnego księcia, który dybie na Annabellę, cnotliwą panienkę. Gra ją Jessica. Grozisz jej, że każesz stracić jej ojca, jeśli nie będzie powolna twoim żądaniom. To niewiniątko zgadza się pod warunkiem, że wszystko odbędzie się po ciemku, by nie urazić jej skromności. Następnie wraz ze swym ukochanym... ma na imię Anthony, gra go Will Landers... obmyśla chytry podstęp. Jej miejsce zajmie Ethel, przyjaciółka Annabelli, a zarazem porzucona kochanka księcia. To ja! Nadal do niego tęsknię i właśnie dlatego decyduję się na udział w tym spisku.

Brwi Stephena powędrowały do góry.

– Wygląda na to, że zostanę specjalistą od książąt!

– Bo masz prezencję! – odparli zgodnym chórem Rosalinda i Thomas, jakby się zmówili.

Po czym cała trójka wybuchnęła śmiechem.

– A więc chyba nie uniknę mego przeznaczenia – zauważył cierpko Stephen. – Czy to moja rola?

Thomas mu ją podał.

– Dialog nie jest zbyt błyskotliwy. Możesz swobodnie improwizować, jeśli nie zapamiętasz jakiejś kwestii. Grunt, żebyś grał pod publiczkę. Trochę szarżował, rozumiesz? Ma być zabawnie. Sporo pikanterii, ale bez wulgarności.

Stephen skinął głową i zaczął czytać rolę. Tymczasem Thomas zwołał pozostałych aktorów, grających w tej farsie. Zanim zebrali się wszyscy i dyrektor wyjaśnił im sytuację, Stephen zapamiętał już większość swych kwestii – jeśli nie dosłownie, to przynajmniej ich sens. Z roli wynikało, że ma zachowywać się arogancko i władczo, co przyszło mu z wyjątkową łatwością. Okazało się również, że ma zadatki na komika: był przezabawny, umizgając się lubieżnie do Jessiki. Ona zaś drżała z trwogi jak listek, parodiując znakomicie reakcje bohaterek tak modnych powieści grozy.

Próba szła gładko, choć niejednokrotnie Thomas Fitzgerald przerywał akcję, korygując interpretację tej czy innej kwestii albo zmieniając układ sceniczny. Rosalinda bawiła się znakomicie i dlatego zapewne nie przewidziała kłopotów, które groziły niedoświadczonemu wykonawcy podczas wielkiej sceny zamiany ról, będącej punktem kulminacyjnym farsy.

Stephen z przesadną ostrożnością zakradł się do altanki, w której – zgodnie z konwencją umowności scenicznej – panowały rzekomo egipskie ciemności.

– Gdzie jesteś, maleńka? Gdzieżeś, najdroższa gołąbeczko? – gruchał czule.

Rosalinda równie słodko zawołała w odpowiedzi:

– Tu jestem, Claudio! Tutaj! Tutaj!

Już go miała objąć, gdy nagle uświadomiła sobie, jakie kłopoty mogą wyniknąć z tego, że partneruje jej nie Edmund, lecz Stephen. Przytulając się do Edmunda, myślała wyłącznie o roli. Ale w objęciach Stephena…

On widocznie miał podobne obawy, gdyż skamieniał w odległości metra od partnerki. Zamiast groteskowej lubieżności na jego twarzy malowało się teraz przerażenie.

– Na co czekasz? – rzucił niecierpliwie Thomas. – Całuj ją!

Stephen odetchnął głęboko. Całkowicie wypadł z roli rozpustnego księcia.

– Bardzo przepraszam. Nigdy dotąd nie całowałem się z nikim na scenie… a już na pewno nie obściskiwałem córki na oczach jej ojca. Mam nadzieję, że nie masz pod ręką szpicruty, dyrektorze?

Thomas się roześmiał.

– Jakoś mi to na myśl nie przyszło… chociaż powinno! – Odwrócił się i kiwnął na swoją żonę, która gawędziła z kilkoma innymi aktorkami w ostatnim rzędzie ławek. – Chodź no tu, najmilejsza! Pokażemy temu skromnisiowi, jak się to robi!

– Biegnę w twe objęcia, mój wybranku! – zawołała z patosem Maria.

Kiedy matka znalazła się na scenie, Rosalinda usunęła się na bok, rozbawiona i zarazem zatrwożona. Byłoby fatalnie, gdyby podczas teatralnego uścisku na środku sceny doszedł w nich do głosu wzajemny pociąg, który tak żywo odczuwali. Znaleźliby się w sytuacji jeszcze bardziej groteskowej, niż zakładał scenariusz.

Kiedy Maria zajęła miejsce Rosalindy, Thomas wbiegł na scenę, wołając:

– Gdzieżeś, o najmilejsza gołąbeczko?

– Tutaj, Claudio! – Maria rzuciła mu się w ramiona. – Tutaj! Tutaj!

Pocałunek, który potem nastąpił, był teatralny w całym tego słowa znaczeniu: przerywany komplementami Claudia i przysięgami dozgonnej wierności, a nawet powoływaniem się na wyroki opatrzności, która wyraźnie postanowiła ich połączyć. Maria grała z równym zapałem jak jej mąż, toteż świadkowie tej sceny niemal płakali ze śmiechu.

Gdy pokaz dobiegł końca, Jessica skomentowała teatralnym szeptem:

– A oni znowu swoje! Nie przepuszczą żadnej okazji!

Nastąpił kolejny wybuch wesołości. Teraz Rosalinda i Stephen mieli odegrać swoją scenę. Kiedy stanęli twarzą w twarz, Rosalinda szepnęła:

– Nie mamy wyjścia… więc spróbujmy zrobić to z humorem!

Oczy Stephena błysnęły łobuzersko. Chwycił Rosalindę w objęcia tak, że wygięła się do tyłu pod niebezpiecznym kątem.

Instynktownie uchwyciła się kurczowo swego partnera, poruszając się z charakterystyczną dla farsy przesadą. Kiedy jednak oprzytomniała po pierwszym szoku, znalazła prawdziwą, upajającą radość w jego uścisku. Nic nieprzystojnego, rzecz jasna, nie mogło się wydarzyć na oczach publiczności. Ale ponieważ – zgodnie z założeniami umowności scenicznej – postacie przez nich odtwarzane znajdowały się w kompletnej ciemności, Rosalinda czuła się jako aktorka upoważniona do pewnych sztuczek, nadających tej scenie rumieńce życia: przesunęła dłońmi po szerokich barkach i napiętych muskułach ramion swego partnera. Spojrzała w zamglone głębie jego szarozielonych oczu i pogładziła go pieszczotliwie po surowej, przystojnej twarzy o wydatnych rysach. Koniuszkami palców musnęła jego wargi, jak uczyniłaby to niejedna kobieta, korzystając z ciemności, i odezwała się niskim głosem:

– Nie masz pojęcia, jak bardzo tęskniłam do tej chwili, ukochany!

Odpowiedział z oczyma płonącymi pożądaniem:

– Śniłem o tobie, najdroższa gołąbeczko! I marzyłem o tobie, jakże samotny, wśród nocnej ciszy...

Głos odmówił mu nagle posłuszeństwa, co wzmogło jeszcze wrażenie tak ogromnej tęsknoty, że Rosalindzie serce się ścisnęło. Zapragnęła, by Stephen mówił jej podobne rzeczy szczerze, nie dlatego, że wynikało to z roli.

Gdy prowadzili ten aż nazbyt kwiecisty dialog, Stephen powoli podnosił partnerkę do pozycji pionowej, równocześnie obracając ją nieznacznie pod takim kątem, by publiczność widziała wyraźnie jej twarz. Rosalinda pomyślała kwaśno, że gdyby Edmund grał z nią tę scenę, zadbałby przede wszystkim o to, by jego szlachetny profil dobrze widziano, a partnerkę odwróciłby tyłem do widowni. Jednak w Stephenie nie było aktorskiej próżności, skłaniającej do szukania ogólnego poklasku za wszelką cenę.

Czule potarła policzkiem o policzek Stephena; sama już nie wiedziała, ile w tym było gry, a ile szczerości.

– Przysięgnij, że nigdy mnie nie zapomnisz, ukochany!

– Jak mógłbym zapomnieć tyle słodyczy, tyle ognia?!

Ucałował ją. Jego wargi były gorące, ich dotyk fascynujący.

Odpowiedź Rosalindy zagłuszył ryk Thomasa:

– Puść tę niewiastę, nikczemniku!

Rosalinda i Stephen odskoczyli od siebie, jakby chlusnął na nich kubłem lodowatej wody. Było to interesujące połączenie scenicznego efektu z instynktowną reakcją. Rosalinda wyczuła, że jej partner znów się usztywnia; zaraz się jednak odprężył, ujrzawszy wkraczającego na scenę Thomasa w asyście dwóch służących z pochodniami, które miały – zgodnie z zasadami scenicznej umowności – oświetlić mroczne wnętrze altanki. Na ten widok Claudio wykrzyknął:

– To arcybiskup!

Jego spojrzenie padło na kobietę, którą trzymał w ramionach.

– A to Ethel! – Odskoczył od niej jak od węża. – Nędznico! Jak śmiałaś oszukać mnie? Coś uczyniła z mą ubóstwianą Annabellą?!

Na te słowa pojawili się Jessica i Will Landers bardzo z siebie zadowoleni. Arcybiskup obwieścił gromkim głosem, że właśnie połączył tę młodą parę świętym węzłem małżeńskim, a teraz dopilnuje, by książę za swe grzechy został pozbawiony tytułu i włości, a potem stracony z wyroku Kościoła.

Rosalinda padła na kolana przed Thomasem, wznosząc błagalnie ku niebu splecione ręce.

– Zaklinam waszą eminencję, daruj życie memu ukochanemu! To prawda, że grzeszył, ale nie jest z gruntu zły! Po prostu nie może udźwignąć straszliwego brzemienia bogactwa i potęgi!

Ta kwestia była zwykle przyjmowana gromkim śmiechem. Każdy z widzów dałby nie wiem co, by dźwigać takie brzemię! Potem Rosalinda zwróciła się do niewiernego kochanka:

– Nie mogę zmusić cię do miłości… ale powiedz sam, najdroższy książę, czy moje pocałunki nie były ci słodkie, gdy brałeś mnie za inną?

Stephen wzdrygnął się dramatycznie i wzniósł oczy do nieba. Po chwili przytłaczającego milczenia odparł zdławionym głosem:

– Były istotnie słodkie, droga Ethel.

Wziął ją za rękę i podniósł z klęczek. Twarz jego wyrażała najgłębszą skruchę.

– Wybacz mi, wierna kochanko! Jak bardzo cię skrzywdziłem! Wspomnij o mnie czasem, gdy spotka mnie słuszna kara za moje grzechy.

Potem – z własnej inicjatywy – ucałował dłoń swej partnerki, co okazało się znakomitym efektem scenicznym. Pod dotykiem jego warg Rosalinda poczuła mrowienie w całym ciele.

Zadowoliwszy się szczerą skruchą księcia, arcybiskup udzielił mu rozgrzeszenia i natychmiast połączył go węzłem małżeńskim z Ethel. Jessica miała właśnie zaśpiewać pikantną piosenkę na zakończenie spektaklu, gdy jakiś męski głos warknął:

– Szlag by was trafił, dranie!

Wszyscy zwrócili się w stronę drzwi, które właśnie zatrzasnął z hukiem Edmund Chesterfield. Wielkimi krokami zmierzał teraz ku scenie środkowym przejściem między ławkami.

– Jak śmiałeś, Fitzgerald, oddać moją rolę temu… temu… beztalenciu?! Nie miałeś prawa!

I obrzucił Stephena jadowitym spojrzeniem.

Dyrektor trupy odparł sucho:

– Nie ma co prawda takiego obowiązku, ale zgodnie z tradycją pozwalamy aktorom na zatrzymanie ulubionych ról… o ile przykładają się do swej pracy. Ty opuściłeś zbyt wiele prób i nie zamierzam cię faworyzować.

Rosalinda wiedziała, że jej ojciec nie byłby taki stanowczy, gdyby Edmund przeprosił za swe spóźnienie. Ale on natychmiast wybuchnął:

– Ty… ty pyszałkowaty, żałosny despoto! Pamięć ci już szwankuje, więc zmuszasz wszystkich do ciągłych prób, które są zniewagą dla lepszych od ciebie aktorów! Zazdrościsz mi, gdyż stoję u progu kariery, podczas gdy ty, poroniony geniuszu, musiałeś założyć własną trupę, bo do innej nikt by cię nie przyjął!

Thomas i Maria zbledli, a pozostałym członkom trupy zaparło dech. Jessica, sądząc z wyrazu twarzy, była o krok od popełnienia morderstwa. Rosalinda instynktownie przysunęła się do ojca. Wiedziała, jak bardzo go zabolały te bezlitosne szyderstwa.

I wówczas lodowatym tonem odezwał się Stephen:

– Masz maniery nieznośnego szczeniaka, któremu przydałoby się dobre lanie, Chesterfield! Thomas Fitzgerald jest najwspanialszym aktorem, jakiego wydała nasza ojczyzna. Choćbyś nie chciał uznać jego autorytetu, musiałbyś przynajmniej uszanować jego talent… gdyby w twej nędznej duszyczce pozostały jakieś resztki uczciwości.

Teraz pobladł z kolei Edmund.

– Ty napuszony pasożycie! Widziałem, jak chytrymi sztuczkami wciskasz się do trupy, łudząc się, że zostaniesz kimś, kim nigdy nie byłeś i nie będziesz! I jak dobierałeś się do Jessiki! Przekonasz się, że nie da się nabrać na westchnienia starzejącego się rozpustnika!

Rosalinda zacisnęła pięści. Przepełniała ją żądza mordu. Jak Edmund śmiał wygadywać takie straszliwe łgarstwa?!

Stephena jednak nie ponosił artystyczny temperament, a zniewagi Chesterfielda niewiele go obeszły. Odpowiedział z lekkim uśmiechem:

– Bardzo wiele osób próbowało mnie obrazić, mój panie, i to znacznie wymowniejszych i sprytniejszych od ciebie. Nie jesteś w stanie wymyślić niczego, co zbiłoby mnie z tropu. Nie zamierzam bynajmniej zostać aktorem; nigdy też nie dobierałem się, że zacytuję twoje wulgarne określenie, do Jessiki. – Posłał w stronę Rosalindy spojrzenie, w którym kryła się leciutka ironia. – W jednym tylko się nie pomyliłeś: istotnie starzeję się. Tak samo jak wszyscy. – Skrzywił usta w gorzkim uśmiechu. – Chyba to lepsze niż zachować wieczną młodość, umierając w kwiecie wieku?

Rozwścieczony do nieprzytomności Edmund wypluł z siebie dalsze obelgi:

– No, dość już tego! Miarka się przebrała! Odchodzę! Dyrektor Królewskiego Teatru w Bath błagał, bym się przyłączył do jego trupy. Zostałem jednak, ze zwykłej lojalności, z tą beznadziejną bandą wiecznych włóczęgów! – Głos mu drżał. Obrócił się na pięcie i wielkimi krokami ruszył przez środek sali do drzwi. – Niech was wszyscy diabli!

Zrobił kilkanaście kroków, gdy Stephen przerwał przytłaczającą ciszę suchym stwierdzeniem:

– Co jak co, ale wyjście miał niezłe.

Napięcie prysło, cała trupa ryknęła wielkim śmiechem. Edmund rzucił im ostatnie, pełne wściekłości spojrzenie i wypadł jak burza.

Kiedy ucichły śmiechy, odezwał się Thomas.

– Nie żałuję ani trochę, Bóg mi świadkiem, żeśmy się pozbyli tego młokosa. Co prawda, ma trochę talentu, ale wytrwałości za grosz!

Jessica prychnęła pogardliwie.

– A w dodatku maniery szczeniaka, któremu przydałoby się lanie!

Thomas westchnął. Jego wesołość znikła, pojawiła się troska.

– No i po jego odejściu znaleźliśmy się w fatalnym położeniu. – Zmarszczył czoło, rozważając coś w myśli. Potem zerknął na Stephena. – Chodźmy na piwko, dobrze? Chciałbym z tobą o czymś porozmawiać.

Stephen przyjął zaproszenie z pewnym niepokojem i obaj wyszli z teatru. Rosalinda spoglądała za nimi z pochmurną miną. O czym też ojciec chciał rozmawiać ze Stephenem?!

9

Jeszcze tylko sześćdziesiąt dziewięć dni…

Thomas Fitzgerald wziął dwa kufle z piwem i wybrał zaciszny kąt z dala od szynkwasu. O tej porze – dobrze po południu, ale daleko do wieczora – w gospodzie nie było wielkiego ruchu. Nikt im nie przeszkodzi w rozmowie.

Stephen czuł niepokój w żołądku, popijał jednak powolutku piwo i głowił się, czego może od niego chcieć Fitzgerald… Czyżby miał mu za złe, że podczas próby obejmował jego córkę ze zbyt wielkim zapałem? Trzymając w ramionach tę niezwykle pociągającą kobietę, Stephen starał się zachować obojętność profesjonalisty, ale sam wiedział, że niezbyt mu się to udawało.

Starając się odwlec chwilę uzasadnionej krytyki, powiedział:

– Przepraszam, że odezwałem się w ten sposób do Chesterfielda. Gdybym go nie sprowokował, może by ochłonął i przeprosił.

– Bardzo w to wątpię. – Thomas wzruszył ramionami. – Szczerze mówiąc, nieraz miałem ochotę go wylać. Z początku był bardzo wdzięczny za pracę, ale stopniowo nabierał przekonania, że jest darem niebios dla naszej trupy. Brał zbyt poważnie to, co szeptały mu oczarowane dójki! – Stary aktor potrząsnął lwią grzywą. – Jednakże miał kontrakt… a w środku sezonu nie tak łatwo o zastępstwo. Postanowiłem więc zatrzymać go do końca roku. Teraz będę musiał poszukać kogoś na jego miejsce.

– Czy do chwili znalezienia odpowiedniego zastępcy nie możecie grać sztuki z mniejszą obsadą?

– Jeśli będziemy do tego zmuszeni, spowoduje to ogromne komplikacje. Jeszcze więcej prób, zmiany dekoracji, przeróbki kostiumów… – Fitzgerald na chwilę zawiesił głos. – Znacznie by nam uprościło sprawę, gdybyś zgodził się wziąć role po Chesterfieldzie.

Stephen zakrztusił się piwem.

– Wolne żarty, dyrektorze!

– Wcale nie żartuję. Wiem, że teatr nie jest ci niezbędny do życia, że nie goreje w tobie święty ogień, bez którego nie ma co marzyć o wielkiej karierze teatralnej. Jesteś jednak znakomitym aktorem drugoplanowym i masz zacięcie do ról charakterystycznych. Dochodzi jeszcze do tego doskonała prezencja i świetna pamięć. Potrafisz nauczyć się roli w bardzo krótkim czasie, a to w naszej obecnej sytuacji wyjątkowa zaleta! Na dodatek masz jeszcze wspaniały głos, donośny i wyrazisty; prawie taki jak mój. Coś zdumiewającego u amatora!

Stephen pomyślał, że w gruncie rzeczy występowanie na scenie nie różniło się zbytnio od przemawiania w Izbie Lordów. Ale sezon teatralny potrwałby dobrych kilka miesięcy. A jego obecny stan zdrowia Bóg raczy wiedzieć, jak długo się utrzyma. Dostrzegł oznaki niewielkiego, ale niewątpliwego pogorszenia w ciągu ostatnich trzech tygodni – od chwili, gdy Blackmer oznajmił mu, co go czeka.

– Bardzo mi przykro. Pańska propozycja pochlebia mi ogromnie, ale naprawdę nie mogę jej przyjąć.

Thomas westchnął.

– Nie miałem większych nadziei, jesteś przecież dżentelmenem… Pomyślałem jednak, że warto spróbować. Odniosłem wrażenie, że doskonale się czujesz w naszym gronie. No i masz ogromną zaletę: ani krztyny przeklętego artystycznego temperamentu!

Stephen się uśmiechnął.

– Pewnie dlatego, że nie jestem przeklętym komediantem!

Thomas zachichotał, potem jednak odezwał się całkiem serio.

– Wiem, że proszę o bardzo wiele, ale czy nie mógłbyś na razie zastąpić Chesterfielda, póki nie znajdę kogoś na stałe? Mam wrażenie, że nie potrwa to długo. Dziwnym zbiegiem okoliczności dostałem właśnie list od przyjaciela z północnej Anglii; wychwala w nim pod niebiosa młodego aktora Simona Kenta. Bates twierdzi, że chłopak ma ogromne możliwości i na gwałt szuka pracy. Napiszę do niego jeszcze dziś i zaangażuję go na resztę sezonu. Ale póki się nie zjawi, bez twej pomocy znaleźlibyśmy się w prawdziwym kłopocie. Sam wiesz, że każdy z nas ma pełne ręce roboty; wszyscy odczulibyśmy boleśnie brak jednego aktora.

Stephen skinął głową. O ironio losu! Propozycja Thomasa Fitzgeralda stanowiła doskonały pretekst, by nie spieszyć się z powrotem do Ashburton Abbey i robić to, na co miał ochotę. Zamiast wracać do domu, co było jego obowiązkiem, mógł pozostać, uspokajając wyrzuty sumienia ładnie brzmiącym frazesem „trzeba pomóc przyjaciołom"!

– Powinienem wrócić do domu za jakieś dwa tygodnie… ale do tego czasu pomogę wam z miłą chęcią.

– Znakomicie! – Thomas rozpromienił się i jednym haustem wypił resztę piwa. – Tylko uważaj: nie uwiedź mi córki!

Stephen zesztywniał.

– Nie sądzi pan chyba, że naprawdę „dobierałem się" do Jessiki?

– Oczywiście że nie! Każdy, kto ma oczy, widzi, że to Rosalinda przypadła ci do serca. Podziwiam twój dobry gust: każdy mężczyzna doceni ten rodzaj urody, jaki reprezentuje Maria albo Jessica, ale tylko prawdziwy znawca uświadamia sobie, że Rosalinda na swój sposób jest równie piękna jak one. – W oczach Fitzgeralda błysnęła lekka ironia. – Jestem ci szczerze wdzięczny za twą powściągliwość. Moja mała Różyczka jest dorosła, ale dorosłość nie obroni jej przed złamanym sercem… Już raz przez to przeszła.

Stephen z zażenowaniem uświadomił sobie, jak spostrzegawczy był Thomas, a z pewnością i Maria.

– Proszę mi wierzyć, wcale nie chcę krzywdzić Rosalindy! I ona, i ja rozumiemy dobrze, że nie powinniśmy się zbytnio angażować.

– Przybrana córka wędrownych komediantów nie jest godna względów prawdziwego dżentelmena? – spytał cierpko Thomas.

Stephena ogarnął nagły gniew, ale go opanował. Pytanie Thomasa było całkiem uzasadnione; większość tak zwanych dżentelmenów uznałaby aktorkę za wartą uwiedzenia, ale z pewnością nie żeniaczki!

– Przecież pan sam, będąc dżentelmenem, ożenił się ze zwykłą aktorką!

– Maria nigdy nie była, nie jest i nie będzie „zwykła”! – żachnął się Thomas. Zaraz się jednak opanował. – Wybacz, chłopcze! To nie było fair z mojej strony: potraktowałem cię jak pierwszego lepszego londyńskiego rozpustnika.

Stephen, wiedząc doskonale, że to nie jego interes, spytał bez namysłu:

– Czy naprawdę kocha pan swoją przybraną córkę tak samo, jak rodzone dzieci?

– Kiedy człowiek patrzy, jak takie maleństwo rośnie na jego oczach, jak się śmieje… i jak budzi się po nocach rozszlochane, to kocha je całym sercem i uważa za własne, bez względu na to, kto je spłodził! I jeśli w moich uczuciach można dopatrzyć się jakiejś różnicy, to tylko tej, że jestem najbardziej opiekuńczy w stosunku do mojej Różyczki. – Bezwiednie umoczył palec w rozlanym piwie i nakreślił na stole kształt róży Tudorów. – Taka była malutka i taka grzeczna! Naprawdę idealne dziecko! Aż trudno w to uwierzyć… Czasem sobie myślę, że gdybyśmy nie wzięli jej wówczas do siebie, Pan Bóg nie obdarzyłby nas później Jessicą i Brianem. Byłaby to niepowetowana szkoda, bo młody chłopak zmienia się w mężczyznę dopiero wtedy, gdy zostaje ojcem. – Thomas zamilkł i na jego twarzy odbiło się zażenowanie. – Słowo daję, my, Irlandczycy, naprawdę jesteśmy okropnie sentymentalni!

Stephen uniósł w górę kufel, składając tym gestem hołd szlachetnym sentymentom swego rozmówcy.

– Czy jesteście sentymentalni, czy nie, Rosalinda i tak błogosławi dzień, w którym spotkała was oboje. – Głos Stephena sposępniał. – Wiele bym dał, by móc sobie pozwolić na… poważne zaangażowanie się.

Thomas odetchnął głęboko.

– A więc jesteś żonaty! Tak też myślałem. Uważaj, byś o tym nie zapomniał, chłopcze!

Lepiej niech myśli, że mam żonę… przynajmniej nie odgadnie prawdy!

– Proszę mi wierzyć, że nie zapomnę o swej trudnej sytuacji i wynikających z niej… ograniczeniach – zapewnił.

Mimo że obgadali już sprawę, która była powodem ich spotkania, Stephenowi nie spieszyło się do powrotu. Po raz pierwszy miał okazję zapoznać się bliżej z Fitzgeraldem i rozmowa z nim sprawiła mu prawdziwą przyjemność. Dał znak szynkarzowi, by napełnił znów opróżniony kufel dyrektora. Gdy jego życzenie zostało spełnione, spytał swego rozmówcę:

– Jak pan myśli, czy Chesterfielda naprawdę zaangażowali do Teatru Królewskiego w Bath? To jeden z najlepszych teatrów w Anglii!

Stary aktor wzruszył ramionami.

– Nawet jeśli go zaangażowali, to tylko do ogonów. Z pewnością nie będzie u nich pierwszym amantem. Sądzę jednak, że okłamał nas dla większego efektu. Ostatecznie, czym jest życie aktora, jeśli nie kłamstwem... a raczej całym łańcuchem kłamstw? Nic dziwnego, że zawsze spoglądano na nas podejrzliwie!

A mimo to przeistoczył się z rokującego wielkie nadzieje dżentelmena w budzącego ogólną nieufność aktora... Niewielu zdobyłoby się na równie śmiały krok! Stephen zaintrygowany, jakie pobudki skłoniły Fitzgeralda do takiej metamorfozy, zagadnął:

– Wspomniał pan, dyrektorze, że wiązano z panem na uniwersytecie spore nadzieje... Czy nigdy pan nie żałował, iż poświęcił to wszystko dla teatru?

– Ani przez chwilę – odpowiedział bez wahania Fitzgerald. – Żałowałem tylko, że z mego powodu Maria nie zrobiła kariery. Mogła zostać jedną z największych aktorek tragicznych, dorównać Sarze Siddons. Ale wychodząc za mnie, musiała pożegnać się z marzeniami o występach na scenach renomowanych teatrów. Dlatego że ja nie potrafię się ani rusz dogadać z dyrektorami i reżyserami. To banda cholernych głupców! – Uśmiechnął się i dodał z nutką autoironii: – Oczywiście z wyjątkiem mojej własnej skromnej osoby.

Stephen uśmiechnął się także i pokręcił głową.

– Jest pan równie utalentowany jak pańska żona. Czy próbował pan kiedyś pójść na kompromis, dla sławy, która słusznie się panu należy?

Thomas westchnął.

– Owszem, spróbowałem raz czy drugi, ale zawsze po kilku dniach darłem koty z tym, który raczył mnie zatrudnić. Kto wie, gdyby mój ojciec nie był takim tyranem, żądania dyrektorów i reżyserów może nie budziłyby we mnie tak gwałtownego sprzeciwu... Ale gdyby mój ojciec zachowywał się rozsądnie, pewnie bym nie rzucił wszystkiego dla teatru, nie został wyklęty i wydziedziczony!

W kilku słowach Thomas Fitzgerald powiedział o sobie bardzo wiele. Stephen, który miał równie despotycznego ojca, rozumiał doskonale podłoże buntu Thomasa i jego uporu. Sam obrał inną metodę przetrwania: pozorne posłuszeństwo i wewnętrzną izolację. Czy był mądrzejszy od Thomasa, czy tylko bardziej tchórzliwy? A gdyby żywił równie płomienną miłość do teatru jak Fitzgerald... czy wówczas poświęciłby wszystko dla sceny? Czy też olbrzymie bogactwa oraz poczucie odpowiedzialności za ród i rodową siedzibę powstrzymałyby go od jawnego buntu?

Był prawie pewny, że tak właśnie by się stało, gdyż od kolebki wdrażano go do przyszłych powinności i obowiązków. Czuł jednak głęboki żal, że w obawie, by nie zboczył z wytyczonej drogi, nałożono mu końskie okulary, skutkiem czego nie miał pojęcia, że istnieją inne możliwości i wiele dróg, które mógł obrać. Jego młodszy brat zdecydował się na otwarty bunt i znalazł własną drogę do szczęścia. Ale on, pierworodny syn, być może nie miał dość odwagi lub za mało wyobraźni, by uwierzyć, że ma prawo wyboru. Gdyby rozejrzał się bacznie dokoła, przekonałby się, że są sprawy równie ważne albo i ważniejsze od wpajanego mu poczucia odpowiedzialności.

Teraz jednak, u kresu życia, świadomość, że spełniał sumiennie swe obowiązki, była tak satysfakcjonująca, jak wodnista zupka żebraka w porównaniu z obfitą ucztą, do której mógł porównać bogate życie Fitzgeralda... Wypił jeszcze łyk piwa i poczuł w ustach smak popiołu.

– Stworzenie własnej trupy nie było z pewnością łatwe... ale dzięki temu nie musi pan oglądać się na nikogo, dyrektorze. Mało kto cieszy się taką wolnością jak pan!

– Wiem o tym! – Thomas uśmiechnął się lekko z oczami utkwionymi w jakimś odległym punkcie. – Dawniej roiło mi się, że kiedyś będę miał niewielki własny teatrzyk w Bristolu albo w Birmingham. Że zarobię dość pieniędzy, by zapewnić swej żonie i dzieciom przyzwoity dach nad głową i odrobinkę luksusu. Że będę mógł sprawdzić w praktyce swoje teorie na temat realistycznej gry i zgodnych z epoką kostiumów... Ale nigdy nie miałem dość pieniędzy na realizację tych marzeń. A za jakieś dziesięć lat zestarzeję się tak, że z wielkich ról będę mógł grać tylko króla Lira. Jak słusznie zauważył Edmund, jestem żałosnym starym niedołęgą, który powinien siedzieć przy kominku i wspominać swoje życiowe porażki.

Miał przy tym tak zbolałą minę, że Stephen roześmiał się mimo woli.

– Przesadzasz, dyrektorze! Ale nie będę się wtrącał, bo to twoja sprawa.

Thomas uśmiechnął się szeroko.

– Tylko Irlandczyk wie, ile uroku ma użalanie się nad sobą, mój chłopcze! Miałem całkiem udane życie, radowałem się pięknem słów, które ożywały na moich ustach, dawałem radość wielu ludziom... a przede wszystkim miałem zawsze u swego boku Marię, najwspanialszą w świecie kobietę. Nauczyłem aktorskiego rzemiosła wielu młodych, którzy zrobili karierę w tym czy innym renomowanym teatrze… z czego jasno wynika, że moje metody były słuszne. Oto co po mnie zostanie… oprócz trójki dzieci, z których każdy ojciec byłby dumny. Niezgorszy dorobek, co?

Smutek, który ogarnął Stephena, wyraźnie się nasilił. Jeśli najwspanialszym dorobkiem życiowym są udane dzieci, to nie sprawdził się i pod tym względem. Mógł co prawda adoptować dziecko, ale nigdy nie myślał o tym poważnie, gdyż dziedzicem tytułu i rodowych włości stawał się tylko rodzony syn. Przez wszystkie te lata Stephen myślał przede wszystkim o ciągłości rodu, a nie o swoich osobistych pragnieniach. Teraz było już za późno. Powiedział cicho do Thomasa:

– Zostanie po panu dziedzictwo, z którego każdy byłby dumny. – Wypowiedziawszy te słowa, wstał, gdyż czuł, że jeszcze chwila, a udowodni swemu rozmówcy, że Anglik może równie dobrze jak Irlandczyk roztkliwiać się nad własnym losem. – Wpadnę do teatru i rozejrzę się za kostiumem odpowiednim dla tego przeklętego księcia.

Thomas opróżnił swój kufel. Dopił też piwo pozostawione przez Stephena.

– Po co marnować dobry trunek? – mruknął w formie wyjaśnienia i wstał również. – A ja napiszę zaraz do tego Simona Kenta. Oby okazał się choć w połowie tak dobry, jak twierdzi mój przyjaciel Bates!

Stephen skinął dyrektorowi głową na pożegnanie i wyszedł z gospody. Spieszyło mu się, ale nie do kostiumu, tylko do Rosalindy. Jej serdeczność i promienne usposobienie powinny rozproszyć jego melancholię.

Zmierzając główną ulicą miasta w stronę teatru, starał się myśleć o wszystkim prócz tego, jak bardzo pragnie Rosalindy.

Próba dobiegła końca i wszystko było gotowe do spektaklu. Rosalinda wychodziła właśnie z teatru. Zamykała już drzwi, gdy na horyzoncie pojawił się Stephen; zbliżał się do niej wielkimi krokami, ze zwykłą swobodą. Mój Boże! Jaki był przystojny z tymi szerokimi barami, z włosami, w których słońce nieciło rdzawe ogniki! Ale strasznie schudł w ciągu ostatnich dwóch tygodni, od chwili, gdy ocalił Briana. Jego rysy wyostrzyły się, kości stały się bardziej widoczne. Widocznie zbyt się przepracowywał.

A może dopiero teraz przyjrzała mu się uważnie? Uśmiechnęła się do niego, żałując, że jest taka brudna i nieuczesana. Ale po pracy zwykle tak wyglądała, nie było więc o co robić tragedii!

Stephen zatrzymał się przed nią, a jego pełne podziwu spojrzenie dowodziło, że mimo wszystko uważa ją za atrakcyjną kobietę.

– Czy ktoś ci już powiedział, Rosalindo, że twój uśmiech jaśnieje jak wschód słońca?

Roześmiała się zadowolona z komplementu Stephena, choć nie potraktowała poważnie jego słów.

– Przestając z aktorami, stajesz się coraz bardziej złotousty, mój panie! Czego papa od ciebie chciał?

Stephen złożył jej niski, teatralny ukłon.

– Masz przed sobą, droga pani Kaliban, najnowszy nabytek trupy teatralnej Fitzgeralda. Twój ojciec zaangażował mnie do czasu, póki nie znajdzie stałego zastępcy Chesterfielda. Właśnie pisze do kogoś, kogo polecił mu jeden z przyjaciół.

– Wspaniale! – A więc Stephen zostanie z nimi jeszcze tydzień lub dwa. – Jestem pewna, że znakomicie dasz sobie radę, zwłaszcza że tak szybko uczysz się roli.

– Pomyślałem, że wpadnę do teatru i poszukam jakiegoś kostiumu na dzisiejszy występ. Czy trzeba będzie przerzucić całą skrzynię, by znaleźć coś odpowiedniego?

Choć Rosalinda znała doskonale odpowiedź na to pytanie i wcale nie musiała mierzyć Stephena wzrokiem od stóp do głów, nie odmówiła sobie tej przyjemności, zanim wyjaśniła:

– Włożysz tę samą szatę, w której grałeś Tezeusza. Nie mamy wielkiego wyboru strojów dla takiego drągala jak ty. Ten jest w dodatku najokazalszy, więc będzie pasował do Claudia.

– Ach, tak?

Stephen wydawał się nieco rozczarowany. Rosalinda również, gdyż nie mieli już żadnego pretekstu do przedłużania rozmowy. Ale czy naprawdę potrzebowali pretekstu? Oboje byli dorośli. Mogli spotykać się bez obawy, że rzucą się na siebie w szale namiętności. Chociaż kto wie?

– Masz ochotę na spacer? – spytała bez zastanowienia. – Jest tu ładna alejka wzdłuż brzegu rzeki. Zawsze po niej spaceruję, ilekroć przyjedziemy do Whitcombe.

Odpowiedział ciepłym uśmiechem i podał jej ramię.

– Mam wielką ochotę! – Kiedy szli już nad brzeg rzeki, odezwał się znowu: – Jeśli nawet twój uśmiech nie jest identyczny ze wschodem słońca, to nikt z pewnością nie zaprzeczy, że masz promienną naturę!

– Czemuż miałabym chodzić pochmurna jak gradowa chmura, gdy szczęście mi dopisuje pod każdym względem? Mam cudowną rodzinę, ciekawą pracę… I sprawia mi wielką satysfakcję świadomość, że bez moich talentów organizacyjnych w trupie teatralnej Fitzgeralda zapanowałby kompletny bałagan!

– A jednak było w twoim życiu tyle nieszczęść, że starczyłoby materiału na niejedną tragedię – zauważył Stephen. – Jesteś sierotą, twoi przybrani rodzice ciężko pracują, by związać koniec z końcem, nigdzie nie możecie zagrzać miejsca; owdowiałaś bardzo młodo, musisz zarabiać na chleb, pracując razem z rodzicami, choć ich zawód nie w pełni ci odpowiada… No i nie masz żadnego zabezpieczenia na przyszłość.

– No, cóż… może i masz rację, ale ja wolę patrzeć na życie ze słonecznej strony. A co do przyszłości, to nikt nie może być pewien, co mu przyniesie. Po cóż więc rozdzierać szaty i robić z siebie męczennicę? To musi być bardzo męczące!

– Im bardziej się starzeję, tym wyraźniej widzę, że pogodne usposobienie to największe błogosławieństwo – powiedział w zadumie Stephen. – Najgorszym przekleństwem jest wieczny pesymizm, doszukiwanie się dziury w całym nawet wtedy, gdy wszystko w życiu doskonale się układa.

– Masz słuszność. Nie licząc zwykłych codziennych kłopotów, byłam zawsze szczęśliwa, i nie ma w tym żadnej mojej zasługi! Mama powiada, że nawet jako brudne bezdomne dziecko potrafiłam się uśmiechać. – Spojrzała z ukosa na Stephena. – A co ty powiesz o swoim usposobieniu? Mam nadzieję, że nie należysz do ponuraków!

– Chyba nie, ale od dzieciństwa wpajano mi, że do życia trzeba podchodzić serio. Że człowiek posiadający wielki majątek i wysoką pozycję musi być odpowiedzialny i godny zaufania. – Uśmiechnął się z odrobiną autoironii. – I diabelnie nudny na dodatek!

Rosalinda się roześmiała. Poczuł uścisk jej ręki, spoczywającej na jego ramieniu.

– Ty? Nudziarzem? Skądże znowu?! Jestem pewna, że twoje specyficzne poczucie humoru objawiało się już w pokoju dziecinnym!

– Zgadłaś! Na szczęście mało kto wie o tym mankamencie.

Rosalinda znowu parsknęła śmiechem. Dotarli już do alejki, która wiła się pośród drzew rosnących nad rzeką. Panował tu miły chłód w to upalne popołudnie. Rosalinda odetchnęła pełną piersią.

– Cóż za wspaniały zapach! Drzewa, kwiaty, trawy… Ubóstwiam takie bujne, barwne dni pod koniec lata.

Stephen podniósł leżący na ziemi suchy listek i wrzucił do rzeki. Liść, wirując w wodzie, popłynął wolno w dół rzeki.

– Właśnie się zaczynają żniwa. Gdy na polach zostaną tylko ścierniska, nadejdzie jesień. I zanim się obejrzymy, będzie zima.

Uchwyciwszy w głosie Stephena jakąś posępną nutę, Rosalinda dodała:

– A po zimie nastanie wiosna i świat znów będzie młody!

Milczał przez chwilę. Potem, ze wzrokiem utkwionym w wodę, cichym głosem zacytował Pismo Święte:

– „Wszystko ma swój czas, każda sprawa pod niebem ma swoją porę. Jest czas rodzenia i czas umierania, jest czas narzekania i czas pląsów"*. Odwracając się do niej, powiedział cicho, lecz dobitnie: – A teraz mamy pełnię lata, porę życia.

Z niepokojącą jasnością uświadomiła sobie, jak niewiele brakuje, by całkiem straciła głowę dla Stephena. Bardzo łatwo jakaś drobnostka – jego ciepły uśmiech lub szczerość jego słów – mogła strącić ją w otchłań emocjonalnego piekła. Na szczęście nie była młodziutkim dziewczątkiem, gdyż wtedy z własnej woli skoczyłaby na łeb na szyję z urwiska.

A jednak, choć nie mogła sobie pozwolić na miłość do Stephena, właśnie z jego powodu była nieustannie świadoma przemijania. Wkrótce Stephen odjedzie, a jej świat stanie się bezpieczniejszy, choć pozbawiony życia. Na myśl o tym zdobyła się znów na zuchwały gest: chwyciła Stephena za rękę. Była ciepła i silna.

Stephen splótł palce z palcami Rosalindy. Trzymając się za ręce, ruszyli dalej alejką biegnącą wzdłuż brzegu. Rosalinda nadal zachwycała się urokiem letniego dnia, ale teraz piękno przyrody było jedynie tłem dla ich wzajemnej bliskości, którą oboje tak silnie odczuwali. Zdumiewające doprawdy, jak wiele można powiedzieć bez słów!

Przeszedłszy niespełna milę w dół rzeki, dotarli do porośniętej trawą polanki, nad którą wierzba rozpościerała swe ramiona. Przycupnęli na grubej gałęzi wygiętej tak, że stanowiła naturalną ławeczkę. Woda w rzece płynęła leniwie, pluskając wśród trzcin.

---

* Księga Kaznodziei Salomona 3,1–2, 4, Pismo Święte Starego i Nowego Testamentu, nowy przekład z języków hebrajskiego i greckiego, Brytyjskie i Zagraniczne Towarzystwo Biblijne, Warszawa 1990 (przyp. tłum.).

– Aż trudno uwierzyć, że w tej rzece tak niedawno omal się nie utopił Brian! – powiedziała Rosalinda.

– To naprawdę ta sama rzeka?! Jest teraz spokojna jak staw dla kaczek. – Stephen uścisnął rękę Rosalindy i oznajmił z wyraźnym żalem: – Odkryli naszą tajemnicę. Twój ojciec rozmawiał ze mną nie tylko o czasowym zastępstwie do przyjazdu nowego aktora. Zauważył, jak na ciebie patrzę. Już wie, że to nie Jessica powinna strzec się moich gorszących umizgów.

Rosalinda się skrzywiła.

– Powinnam była domyślić się, że przed papą i mamą nic się nie ukryje! Oboje są niesłychanie spostrzegawczy! Całkiem możliwe, że to nie ty się zdradziłeś, tylko mnie przyłapali, kiedy gapiłam się na ciebie.

Stephen pochylił się i zerwał złoty kwiatek zwany posłonkiem. Obracając go w palcach, powiedział:

– Miałem nadzieję, że póki nie zaczniemy mówić otwarcie na ten temat, nic nam nie grozi…

Skinęła głową, rozumiejąc doskonale, co Stephen ma na myśli.

– Jeśli nie może być żadnej przyszłości, lepiej, żeby nie było i teraźniejszości. Czyż nie tak?

Stephen z trudem przełknął ślinę.

– Bardzo bym chciał, żeby było inaczej.

Ona też tego chciała. Przez chwilę kusiło ją, by spytać go otwarcie, czy jest żonaty, ale doszła do wniosku, iż woli tego nie wiedzieć. Mogły istnieć jakieś inne okoliczności uniemożliwiające im wspólną przyszłość. Być może Stephen nie mógł sobie pozwolić na poślubienie dziewczyny bez posagu albo uważałby za hańbę poślubienie kobiety niewiadomego pochodzenia, wychowanej przez ludzi z gminu. Możliwe również, że nie czuł do niej nic oprócz pożądania, a sumienie nie pozwalało mu jej uwieść.

Ponieważ omawianie każdego z tych powodów mogło być wielce krępujące, stanowczo lepiej było wstrzymać się od dyskusji na ten temat. Powiedziała lekkim tonem:

– No, cóż… spotkaliśmy się o niewłaściwej porze w niewłaściwym miejscu…

– A ty w dodatku trafiłaś na niewłaściwego mężczyznę. – Obrócił się twarzą do niej, oczy mu pałały. – Jednak ty, Rosalindo, jesteś niezrównana… Moja Różo nad różami…

Wetknął jej za ucho złoty kwiatek posłonka.

Jego ręka zawisła w powietrzu tuż obok jej głowy. Nagłym, nerwowym ruchem, jakby wbrew jego woli popychała go do tego jakaś przemożna siła, pogładził ją po policzku. Gdy odgarnął kosmyk, który opadł jej na czoło, wyczuła lekkie dotknięcie opuszków jego palców, co dziwnie ją podnieciło.

Kiedy ujął ją pod brodę, zamarła w bezruchu, jakby obawiała się, że przy najlżejszym poruszeniu rozpadnie się na tysiące kawałków. Lekkie dotknięcie ręki Stephena – i tętno u nasady jej szyi zaczęło pulsować jak szalone. Rosalinda nie wiedziała, czego się bardziej lęka – tego, że mu ulegnie, czy tego, że ucieknie przed nim?

Z oczyma pełnymi pożądania powiedział zdławionym głosem:

– Przegoniłaś na cztery wiatry wszystkie moje dobre chęci, cudowna Rosalindo…

Pochylił się, by ją pocałować. Jego usta były takie natarczywe… Rosalinda zamknęła oczy, jej wargi rozchyliły się pod naporem warg Stephena. Namiętność rozpłomieniła jej ciało i nieprawdopodobnie wyostrzyła zmysły. Rozkoszowała się zapachem jego ciała; cierpka męska woń mieszała się z zapachami wsi. Otaczające ich ze wszech stron wąskie wierzbowe listki szeleściły na wietrze, a ich szmer przypominał monotonną kołysankę. Rosalinda głaskała włosy Stephena, miękkie, jedwabiste, które owijały się jej wokół palców.

Przyciągnął ją bliżej i posadził sobie na kolanach. Rosalinda obróciła się tak, że ich piersi przylgnęły do siebie. Poczuła żar i twardość męskiego ciała w tym niezwykle intymnym uścisku.

Ręka Stephena zakradła się do jej piersi i objęła ją, gładząc kciukiem sutek przez cienki muślin jej sukni. Rosalindzie brakło tchu; gorący, drażniący wszystkie nerwy dreszcz przeniknął jej ciało. Zakołysała biodrami w niemym błaganiu o jeszcze większe, ostateczne zespolenie.

Stephen jęknął, objął rękami biodra Rosalindy, przygarniając ją z całej siły. Czuła tuż przy sobie jego pulsujące ciało. Jednym ruchem zdjął ją ze swych kolan i złożył na aksamitnej trawie. Leżąc obok Rosalindy, całował ją, wyczuwając wargami tętno bijące u nasady szyi. Jego ręce błądziły pieszczotliwie po całym ciele dziewczyny. Ich dotknięcie paliło jak ogień i Rosalinda zapragnęła spłonąć w tym pożarze. Od wielu, zbyt wielu lat nie czuła na sobie męskich rąk. A tak gwałtownego pożądania nie doświadczała nigdy dotąd.

Szarpnął stanik jej sukni i poczuła chłodny powiew na obnażonych piersiach.

– Jakie piękne… – szepnął.

Dotknął leciutko językiem sutka, drażniąc go i liżąc; potem jego usta zacisnęły się na wyprężonym koniuszku piersi. Rosalinda skamieniała, oddech jej się rwał, a ręce odruchowo zaciskały się i rozwierały na ramionach Stephena.

Pieścił jej udo, wnętrze jego dłoni było takie ciepłe na jej nagim ciele… Rosalinda uświadomiła sobie, jak bliscy są granicy, poza którą nie ma już odwrotu. Jej ciało płonęło pożądaniem, ale z nagłym lękiem uświadomiła sobie, że jeśli dojdzie do całkowitego zbliżenia, wszystkie jej opory rozwieją się i zakocha się w Stephenie na śmierć i życie. Już i tak rozstanie z nim będzie bardzo bolesne, gdyby jednak zostali kochankami, po jego odejściu rozpadłaby się chyba w proch.

Kiedy jego ręka wśliznęła się między jej uda, szepnęła:

– Nie! Proszę cię, nie!

Nie uczyniła jednak żadnego ruchu, który mógłby go powstrzymać. Wiedziała również, że gdyby nie posłuchał jej prośby, przyjęłaby go w siebie, nie zważając na nic.

Jednak Stephen nie posunął się dalej. Obciągnął podkasaną spódnicę Rosalindy, odsunął się od niej i zaklął szeptem. To ciche przekleństwo sparzyło ją żywym ogniem. Stephen przewrócił się na brzuch, oparł się łokciami o porośniętą trawą ziemię i ukrył twarz w dłoniach.

Trzęsąc się po doznanym szoku, Rosalinda szepnęła:

– Przepraszam…

Nie odpowiedział. Po długiej, bardzo długiej chwili spojrzał na nią z krzywym uśmieszkiem.

– Nie gniewam się na ciebie, moja pani Kaliban, tylko na siebie. Przysiągłem sobie, że nie posunę się do czegoś podobnego. A choć w tej chwili wydaje się to niewiarygodne, zwykle umiem zapanować nad swym ciałem.

Rosalinda uwierzyła mu. Pewnie powinna być dumna ze swej władzy nad nim. Tak, byłaby niewątpliwie dumna i szczęśliwa, że tak na niego działa, gdyby istniała szansa wspólnej przyszłości. Ale o żadnej przyszłości nie było nawet mowy. Usiadła więc i przeczesała palcami włosy, które rozsypały się jej po ramionach.

– Zdrowy rozsądek to taka przeklęta zawada!

– Masz rację – przytaknął Stephen. – A w dodatku, na moje nieszczęście, kuszące mnie demony są tak cholernie dobrze wychowane!

Rosalinda uśmiechnęła się i odetchnęła z ulgą, dostrzegłszy serdeczność w spojrzeniu Stephena. Nie mogli być kochankami, ale przynajmniej pozostali przyjaciółmi!

10

Nadal wstrząsany burzą niezaspokojonej namiętności Stephen usiadł i oparł się plecami o pień wierzby. Rosalinda wpatrywała się w niego z bezdennym żalem w swych czekoladowych oczach. Z gęstą grzywą włosów opadających na ramiona wyglądała urzekająco i Stephen pragnął nade wszystko w świecie znów przygarnąć ją do siebie.

Byłoby to, rzecz jasna, czystym szaleństwem. Stephen odwrócił wzrok i oddychając miarowo, zdołał zapanować nad pożądaniem. Znacznie trudniej było ujarzmić myśli. Chciał za wszelką cenę utrzymać łączącą ich więź, przeistoczyć ją w związek umysłów i dusz. Pragnął dowiedzieć się, jakie wydarzenia kształtowały charakter Rosalindy, uczyniły ją taką, jaka teraz była. Zapomniawszy o dobrych manierach, palnął prosto z mostu:

– Opowiedz mi o swoim mężu. Jaki on był?

– Charles? – Rosalinda nie poczuła się urażona tym pytaniem. Leniwie okręcała wokół palca pasmo swych płowych włosów, zastanawiając się nad odpowiedzią. – Był aktorem. Przypominał nieco Edmunda Chesterfielda, ale miał większy talent. Przystojny i czarujący, jeśli chciał zadać sobie trochę trudu. Kiedy przyłączył się do naszej trupy, miałam osiemnaście lat… ludzie w tym wieku są bardzo podatni na wpływy. Wyobraziłam sobie, że jestem zakochana do szaleństwa w Charlesie. Moi rodzice nie byli zachwyceni, gdy oświadczyłam, że wychodzę za niego. Nie mieli jednak wystarczająco ważkich argumentów, by sprzeciwić się temu małżeństwu. Po roku wzięliśmy ślub.

Chcąc wygładzić suknię, Rosalinda przesunęła się nieco. Promień słońca, przedarłszy się przez wierzbowe listki, padał teraz wprost na jej głowę, zmieniając włosy Rosalindy w płomienną złotą aureolę. Nie wyglądała w tej chwili na wdowę opłakującą męża. Przypominała raczej pogańską boginię, której bujne kobiece kształty są symbolem płodności i urodzaju oraz zapowiedzią wiecznie odnawiającego się życia. Stephen z trudem przełknął ślinę.

– Czy on… krzywdził cię?

– No, cóż… nigdy nie podniósł na mnie ręki. Ale był niepoprawnym kobieciarzem. Kiedy po raz pierwszy zorientowałam się, że mnie zdradza, doznałam szoku. Mierzyłam wszystkich mężczyzn miarką mojego papy, który nawet nie spojrzał na żadną kobietę oprócz Marii. Za to Charles spoglądał… i nie kończyło się na spoglądaniu! – Skrzywiła się na to wspomnienie. – Przynajmniej pozbyłam się romantycznych złudzeń, co wyszło mi na dobre.

Stephen wyobraził sobie Rosalindę jako promieniejącą szczęściem pannę młodą. Z pewnością oddała się swemu oblubieńcowi ciałem i duszą. I ten bezcenny dar zmarnował się jak przysłowiowe perły rzucane przed wieprze.

– Cóż za egoista z tego Jordana! I skończony głupiec: nawet nie wiedział, jaki skarb zdobył i zaprzepaścił!

– Szczerze mówiąc, byłam tego samego zdania – odparła Rosalinda z cierpkim uśmiechem. Zwinęła swe lśniące włosy w węzeł na karku i przypięła wielką szpilą. – Tylko, widzisz… Charles nigdy nie słuchał głosu rozsądku; wolał podszepty… znacznie niżej położonych części ciała.

Stephen uśmiechnął się kwaśno.

– Niestety z mężczyznami często tak bywa. W jakich okolicznościach zmarł?

Rosalinda spojrzała w stronę jaskrawoniebieskiego zimorodka. Ptak zanurkował właśnie z pluskiem, który w sennej ciszy popołudnia zabrzmiał niezwykle głośno.

– Byliśmy małżeństwem od trzech lat, gdy Charlesowi zaproponowano występy w Dublinie. Uznał, że to jego życiowa szansa, i niezwłocznie wyjechał do Irlandii. Obiecywał, że przyśle po mnie, kiedy się już zagospodaruje, ale ciągle z tym zwlekał. Sześć miesięcy później został zastrzelony przez męża jakiejś uwiedzionej przez niego damy.

– Boże wielki! Cóż za teatralny efekt! I w dodatku nie z porządnego dramatu, tylko z podrzędnej farsy!

Wargi Rosalindy drgnęły w leciutkim uśmiechu.

– Święta prawda! Żal mi było oczywiście Charlesa, ale miałam mu za złe, że nawet umrzeć nie potrafił w kulturalny sposób!

Ich spojrzenia spotkały się i oboje parsknęli śmiechem. Przez ostatnie dwa tygodnie Stephen skrzętnie zbierał i utrwalał w pamięci drobne scenki, uśmiechy, powiedzonka Rosalindy. Miał już całą galerię jej portretów. Najbardziej zachwycała go taka jak w tej chwili – roześmiana, choć wiedziała, co to smutek; znająca świat i właśnie dzięki temu zdolna do współczucia; wychowana w twardej szkole życia i wyznająca zasadę, że najlepszym lekarstwem na przeciwności losu jest śmiech.

Przeklinając w duchu los, który zetknął ich ze sobą zbyt późno, Stephen wstał i wyciągnął do niej rękę.

– Pora wracać do domu, pani Kaliban! Czy jest tu jakaś inna droga, na skróty?

Chwyciła podaną sobie dłoń i lekko stanęła na nogi, zwinna i pełna wdzięku jak boginka.

– Jeśli przetniemy na skos to pole, trafimy na dróżkę, która zaprowadzi nas prosto do miasta.

Znów podał jej ramię, gdyż był to kontakt mniej intymny niż trzymanie się za ręce. Co prawda każdy, nawet zgoła niewinny gest Rosalindy miał dla niego posmak erotycznej prowokacji.

Nim dotarli do wspomnianej dróżki, Rosalinda opanowała się już całkowicie. Prowadzili zdawkową rozmowę o zbliżającym się przedstawieniu. Jednak pod powłoką obojętności krył się dojmujący żal, że to skąpane w słońcu popołudnie dobiega końca. Nie mogli liczyć na jeszcze jedną rozmowę w cztery oczy. Zresztą podobne tête à tête byłoby zbyt ryzykowne.

Tuż za zakrętem ujrzeli chłopską furmankę. Woźnica wdał się w awanturę z jakimś krewkim jeźdźcem. Na dźwięk gniewnych głosów Rosalinda zmarszczyła brwi.

– Wygląda na to, że zaraz skoczą sobie do gardła! Ciekawe, o co się aż tak kłócą?

Nagle rozległ się przenikliwy kobiecy krzyk, dolatujący z dna wozu.

– Co, u diabła?! – Stephen odsunął się od Rosalindy i podszedł do furmanki. – Czy zdarzył się jakiś wypadek?

Woźnica, zwalisty drab o ostrych rysach, wzruszył ramionami.

– Ta dziewucha podobno rodzi. – Odwrócił się i warknął przez ramię: – Uważaj, żebyś się za wcześnie nie okociła! Dopiero jak wyjedziemy z naszej gminy!

Mężczyzna jadący konno wrzasnął:

– Żebyś się nie ważył wwozić jej do nas! Porządni ludzie z Whitcombe nie będą żywić cudzego bękarta!

Twarz Stephena spochmurniała; zaklął pod nosem. Rosalinda zrównała się z nim i spytała po cichu:

– Co tu się dzieje?

– Zgodnie z tak zwanym prawem o ubogich utrzymanie dzieciom z najuboższych rodzin zapewnia gmina, w obrębie której przyszły na świat – wyjaśnił. – Wobec tego niektóre gminy starają się pozbyć biednych kobiet w zaawansowanej ciąży, by wymigać się od obowiązku utrzymywania matki i dziecka.

Z wnętrza wozu dobiegł rozpaczliwy płacz. Rosalindzie serce omal nie pękło. Spojrzała na kłócących się ząb za ząb mężczyzn i wybuchnęła:

– Nie macie sumienia?! Wy się tu żrecie, a ona może umiera!

Dwaj antagoniści przerwali kłótnię; jadący konno poruszył się niespokojnie w siodle.

– Czy to moja wina? Jestem Joseph Brown, rajca z Whitcombe. Jadę sobie tędy i co widzę?! Gmina Cowley chce nam podrzucić swoją dziewuchę i jej bachora! Wszyscy wiedzą, że rada z Cowley, jak jakaś kukułka, podrzuca innym swoich podopiecznych! – Spojrzał groźnie na swego oponenta. – A ten to Crain, ich nadzorca, specjalista od takiej brudnej roboty!

Nadzorca zarechotał grubiańsko.

– A żebyś wiedział, że specjalista! Cholernie dobry w swoim fachu! Niech no tylko miniemy ten wiąz, a dziewucha razem z bękartem będzie na waszym gruncie!

Ignorując gniewne protesty Browna, strzelił z bata i konie ruszyły.

Stephen z kamienną twarzą zagrodził mu drogę i pochwyciwszy wodze, uwiesił się na nich całym ciężarem. Kiedy oba konie stanęły, zawołał rozkazującym tonem:

– Wsiądź na wóz, Rosalindo, i zobacz, co z tą dziewczyną!

Crain ryknął:

– A żeby cię pokręciło! Pilnuj swego nosa! Kazali mi zawieźć tę dziewkę do gminy Whitcombe, to ją zawiozę!

Uniósł bicz i zamachnął się wściekle na Stephena, który uniósł ramię, by osłonić twarz. Rzemień przeciął powietrze z paskudnym świstem. Szybki jak kot Stephen chwycił bicz obiema rękami i szarpnął. Crain wypuścił biczysko z garści.

– Trzymaj gębę na kłódkę i nie przeszkadzaj, bo gorzko tego pożałujesz! – zapowiedział Stephen Crainowi głosem twardym i ostrym jak diament. – Już ja się o to postaram!

Crain zbladł, a Browna zamurowało; był zresztą wyraźnie rad, że gniew Stephena nie skupił się na nim. Rosalinda gapiła się z otwartymi ustami na Stephena, który na jej oczach przeistoczył się w człowieka czynu, przywykłego do wydawania rozkazów i oczekującego posłuchu. Przeciwstawić mu się mógł tylko heros lub straceniec.

Głośny jęk ponaglił Rosalindę do działania. Po tylnym kole wgramoliła się na wóz. Na wiązce siana leżała przerażona dziewczyna, najwyżej siedemnasto- czy osiemnastoletnia. W innych okolicznościach zasługiwałaby może na określenie „ładna", ale teraz jej wzdęte ciało wiło się z bólu, a zlane potem ciemnoblond włosy lepiły się do czaszki.

– Uspokój się – odezwała się do niej łagodnie Rosalinda. Przysiadła na sianie obok położnicy i ujęła jedną z jej rąk, zaciśniętych w pięści. – Nie jesteś już sama.

– Ale... ale dziecko już idzie! – Piwne oczy dziewczyny były półprzytomne ze strachu, a cała spódnica wytartej szarej sukienki przemoczona. – Ja... ja tak się boję!

Rosalinda ścisnęła ją za rękę. Chciała pocieszyć biedną dziewczynę, ale sama była przerażona perspektywą asystowania przy porodzie. Jeśli wystąpią jakieś komplikacje, rodząca i jej dziecko umrą!

Stephen podszedł do wozu z boku, zajrzał do środka i na chwilę położył rękę na ramieniu Rosalindy.

– Brown! Sprowadź natychmiast akuszerkę albo medyka!

Rajca gminny zareagował natychmiast na rozkazujący ton jego głosu i posłusznie zawrócił konia. Potem jednak zawahał się.

– Niech mi pan obieca, że kiedy wrócę, ta fura nie będzie stała za wiązem!

– Możesz być pewny, że nie ruszy się z miejsca – odparł Stephen i zwrócił się do Craina. – Zabieraj się stąd... chyba że potrafisz odebrać dziecko!

Nadzorca wykrztusił:

– Ta... ta flądra nie będzie się kociła na moim wozie!

– To po diabła ją tam wsadzałeś? – odparował Stephen. – No, jazda!

Crain miał już zaprotestować, ale oklapł pod groźnym spojrzeniem Stephena. Zlazł z fury i umknął. Co prawda niezbyt daleko, gdyż chciał zobaczyć, czym to się skończy.

Stephen wskoczył na wóz i przykląkł po drugiej stronie leżącej tam dziewczyny. Rosalinda odetchnęła z ulgą. Mając Stephena pod bokiem, nabrała pewności, że wszystko będzie dobrze.

– Jak ci na imię, moja droga? – spytał zdumiewająco łagodnym tonem w porównaniu z tym, jakim poskromił obu mężczyzn.

– Ellie, proszę pana. – Dziewczyna spojrzała na niego, mrużąc oczy. – Ellie Warden.

– A zatem, Ellie, wygląda na to, że lada chwila zostaniesz mamą. To twoje pierwsze dziecko?

Skinęła głową.

– No to nic dziwnego, że się denerwujesz. Ale jak świat światem, kobiety rodziły dzieci. – Wyjął chustkę i otarł spoconą twarz położnicy. – Nie bój się, znamy się na takich sprawach i pomożemy ci.

Rosalinda spojrzała na niego przerażonym wzrokiem i pokręciła głową na znak, że wcale się na tym nie zna. Stephen uspokoił ją lekkim skinieniem głowy, które mówiło: „ale ja się znam!"

Ellie ścisnęła z całej siły rękę Rosalindy i krzyknęła w kolejnym ataku bólu.

– Bóle są coraz częstsze. To już długo nie potrwa – zauważył z całym spokojem Stephen. Wręczył chustkę Rosalindzie i szepnął: – Mów do niej, byle co! Odwróć jej uwagę!

Troskliwie ułożył dziewczynę w najodpowiedniejszej pozycji do rodzenia i podwinął do góry jej spódnicę i halkę.

Rosalinda otarła znów dziewczynie pot z twarzy.

– Jesteś z tych stron, Ellie?

– Urodziłam się w Norfolk, ale dziesięć lat temu tato przywiózł nas tu, do Cowley – odparła Ellie. Wydawała się rada ze zmiany tematu. – Tato był cieślą i nieźle mu szło. Kupił nawet dla nas chałupinę i wyrychtował jak się patrzy. Ale już trzy lata, jak mu się zmarło i odtąd klepiemy biedę. Nie mamy w tych stronach żadnych krewniaków, więc matula poszła do gminy prosić o pomoc, żebyśmy z głodu nie pomarli… – Urwała, bo znów przeszył ją ból. – …A ci z gminy kazali nam wyprzedać się ze wszystkiego, bo to, gadali, trza zwrócić gminie co do grosza, żeby nie miała uszczerbku. Jak moja matula umierała, to nawet wyciągli spod niej pierzynę i sprzedali! A jak już oczy zamkła, zabrali nasz domek za te niby-długi. A teraz jeszcze wygnali mnie z dzieckiem, jak jakiego psa!

Jak chrześcijanie mogli być tacy nikczemni? – Rosalinda nie była w stanie tego pojąć. Jej przybrany ojciec, którego noga, jak tylko pamiętała, nigdy nie postała w kościele, był tysiąc razy lepszy od tych przedstawicieli gminy i związanej z nią parafii.

– Czy ojciec twojego dziecka nie mógłby ci pomóc, Ellie? – zapytała. Twarz dziewczyny skrzywiła się boleśnie.

– Danny i ja mieliśmy się pobrać, ale on nie mógł tu znaleźć pracy. No to powędrował do Walii. Znalazł robotę w kamieniołomie. I… i był wypadek, zasypało go… A następnego dnia miał wrócić do domu, na nasz ślub… – Wciągnęła z trudem powietrze do płuc. – Byliśmy ze sobą tylko ten jeden raz. Danny nawet nie wiedział, że zostanie tatą…

– Niełatwo ci się żyło, Ellie, ale teraz już będzie dobrze – zapewnił ją Stephen. – Ani się obejrzysz, jak będziesz miała w ramionach swoje dzieciątko!

Na chwilę Ellie się odprężyła. Zaraz jednak targnął nią znowu ból.

– O Jezu! Ale boli… zaraz umrę!…

– O śmierci nie ma mowy – stwierdził kategorycznie Stephen. – Wiem, że boli, ale to dobry ból. Zrodzi się z niego nowe życie. A ty świetnie sobie radzisz. Dziecku spieszno na świat, a jak się urodzi, wszystko będzie dobrze. Słowo daję!

Następne minuty zlały się w świadomości Rosalindy w jeden koszmar cierpienia. Trzymała Ellie za rękę i starała się dodać jej odwagi. Z rozmysłem odwracała wzrok od Stephena i tego, co robił. Choć nieraz opiekowała się chorymi aktorami i opatrywała guzy czy siniaki, nie miała pojęcia o położnictwie. Nie patrzyła więc na to, co mogłoby przyprawić ją o zemdlenie lub wywołać inną, równie głupią reakcję.

Ellie krzyknęła przeraźliwie i zamilkła. W ciszy rozległ się cieniutki pisk wyraźnie niezadowolonego niemowlęcia.

Stephen oznajmił z triumfem:

– Dobra robota, Ellie! Masz ślicznego synka.

Rosalinda zerknęła w tamtą stronę i ujrzała, że Stephen trzyma na ręku wierzgającego niemowlaka z zaczerwienioną buzią. Dziecko wydawało się jeszcze mniejsze w porównaniu z wielkimi, troskliwymi rękoma Stephena. Otarł starannie drobne ciałko kłakiem siana. Nim zakończył toaletę malucha i przeciął pępowinę, łożysko odeszło. Powiedział więc z uśmiechem do Ellie:

– Wszystko znakomicie! Jesteś stworzona do rodzenia dzieci, Ellie!

Ellie odpowiedziała niepewnym uśmiechem i wyciągnęła ręce do dziecka.

– Proszę mi go dać!

Stephen złożył dziecko w objęciach matki. Malec uspokoił się natychmiast. Na twarzy dziewczyny odmalował się zachwyt.

– Śliczny, prawda?

– Jeszcze jak! – zapewniła ją z przekonaniem Rosalinda. Ukradkiem starała się rozruszać rękę, która zdrętwiała po kurczowych uściskach Ellie.

Rozległ się tętent kopyt i turkot kół: ktoś nadjeżdżał. Rosalinda zerknęła w tamtą stronę i ujrzała małą, ale krzepką kobietkę w powoziku zaprzężonym w kuca. Pan Brown kłusował z tyłu. Nieznajoma zatrzymała się przy furze.

– To ty, dziewuszko? O, widzę, że już po wszystkim!

Nachyliła się, by lepiej rozeznać się w sytuacji.

– Cóż my tu mamy? Jaki piękny, zdrowy chłopak! Nazywam się Holt, jestem akuszerką… Ale widzę, że nie czekałaś na mnie, moja droga! – Ro-

104

ześmiała się serdecznie. – Za to przydadzą ci się teraz moje rady: trzeba wiedzieć, jak się obchodzić z takim maluchem! Zabiorę was do siebie. Zostaniecie w moim domu, póki całkiem nie wydobrzejesz, dziewuszko!

Stephen zeskoczył z wozu i powiedział cicho do akuszerki:

– Pokryję wszelkie koszta, pani Holt. Proszę postarać się o porządny przyodziewek dla dziewczyny i o ubranka dla dziecka.

Akuszerka skinęła głową.

– Może ich pan przenieść do mego wózka?

Stephen opuścił ściankę wozu i wziął na ręce młodą matkę, nie zważając na to, że jej suknia jest zalana krwią. Bez wysiłku przeniósł ją razem z dzieckiem do wózka akuszerki, wyścielonego starą kołdrą. Rosalinda przeniosła węzełek z żałośnie małym dobytkiem Ellie.

Pani Holt obróciła się na swej ławeczce i wziąwszy na ręce niemowlę, owinęła je podniszczonym, ale czyściutkim ręcznikiem, nie żałując przy tym pieszczotliwych słówek maluchowi. Potem zwróciła się do młodej matki. Mimo znużenia Rosalinda się uśmiechnęła. Była rada, że Ellie będzie odtąd pod opieką położnej, która niewątpliwie kochała swój zawód i swych podopiecznych.

Wyraźnie zdenerwowany Brown zastrzegł z góry:

– To, że pani Holt zabierze dziewczynę do swego domku w Whitcombe, nie znaczy wcale, że gmina pokryje wszelkie wydatki!

– Bez obawy! – odparł sucho Stephen. – Pani Jordan i ja zaświadczymy w razie potrzeby, że dziecko urodziło się w gminie Cowley. – Zwrócił się do Craina, który wynurzył się z ukrycia, by upomnieć się o swój wóz. – Spotkam się jutro z przewodniczącym waszej rady, by pomówić z nim o dalszej opiece nad Ellie Warden i jej dzieckiem. Mam pewien pomysł.

– To nie pańska sprawa! – burknął Crain. – A ta dziewucha zaświniła mi cały wóz!

Stephen powtórzył tylko lodowatym tonem:

– Spotkam się z nim jutro.

Buńczuczna mina nadzorcy zrzedła. Potulnie zajął miejsce na wozie i ruszył w drogę powrotną do swego miasteczka. Po krótkiej, ale rzeczowej wymianie zdań ze Stephenem odjechali także Brain i akuszerka z Ellie i jej dzieckiem.

Kiedy tylko znikli im z oczu, Stephen przysiadł na poboczu drogi, oparł łokcie na kolanach i ukrył twarz w dłoniach.

– Bogu dzięki, że poród był lekki i wszystko poszło jak z płatka! Kto wie, co by się mogło zdarzyć w razie jakichś komplikacji!

Rosalinda zaśmiała się nerwowo i przysiadła obok niego. Teraz, gdy kryzys minął, zrobiło się jej słabo.

– Byłeś wspaniały! Czy studiowałeś medycynę?

Podniósł na nią wzrok.

– Gdzie tam! Znam się trochę na gospodarstwie i nieraz miałem do czynienia ze źrebiącą się klaczą, cielną krową albo kotną owcą.

Rosalinda zrobiła wielkie oczy.

– A więc tylko udawałeś, że się na tym znasz?!

Uniósł brwi z udaną nonszalancją.

– Może nie najlepszy ze mnie aktor, ale doktora potrafię zagrać.

Rosalinda przewróciła się na trawę w ataku śmiechu.

– Wstrętny oszuście! A ja myślałam, że przynajmniej ty znasz się na rzeczy!

– W gruncie rzeczy poród u ludzi i u zwierząt przebiega bardzo podobnie – odparł ze spokojem.

– Teraz już rozumiem, czemu wycierałeś to biedactwo sianem! – Roześmiała się znowu i tym razem Stephen jej zawtórował. Poczuła, że stał się jej jeszcze bliższy. A poza tym ogromnie jej zaimponował. Nie był lekarzem, a jednak odebrał szczęśliwie poród. Był dżentelmenem, ale zatroszczył się o los zrozpaczonej dziewczyny, odtrąconej przez lokalną społeczność. A chociaż stwierdził skromnie, że tylko trochę zna się na gospodarstwie, zorientowała się, że przywykł do rozkazywania. Wszystko wskazywało na to, że posiada wielki majątek i mnóstwo służby.

Najważniejsze jednak, że był przy niej i jego obecność działała na nią zbawiennie. Popatrzyła na niego z czułością.

– Jakiś ty dzielny! Większość mężczyzn na widok nieznajomej, która właśnie rodzi, uciekłaby w popłochu!

– Ktoś musiał się tym zająć. – Uśmiechnął się, przypomniawszy sobie coś zabawnego. – Pewnego razu stajenny uraczył mnie drobiazgowym opisem porodu swojej żony. Tak się z tym pospieszyła, że biedak nie zdążył wezwać akuszerki. Kiedy mi opowiadał z detalami, jak sam odbierał córkę, nie byłem tym wcale zachwycony… a tu masz: przydało się jak znalazł! Tamta mała ma już pięć lat, żywy dzieciak, jak iskra! Bóg da, że synek Ellie też będzie się zdrowo chował.

Na twarzy Stephena odmalował się smutek. Rosalinda domyśliła się, że lubił dzieci i zapewne nie miał własnego. Doskonale rozumiała jego uczucia.

Nie było jej już do śmiechu, ale leżała przez chwilę odprężona, wpatrując się w pogodne letnie niebo.

– Została nam niecała godzina na powrót do Whitcombe, doprowadzenie się do porządku i przygotowanie do spektaklu.

Stephen jęknął.

– Całkiem o tym zapomniałem!

– Najlepszy dowód, że nie jesteś zawodowym aktorem! – Rosalinda wstała i wyciągnęła rękę do Stephena. Tonem nieznoszącym sprzeciwu oznajmiła: – Choćby się waliło i paliło, mości książę, przedstawienie idzie dalej!

Uśmiechnął się.

– Jakoś to zniosę… zwłaszcza że zgodnie z rolą mamy się całować.

Rosalinda zaczerwieniła się, ale odparła z przesadnie skromną minką:

– Doceniam poświęcenie, z jakim zatroszczyłeś się o dodatkową repetycję!

Ruszyli w drogę powrotną do Whitcombe, trzymając się za ręce.

11

Lord Michael Kenyon zatrzymał konia przed frontowym wejściem do domu doktora Blackmera, po czym zsunął się z siodła bez zwykłej energii. Miał nadzieję, że zastanie w domu tego przeklętego jegomościa! Przebył szmat drogi, by poznać odpowiedź na dręczące go pytania, i nie zamierzał cierpliwie czekać, kiedy lekarz raczy mu tej odpowiedzi udzielić.

Starszawy służący wprowadził przybysza do ambulatorium, w którym zastał doktora. Blackmer ucierał w moździerzu jakąś białą substancję. Michael zetknął się z nim tylko raz, na pogrzebie swojej szwagierki, księżnej Ashburton. Okoliczności nie sprzyjały wówczas bliższemu poznaniu ani upewnieniu się o zdolnościach rodzinnego lekarza.

Blackmer zerknął na gościa i zerwał się na równe nogi.

– Lord Ashburton! Jakże się cieszę, że wasza książęca mość wrócił! Już się niepokoiłem…

– Pomyłka! – Michael zdjął kapelusz, by doktor mógł przyjrzeć się dokładniej jego twarzy. – Nie Ashburton, tylko brat Ashburtona.

Blackmer stanął jak wryty.

– Ach, tak… Przepraszam. Jest pan niezwykle do niego podobny, milordzie.

Spostrzeżenie to nie było niczym nowym dla Michaela. Przez całe życie słyszał podobne komentarze.

– Gdy przyszedł pański list, nie było mnie w domu. Przeczytałem go dopiero wczoraj. Rzecz jasna natychmiast wyruszyłem w drogę. Kiedy jednak zjawiłem się w Ashburton Abbey, powiedziano mi, że mój brat wyjechał przeszło trzy tygodnie temu i od tamtej pory nie dał znaku życia. Co to ma znaczyć, u diabła?!

Blackmer westchnął.

– A zatem książę nie wybrał się do Walii. Miałem nadzieję, że bawi w gościnie u pana, milordzie.

– Nie ma go w Walii ani w Londynie, bo dopiero co stamtąd wyjechałem! – rzucił niecierpliwie Michael. – Wspomniał pan w liście, że mój brat jest poważnie chory. Co mu dolega?

Blackmer zawahał się, jakby nie bardzo wiedział, jak ma obwieścić podobną nowinę.

– Cierpi na obrzęk żołądka i wątroby. To nieuleczalna choroba, niszcząca wnętrzności. Ma przed sobą najwyżej kilka miesięcy życia.

Michael skamieniał. Ostrożnie sformułowany list Blackmera nie przygotował go na taki cios. Stephen prawie nigdy nie chorował. Odwiedził zresztą w Walii jego i Catherine nie dalej jak dwa miesiące temu i cieszył się wówczas doskonałym zdrowiem. Jak mógł w tak krótkim czasie nabawić się śmiertelnej choroby?! Ze ściśniętym sercem Michael zapytał:

– Naprawdę nie można nic dla niego zrobić?

Blackmer odwrócił wzrok.

– Chyba tylko… modlić się za niego.

Michael z najwyższym trudem powstrzymał się od spoliczkowania doktora. Ale wyżywanie się na posłańcu przekazującym tragiczne wieści nie miało sensu.

– Może ta choroba… zmąciła Stephenowi umysł i dlatego opuścił dom?

– Na pewno nie! – oświadczył lekarz, zaskoczony podobnym przypuszczeniem. – Moim zdaniem książę wyjechał, by w samotności oswoić się z myślą o rychłej śmierci.

Michael pomyślał, że coś tu się jednak nie zgadzało…

– Trzy tygodnie na godzenie się z losem? To chyba zbyt długo. Może stan jego zdrowia uległ nagłemu pogorszeniu i teraz leży Bóg wie gdzie bez opieki?

Blackmer pokręcił głową.

– Cóż... wszystko jest możliwe, ale, moim zdaniem, wysoce nieprawdopodobne.

Michael zastanawiał się, co począć w tej sytuacji. Stephen wyrażał się pochlebnie o zdolnościach i doświadczeniu Blackmera, ale był to w końcu zwykły wiejski lekarz, specjalista od przeziębień i zestawiania złamanych kości. Nie udało mu się uratować Louisy, a w przypadku choroby Stephena od razu dał za wygraną.

Może Ian Kinlock znalazłby jakąś radę? Ten utalentowany chirurg, przyjaciel Catherine, ocalił życie rannemu pod Waterloo Michaelowi. Zastosował wówczas nową, niewypróbowaną jeszcze metodę, bardzo ryzykowną... Teraz Kinlock pracował w londyńskim Szpitalu Świętego Bartłomieja, walcząc znów na pierwszej linii frontu o poszerzenie wiedzy medycznej. Jeśli Stephenowi ktoś może jeszcze pomóc, to tylko Ian! Wobec tego należy czym prędzej odnaleźć brata i zawieźć go do Londynu.

Michael poczuł ulgę na myśl o konkretnym działaniu.

– Dziękuję, że mnie pan powiadomił, doktorze. Do widzenia!

Odwrócił się na pięcie i skierował się ku drzwiom.

– Co pan zamierza uczynić, milordzie? – spytał Blackmer.

– Odnaleźć swojego brata! – rzucił przez ramię Michael.

– Proszę zaczekać! Jadę z panem.

Michael przystanął i spytał ze zniecierpliwieniem:

– Po co, u diabła, miałby się pan fatygować?

Blackmer spuścił wzrok i bezwiednie dotknął stojącego przed nim kamiennego moździerza.

– To mój pacjent. Jeśli pan go odnajdzie, lepiej, żebym był pod ręką.

Michael się nachmurzył. Miał zamiar kategorycznie odmówić. Nie życzył sobie towarzystwa tego obcego człowieka; zwłaszcza że zamierzał nie tylko odnaleźć Stephena, ale oddać go pod opiekę innego lekarza. Jednakże zaimponowała mu postawa Blackmera, jego niezwykłe poczucie obowiązku wobec pacjenta. Powiedział więc:

– No, cóż... zgoda, o ile jest pan dobrym jeźdźcem. Będę jechał bez wytchnienia, w morderczym tempie. Nie zwolnię ze względu na pana.

– Poradzę sobie – odparł lakonicznie Blackmer. – Ale muszę przed wyjazdem załatwić kilka spraw. Przede wszystkim znaleźć lekarza, który zaopiekuje się moimi pacjentami. Robi się późno. Czy nie lepiej wyruszyć jutro rano?

Michael wyjrzał przez okno. Słońce stało już nisko, prawie na linii horyzontu.

– Chyba tak – ustąpił niechętnie. – Spróbuję zasięgnąć języka u służby we dworze. Muszę też napisać kilka listów. A więc do jutra, panie doktorze. Spotkamy się w Ashburton Abbey o świcie.

Odszedł, powtarzając sobie w duchu, że kto jak kto, ale Ian Kinlock z pewnością postawi Stephena na nogi.

Po prostu nie przyjął do wiadomości, że dla jego brata nie ma już ratunku.

Po odejściu gościa Blackmer opadł na fotel, wstrząśnięty do głębi. Lord Michael, podobnie jak jego zmarły ojciec i wielu Kenyonów, miał szorstki sposób bycia, połączony w dodatku z władczym tonem i bezwzględnością byłego oficera. Podróż w jego towarzystwie z pewnością nie będzie łatwa – nie tylko dlatego, że Kenyon przywykł do biwakowania w wyjątkowo trudnych warunkach.

Blackmer widział poprzednio lorda Michaela tylko raz. Wydał mu się bardzo podobny do Ashburtona. Doktora zaskoczył wyraz szczerego bólu na jego twarzy na wieść o śmiertelnej chorobie starszego brata. Jakże wielu młodszych braci uradowałoby się w duchu, słysząc, że za kilka miesięcy spadnie im jak z nieba książęca korona!

Doktor wpatrywał się bezwiednie w kominek, w którym nie płonął jeszcze ogień. Sprawdziły się jego obawy: powiadamiając o całej sprawie lorda Michaela, poruszył gniazdo szerszeni! Ashburton mógł znajdować się dosłownie wszędzie, szanse odnalezienia go były minimalne. Znacznie bardziej prawdopodobne, że chory sam wróci do domu. Gdyby jednak lordowi Michaelowi udało się odnaleźć brata, osobisty lekarz księcia powinien być przy tym obecny!

Blackmera dręczyły jak najgorsze przeczucia. W co się wpakował?

12

Rosalinda obudziła się późno w ten słoneczny ranek. Jessica zdążyła już wstać, ubrać się i zejść na dół na śniadanie. No, tak… ale Jessica nie odbyła poprzedniego dnia długiego spaceru brzegiem rzeki ani nie asystowała przy porodzie!

Rosalinda przewróciła się na wznak i przeciągnęła leniwie. Dramatyczne wydarzenia poprzedniego dnia ukoronowało przedstawienie w miejscowym teatrze, które okazało się wielkim sukcesem. Maria, niebywale wzruszająca w roli Izabelli, doprowadziła całą publiczność do łez. Kończąca spektakl farsa w jednym akcie spodobała się również, a Rosalinda i Stephen całowali się na scenie całkiem swobodnie, bez obawy przed konsekwencjami… w każdym razie przed kompromitacją na oczach widzów.

Rosalinda pomyślała o pocałunku pod wierzbą. Oblała ją fala gorąca. Przez chwilę pozwoliła sobie na marzenia o tym, co mogłoby się wydarzyć, gdyby oboje nie powstrzymali się w porę. Jak niezwykłe i cudowne musiały być namiętne uściski mężczyzny, który tak przypadł jej do serca!

Niestety cały problem polegał na tym, że polubiła Stephena aż za bardzo! Rosalinda westchnęła i zwiesiła nogi z łóżka. Tak, wycofanie się w porę było rozsądnym posunięciem. A dzięki temu, że uczynił to dopiero w ostatniej chwili, miała teraz rozkoszne wspomnienia.

Umyła się, ubrała i zeszła na dół. Ku swemu rozczarowaniu dowiedziała się, że Stephen już wyszedł. Zjawił się dopiero po południu. Rosalinda zjadła skromny lunch złożony z chleba, sera i piwa w zarezerwowanym dla ich trupy saloniku, sporządzając w notesie listę niezbędnych przygotowań do przedstawień, które czekały ich w najbliższych dniach. Dostrzegłszy idącego korytarzem Stephena, dała mu znak, by przyłączył się do niej.

– Co tam znowu szykujesz? – zapytał.

– Nic ciekawego. Za dwa dni dajemy prywatne przedstawienie w pobliskiej rezydencji. To dla nas wielki zaszczyt, muszę więc sprawdzić, czy wszystko jest przygotowane. Niestety nie mam wpływu na pogodę, a to ona zadecyduje o sukcesie naszego spektaklu.

– Przedstawienie pod gołym niebem?

Skinęła potakująco głową.

– W prześlicznym miniaturowym amfiteatrze w greckim stylu. Wymarzona sceneria do *Snu nocy letniej*! Jeśli pogoda nie dopisze, przedstawienie odbędzie się pod dachem i straci wiele uroku. – Odłożyła notatnik. – Jadłeś lunch?

Stephen zbył to pytanie wzruszeniem ramion; ostatnio często rezygnował z posiłków. Rosalinda przyglądała mu się bacznie. Uświadomiła sobie, że Stephen bardzo schudł i że nieraz już widziała, jak ostrożnie dotyka brzucha, jakby go bolał. Pewnie cierpiał na niestrawność… a może miał wrzód żołądka?

Nim się zdecydowała spytać Stephena o zdrowie, zaproponował:

– Chciałabyś odwiedzić Ellie Warden?

Uśmiechnęła się, zapominając o braku apetytu Stephena.

– Jeszcze jak!

Pobiegła po kapelusz, po czym wyszli razem z oberży.

Podczas spaceru na drugi koniec miasta Stephen powiedział:

– Może cię to zainteresuje… byłem dziś rano w Cowley.

– A prawda! Udało ci się porozmawiać o przyszłości Ellie z tamtejszą radą gminną?

– Tak – odparł, nie rozwijając tematu.

Rosalinda powstrzymała się od dalszych pytań. I tak niebawem dowie się wszystkiego.

Pani Holt mieszkała w uroczym małym domku, wokół którego rosło mnóstwo barwnych, intensywnie pachnących kwiatów. Siedziba harmonizowała znakomicie z osobowością pogodnej akuszerki. Słysząc pukanie, otworzyła drzwi i na widok gości zawołała:

– Otóż i nasi samarytanie! – Usunęła się na bok, zapraszając ich do środka. – Ellie i jej dzidziuś czują się doskonale.

– Bardzo się cieszę! – odpowiedziała z prawdziwą radością Rosalinda. – Czy możemy ich odwiedzić?

– Proszę za mną!

Pani Holt zaprowadziła ich wąskimi schodami na piętterko, do słonecznej sypialni na tyłach domu. Ellie siedziała przy oknie w wyściełanym fotelu, tuląc w ramionach śpiące dziecko. Zgodnie z przewidywaniami Rosalindy, umyta i porządnie ubrana okazała się bardzo ładną ciemną blondynką o słodkiej twarzyczce.

Rozpromieniła się na widok gości.

– Tak się cieszę, że mogę państwu podziękować! Nie wiem, co bym zrobiła bez państwa pomocy.

Serce Rosalindy stopniało na widok śpiącego maleństwa. Chłopczyk miał gęste ciemne włoski.

– Mogę wziąć go na ręce?

– Oczywiście!

Ellie ostrożnie podała jej dziecko.

Rosalinda przytuliła do piersi ciepłe, mięciutkie ciałko. Ogarnęła ją straszliwa pokusa, by uciec wraz z dzieckiem. Po wyjściu za mąż nie mogła się doczekać własnych pociech; byłyby osłodą nieudanego związku. Okazała się jednak bezpłodna. Nigdy nie utuli w ramionach własnego maleństwa. Powiedziała zdławionym głosem:

– Jest taki śliczny…

112

– Malutki, cudowny człowieczek… – Stephen dotknął niemowlęcej rączki tak ostrożnie, jakby obawiał się, że zrobi krzywdę tej kruszynce. – Nazwiesz go po ojcu, Ellie?

– A pewnie! No i… – Ellie spuściła głowę, bardzo zmieszana. – Nawet nie wiem, jak pan się nazywa…

– Stephen Ashe.

Nie odrywał oczu od niemowlęcia. Rosalinda pojęła bez słów, że i on boleje nad tym, że nie ma własnych dzieci.

– No to… za pańskim pozwoleniem… chciałabym go ochrzcić Daniel Stephen.

Spojrzał na nią zaskoczony.

– To dla mnie prawdziwy zaszczyt! – Znów popatrzył na dziecko. – Mam kilkoro chrześniaków – powiedział – ale ten będzie mi wyjątkowo drogi.

Rosalinda błogosławiła w duchu Ellie, która ofiarowała Stephenowi tak cenny dar. Z westchnieniem żalu oddała jej dziecko.

Stephen musnął palcem policzek dziecka, delikatny jak płatek róży.

– Śpij smacznie, mój imienniku! – Oderwał od niego wzrok i zwrócił się rzeczowym tonem do dziewczyny. – Masz już jakieś plany na przyszłość?

Ellie posmutniała.

– Poszukam takiej pracy, gdzie by mnie przyjęli razem z dzieckiem. Nie będzie to łatwe, ale roboty się nie boję!

– Rozmawiałem dziś rano z radą gminną w Cowley – poinformował ją Stephen. – Przyznali, że ze sprzedaży twojego domu uzyskano sumę znacznie większą od drobnej zapomogi, przyznanej tobie i twojej matce. Otrzymasz więc dwieście funtów rekompensaty.

Ellie zaparło dech.

– Dwieście funtów? To prawdziwy majątek!

– No, może nie majątek, ale niezła sumka na czarną godzinę – przytaknął Stephen. – I przypadkiem dowiedziałem się o posadzie, która byłaby w sam raz dla ciebie. Mój przyjaciel ma posiadłość w Norfolk i akurat szukają tam pokojówki. Tamtejsza gospodyni bardzo lubi dzieci. – Stephen się uśmiechnął. – Trochę przypomina panią Holt. A ponieważ pochodzisz z tamtych stron, może znajdziesz w pobliżu jakichś krewniaków.

Ellie wpatrywała się w niego w osłupieniu. Jej piwne oczy były pełne łez.

– To prawdziwy cud! Pan i pańska żona byliście tacy dobrzy dla mnie! Nie zapomnę nigdy waszej dobroci!

Rosalinda i Stephen wymienili zdumione spojrzenia.

– Nie jesteśmy małżeństwem. Po prostu… przyjaźnimy się – wymamrotała Rosalinda, zdając sobie sprawę z niezręcznej sytuacji.

Ellie się zaczerwieniła.

– Bardzo przepraszam! Myślałam… bo państwo tak… pasują do siebie… tak się rozumieją…

– Nietrudno się pomylić, bo jesteśmy bardzo dobrymi przyjaciółmi – powiedział Stephen, a w jego oczach błysnęła wesołość. – A jeśli już mowa o małżeństwach… Kiedy przeniesiesz się do Norfolk, Ellie, możesz bez obawy używać nazwiska swego Dana. W końcu byliście małżeństwem, nawet jeśli nie zdążyliście złożyć przysięgi w kościele.

Tym razem dziewczyna całkiem się rozkleiła.

– I nikt nie będzie wyzywał dziecka od bękartów? O, jaki pan dobry… jak jakiś święty!…

Zażenowany Stephen odparł:

– Dotąd ci się nie szczęściło w życiu. Ale teraz na pewno wszystko się odmieni. – Spojrzał na Rosalindę. – No, czas już na nas.

Skinęła głową i pochyliwszy się nad Danielem Stephenem, musnęła wargami jego policzek. Malec otworzył oczy i spojrzał na nią z powagą. Rosalinda poczuła, że i ona zaraz się rozpłacze, więc czym prędzej uścisnęła Ellie, życząc jej szczęścia. Zeszli na dół, gdzie Stephen poinformował panią Holt o tym, co załatwił dla młodej matki. Akuszerka przyrzekła opiekować się Ellie do chwili, gdy wyzdrowieje i będzie mogła udać się dyliżansem do Norfolk. Stephen dał jej trochę pieniędzy na pokrycie niezbędnych wydatków.

Gdy zostawili daleko za sobą domek pani Holt, Rosalinda spytała:

– Jak, na miłość boską, zdołałeś wyciągnąć od rady gminnej z Cowley pieniądze ze sprzedaży domu Ellie?!

– Pogróżkami – odparł beztrosko. – Znam się trochę na prawie, toteż wykazałem im, jak często je łamali. Zagroziłem, że powiadomię o tym sędziego pokoju. Nawiasem mówiąc, i tak się z nim skontaktuję. Ta banda skrzywdziła nie tylko Ellie!

Rosalinda przypomniała sobie, jak Stephen wyglądał poprzedniego dnia, gdy ujarzmił Craina. Bez trudu mogła sobie wyobrazić, jak zmusza radę gminną do naprawienia krzywd.

– Czy ten domek Ellie był naprawdę wart aż dwieście funtów?

Stephen się zawahał.

– No, niezupełnie… jak odliczyli sobie z procentem każdy grosik, który dali rodzinie Ellie, zostało tylko sto funtów. Dorzuciłem drugie sto, żeby dziewczyna czuła się bezpieczna.

– A więc dałeś jej z własnej kieszeni sto funtów, nie licząc tego, co dostała od ciebie pani Holt na pokrycie wszelkich wydatków. Jesteś niezwykle hojny!

– Przccicż to całkiem niewiele – tłumaczył zażenowany. – Nie ma o czym gadać!

Jeśli Rosalinda miała jeszcze wątpliwości co do pozycji społecznej i stanu majątkowego Stephena, teraz rozwiały się doszczętnie.

– Dla większości ludzi to niebagatelna sumka – zauważyła sucho. – Na przykład dla Fitzgeraldów!

Gdy spojrzał na nią z wyraźnym zmieszaniem, podsumowała:

– Należymy do odmiennych światów, Stephenie. Nawet sobie nie wyobrażasz, jaka przepaść nas dzieli!

Odwrócił się i ujął dłoń Rosalindy, spoczywającą na jego ramieniu.

– Czyż nie przerzuciliśmy mostu nad tą przepaścią?

– Tak – odparła cicho. – Ale jest bardzo kruchy. Rozpadnie się zaraz po twoim wyjeździe.

Twarz mu stężała, a w oczach ukazał się gorzki żal:

– Czemu wszystko w życiu musi być takie zagmatwane?!

– Bo tak już jest, i kwita. Ty urodziłeś się dżentelmenem, ja jestem aktorką. Taka para, jeśli w ogóle się spotyka, to w największym sekrecie. A nam udało się na kilka dni uciec od świata i obowiązujących w nim reguł.

Westchnął głęboko.

– Masz słuszność… jak zawsze.

Gdy ruszyli dalej, zadała mu pytanie, które samo się jej nasunęło.

– Próbujesz od czegoś uciec, prawda?

Zerknął na nią z ukosa.

– Czyżby było to aż tak widoczne?

– My, aktorzy, obserwujemy ludzi, bo może się to przydać do granej roli.

Było tak w istocie rzeczy, ale ponieważ Stephen stał się jej bardzo bliski, obserwowała go wyjątkowo bacznie.

– Nie uciekam przed sprawiedliwością – zapewnił ją po długim milczeniu. – Można powiedzieć, że uciekam przed… przed życiem. Ale teraz pora już wracać do domu i swoich obowiązków. Wyjadę natychmiast, gdy zjawi się ten aktor na miejsce Chesterfielda.

Rosalinda czuła, że nie powinna zdradzić się z tym, jak będzie za nim tęskniła. Rzuciła lekkim tonem:

– To był uroczy flirt!

Stephen spojrzał na nią oczyma, w których kłębiło się mnóstwo emocji, niedających się ująć w słowa.

– To prawda. – Ujął rękę Rosalindy, podniósł ją do ust i ucałował. Po czym obwieścił patetycznie: – Zachowam cię w pamięci aż po kres moich dni, pani Kaliban!

Rosalinda wiedziała doskonale, że i ona nie zapomni o Stephenie. Może kiedyś – za rok, dwa albo trzy lata – będzie mogła myśleć o nim bez bólu.

13

Jeszcze tylko sześćdziesiąt dwa dni…

Stephen niemal do ostatniej chwili nie uświadamiał sobie grożącego niebezpieczeństwa. Trupa Fitzgeralda była już w drodze do rezydencji, w której miał się odbyć wspomniany przez Rosalindę spektakl. Większość aktorów usadowiła się w powozach i na jadącym na czele karawany wozie krytym plandeką; Stephen podążał za nimi, pełniąc funkcję woźnicy na furmance wyładowanej kostiumami i dekoracjami.

Konie, którymi teraz powoził, niczym nie przypominały kapryśnych rasowych rumaków, zaprzęganych do książęcej karety czy wytwornego faetonu. Stephen mógł więc skupić uwagę na pasażerce. Rosalinda cisnęła swój kapelusik na stertę rekwizytów i podróżowała z odkrytą głową. Słońce ozłacało jej twarz i włosy. Zbliżała się jesień, o czym świadczyła rześkość powietrza i pierwsze przymrozki. Czas nie stał w miejscu!

Stephen wolał o tym nie myśleć, więc zagadnął od niechcenia:

– Mógłbym wiedzieć, dokąd właściwie jedziemy?

– Do Bourne Castle. To rezydencja księcia Candover. Nie słyszałeś, jak papa o tym trąbił? Jest niezwykle dumny, że od czterech lat występujemy tam na osobiste życzenie księcia.

Bourne Castle?! Boże, zmiłuj się!… Stephen bezwiednie szarpnął lejce i zdezorientowane konie zarżały. Miał nadzieję, że Rosalinda nie spostrzegła, jak go zaszokowała ta wiadomość.

Rafe Whitbourne, książę Candover, należał do najbliższych przyjaciół Michaela; ze Stephenem znali się od wielu lat, choć nie łączyła ich specjalna zażyłość. Z pewnością jednak Candover rozpozna go od razu. Stephen czuł nieprzepartą pokusę, by oddać lejce Rosalindzie i wiać co sił w nogach.

Od kilku tygodni podróżował z teatralną trupą Fitzgeralda po zaczarowanej krainie, niemającej żadnych punktów stycznych ze sferą, do której należał. A teraz te dwa światy miały się ze sobą zderzyć! Może zdołałby zachować swe incognito, gdyby przebywał za kulisami. Tego wieczoru jednak miał zagrać znów Tezeusza. On i Rosalinda wyjdą pierwsi na tę cholerną scenę. W żaden sposób nie uniknie rozpoznania.

Całym wysiłkiem woli starając się opanować drżenie głosu, spytał:

– Czy gramy tylko dla stałych mieszkańców Bourne Castle?

– Nie, jak zawsze będzie to wielka impreza – odparła beztrosko Rosalinda.

Aloysius, który również podróżował na ich wozie, wybrał sobie ten właśnie moment, żeby wetknąć nos między nich. Rosalinda pogładziła psa po łbie i mówiła dalej.

– Książę i księżna spraszają całe okoliczne ziemiaństwo. Pierwszym numerem programu jest wystawny obiad dla wszystkich. My, biedni komedianci, też korzystamy z książęcej szczodrobliwości. Wyborne jedzenie i wdzięczna publiczność to niezmienne zalety występów w Bourne Castle; jest on zawsze punktem kulminacyjnym naszego objazdu.

Znakomicie! W takim razie połowę widowni będą stanowić jego znajomi. Niejednemu z nich trzymał dzieci do chrztu.

– Jak udało się wam pozyskać takiego protektora? – spytał.

– Książę z kilkoma przyjaciółmi zjawił się kiedyś na naszym przedstawieniu w Whitcombe. Podejrzewam, że wpadli tylko po to, by się z nas pośmiać, ale pozostali do końca spektaklu i byli oczarowani. Graliśmy wtedy *Burzę*. – Rosalinda uśmiechnęła się na samo wspomnienie. – Potem Candover przyszedł do nas za kulisy. Jest wyjątkowo przystojny i flirtował bardzo wytwornie ze wszystkimi aktorkami, nawet ze starą Nan. Spytał, czy zgodzilibyśmy się wystąpić w jego teatrze pod gołym niebem.

– A wy zgodziliście się, rzecz jasna.

Na ucieczkę było już za późno; zresztą i tak nie zrobiłby takiego świństwa trupie, która bez tego miała problemy z obsadzeniem wszystkich ról. A on miałby zostawić Thomasa Fitzgeralda bez Tezeusza?! Nigdy by sobie tego nie wybaczył!

– Trzymaj się mocno! – ostrzegł Rosalindę, wymijając z wielkim trudem ogromny dół.

Czemu aż tak niepokoi go perspektywa zdemaskowania? W końcu książę Ashburton może robić, co mu się podoba! Choćby nawet ludzi śmieszyło lub gorszyło jego ekscentryczne zachowanie, nikt nie odważy się na jawną krytykę czy drwiny.

Czyżby wstydził się swoich występów na scenie? Ani trochę! Był dumny z własnych umiejętności i radowało go uczestnictwo we wspólnym działaniu zgranego zespołu.

Wobec tego czym się, u licha, przejmował?!

Cały problem – jak sobie w końcu uświadomił – polegał na gwałtownym zderzeniu się dwóch światów. Kilka ostatnich tygodni było wyjątkowym okresem w jego życiu, dającym radość, której wspomnienie pomoże mu znieść następne – jakże trudne – miesiące. Gdyby jego tajemna przygoda stała się tematem plotek, coś tak niezwykle rzadkiego i cudownego zostałoby sprowadzone do poziomu taniej sensacji.

Co gorsza, większość znajomych założy od razu, że główną atrakcją jego przygody były romanse z aktorkami. Nie mógł pozwolić, by banda bezmózgich plotkarzy oczerniała Rosalindę i jej rodzinę! Ale jak, do wszystkich diabłów, uniknąć rozpoznania?!

Nasunęła mu się zbawienna myśl.

– Coś mi przyszło do głowy… Czy nie mógłbym zagrać Tezeusza w peruce i ze sztuczną brodą? Nie wyglądałbym tak… współcześnie. Czy dałoby się to zrobić?

– Owszem… ale czemu ci się nagle zachciało brody?! Okropnie swędzi od niej twarz, wiem o tym, bo grywałam męskie role. A poza tym uniemożliwia wyrażanie uczuć za pomocą mimiki.

Spojrzał na nią z ukosa.

– Kiedy po raz pierwszy miałem grać Tezeusza, powiedziałaś mi, że w tej roli dominują dwa uczucia: władcza pewność siebie i miłość do narzeczonej.

– A władczą pewność siebie okazałbyś nawet wtedy, gdybyś grał w worku na głowie – stwierdziła ze śmiechem. – Niech ci będzie: chcesz koniecznie sztucznych kłaków, to je noś!

Stephen nieco się odprężył. Z taką charakteryzacją i zmienionym nieco głosem powinien wyjść cało z opresji. Nikt przecież nie spodziewał się ujrzeć księcia w trupie wędrownych komediantów!

Jadące przed nimi powozy mijały właśnie imponującą bramę. Gdy przyszła kolej na nich, Rosalinda zawołała:

– Spójrz tylko! Czyż to nie romantyczny widok?

Zdobny w wieże i wieżyczki, stojący na szczycie wzgórza zamek Bourne Castle był istotnie malowniczy i robił imponujące wrażenie. Ale gdzie mu tam do Ashburton Abbey! Kiedy skręcili w długą aleję wjazdową, Stephen nasunął kapelusz bardziej na czoło i się zgarbił. Na szczęście ubrania, które zabrał ze sobą, były solidnie wygniecione i straciły dawną świetność.

Po drodze mijali obszerne zabudowania stajenne. Na tyłach stało kilkanaście wspaniałych powozów, niektóre zdobne herbem na drzwiczkach. Rosalinda wskazała na nie.

– Imponujące, nieprawdaż? – Rzuciła Stephenowi przekorne spojrzenie. – Chociaż dla ciebie to z pewnością nic nadzwyczajnego!

Trafiła w sedno. Stephen nie spojrzałby po raz drugi na żaden z tych ekwipaży.

– Czy nigdy nie pragnęłaś być taka bogata? – spytał z całą powagą. – Mieć wspaniałe stroje, klejnoty, karetę na kiwnięcie palcem?

Rosalindę wyraźnie zaskoczyło to pytanie.

– Niespecjalnie. Mam przecież wszystko, co konieczne do życia, a nawet nieco więcej; dobre zdrowie, wspaniałą rodzinę i przyjaciół. Nie potrzebuję zbędnych faramuszek. – Spojrzała z zadumą na zamek. – Ale chciałabym mieć własny miły domek. Wielkie bogactwa nie gwarantują szczęścia. Podejrzewam nawet, że bywają ciężkim brzemieniem.

Słowa Rosalindy ugodziły go prosto w serce. Trochę wygody, zdrowie, życzliwe otoczenie… Jeśli się głębiej zastanowić, czego więcej człowiekowi trzeba do szczęścia? Bogactwa, tytuły, władza… wszystko to były, według określenia Rosalindy, „faramuszki".

– Mądra z ciebie kobieta, Rosalindo – powiedział cicho.

Skręcił w lewo. Minęli kolejną grupę powozów. Na jednym z nich widniał dziwnie mu znany herb. Czyżby…

O Boże! To herb Herringtonów. Jego starsza siostra Claudia wyszła za hrabiego Herringtona. Widocznie bawili z wizytą u któregoś z okolicznych ziemian. Nic dziwnego, że tak znamienitych gości zaproszono do Bourne Castle na wieczorne przedstawienie!

Gdyby Stephen musiał sporządzić listę osób, przed którymi chciałby się ukryć, imię siostry znalazłoby się na pierwszym miejscu! Od samego

dzieciństwa byli z Claudią w dobrych stosunkach, ale siostra miała niezłomne poglądy na temat tego, co wypada, a co nie. Gdyby odkryła, że
jej młodszy brat wygłupia się na scenie, zrobiłaby mu straszne piekło! Na
samą myśl o tym Stephen znów miał ochotę wziąć nogi za pas.

Zapowiadał się rozpaczliwie długi, pełen napięcia wieczór. Zatrzymu-
jąc wóz obok reszty pojazdów należących do ich trupy, Stephen powierzył
swój los Hermesowi, bogowi oszustów.

Jessica bardzo starannie przykleiła brodę z jednej strony i cofnęła się
o krok, by sprawdzić efekt.

– No i co powiesz, Różyczko?

Rosalinda przyjrzała się uważnie delikwentowi, nad którym się znęca-
ły, i skinęła głową.

– Może być.

– Czy wolno mi wreszcie obejrzeć własną twarz?

Rosalinda posłała mu łobuzerski uśmiech.

– Nie masz na to większych szans: zobaczysz w lustrze tylko mchy
i porosty!

– A moim zdaniem wygląda imponująco! Jak jeden ze średniowiecz-
nych władców, Edward któryś tam – stwierdziła Jessica.

Nie czekając, aż siostrzyczki ustalą, którego z królów najbardziej im
przypomina, Stephen wyjął małe lusterko ze szkatułki z kosmetykami
i przyjrzał się uważnie ich wspólnemu dziełu. Odetchnął z ulgą. Wypo-
sażyły go w ciemną perukę, której długie loki spływały mu na ramiona,
oraz w bujną brodę tej samej barwy. Nikt z pewnością nie uwierzyłby, że
to prawdziwe włosy Stephena, ale jego wygląd zmienił się nie do poznania.
A o to przecież chodziło.

– Przypominam raczej któregoś z biblijnych proroków. Takiego, który
stanowczo zbyt długo przebywał na pustyni.

Rosalinda zaśmiała się i uroczyście przyozdobiła mu głowę diademem
księcia Aten – żelazną obręczą, pokrytą tanią pozłotką.

– Muszę przyznać, że miałeś znakomity pomysł. Twój autorytet mo-
narchy wyczuwa się na odległość!

– Nie autorytet, tylko lawendę na mole, żeby nie zżarły tych kud-
łów! – stwierdziła Jessica i uciekła ze śmiechem, zanim siostra zdążyła ją
trzepnąć warkoczem, wyciągniętym ze skrzyni z rekwizytami.

Stephen wstał i obciągnął swą purpurową szatę. Rosalinda miała rację:
broda swędziała jak licho!

– Chyba zaraz się zacznie.

Obok nich przemknął Thomas Fitzgerald w kostiumie Oberona. Dyrektor trupy znajdował się w swoim żywiole: wszędzie go było pełno, sypał rozkazami niekiedy sprzecznymi ze sobą. Na szczęście Rosalinda sprawdziła się jak zawsze w roli inspicjentki. Wszystko – dekoracje, obsada i kostiumy – zostało poddane starannym oględzinom i znajdowało się obecnie na właściwym miejscu. Nawet pogoda dopisała!

Pokój dla aktorów oraz garderoby teatralne mieściły się w podziemiach amfiteatru. Stephen podszedł do niewielkiego okienka i wyjrzał przez nie. Półkolisty amfiteatr usytuowany był na zboczu pagórka, ze sceną na dole, za którą – dosłownie w zasięgu ręki aktorów – wznosiły się stare rozłożyste drzewa, stanowiąc naturalne uzupełnienie dekoracji.

Wcześniej Stephen pomagał pracownikom scenicznym przywiązywać do gałęzi zwisające w dół mocne sznury. Wszyscy aktorzy przećwiczyli swe wejścia i wyjścia, dostosowując się do nowych warunków, a ci, którzy grali role elfów, huśtali się z zapałem na linkach. Gdy Rosalinda ćwiczyła zjazd po linie i lądowanie na scenie, Stephen obawiał się, żeby nie rozbiła sobie głowy. Nawet Tytania, królowa elfów, przyłączyła się do ogólnej zabawy.

Zapadał już zmierzch, zmieniając scenę i wznoszące się nad nią drzewa w tajemniczy las. Słowik zawodził smętne trele wśród drzew, kiedy książęcy goście zaczęli zapełniać amfiteatr. Przepięknie odziane kobiety i wytworni mężczyźni, śmiejąc się i rozmawiając, szukali w półmroku miejsc na widowni. Stephen wypatrywał siostry, ale Claudii nie było w zasięgu jego wzroku. Może dostała migreny i daruje sobie przedstawienie?

Nie bardzo jednak wierzył w taką przychylność losu.

Poczuł zapach róż i zobaczył Rosalindę, stojącą obok niego przy oknie. Jakaż była piękna we wspaniałych szatach królowej amazonek, z włosami upiętymi do góry i ozdobionymi złotym diademem! Teatralna charakteryzacja podkreślała pełność jej warg, a przyciemnione rzęsy wydawały się jeszcze dłuższe. Była jak dojrzały owoc: jędrna, soczysta i niesłychanie ponętna.

Chciał przygarnąć ją do siebie, ale zwyciężył w nim rozsądek. Ograniczył się więc do tego, że wsunął rękę pod okrywający ją płaszcz i objął jej ciepłą, smukłą talię, wiedząc, że dzięki fałdzistym szatom ta poufałość nie zostanie dostrzeżona przez żadnego z oczekujących na swe wejście aktorów.

Wyczuwał krągłość jej biodra i miękki dotyk piersi. Krew zaczęła szybciej krążyć w jego żyłach.

121

– Czyś gotowa na nasze rychłe zaślubiny, Hipolito? – szepnął.

Spojrzała na niego spod opuszczonych lekko powiek i odparła niskim głosem:

– O tak, najmilszy książę. Gotowa!

Otarła się leciutko o niego.

Zapłonął w nim pożar. Na chwilę dał się ponieść wyobraźni. Byli nieśmiertelną parą królewskich kochanków, schwytaną na całą wieczność w czarodziejską sieć scenicznej intrygi, dzięki czemu ani oni, ani ich namiętna miłość nigdy nie zgasną. Odurzy swą ukochaną winem, a ona jego zapachem róż i padną sobie w ramiona w zaklętym lesie, wiecznie młodzi i silni.

Nagle żołądek dał o sobie znać ostrym bólem i przywrócił Stephena do rzeczywistości. Niech to piekło pochłonie! Jak ćma zataczająca kręgi wokół płomienia, tak on dążył do samozagłady urzeczony pięknością Rosalindy. Dlaczego tak dręczył i ją, i siebie?

Dlaczego? Bo cierpienia niespełnionej miłości są o wiele słodsze od chłodnych przestróg rozsądku. Mimo to cofnął ramię, którym obejmował Rosalindę, i odsunął się od niej o krok.

– Wystawialiście kiedyś *Jak wam się podoba* w tej scenerii? Nie wyobrażam sobie lepszego Lasu Ardeńskiego!

Rosalinda zamarła, zaszokowana nagłym przeskokiem od zmysłowych marzeń do codziennej rzeczywistości. Po króciutkiej przerwie odpowiedziała:

– Owszem, w zeszłym roku. Grałam rolę swej imienniczki.

Szkoda, że nie mógł zobaczyć jej w tej roli! Z pewnością prezentowała się doskonale w męskim stroju księżniczki udającej chłopca! Pragnął oglądać Rosalindę w tysiącznych wcieleniach… a najchętniej w atłasowej pościeli, okrytą jedynie płaszczem cudownych, płowych włosów.

Już się nachylał, by ucałować kształtne uszko, wyzierające spod zaczesanych do góry włosów… ale zamiast tego zerknął znów na widownię i ujrzał księcia i księżnę Candover, którzy przez scenę zmierzali prosto ku nim.

Serce omal nie wyskoczyło Stephenowi z piersi. Przypomniał sobie raz jeszcze, że księstwo nie mają pojęcia o jego obecności w Bourne Castle i odezwał się nieco zmienionym głosem:

– Ktoś ku nam zmierza! Czy to przypadkiem nie pan i pani tego zamku? Wyglądają nad wyraz arystokratycznie!

– Książę i księżna zawsze zjawiają się osobiście, by nas powitać i upewnić się, czy wszystko gotowe do spektaklu – wyjaśniła Rosalinda. – Czy ona nie jest prześliczna? Są małżeństwem od kilku lat, ale zachowują się tak, jakby przeżywali miesiąc miodowy!

Księżna Margot była istotnie piękna. Niemal dorównywała urodą Catherine, żonie Michaela. Prawie tak ponętna jak Rosalinda…

Przeklinając niesforne myśli, które z uporem zmierzały w jednym kierunku, Stephen cofnął się przezornie w najodleglejszy kąt, zanim wkroczyła książęca para. Gospodarze powitali Thomasa i Marię ze swobodą świadczącą o zażyłości. Potem przyszła kolej na resztę aktorów. Zamienili z każdym kilka przyjaznych słów. Stephen z ciekawością przyglądał się Candoverowi. Kilka tygodni temu sam tak się zachowywał, przyjmując objawy szacunku za należny mu hołd.

Na odchodnym księżna rozejrzała się po pokoju i obdarzyła uśmiechem wszystkich członków trupy. Jej spojrzenie zatrzymało się na sekundę na Stephenie, zapewne z racji jego imponującego zarostu. Skłonił się z szacunkiem, a oczy księżnej powędrowały dalej. Wkrótce wraz z mężem opuściła pokój pełen aktorów.

Kiedy drzwi się za nimi zamknęły, Thomas uniósł obie ręce władczym gestem.

– Jak teatr teatrem, nie było lepszej scenerii do *Snu nocy letniej*! Nie zaprzepaścimy chyba takiej okazji? Postarajmy się, żeby to był niezapomniany spektakl!

Aktorzy zgodnym chórem przytaknęli. Brian – już w kostiumie Puka – wrzasnął:

– Tak, tato! Tak! – I poczerwieniał, zorientowawszy się, że zagłuszył wszystkich.

Jego ojciec uśmiechnął się od ucha do ucha i dał znak Stephenowi i Rosalindzie, by wraz ze swym orszakiem wyszli na scenę. Przy dźwiękach fanfar wkroczyli w olśniewający świat fantazji. Zapadła już noc, ale rząd wysokich pochodni oświetlał scenę migotliwym blaskiem. A znacznie wyżej, w koronach drzew, lampiony iskrzyły się jak gwiazdki dobrych wróżek.

Orszak zatrzymał się pośrodku niezadaszonej sceny. W chwili gdy Stephen odwrócił się majestatycznie do Hipolity, by skierować do niej pierwszą kwestię, dostrzegł w drugim rzędzie widzów swoją siostrę.

Mimo surowej miny, świadczącej o jej bezkompromisowym charakterze, Claudia była urodziwą niewiastą o kasztanowych włosach i wydatnych rysach Kenyonów. Obok siedział jej flegmatyczny, małomówny mąż. Stephen nieraz się zastanawiał, jakie jest w rzeczywistości małżeństwo siostry.

Czy Claudia i Herrington naprawdę się kochają, czy też arystokratyczną godnością maskują pustkę związku, nakazującego dwojgu obcym sobie ludziom mieszkać pod tym samym dachem? Gdyby był dobrym bratem, interesowałby się bardziej losem siostry. Przyrzekł sobie w duchu, że postara się naprawić ten błąd przed śmiercią.

Najwyższa pora wygłosić pierwszą kwestię! I oto w całym amfiteatrze rozbrzmiał donośny, nieco niższy niż zwykle głos Stephena. Był on w tej chwili Tezeuszem, który staczał krwawe boje, dokonywał heroicznych czynów, a teraz wrócił do domu, by związać się na zawsze z miłością swego życia.

Jego dostojna i mężna wybranka, królowa amazonek, przemawiała doń głosem Rosalindy. W słowach pełnych słodkiej uległości wyrażała uczucia kobiety, której spieszno do ślubu z ukochanym. Stephen spoglądał w jej czekoladowe oczy, wyjawiając słowami Szekspira własne dotąd skrywane uczucia. Niechże książę Aten wypowie to, czego książę Ashburton wypowiedzieć nie może!

Nim się spostrzegli, ich scena dobiegła końca. Tezeusz i Hipolita ustąpili miejsca czwórce zakochanych młodych ludzi. Rosalinda pomknęła do garderoby, by zmienić szatę Hipolity na kostium jednej z dworek Tytanii. Stephena nic nie nagliło; mógł obserwować zza kulis dalszy ciąg przedstawienia.

W miarę rozwoju akcji stawało się coraz bardziej widoczne, że ziści się życzenie Thomasa Fitzgeralda. Stephen widział wiele inscenizacji *Snu nocy letniej*. Trzykrotnie sam brał udział w przedstawieniu. Ale nigdy nie był świadkiem wydarzenia teatralnego tej miary!

Baśniowa sceneria, prawdziwa rozkosz dla oczu, dodawała nieziemskiego uroku elfom i duszkom, które ze zdumieniem przypatrywały się niepojętym wygłupom zwykłych śmiertelników. Thomas i Maria z ogromnym wyczuciem i temperamentem grali role króla i królowej elfów – skłóconej pary, która zna się od wieków i nadal żywi do siebie uczucia wystarczająco silne, by walczyć jak pies z kotem. Każdy z pozostałych aktorów grał najlepiej jak umiał, a specjalnie wyróżniła się Jessica w roli Hermii, zrozpaczonej i zdezorientowanej niepojętą zmianą uczuć kochanka.

Komedia pomyłek toczyła się dalej, coraz bardziej zawikłana... aż wreszcie nadeszła chwila, gdy Stephen miał znów ukazać się na scenie z Rosalindą. Nie obawiał się już, że zostanie rozpoznany. Wielu spośród widzów znało księcia Ashburtona, ale on tego wieczoru był Stephenem Ashe'em, uwolnionym od brzemienia wysokiej godności. I podobnie jak reszta zespołu wzniósł się na szczyty swych możliwości aktorskich.

Po końcowym monologu Puka (czyli Briana) zapadła cisza. Potem cała publiczność zerwała się z miejsc, bijąc szalone brawa i wydając okrzyki zachwytu – zupełnie jakby składała się ze skłonnych do entuzjazmu prostaków, a nie ze zblazowanej arystokracji, której nie sposób zaimponować.

Aktorzy w ustalonej kolejności wychodzili na scenę po należne brawa. Stephen i Rosalinda ukazali się razem i omal ich nie zmiótł huragan owacji. Stephen upajał się tą donośnie wyrażaną aprobatą, świadom, że zasłużył na swoją porcję oklasków. Odkrył, że takie dowody uznania uderzają do głowy jak mocny trunek. Nic dziwnego, że aktorzy nie mogą obejść się bez tej rozkoszy – odurzającego poczucia własnej potęgi i nieograniczonych możliwości.

Stephen wykonał zamaszysty ukłon, nie puszczając ręki Rosalindy. Jakże był wdzięczny losowi, że pozwolił mu zakosztować życia tak odmiennego od jego książęcej egzystencji.

Po zakończeniu spektaklu widzowie pospieszyli na scenę, by pogawędzić z aktorami. Stephen zauważył, że kilka dam zmierza wyraźnie w jego stronę, wymknął się więc dyskretnie i schronił w najdalszym kącie męskiej garderoby. Rosalinda poinformowała go już wcześniej, że zgodnie z tradycją cała obsada w scenicznych kostiumach udaje się do zamku, by wziąć udział w bankiecie razem z gośćmi księcia. Po godzinie lub dwóch Thomas i Maria dadzą znak reszcie trupy i wszyscy przy księżycu wyruszą w drogę powrotną do Whitcombe.

Stephen nie spieszył się ze zdejmowaniem kostiumu. Zaczekał do chwili, gdy wszystkie głosy ucichły i został sam. Dopiero wówczas pozbył się peruki, sztucznej brody i purpurowej szaty. W ciągu kilku następnych dni – ostatnich, jakie miał spędzić z trupą Fitzgeralda – nie przewidywano w programie kolejnego spektaklu *Snu nocy letniej*. Stephen z nutką melancholii żegnał się więc z rolą Tezeusza, pakując starannie jego królewskie szaty i sztuczną brodę.

Potem wyniósł skrzynię z kostiumami na dwór. Ponieważ był jedynym członkiem trupy, który nie brał udziału w bankiecie, mógł przez ten czas zająć się czymś pożytecznym.

Ustawił skrzynię w tylnej części wozu. Śpiący pod nim Aloysius uniósł głowę, zaskomlał i zastukał ogonem o ziemię. Stephen poczuł zapach cygara. Odwrócił się i ujrzał żarzący się ognik w odległości kilku jardów.

Znajomy głos wycedził z rozbawieniem:

– A więc to naprawdę ty, Ashburton!

Niech to wszyscy diabli! Stephen westchnął ciężko i oparł się plecami o wóz, krzyżując ręce na piersi. W świetle księżyca widział ciemną sylwetkę wysokiego mężczyzny i niewyraźny zarys twarzy o nieco drapieżnych rysach. No, tak... został schwytany na gorącym uczynku przez samego pana na Bourne Castle!

– Dobry wieczór, Candover – odpowiedział z rezygnacją Stephen. – Po czym mnie rozpoznałeś? Taki byłem dumny z mego przebrania!

– Margot poznała cię po głosie. Kiedy mi powiedziała, że grasz rolę Tezeusza, pomyślałem, że wypiła do kolacji zbyt wiele burgunda! Ale potem dowiedziałem się z afisza, że w roli księcia Aten wystąpi „Stephen Ashe", co bardzo kojarzyło się z tytułem „Stephen, książę Ashburton". Kiedy nie zjawiłeś się na bankiecie, postanowiłem osobiście zbadać sprawę. Powinienem był od razu uwierzyć Margot. Ona się nigdy nie myli! Ma niesamowite ucho! – Koniuszek cygara zapłonął jaśniej, gdy książę zaciągnął się dymem. – Ot, jedna z wielu niespodzianek, na jakie można liczyć, poślubiając kobietę szpiega!

– Czy jeszcze ktoś wie o jej odkryciu?

Candover pokręcił głową.

– Tylko my dwoje. O, przepraszam... zapalisz cygaro?

– Dzięki. – Stephen rzadko palił, ale w tej chwili rad był zająć czymś ręce. Wziął cygaro i przypalił od księcia.

Candover strząsnął słupek żarzącego się jeszcze popiołu.

– Trupa teatralna Fitzgeralda jest znakomita; absolutny unikat wśród teatrów objazdowych! Ale mimo to nigdy nie przypuszczałem, że spotkam cię w podobnym towarzystwie. Czy wolno spytać, jakeś do nich trafił, czy też nie powinienem wtykać nosa w twoje sprawy?

Stephen doszedł do wniosku, że najlepiej będzie wyjawić prawdę... a raczej cząstkę prawdy.

– Czy nigdy cię nie nuży nawał obowiązków związanych z twoją pozycją?

– Czasami – odparł po namyśle Candover. – A więc cisnąłeś w kąt książęce insygnia i wymknąłeś się na wagary?

– Właśnie! I wolałbym utrzymać to w tajemnicy.

Z odrobinką złośliwości w głosie Candover stwierdził:

– Całkiem dobry z ciebie aktor, ale wątpię, by twoja rodzina zaakceptowała ten nieoczekiwany zwrot w twej karierze.

– Michael, oprzytomniawszy z szoku, zrywałby pewnie boki ze śmiechu, ale moja siostra Claudia dostałaby ataku serca – odparł szczerze Stephen. – A gdyby potem dobrała mi się do skóry, i mnie groziłoby to samo!

Jego rozmówca parsknął śmiechem.

126

– Wyobrażam sobie, co czujesz! Twoja siostra to naprawdę sroga dama! Nie zdradzę twego sekretu. Aż dziw, że Fitzgerald nie pisnął ani słowa! Musi być w siódmym niebie, mając w trupie autentycznego księcia!

– Fitzgerald nie wie o niczym. Reszta aktorów też się niczego nie domyśla.

– Widzę, że istotnie zależy ci na anonimowości! – Książę upuścił cygaro i rozdeptał je obcasem. – Naprawdę nie masz ochoty zajrzeć do Bourne Castle? Mógłbyś znów przykleić wszystkie te kłaki. Nikt by się nie domyślił, że to ty!

– Po co kusić los? – Stephen wydmuchnął strużkę dymu. – A poza tym bardzo mi tu dobrze sam na sam z nocą. Tak spokojnie…

– Jak chcesz. – Wyciągnął rękę do Stephena. – Miło mi było znów cię zobaczyć, Ashburton. Musisz mnie niebawem odwiedzić we własnej postaci. Nie zamierzasz chyba spędzić reszty życia na scenie?

– O tym nie ma mowy! Rozstanę się z trupą Fitzgeralda za jakiś tydzień. – Uścisnęli sobie ręce. – Zechciej przekazać ode mnie wyrazy szacunku twojej wszechwiedzącej księżnej!

Paląc cygaro, patrzył jak wysoka postać Candovera znika w mrokach nocy. Uff… Udało się! Znał wielu mężczyzn, którzy nie oparliby się pokusie wyjawienia sensacyjnej nowiny. Na szczęście Candover do nich nie należał.

Nagle przeszył go ostry ból. Przycisnął rękę do brzucha, ale już po chwili odetchnął z ulgą. Bywało gorzej. Ból podgryzał jak szczur jego wnętrzności.

Stephen ze znużeniem opadł na trawę, opierając się plecami o koło wozu. Ponieważ ból stał się nieodłącznym elementem jego życia, przyzwyczaił się ignorować go do momentu, gdy stawał się nie do zniesienia. Pigułki zawierające opium łagodziły nieco cierpienia, ale działały otępiająco, co zdecydowanie mu nie odpowiadało.

Od jak dawna nie czuł się naprawdę dobrze? Mniej więcej od trzech miesięcy. Zaczęło się od zatrucia nieświeżą rybą. Pochorowało się wtedy oprócz niego kilkoro domowników. Wezwano doktora Blackmera, który zastosował skuteczną kurację. Wszyscy wyzdrowieli, ale od tej pory Stephen cierpiał na bóle gastryczne, które z biegiem czasu występowały coraz częściej.

Stephen uśmiechnął się niewesoło. A więc zabije go nieświeża ryba? Przypomni o tym Blackmerowi przy pierwszym spotkaniu. Może ta informacja przyczyni się do rozwoju wiedzy medycznej?

Rozmasował brzuch. Jego choroba postępowała wielkimi krokami. Nie ma co liczyć na sześć miesięcy życia, o których wspomniał Blackmer. Znacznie bardziej prawdopodobne były trzy miesiące... z których jeden już minął. Dobrze, że w przyszłym tygodniu rozstanie się z trupą.

Chętnie przyjąłby zaproszenie Candovera i odwiedził go w Bourne Castle... ale pewnie już nigdy nie ujrzy ani księcia, ani jego żony. I nigdy już nie zasiądzie jak teraz w nocy na trawie, mając tylko gwiazdy do towarzystwa. Na tę myśl poczuł pustkę i ostry ból dojmującej straty.

Co chwila, co krok musiał się z czymś lub z kimś żegnać. A Rosalinda? Jak zdoła rozstać się z nią? Gdyby mógł mieć ją koło siebie w ostatnich tygodniach swego życia, umarłby szczęśliwy... a w każdym razie mniej nieszczęśliwy. Nie taki samotny.

Ta wizja wydała mu się tak kusząca, że przez chwilę poważnie się nad nią zastanawiał. Choć Rosalinda nie była interesowna, z pewnością chętnie zapewniłaby swej rodzinie niezależność finansową. A kosztowałoby ją to niezbyt wiele: musiałaby poświęcić mu kilka tygodni albo miesięcy swojego życia.

Kilka koszmarnych miesięcy, w trakcie których byłaby świadkiem jego degrengolady fizycznej i umysłowej. Nie, nie! Lepiej rozstać się z nią teraz, zanim choroba stanie się dla wszystkich widoczna.

Aloysius podszedł i oparł łeb na kolanach Stephena, który pogłaskał go za uszami. Będzie mu brakowało tego psiska!

Prawdę mówiąc, będzie mu brakowało wszystkich i wszystkiego, co wiązało się z trupą teatralną Fitzgeralda.

Kiedy Rosalinda zorientowała się, że Stephena nie ma na przyjęciu, poprosiła służącego o koszyk. Zapakowała nieco przysmaków i coś do picia. Potem udała się przez park z powrotem do amfiteatru. Chłodne powietrze nocy stanowiło miłą odmianę po gorączkowej, hałaśliwej wesołości bankietu. Istniała dawna, wywodząca się ze średniowiecza tradycja, że w takich ucztach uczestniczyli komedianci. Dzień był naprawdę męczący i Rosalinda miała już dość tłumów. Znacznie przyjemniejszy będzie pobyt sam na sam ze Stephenem... Sprawdzi przy okazji swoją odporność na pokusy!

Zanim Rosalinda dotarła do teatralnych wozów, jej oczy przywykły do ciemności. Przy świetle księżyca bez trudu dostrzegła sylwetkę siedzącego na ziemi mężczyzny, opartego plecami o koło wozu.

– A, tu jesteś, Stephenie! – powiedziała wesoło, opadając na trawę obok niego. Fałdziste szaty Hipolity falowały przy każdym ruchu. – Pomyślałam, że chętnie coś zjesz... albo wypijesz. Masz ochotę na szampana?

Po sekundzie wahania odparł:

– Owszem.

W jego głosie była jakaś posępna nuta. Może to reakcja po napięciu nerwów na scenie? Szampan z pewnością poprawi Stephenowi humor! Butelka została wcześniej otwarta, a potem lekko zakorkowana. Rosalinda wyciągnęła bez trudu korek i nalała obojgu do pełna.

– No to... za udany występ!

Trącili się kieliszkami i wypili.

Rosalinda czuła, jak opada napięcie, które towarzyszyło jej od rana. Spojrzała na ciemną bryłę zamku, odcinającą się na tle nocnego nieba.

– W Bourne Castle z pewnością szaleją przeciągi, ale trzeba przyznać, że zamek jest malowniczy!

– Chciałabyś mieszkać w zamku? – spytał całkiem serio. – Albo we dworze wzniesionym na ruinach starego opactwa?

Rosalinda udała, że poważnie zastanawia się nad tą kwestią.

– Ruiny opactwa bardzo by mi odpowiadały, zwłaszcza jeśli zachowała się jakaś cela, w której mogłabym oddawać się kontemplacji.

– Rozumiem. No to jak? Podarować ci ruiny w niezłym stanie?

– Nie rób sobie kłopotu. Nie wiedziałabym, co począć z tym fantem! W gruncie rzeczy wcale nie mam skłonności do kontemplacji. – Jej wesoły uśmiech nieco przybladł, gdy przypomniała sobie ostatnią nowinę. – Papa otrzymał odpowiedź od Simona Kenta. Przyjął ofertę i aż się pali do roboty! Dołączy do nas za cztery dni.

– Tak szybko? – Stephen zamilkł na minutę. – Wyjadę następnego dnia po jego przyjeździe.

Rosalindę przebiegł dreszcz, nie tylko z racji nocnego chłodu. Stephen objął ją, a ona oparła się o niego i złożyła głowę na jego ramieniu.

– Nie musisz nas opuszczać z powodu Kenta – powiedziała z żalem. – Nie zabraknie dla ciebie ról do grania. Ani dekoracji do ustawiania. Ani koni, którymi mógłbyś powozić.

– Pora się rozstać, Różyczko – rzekł cicho.

Przytuliła się do niego mocniej. Był taki ciepły, taki mocny, taki... niezbędny. Nie mogła sobie wyobrazić, że niebawem odjedzie.

– Będzie mi ciebie brak – szepnęła.

– Mnie też będzie ciebie brakowało.

Pocałował ją w czubek głowy.

Uniosła ku niemu twarz i nagle zaczęli się całować jak szaleni. Aksamitna noc wokół nich była ciężka od zapachu szampana i woni kwiatów, pełna zmysłowych sekretów, które unikały dziennego światła. Opletli się z całej siły ramionami i opadli na trawę. Ich ciała przylgnęły do siebie. Rosalinda czuła, jak bardzo był pobudzony i rozkoszowała się świadomością, że właśnie ona budzi w nim takie pożądanie.

Stephen objął jej pierś, a potem jego dłonie powędrowały w dół po podniszczonym jedwabiu królewskiej szaty. Rosalinda wstrzymała oddech, gdy ręka Stephena znalazła się u zbiegu jej ud. Krew tętniła jej w całym ciele. Zapragnęła oddać mu się całkowicie. Jednak w najodleglejszych zakamarkach mózgu czaił się lęk przed miłością. Już raz zawiodła się na niej. Wiedziała, że przyniesie krótkotrwałą rozkosz i dłużący się w nieskończoność ból.

Stephen zawahał się, wyczuwając rezerwę Rosalindy. A potem Aloysius zaskomlał i wetknął pomiędzy nich swój zimny nos. Kiedy liznął ją mokrym językiem po policzku, roześmiała się mimo woli.

– O Boże! Nasze romantyczne interludium przerodziło się w farsę!

Stephen odsunął się od niej.

– Ten pies… ma więcej rozumu niż my – wykrztusił.

Wstał z ziemi, schwycił Rosalindę za rękę i podniósł ją. Przesunął delikatnie rękoma po jej ciele, wygładzając kostium i kojąc podrażnione nerwy. Potem wziął ją pod brodę i pocałował mocno.

– Wracaj na bankiet i nie przychodź tu sama. Mogłabyś sprowokować mnie do czegoś, czego byśmy oboje żałowali.

Miał oczywiście rację. Pozostawiła go więc z szampanem oraz koszykiem pełnym jedzenia, a sama z zamętem w głowie udała się z powrotem do zamku.

Nie mogła pozbyć się natrętnie powracającego pytania: czy naprawdę żałowaliby, gdyby wydarzyło się coś nieodwracalnego?

14

Haverford zasługiwało raczej na miano wioski niż miasteczka, ale teatralna trupa Fitzgeralda cieszyła się tu zawsze wielkim powodzeniem, a w oberży Pod Zielonym Ludzikiem przyjemnie im się mieszkało.

Rosalinda zaniosła swoje bagaże do malutkiego pokoiku na facjatce. Potem zeszła na dół, by napić się herbaty. Zmierzając do saloniku, który jak zawsze zarezerwowali, natknęła się na ojca rozmawiającego z panem Williamsonem, właścicielem oberży. Ojciec, wyraźnie czymś zmartwiony, dał jej znak, by podeszła do nich.

– Williamson powiada, że spichrz, w którym zawsze występowaliśmy, niedawno spłonął. Ale są dwa inne pomieszczenia, które moglibyśmy wykorzystać. – Thomas podał córce kartkę ze wskazówkami, jak tam trafić. – Ja sprawdzę jedno, a ty drugie.

– Właściciele zgodzili się wynająć je nam?

– A jakże, pani Jordan! – zapewnił gospodarz. – Farmer Brown z całą rodziną prawie nie schodzi z pola; kończą żniwa i zwożą plony od rana do nocy. Ale powiedział, że możecie rozejrzeć się po ichniej stodole, tej z klepiskiem do młócki, nawet jak nikogo nie ma w domu.

Rosalinda postanowiła zarezerwować bilety wstępu dla całej rodziny Brownów, bez względu na to, czy skorzystają z ich stodoły, czy nie.

Thomas poradził córce z dobrotliwym uśmiechem:

– Weź ze sobą Stephena; będzie pod ręką, gdyby cię zaatakowało wściekłe jagnię albo jakieś inne licho!

Rosalinda skinęła głową. Każdy pretekst był dobry, byle pobyć chwilę ze Stephenem. Do przyjazdu Simona Kenta pozostał już tylko jeden dzień. A pojutrze Stephen odjedzie. Świadomość nieuchronnego rozstania ciążyła Rosalindzie na sercu jak bryła lodu.

Z pogodną miną, która kosztowała ją wiele wysiłku, Rosalinda weszła do saloniku. Stephen uczył właśnie łaciny jej małego braciszka.

– Wypożyczysz mi swojego guwernera, Brianie? Papa prosił, żebyśmy we dwójkę ze Stephenem obejrzeli stodołę, w której może dziś wystąpimy.

– Jasne! Przedstawienie najważniejsze!

– Nie przetłumaczyłeś jeszcze żadnego tekstu – rzekł surowo Stephen. – Uprzedzam cię: przekład ma być gotowy, kiedy wrócę.

Brian westchnął wymownie i z miną męczennika pochylił się nad książką. Stephen pogładził chłopca po czuprynie.

– Cierp, cierp! Cierpienie uszlachetnia. I dobroczynnie wpływa na rozwój talentu.

Brian, chcąc zapewne sprawdzić, czy łacina wpłynęła na rozwój jego zdolności aktorskich, chwycił się za gardło, całkiem udatnie naśladując przedśmiertne drgawki. Rosalinda zaśmiała się, wzięła Stephena pod ramię i oboje wyszli z pokoju.

Kiedy zbliżali się do drzwi frontowych, spostrzegła nagłe napięcie na twarzy swego towarzysza.

– Zaczekaj chwilkę, muszę napić się wody – poprosił.

Wszedł do piwiarni i powiedział coś do stojącej za szynkwasem ober-żystki, która natychmiast spełniła jego życzenie. Rosalinda pomyślała kwaśno, że kobiety aż się rwą do pomagania Stephenowi.

Zdumiała się, widząc, że woda była mu potrzebna do popicia jakiejś pigułki. Kiedy Stephen znalazł się znów koło niej, zapytała:

– Źle się czujesz?

Stephen z kamienną twarzą wzruszył ramionami.

– Lekka niestrawność.

Najwyraźniej nie chciał rozmawiać na ten temat, więc Rosalinda zrezygnowała z dalszych pytań. Wyszli na zalaną słońcem ulicę. Dzień był przepiękny, choć raczej jesienny niż letni. Pierwsze zeschłe liście szeleściły w podmuchach wiatru.

Prawie nie odzywając się do siebie, dotarli do końca ulicy, gdzie przechodziła ona w polną drogę. Gospodarstwo, do którego zmierzali, znajdowało się niezbyt daleko poza miastem. Stukanie do drzwi Brownów nie dało żadnych rezultatów. Widać, zgodnie z przewidywaniami Williamsona, wszyscy domownicy pracowali w polu; korzystając z pięknej pogody chcieli zakończyć żniwa i uporać się ze zwózką.

Rosalinda rozejrzała się po podwórzu, ogrodzonym z trzech stron ceglanymi zabudowaniami gospodarskimi.

– Gdzie też może być ta stodoła do młócki?

– Powinna być tam – odparł Stephen – obok spichlerza, naprzeciw obory.

Jeszcze jeden dowód, że znał się na gospodarstwie wiejskim. Przez wielkie podwójne drzwi stodoły mogła bez trudu wjechać do środka kopiasta fura.

Rosalinda wprawnym okiem otaksowała wnętrze. Dach podparty był starymi, powykrzywianymi belkami, przez wysoko umieszczone okna wpadało dość powietrza. Z lewej strony znajdował się stryszek na siano.

– Scenę można by urządzić pod stryszkiem, ale nie ma tu nic takiego, co mogłoby zastąpić kulisy.

– W tamtym kącie są drzwi. Można by tamtędy wchodzić i wychodzić.

Krążyli po stodole, zastanawiając się wspólnie, w jaki sposób zaadaptować jej wnętrze do potrzeb teatru. Na koniec Rosalinda orzekła:

– Trochę tu za ciasno, ale jakoś sobie poradzimy, jeśli stodoła, którą ma obejrzeć papa, nie okaże się lepsza.

Usłyszała cienki pisk i nadstawiła uszu.

– Co to było?

– Pewnie myszy.

Pisk rozległ się znowu.

– To na stryszku – stwierdziła Rosalinda. – Wdrapię się tam i zobaczę, co to takiego!

Na stryszek wchodziło się po prymitywnej drabinie. Rosalinda wiedziała doskonale, że odsłania przy tym nieprzyzwoicie nogi, ale nie czuła ani odrobiny zażenowania. Stephen przytrzymywał drabinę, póki Rosalinda nie znalazła się na stryszku, a następnie ruszył w jej ślady.

Zalany słońcem strych pełen był świeżego, pachnącego siana. Gdyby Rosalinda była dzieckiem, chętnie by się tu pobawiła. Zresztą dorośli również znaleźliby tu odpowiednie miejsce do swoich – mniej niewinnych – zabaw.

Znów rozległy się piski. Tym razem był to chór cieniutkich głosików. Rosalinda rozejrzała się i zawołała z zachwytem:

– Spójrz, to kocięta!

Przebiegła przez stryszek i przyklękła obok zagłębienia w sianie. Znajdowało się w nim czworo puchatych łaciatych kociąt i ich wyraźnie zaniepokojona pręgowana matka.

– Nie bój się, kiciuniu – powiedziała do niej czule Rosalinda. – Nie zrobię nic złego twoim dzieciom! Mogę wziąć jedno na ręce?

Widać było, że kocia mama nie dowierza słodkim słówkom, ale czarno-rude kociątko ruszyło w stronę Rosalindy po uginającym się pod jego łapkami sianie.

– Popatrz, Stephenie, jaki śliczny! Mieści mi się w ręku! – Pogłaskała kociaka palcem. Zareagował cichutkim mruczeniem.

– To kotka! – stwierdził Stephen z dziwnym napięciem w głosie.

Rosalinda spojrzała na niego zaskoczona. Dostrzegła jego stężałą twarz.

– Zaczekam na dole – oświadczył nagle.

Zmarszczyła brwi i obserwowała go z niepokojem, gdy skierował się w stronę drabiny. Uszedł tylko dwa kroki i zachwiał się. Widziała, jak rozpaczliwie usiłuje odzyskać równowagę. Nagle chwycił się za brzuch, zgiął we dwoje i z bolesnym jękiem zwalił się na siano.

Rosalinda pospiesznie odłożyła kociaka i podbiegła do Stephena. Leżał skulony, trzymając się za brzuch, z twarzą lśniącą od potu.

Jęknęła z przerażenia.

– Co się stało, Stephenie?!

Pokręcił głową i usiłował coś powiedzieć, ale nie mógł wykrztusić ani słowa.

Drżącymi rękoma rozluźniła mu chustkę pod szyją, by mógł swobodniej oddychać. Skórę miał zimną i zlaną potem. Zerwała się na nogi i zawołała:

– Sprowadzę doktora!

– Nie! – zaprotestował chrapliwym szeptem. – Już… dobrze…

Sądząc z wyglądu, bynajmniej nie było z nim dobrze.

– Czy mogę ci jakoś pomóc?

Przymknął oczy.

– Wody… – wykrztusił. – Wody…

Zbiegła pędem po drabinie i wypadła na podwórze. Gdzież ta studnia?! A, tam… Popędziła do niej. Studnia była zadaszona i obudowana. Kołowrót… a obok wiadro. Rosalindzie tak się trzęsły ręce, że wiadro, zamiast spokojnie zjechać, wpadło do studni. Mozolnie kręciła korbą, by je wydobyć. Miała wrażenie, że minęły całe wieki, nim jej się to udało.

Na gwoździu wbitym w ścianę wisiał blaszany czerpak. Napełniła go wodą i wróciła do stodoły.

Udało się jej jakoś nie rozlać wody, gdy wdrapywała się z trudem na drabinę. Odczuła ogromną ulgę na widok Stephena. Nie był już zwinięty w ten przerażający kłębek. Leżał na wznak w głębokim sianie, wyprostowany, z jedną ręką przyciśniętą do brzucha. Oczy miał zamknięte, a ściągnięta bólem twarz wyraźnie świadczyła o poważnej chorobie. Jak mogła nie zauważyć tego wcześniej?!

Przyklękła obok niego i przytknęła mu czerpak do ust.

– Masz, napij się!

Uniósł nieco głowę i jedną ręką przytrzymał czerpak. Z początku sączył wodę po kropelce. Potem pił coraz szybciej, coraz łapczywiej, aż do dna.

– Dziękuję – szepnął chrapliwie.

– Przynieść ci więcej?

Pokręcił głową.

– Już dobrze. Jeszcze tylko chwila… jedna chwilka… i będę gotów do drogi.

– Nie kłam! Nieraz widziałam, że coś ci dolega… ale zawsze to bagatelizowałeś! A ja, głupia, wierzyłam ci! Powinnam była już dawno zaciągnąć cię do lekarza! Powiedz, co ci dolega?

134

Spojrzał jej prosto w twarz. Jego oczy wydawały się martwe – jasnoszare, bez połysku. Zapadła długa cisza. Rosalinda wyczuła, że Stephen zastanawia się, jakim kłamstwem ją uspokoić.

Ujęła jego zimną rękę, ściskając ją z całej siły. Wpatrywała się w oczy Stephena, chcąc go zmusić do wyjawienia prawdy. Jej wola zmagała się z jego wolą. Jej niezłomne postanowienie wykrycia prawdy starło się z jego słabnącym oporem i w końcu z ust Stephena wydobyły się słowa jakby wydarte przemocą z gardła.

– Nic nie pomożesz... Na to... nie ma rady – szepnął chrapliwie.

Serce w niej zamarło.

– Jak to? Co ty mówisz?!

Zacisnął powieki. Ledwie dosłyszalnym szeptem odparł:

– Ja... umieram.

Była to najstraszliwsza ze wszystkich możliwych odpowiedzi. Tak przerażająca, że Rosalinda nie mogła w to uwierzyć. Stephen miałby umrzeć? To niemożliwe! Jest tak silny, tak energiczny. Ma w sobie tyle życia!

Ale stwierdził to wyraźnie i nie miała powodu wątpić w jego prawdomówność.

Przycisnęła rękę do serca. Ogrom jej boleści był najlepszym dowodem, jak głęboko pokochała Stephena. Zaprzeczała temu, okłamywała sama siebie, jakby mogła w ten sposób uniknąć bólu rozłąki.

Ale cierpienie z powodu zbliżającego się odjazdu Stephena było niczym w porównaniu z ogromem bólu, który teraz czuła. Od samego początku wiedziała, że Stephen prędzej czy później wróci do swej rodziny i przyjaciół. Co prawda żywiła nadzieję, że od czasu do czasu pomyśli o niej z sympatią, ale szczerze pragnęła, żeby żył długo i szczęśliwie. A on miał spocząć w zimnym, tak strasznie zimnym grobie...

Tyle rzeczy stało się teraz dla niej jasne! Ta mroczna tajemnica, którą w nim wyczuwała... Ten dystans, jaki zachowywał w chwilach, gdy namiętność ciał i wspólnota myśli popychały ich ku sobie... To nieustępliwe powtarzanie, że muszą się rozstać... A nawet sam wygląd Stephena: był coraz chudszy, twarz miał pobruzdżoną bólem...

Myśli wirowały w jej głowie jak szalone. Była pewna tylko jednego: nie może zdradzić się nigdy ze swym bólem, nie wolno jej obciążać Stephena jeszcze i tym brzemieniem! Starając się opanować drżenie głosu, powiedziała:

– Nikt mi nie wmówi, że to wola opatrzności! To przecież bezsens!

Stephen otworzył oczy. Zauważyła, że ma rozszerzone źrenice. Zapewne pigułki, które zażywał, zawierały opium. Widocznie pod wpływem narkotyku wyjawił wreszcie to, co tak starannie ukrywał.

– Ja też tak uważam. – Usta Stephena wygięły się w kpiącym uśmiechu. – Ale w końcu wszyscy musimy umrzeć. Ja nieco wcześniej niż sądziłem, i tyle.

Rosalinda wiedziała oczywiście, że wszyscy są śmiertelni. Ale zdawać sobie z tego sprawę teoretycznie, to całkiem co innego niż dostrzec nagle śmierć tuż obok! Spróbowała wyobrazić sobie, jak by się czuła w obliczu nieuchronnej zagłady... Nie, to przekraczało jej wyobraźnię! Ścisnęła jeszcze mocniej rękę Stephena.

– To dlatego uciekłeś od dawnego życia?

Przytaknął ze znużeniem.

– Kiedy doktor powiedział, co mnie czeka, zapragnąłem uciec za wszelką cenę! Zaszyć się gdzieś w samotności. Przemyśleć wszystko i pogodzić się z losem.

– Doktorzy nieraz się mylą.

Bruzdy na twarzy Stephena się pogłębiły.

– To prawda, ale ciało nie kłamie. Z każdym dniem czuję wyraźniej, że choroba się wzmaga. To już tylko kwestia czasu. I niewiele mi go zostało.

– Na co jesteś chory?

– Doktor stwierdził obrzmienie żołądka i wątroby.

– A ja myślałam, że uciekłeś od małżeńskich kłopotów! – wypaliła, przeklinając w duchu swój brak spostrzegawczości.

– Byłem żonaty. – Stephen spojrzał w górę, na wiązania dachowe. – Louisa zmarła przed rokiem.

Pozorna obojętność jego głosu mogła świadczyć o tym, że bardzo kochał żonę. Rosalinda spytała cicho:

– Jaka ona była?

Stephen szukał właściwych słów.

– Piękna – powiedział w końcu. – Dama w każdym calu.

Nikt przy zdrowych zmysłach nie nazwałby Rosalindy damą. I z całą pewnością nie była piękna. Ale Stephen pragnął jej, więc może zdoła dać mu choć trochę radości? Nie musi już obawiać się bolesnego zaangażowania. Cokolwiek się jeszcze stanie, nie będzie bardziej bolesne od tego, co czuła w tej chwili.

Po chwili namysłu zapytała:

– Trzymałeś się na dystans w obawie, że dostanę ataku histerii na wieść o twojej chorobie?

Otworzył szeroko oczy i spojrzał na nią ze zdumieniem. Potem skrzywił usta w cierpkim uśmiechu.

– Ja bym tego tak nie sformułował, ale w zasadzie masz słuszność.

– Kto by pomyślał, że tyle w tobie fałszywej dumy i głupoty!

Nachyliła się i pocałowała go w zimne usta, mając nadzieję, że atak nie wyczerpał go do tego stopnia, by zabić w nim pożądanie.

I odsuwając się od niego może o pół cala, nie więcej, szepnęła:

– Nie jestem ani histeryczna, ani nieprzewidywalna. – Wysiłkiem woli opanowała swój ból, zmusiła się do myślenia o przyjemnych rzeczach i jakimś cudem zdobyła się na uśmiech. – A ponieważ jutro wyjeżdżasz, chciałabym pożegnać się z tobą tak, żebyśmy oboje dobrze to zapamiętali!

W milczeniu wpatrywał się w nią badawczo, z napięciem. Jej serce zdążyło uderzyć dziesięć razy, nim w oczach Stephena pojawiły się znów zielone błyski. Cisza była taka, że Rosalinda słyszała, jak kocia mama myje językiem czwórkę swoich dzieci.

I nagle ramiona Stephena objęły ją w pasie. Przyciągnął ją do siebie, a każdy następny pocałunek stawał się coraz żarliwszy, coraz bardziej natarczywy. Temperatura jego ciała od lodowatego zimna wzrosła do naturalnej ciepłoty, gorączki, aż wreszcie ogarnął go pożar namiętności.

Od pierwszej chwili czuli do siebie pociąg, choć robili wszystko, żeby to ukryć. Teraz wyznanie Stephena zburzyło wszelkie bariery, wzniesione z takim staraniem. Musiało dojść do tego, co od samego początku było nieuchronne. Przyśpieszali tę chwilę każdym dotknięciem, każdym spojrzeniem, każdym scenicznym całusem i prawdziwym pocałunkiem. A teraz Rosalinda skrzesała ogień… i oboje stanęli w płomieniach. Ich ciała zespoliły się, piersi Rosalindy przywarły do klatki piersiowej Stephena. Ugniatał dłońmi jej plecy i biodra. Rozchyliła nogi, jęknęła zaszokowana własną reakcją, brakiem wszelkich zahamowań. Namiętność nie była jej obca, zaznała jej z Charlesem, zwłaszcza na początku ich małżeństwa. Ale nigdy nie czuła tego co teraz. Nie miała takiego poczucia jedności.

Całowali się do utraty tchu. A potem, na pościeli ze słodko pachnących, świeżo zżętych ziół i traw, objął ją mocno i przetoczyli się tak, że on był teraz na górze, a ona pod jego ciężarem zapadała się coraz głębiej w siano.

– Chcę się z tobą kochać, Rosalindo – odezwał się ochrypłym głosem. – Jeśli nie jesteś pewna, czy i ty chcesz tego, powiedz to teraz!

Cały stryszek płonął miodowozłotym światłem; wokół jego głowy i ramion Stephena utworzyła się złota aureola... Czyżby był aniołem?

Nie, był kochankiem. Jej kochankiem! Wyciągnęła rękę i pogładziła go pieszczotliwie po policzku.

– Chcę tego, Stephenie. I żałuję, że czekaliśmy z tym aż do dziś!

Nakrył ją swoim ciałem i całował w szyję; równocześnie rozwiązywał wstążeczkę ściągającą marszczony dekolt jej sukni. Następnie sięgnął do tyłu i poluzował gorset Rosalindy tak, by mogła go zsunąć, i ściągnął jej koszulkę z ramion. Jego usta musnęły palącą pieszczotą wynurzające się z gorsetu pełne piersi Rosalindy. Gdy były już obnażone, Stephen ujął je w obie ręce i całując je z zapałem, pozostawił na delikatnej skórze ślad zębów – na znak posiadania.

Poczuwszy wilgotne dotknięcie języka na piersi, Rosalinda zesztywniała. Kiedy podrażniony sutek wyprężył się, Stephen pochwycił go wargami i zaczął ssać tak zapamiętale, że rozkosz tej pieszczoty graniczyła niemal z bólem. Pod naporem tych doznań wszystkie myśli uciekły z głowy Rosalindy – pozostało tylko pożądanie.

Wsunęła ręce pod surdut Stephena i rozpięła mu koszulę, by przywrzeć dłońmi do nagiego ciała. Prężne muskuły drgnęły gwałtownie pod jej dotknięciem. Gładziła go pieszczotliwie po plecach, potem zaś wsunęła rękę pomiędzy ich złączone ciała i posuwając się w dół, natrafiła na twardą niczym skała, rozpierającą ubranie grań.

Gdy jej dotknęła, Stephen jęknął, a całe jego ciało zesztywniało. Następnie przewrócił się na bok i całując znów szyję Rosalindy, pieścił całe jej ciało delikatnie i gorąco. Chwyciwszy jedną ręką brzeg zmiętej spódnicy, podciągnął ją powyżej bioder. Potem jego ręka wśliznęła się pomiędzy uda dziewczyny.

Wydała zdławiony okrzyk pod tak intymnym dotknięciem. A gdy smukłe palce Stephena muskały wrażliwe fałdki jej ciała, odnajdując wilgoć, żar i gotowość, nogi Rosalindy rozsunęły się same, a plecy wygięły się w łuk. Ogarnął ją wstyd: tylko wyuzdane rozpustnice reagują w ten sposób! Wykrztusiła jednak:

– Teraz, już!

W następnej chwili, która dłużyła się jak wieczność, Stephen zdzierał z siebie ubranie. Rosalinda czuła w sobie rozpaczliwą pustkę, którą wyłącznie on mógł zapełnić. Nie tylko pustkę tych tygodni, kiedy już się znali i unikali, ale pustkę wszystkich lat przed poznaniem Stephena. Nareszcie miała go przy sobie, rozgorączkowanego, pobudzonego... Chwyciła go niecierpliwie za pośladki i przyciągnęła jeszcze bliżej.

– O Boże! – jęknął, zanurzając się w cieple jej spragnionego ciała. W pierwszej chwili było jej to niemiłe. Od tak dawna nie miała do czynienia z żadnym mężczyzną! Przykre wrażenie znikło jednak bardzo szybko, kiedy rozpętała się burza namiętności.

Zanurzał się w niej raz po raz, ona zaś reagowała całym ciałem, zdyszana, spocona i drapieżna; poruszali się zgodnie w odwiecznym rytmie. Było to zarazem niebo i piekło, bezmierna błogość i rozpaczliwy głód.

Orgazm wstrząsnął obojgiem równocześnie: konwulsyjne skurcze Rosalindy przyspieszyły i ustokrotniły reakcję Stephena. Rosalinda doświadczała niezwykłej błogości i rozkosznej ulgi.

A potem burza minęła, pozostawiając ich bezsilnych i całkowicie wyczerpanych. Rosalinda z trudem chwytała powietrze i drżąc na całym ciele, tuliła się do Stephena. Dzika namiętność, która owładnęła nimi przed chwilą, wydawała się jej niemal przerażająca. A jednak czuła każdą cząstką swej istoty, że nigdy nie będzie żałować tego, co się właśnie dokonało.

Jeszcze tylko pięćdziesiąt dziewięć dni...

Świadomość wracała mu stopniowo, jakby oddzielne kawałki łamigłówki układały się w spójną całość. Nie mógł dłużej wątpić, że jest zdolny do namiętności. Nawet mu się nie śniło, że pożądanie może być takie gwałtowne i nieposkromione. Ubolewałby gorzko nad swym ślepym egoizmem, gdyby nie to, że Rosalinda sama tego pragnęła.

Po raz pierwszy zrozumiał, czemu stosunek cielesny nazywano niekiedy małą śmiercią. W momencie szczytowania znalazł się jak gdyby zawieszony poza czasem, gdzie nie istniała przeszłość ani przyszłość, tylko nieskończona teraźniejszość. Odczuwał wszystko stokroć żywiej niż kiedykolwiek przedtem. Był aż do bólu świadomy miękkości i woni siana, szaleńczego trzepotu własnego serca, uległej miękkości ciała Rosalindy, które przytłaczał swym ciężarem.

Przewrócił się na bok, objął Rosalindę i przytulił do siebie. Czuł jej oddech na swojej szyi i słonawy smak jej skóry. Ich ubrania, podobnie jak ich ciała, splątały się w cudownym chaosie intymności.

Niespodzianie przypomniał mu się z niezwykłą wyrazistością sen z pierwszej nocy po uratowaniu życia Brianowi. Śniło mu się, że biegnie za roześmianą dziewczyną – Rosalindą – po zalanej słońcem łące, pełnej kwiatów jarzących się barwami jesieni. Gdy wreszcie ją schwytał, zawirowała w jego ramionach i oddała mu się z zapamiętaniem równym jego namiętności. Upadli na ziemię i kochali się jak szaleni.

Dzisiaj ów sen się ziścił i Stephen żałował tylko tego, że upojenie trwało tak krótko. Z uśmiechem gorzkiej ironii pomyślał, że zbyt późno uświadomił sobie, czym jest prawdziwa namiętność.

Nie jest jeszcze za późno! Nie wyrzeknie się Rosalindy. Nie rozstanie się z nią!

Do tej pory usiłował trzymać się na dystans. Podziwiać z daleka, flirtować bez zaangażowania. Starał się zachować honorowo, unikać ryzykownych sytuacji.

Ale teraz… do diabła z honorem! Pragnął Rosalindy! Odezwał się w nim bezwzględny egoizm Kenyonów. Pulsował w jego krwi, wołał wielkim głosem, że pragnie tej kobiety i musi ją mieć aż do kresu swego życia!

Zastanowił się, co oznacza w praktyce taka decyzja. Zrozumiał, że cena szczęścia będzie wysoka. Zapłaci za nie własną dumą: nie zdoła przecież ukryć przed Rosalindą postępów choroby. Oszałamiająca rozkosz, której doznawali wspólnie przed chwilą, nie będzie ich udziałem aż do samego końca. Choćby łączyła ich nie wiem jak silna namiętność, nadejdzie gorzka chwila, gdy jego ciało okaże się niezdolne do miłości. A ponieważ jego pożądanie nie osłabnie mimo bezsilności, będzie to najgorsze ze wszystkiego.

Ale Rosalinda warta była takiej ceny. Podświadomie traktował ją dotąd jakby była cieplarnianym kwiatem, tak kruchym, że może go zniweczyć byle podmuch. Taka była Louisa. Ale Rosalinda jest silna! Jako małe dziecko zdołała przetrwać w slumsach nad Tamizą. Potem przystosowała się do trudnego życia w teatrze objazdowym. Co więcej, stała się duszą rodziny i trupy, do której należała. Inteligencja Rosalindy, jej zdrowy rozsądek i wrodzony optymizm towarzyszyły jej w zmiennych kolejach niełatwego życia. A na dodatek mąż – gbur i głupiec – wyleczył ją z romantycznych złudzeń.

Łączyła ich przyjaźń i namiętność. Stephen pomyślał, że to powinno wystarczyć. Choć Rosalinda nie kochała go, był przekonany, że nie zawaha się poświęcić mu tych kilku tygodni. Zwłaszcza że dzięki temu zapewni swej rodzinie bezpieczną przyszłość.

Czule gładził Rosalindę po szyi, czując wilgoć włosów, które do niej przylgnęły. Rozważał przy tym, jak powiadomić ją o swych zamiarach. Nie chciał przeoczyć niczego, co mogło zaważyć na jej decyzji, a nie miał czasu na długie konkury.

140

Ostatecznie doszedł do wniosku, że najlepiej spytać prosto z mostu, co myśli o takim układzie. Miała dość inteligencji, by dostrzec płynące z niego korzyści. I dość wrodzonej dobroci, by zostać przy nim choćby tylko z litości...

Wzdrygnął się na samą myśl o tym, że mógł budzić w niej litość. Wiedział jednak, że zaakceptuje wszystko, byle została przy nim.

– Rosalindo... – szepnął.

Otworzyła oczy i spojrzała na niego z rozmarzonym uśmiechem.

– Tak?

Poczuł, jak serce w nim topnieje. I spytał z pozorną obojętnością:

– Mam dla ciebie pewną ofertę. Może byś za mnie wyszła?

15

Wyjść za niego? Rosalinda była tak zaskoczona, że niemal jej odebrało mowę. Wyjąkała niemądrze:

– Pro... propozycja małżeństwa... to nie żadna oferta, tylko oświadczyny!

Uśmiechnął się niewesoło.

– Zazwyczaj tak, ale w naszej sytuacji „oferta" jest właściwszym określeniem. Nie będziemy mężem i żoną wystarczająco długo, by stać się prawdziwą rodziną... Nie ma również mowy o miłości. Łączy nas jednak przyjaźń... – Wzrok Stephena powędrował ku jej prawie nagim piersiom. – I niewątpliwe pożądanie.

Rosalinda zażenowana tym przypomnieniem jej wyzywającego zachowania, usiadła prosto i okryła się przyzwoicie, zbierając równocześnie myśli.

– Nigdy... Nigdy nie przypuszczałam...

Stephen uśmiechnął się szerzej, tym razem bez przymusu.

– O ile mi wiadomo, utarta formułka brzmi: „Co też pan mówi? Nigdy mi przez myśl nie przeszło..."

Rosalinda roześmiała się i nieco otrząsnęła z szoku.

– Słowo daję, że mi to przez myśl nie przeszło! – Próbowała palcami wyczesać siano z włosów. – Naprawdę chcesz się ze mną ożenić?

Twarz mu spoważniała.

– Rozumiem, że perspektywa poślubienia umierającego nie jest zbyt atrakcyjna. Wszystko ma jednak swoje dobre strony. Nie zabiorę ci więcej niż kilka miesięcy życia. Nie będę wymagał, byś mi towarzyszyła aż do końca, wyjątkowo przygnębiającego. Co więcej, będę nalegał, byś wcześniej wyjechała. – Zawahał się przez sekundę. – Poza tym… jestem człowiekiem majętnym. Gotów jestem uczynić zapis, gwarantujący bezpieczną, dostatnią przyszłość tobie i twojej rodzinie.

Rosalinda opuściła ręce na kolana. Wpatrywała się w Stephena z najwyższym zdumieniem. Nawet w tej chwili, gdy leżał obok niej przysypany sianem, z ubraniem w nieładzie, wyglądał imponująco. Od razu było widać, że to prawdziwy dżentelmen, w dodatku – jak sam powiedział – majętny.

Równie oczywiste było to, że postradał zmysły. Czyż naprawdę mógł uważać ją za tak interesowną? Sądził, że wyjdzie za niego dla pieniędzy? Ze uciesz ją perspektywa rychłego wdowieństwa? I że będąc jego żoną, pod pierwszym pretekstem opuści go, leżącego na łożu śmierci? A jeśli w to wszystko wierzył, jak mógł pragnąć takiej żony?!

Nasunęło jej się logiczne przypuszczenie.

– Jeśli masz nadzieję, że urodzę ci syna i spadkobiercę, to muszę cię rozczarować – powiedziała bez ogródek. – Jestem prawdopodobnie bezpłodna.

Twarz mu stężała.

– To bez znaczenia. Moje poprzednie małżeństwo też było bezdzietne, choć trwało wiele lat. Wina mogła być równie dobrze po mojej stronie, jak po stronie mojej żony.

Dobrze to o nim świadczyło, że nie zrzucał całej odpowiedzialności na zmarłą żonę, ale Rosalinda nadal nic nie pojmowała. Czarno-rudy kociak, który podbiegł do niej przedtem, znów się pojawił. Rosalinda odruchowo podniosła małe stworzonko i posadziła je sobie na kolanach.

– Jeśli nie zależy ci na dziecku, czemu proponujesz mi małżeństwo? Aktorka bardziej się nadaje na kochankę niż na żonę. Nie pozwól, by… chwilowa namiętność pozbawiła cię rozsądku i poczucia tego, co właściwe, a co nie.

Zbył jej słowa niecierpliwym gestem.

– W obliczu śmierci tego rodzaju względy tracą wszelki sens. Wiem, że wymagam od ciebie bardzo wiele. Chciałbym zagarnąć cały twój czas, liczyć zawsze na twoje towarzystwo, spodziewać się po tobie anielskiej cierpliwości, przeżywać z tobą namiętne uniesienia. Powinienem więc za to wszystko odpłacić ci przynajmniej szacunkiem. – Usiadł. – A poza tym będę musiał spędzić wiele czasu w Londynie; pozostało tyle spraw do załatwienia! Jak zostaniesz moją żoną, pojedziemy tam razem.

– Ale co na to powiedzą twój brat, twoja siostra i cała reszta rodziny? Z pewnością oburzy ich podobny mezalians!

Stephen uniósł brwi.

– Jestem głową rodziny, a oni nie mają prawa kwestionować moich decyzji. Jeśli im się to nie spodoba, niech idą do diabła!

Był tak przeświadczony o własnej wyższości, że Rosalinda omal się nie roześmiała. Nic dziwnego, że papa obsadzał Stephena w rolach władców! Ale…

– A jeśli nie umrzesz? Lekarze często się mylą. Czy nie pożałujesz wtedy, że ożeniłeś się z kobietą niegodną ciebie?

– Musiałby się zdarzyć cud, żebym został przy życiu. A ja w cuda nie wierzę! – Spojrzał jej prosto w oczy. – Gdyby jednak to nastąpiło, nie będę żałował mojej decyzji. A ty?

– Ja również nie – odparła cicho.

Nadal jednak nie była pewna, co mu odpowiedzieć. Rzeczowy ton, w jaki Stephen opisywał ich małżeństwo, pozostawał w wyraźnej sprzeczności z płomienną, nieokiełznaną namiętnością, która ich niedawno połączyła. A już zupełnie nie było w takim związku miejsca dla miłości.

Spojrzała w oczy Stephena i nagle wszystko stało się dla niej jasne. Gdyby był zdrowy, nigdy by się nie spotkali. A już z pewnością nie zaproponowałby jej małżeństwa, choćby nawet jakimś cudem zakochał się w niej. Teraz jednak stał twarzą w twarz ze śmiercią, samotny, przerażony i zbyt dumny, by się do tego przyznać. Raczej umrze, niż wyzna, że potrzebuje jej… albo kogokolwiek innego. A jednak potrzebował jej, i to bardzo!

Z przerażającą wyrazistością ujrzała, jak będzie wyglądało ich małżeństwo. Przyniesie im nieco radości, ale znacznie więcej smutku. Będzie musiała patrzeć, jak Stephen z każdym dniem słabnie, ukrywać przed nim, jak cierpi na widok jego cierpienia, gdyż brzemię, które dźwigał, stałoby się wówczas jeszcze cięższe. Będzie musiała wejść do jego świata i okazać siłę ducha, choć zabraknie jej bliskości rodziny i płynącej stąd pociechy. Z pewnością większość krewnych i przyjaciół Stephena okaże jej wzgardę, choćby mąż próbował ją osłonić swym autorytetem.

Gdyby kierowała się rozsądkiem, podziękowałaby mu za propozycję, ale by jej nie przyjęła. Gdyby wzięła w niej górę duma, poczułaby się urażona formą jego oświadczyn.

Spojrzała na kociątko i jednym palcem pogładziła je po szyjce. Widać nie miała ani krzty dumy i zabrakło jej ze szczętem rozumu. Podniosła głowę i wyciągnęła rękę do Stephena, mówiąc cicho:

– Tak, wyjdę za ciebie.

Widok ogromnej ulgi na jego twarzy świadczył niezbicie, że dokonała słusznego wyboru. Stephen stał się jej tak bliski, że sama myśl o jego śmierci była nie do zniesienia. Jeśli jednak spędzą ze sobą resztę czasu, jaka mu jeszcze pozostała, będzie miała na pociechę nieco miłych wspomnień. A drugą pociechą (po cóż to ukrywać?) będzie dla niej możność zapewnienia rodzicom spokojnej, dostatniej starości.

Przechodząc do spraw praktycznych, stwierdziła:

– Jako aktorka żyjąca w ciągłych rozjazdach nie należę do żadnej parafii. Musisz chyba wrócić w swoje rodzinne strony, żebyśmy mogli się pobrać.

– Nie będzie to konieczne. Poślę do Londynu po specjalną licencję. Nie powinno to zająć więcej… – zastanowił się – …niż trzy dni. Na wszelki wypadek dodajmy jeszcze jeden. Wyjdziesz za mnie w środę?

Rosalinda zamrugała oczyma, zaskoczona takim pośpiechem.

– W środę? Doskonale.

Z pochmurną miną zawiązał na nowo fular.

– Czy będziesz mogła od razu opuścić trupę, czy też musimy zaczekać, póki twój ojciec nie znajdzie kogoś na twoje miejsce?

Rosalinda przejrzała w myślach repertuar trupy.

– Jakieś dwie lub trzy sztuki z większą obsadą będą musieli odłożyć do czasu znalezienia innej aktorki, ale mój wyjazd nie spowoduje katastrofy. Jest znacznie więcej ról męskich niż kobiecych.

– Znakomicie! Marzy mi się przed wyjazdem do Londynu podróż poślubna. Z konieczności bardzo krótka… – Strzepnął kłaczki siana z ciemnego surduta. – Zaniedbałem okropnie swe obowiązki, przebywając zbyt długo w waszym gronie. Po prostu nie chciało mi się wracać do domu.

Rosalinda uśmiechnęła się do niego.

– Bardzo się cieszę, że choć raz pomyślałeś o sobie! Wszyscy byliśmy radzi z twego towarzystwa. – Spojrzała przez okno na niebo. – Ależ się zrobiło późno! Musimy wracać do oberży. Papa gotów pomyśleć, że pożarły nas wściekłe jagnięta!

Stephen podniósł się i pomógł wstać swej towarzyszce. Kociątko wdrapało się na ramię Rosalindy i wczepiło w nie kurczowo; miniaturowe pazurki kłuły jak szpileczki. Stephen ostrożnie odczepił maleństwo i zwrócił je matce. Potem objął Rosalindę i przyciągnął do siebie. Ten gest w niczym nie przypominał gorączkowych pieszczot, które tak niedawno wymieniali. Był to uścisk pewnego siebie posiadacza.

– Wiem, że zachowuję się jak skończony egoista, ale nie czuję wcale wyrzutów sumienia – szepnął.

Odchyliła głowę do tyłu i spojrzała mu w twarz. Tak schudł, że kości niemal sterczały mu przez skórę.

– Dlaczego uważasz wybór towarzyszki życia za dowód egoizmu? Każde z nas coś da drugiej osobie i coś od niej otrzyma. To całkiem naturalne!

Westchnął i końcem palca obrysował kontur jej ucha.

– Mam nadzieję, że się nie mylisz.

Oparła głowę na jego ramieniu i pomyślała, jak niewiele w gruncie rzeczy wie o Stephenie. Nie znała nikogo z jego rodziny, nie widziała jego domu, nie miała pojęcia o jego trybie życia, z wyjątkiem tego, że – jak sam powiedział – „znał się trochę na gospodarstwie". Wiedziała tylko, że jest dobry i szczery. I to jej wystarczało.

Czuła się przy nim taka bezpieczna, taka spokojna! Na razie oboje byli sobie jednakowo potrzebni i pomocni. Jak długo to potrwa? Niebawem przede wszystkim Stephen będzie szukał w niej oparcia. Czy zdoła znieść swą zależność od niej? Może znienawidzi ją z tego powodu?

Co ma być, to będzie! Jeśli pragnęła lekkiego życia, należało odmówić Stephenowi.

Rosalinda odsunęła się i zaczęła poprawiać ubranie i włosy.

– Wyglądam jak dójka, która wytarzała się w sianie – stwierdziła z niesmakiem.

Przyjrzał się jej bacznie, z wyraźną aprobatą.

– Masz za wiele wrodzonej elegancji jak na dójkę.

Rosalinda się roześmiała.

– Ale widać od razu, że tarzałam się w sianie! Mógłbyś strząsnąć mi to zielsko z pleców?

Spełnił jej prośbę. Jego ręce delikatnie wędrowały po ciele Rosalindy, poprawiając na niej ubranie i zdejmując źdźbła trawy. Zajęło mu to podejrzanie dużo czasu.

Po kilku minutach oboje prezentowali się dość przyzwoicie. Stephen odniósł czerpak do studni. Gdy Rosalinda stanęła na górnym szczeblu drabiny, po raz ostatni zmierzyła wzrokiem stryszek. Aż dziw, że w tak skromnym pomieszczeniu rozegrały się tak dramatyczne wydarzenia i rozszalała się taka burza namiętności!

Rosalinda czuła się szczęśliwa, ale jej szczęście miało spory posmak goryczy.

Nie zważając na to, co ludzie sobie pomyślą, Stephen ujął Rosalindę za rękę i nie puścił jej ani razu w drodze powrotnej do oberży Pod Zielonym Ludzikiem. Był szczęśliwy. Jak cudownie wiedzieć, że wkrótce zdarzy się coś wspaniałego! I czegóż więcej można wymagać od żony – nawet w normalnych warunkach – prócz tego, że będzie zarówno wierną przyjaciółką, jak i namiętną kochanką?

W głowie Stephena aż się roiło od planów na najbliższą przyszłość. Nadal znajdowali się w pobliżu Bourne Castle; mógł więc poprosić Candovera, by wysłał do Londynu kogoś zaufanego. Przyjaciel Michaela z pewnością nie odmówi mu tej przysługi! Wysłannik uda się do Kolegium Prawa Cywilnego w Londynie po specjalną licencję i przedstawi czek Stephena w jego rodzinnym banku, gdyż zapas zabranej z domu gotówki był już na wyczerpaniu. Odstawi również Jowisza do stajni w Ashburton Mouse, miejskiej rezydencji Ashburtonów, a przy okazji przyniesie stamtąd kilka ubrań księcia. Stephen nie mógł już patrzeć na garderobę, którą zabrał ze sobą.

Tak, przyda mu się tych kilka drobiazgów, choć w gruncie rzeczy potrzebował tylko Rosalindy. Obserwował ją kątem oka, zdumiewając się własnym szczęściem. Ona również zerkała nań z ukosa z porozumiewawczym uśmiechem. Stephena kusiło, by znów zaciągnąć ją na stryszek. No, cóż… wkrótce zostanie jego żoną i będą mogli kochać się, kiedy tylko zechcą. W łóżku albo na sianie.

Nagły ból przywrócił go do rzeczywistości. Czy nie powinien wyjawić Rosalindzie swego prawdziwego nazwiska i tytułu. Po namyśle odrzucił ten pomysł. Co prawda Rosalinda prędzej czy później dowie się prawdy, wolał jednak wstrzymać się z wyznaniami do chwili, gdy będą już po ślubie. Gdyby zorientowała się, jaka otchłań ich dzieli, mogłaby się rozmyślić!

Przemknęło mu przez głowę, że jego ojciec na wieść o małżeństwie pierworodnego syna z aktorką padłby trupem, gdyby jeszcze żył. Stephen wzruszył ramionami. Przez całe życie starał się zadowolić ojca, ale nigdy mu się to nie udało.

Ojca rozwścieczyłoby także i to, że następnym księciem Ashburton zostanie Michael. Stary książę był szorstki i trudny w pożyciu, choć na ogół sprawiedliwy. Nienawidził jednak swego młodszego brata i zrobił, co mógł, by skłócić własnych synów. Właśnie tego jednego Stephen nie potrafił mu wybaczyć.

Claudia również będzie przerażona, co stanowiło poważniejszy problem. Przy odrobinie szczęścia może uda mu się przekonać siostrę do swej nowo poślubionej żony. A jeśli mu się nie uda… Raz jeszcze wzruszył ramionami.

W polu widzenia zamajaczyła oberża Pod Zielonym Ludzikiem. Zbliżali się już do niej, gdy zajechał chłopski wóz i wysiadło z niego dwoje młodych ludzi. Byli wyraźnie zmęczeni i obładowani bagażem.

– Czyżby to Simon Kent? – powiedziała Rosalinda. – Co prawda nie wspomniał w liście o żonie, ale wygląda na aktora!

– Nie ma zbyt imponującej postury, ale Edmund Kean jest równie niepozorny.

Rosalinda zerknęła na niego.

– Widziałeś Keana? – spytała, a Stephen potwierdził skinieniem głowy. – Czy on jest naprawdę taki wspaniały, jak mówią?

– Jest znakomity! Widziałem go podczas słynnego londyńskiego debiutu. Grał Shylocka w *Kupcu weneckim*.

Rosalinda zrobiła wielkie oczy.

– Słyszałam, że na początku przedstawienia widownia świeciła pustką, ale gra Keana zrobiła takie wrażenie na obecnych, że w antrakcie wybiegli na ulicę i zwoływali znajomych, by mogli podziwiać tego geniusza. Naprawdę tak było?

– Ależ oczywiście! – Stephen uśmiechnął się na to wspomnienie. – Chociaż był wtedy mroźny styczeń, pobiegłem do najbliższej gospody, wyciągnąłem stamtąd trzech przyjaciół i zaprowadziłem ich do swojej loży. Pod koniec sztuki nie było ani jednego wolnego miejsca. Zdumiewający sukces!

– Szkoda, że tego nie widziałam – powiedziała z żalem.

Uścisnął jej rękę.

– Skoro tylko dotrzemy do Londynu, zabiorę cię do teatru na Drury Lane. Mniej więcej za tydzień rozpocznie się nowy sezon teatralny.

Rosalinda zachichotała.

– Masz własną lożę?! Ależ będę zadawała szyku!

Bardziej niż sądzi... Może nawet poczuje się skrępowana... Stephen uznał, że lepiej zmienić temat.

– Kean jest doprawdy niezwykły... Ale moim zdaniem twój ojciec dorównuje mu talentem.

Rosalinda nagrodziła jego słowa olśniewającym uśmiechem. Stephen mówił zresztą całkiem szczerze. Gdyby Thomas Fitzgerald potrafił dogadać się z dyrektorami renomowanych teatrów, on i Maria staliby się równie sławni jak Kean czy Sara Siddons. To smutne, ale prawdziwe, że sam talent nie wystarczy do zrobienia kariery.

Dotarli wreszcie do oberży i słysząc gwar głosów, weszli do zarezerwowanego dla aktorów saloniku. Połowa trupy Fitzgeralda obstąpiła dwójkę dość nędznie odzianych przybyszów. Młody człowiek z kapeluszem w ręku rozmawiał z dyrektorem.

Kiedy Stephen i Rosalinda weszli, Thomas spojrzał w ich stronę.

– Różyczko, Stephenie, oto Simon Kent! Przyjechał dzień wcześniej. A to jego siostra, Mary Kent.

Po tej prezentacji Stephen przyjrzał się uważnie młodzieńcowi, który miał zająć w zespole jego miejsce. Kent był ledwie średniego wzrostu, a jego jasne, niesforne włosy domagały się przystrzyżenia. Nie odznaczał się urodą, ale spojrzenie jego ciemnoszarych oczu było dziwnie zniewalające.

Rosalinda oznajmiła:

– Stodoła, którą oglądaliśmy, jest trochę za mała, ale ostatecznie możemy tam zagrać.

Thomas skinął głową.

– Ta, którą ja obejrzałem, nadaje się jak najbardziej. Już obgadaliśmy co trzeba i dziś wieczorem tam wystąpimy. – Zwrócił się znów do Kenta. – Zobaczmy, jak pan gra. Co nam pan zaprezentuje?

Kentowi opadła szczęka.

– Teraz?!

– Teraz.

Głos dyrektora trupy brzmiał dobrodusznie, ale Stephen pojął, że Thomas z rozmysłem poddaje młodzieńca niełatwej próbie.

Litując się nad nowo przybyłym, Jessica podeszła bliżej z figlarnym błyskiem w oku.

– Wspomniał pan, panie Kent, że ma w repertuarze Romea. Może spróbujemy we dwoje scenę balkonową?

– Wielce pani uprzejma – odparł z wdzięcznością.

Wszyscy cofnęli się, pozostawiając parze młodych aktorów dość miejsca. Mary Kent, drobna blondynka podobna do brata, była wyraźnie zdenerwowana.

Jessica stanęła na krześle i przybrała taką pozę, jakby wychylała się z okna, podziwiając nocne niebo. Westchnęła, dając do zrozumienia, że absolutnie nie dostrzega oczarowanego młodzieńca, który stał na dole.

Simon Kent odchrząknął i zaczął:

– „…Lecz cicho! Co za blask strzelił tam z okna! Ono jest wschodem, a Julia jest słońcem!"*

---

*William Szekspir *Romeo i Julia*, akt II, scena 2, przeł. Józef Paszkowski, PIW, Warszawa 1978.

Niepewny z początku głos szybko nabierał siły. Na oczach zafascynowanego Stephena zdenerwowany młody aktor przeobraził się w żarliwego kochanka. Kent był kimś więcej niż znającym swe rzemiosło aktorem; płonął w nim święty ogień – znamię wielkości.

W miarę jak mówił, ochota do figli opuszczała Jessicę. Jej spojrzenie spotkało się ze wzrokiem Kenta, a gdy przemówiła po raz pierwszy, w jej głosie brzmiała słodka, młodzieńcza namiętność Julii. Dialog łączący rytm szekspirowskiego wiersza z naturalnością mowy potocznej oddawał wiernie uniesienia młodzieńczej miłości. Był to fascynujący występ.

Stephen czuł, jak z emocji jeżą mu się włosy na głowie. Na interpretacji tej sceny zaważyło coś więcej prócz zawodowej sumienności dwojga utalentowanych profesjonalistów. Wzajemne zauroczenie Simona Kenta i Jessiki było wyraźnie wyczuwalne. A może tak mu się tylko wydawało, bo sam był w romantycznym nastroju?

Jessica wygłosiła swoją ostatnią kwestię gardłowym szeptem i wymownym gestem wyciągnęła rękę do swego adoratora. On uczynił to samo i palce ich niemal się zetknęły.

– „Dobranoc, luby! Jeszcze raz dobranoc! Smutek rozstania tak bardzo jest miły, żeby dobranoc wciąż usta mówiły!"*

I zeszła ze sceny… zeskakując z krzesła. Nie zapomniała jednak rzucić po raz ostatni tęsknego spojrzenia mężczyźnie, który zdobył jej serce i miał stać się przyczyną jej zguby.

Kent wypowiedział ostatnią kwestię Romea z namiętnością młodzieńca, który napotkał właśnie miłość swego życia. Potem odwrócił się i oddalił się o kilka kroków na znak, że scena dobiegła końca.

Zaległa grobowa cisza. A potem zerwały się gromkie brawa.

– Świetnie, Romeo! – Zarumieniona z radości Jessica podała rękę swemu partnerowi i oboje skłonili się razem, jak na scenie.

Bijąc brawo, Stephen szepnął do Rosalindy:

– Jak myślisz, ile w tym było udawania?

– Z pewnością nie wszystko – odparła, bacznie obserwując siostrę.

Z drugiego końca pokoju Maria Fitzgerald mierzyła Kenta bacznym spojrzeniem. Być może widziała w nim już przyszłego zięcia. Młody aktor wyraźnie się odprężył. Jakby przez zapomnienie ściskał nadal rękę Jessiki.

Twarz Thomasa Fitzgeralda stanowiła niezwykle interesujące studium. Wyrażała podniecenie i aprobatę, ale Stephen dostrzegł również odrobinę

---

* Tamże.

żalu starego króla puszczy na widok młodego lwa, który w przyszłości zajmie jego miejsce.

Trzeba przyznać, że wybrnął z sytuacji wspaniale; podszedł do Kenta i klepnął go po ramieniu.

– Doskonale się spisałeś, chłopcze! Ale chyba nie musisz już trzymać mojej córki za rączkę?

Kent poczerwieniał jak burak i puścił rękę Jessiki. Młody lew miał jeszcze długą drogę do przebycia, nim zostanie panem tego kawałka puszczy!

Stephen objął ręką Rosalindę i oświadczył:

– Chwila ta wydaje mi się jak najbardziej odpowiednia, pozwólcie więc, że podzielę się z wami naszą radością. Rosalinda zgodziła się zostać moją żoną. Mam nadzieję, że jej najbliżsi udzielą nam swego błogosławieństwa.

Wszyscy oniemieli. Pierwsza odezwała się Maria:

– Ale skąd… taka nagła decyzja?… Znacie się zaledwie od miesiąca…

Rosalinda zerknęła na Stephena z czułym uśmiechem.

– Wystarczająco długo!

– Mówisz tak samo jak ja, gdy poznałam Thomasa! – Maria przebiegła przez pokój i uściskała z całej siły najpierw Rosalindę, a następnie Stephena. – Zawsze chciałam mieć jeszcze jednego syna… a któż lepiej się nadaje do tej roli od wybawcy mojej najmłodszej pociechy?

Stephen odwzajemnił uścisk. Chyba nawet rodzona matka nie obejmowała go nigdy z takim zapałem.

Thomas przyglądał się im badawczo. Stephen pomyślał, że nie otrzepali się z Rosalindą dość starannie z siana. Spojrzenie starego aktora mówiło wyraźnie: „Zaręczyliście się? Była już na to najwyższa pora!" Uścisnął jednak rękę Stephena i objął córkę. Pozostali członkowie trupy obstąpili ich, składając gratulacje.

Stephen uświadomił sobie z całą ostrością, że nie tylko związał się z Rosalindą, ale wżenił się w jej rodzinę. Zawierając małżeństwo z Louisą, nie miał tego uczucia; być może dlatego, że jej rodzice – hrabia i hrabina Rotham – stanowili wierną kopię jego rodziców. Teraz jednak stał się członkiem rodziny Fitzgeraldów, a oni spowinowacili się z jego rodziną. Stephen uśmiechnął się na myśl, że mały Brian zostanie jego szwagrem.

Jessica, uściskawszy siostrę, spytała:

– Kiedy ślub?

– W środę – odparła z całym spokojem Rosalinda.

Zapadło znów milczenie pełne zdumienia. Przerwała je Jessica, wołając:

– No to nie traćmy czasu! Czeka nas mnóstwo roboty!

Chwyciła siostrę za rękę i pociągnęła ją na górę. Rosalinda zdążyła jeszcze rzucić Stephenowi przez ramię rozbawione spojrzenie.

– Myślałem, że jesteś żonaty – Thomas zwrócił się do Stephena głosem, jakby domagał się wyjaśnień.

– Jestem wdowcem. Bezdzietnym – odparł Stephen. – Istniały... inne powody, dla których wahałem się poprosić Rosalindę o rękę. W końcu jednak postanowiłem pozostawić sprawę jej decyzji.

Stary aktor z ulgą skinął głową.

– Moja córeczka ma głowę na karku. Jeśli ona uważa, że masz zadatki na dobrego męża, to ja nie będę wybrzydzał.

– Byłem z nią całkowicie szczery i jestem ogromnie wdzięczny, że zdecydowała się wyjść za mnie. – Stephen zamilkł, po czym dodał: – Rosalinda mówi, że jej odejście z trupy nie spowoduje poważnych kłopotów. Czy to pewne, czy lepiej, byśmy zostali, dopóki nie znajdzie się ktoś na jej miejsce?

– A więc zabierasz ją nam... – powiedział ze smutkiem Thomas.

Stephen skinął głową.

– Ale nie na zawsze! Z pewnością będzie chciała widywać się z wami jak najczęściej.

Thomas zmarszczył czoło i rozejrzał się po pokoju. Jego wzrok padł na Mary Kent.

– Słuchaj no, dziewuszko! – odezwał się donośnym głosem. – Potrafisz grać?

Podskoczyła nerwowo, gdy zwrócił się do niej tak niespodzianie. Z trudem przełknęła ślinę i pisnęła:

– Tak jest, panie dyrektorze. Nie jestem taka dobra jak Simon, ale od kilku lat grywam niewielkie rólki. – Uśmiechnęła się. – Chętnie zagram rolę pokojówki panny Jessiki!

Thomas się roześmiał.

– Doskonale! Zgodzisz się na dwa funty tygodniowo?

– O tak, panie dyrektorze! – zawołała z zapałem.

Stephen domyślił się, że jej brat, grający pierwszych amantów, otrzyma trzy lub cztery funty tygodniowo. Będą mogli za to żyć całkiem dostatnio.

Wszystko układało się zdumiewająco gładko. Ciekawe, jak długo jeszcze szczęście będzie im dopisywać?

Papląc w podnieceniu, Jessica rzuciła się na łóżko w pokoiku, który dzieliła razem z siostrą.

151

– W co się ubierzesz do ślubu? Czy w tę ładną niebieską suknię, którą sobie sprawiłaś, wychodząc za Charlesa?

Rosalinda, która właśnie rozpinała swoją wygniecioną suknię, skrzywiła się.

– Mowy nie ma! Przyszło mi do głowy, że mogłabym wypożyczyć sobie kostium Ofelii... Co o tym myślisz?

– Genialny pomysł! Zawsze wyglądałaś w nim cudownie! Dzięki tej sznurówce z tyłu każdy się przekona, jak wspaniałą masz figurę! Stephen będzie olśniony twoją pięknością! Zaraz skoczę po kostium Ofelii i zastanowimy się nad dodatkami.

Rosalinda kiwnęła głową i zdjęła suknię. Kiedy ją odłożyła, spostrzegła, że Jessica jakoś dziwnie się jej przygląda. Odruchowo spuściła wzrok i dostrzegła dwa maleńkie siniaki u góry biustu. Oblała się gorącym rumieńcem, poniewczasie próbując zakryć ślady zapalczywych pieszczot.

Nim zdołała wymyślić jakąś bajeczkę, Jessica zawołała z przerażeniem:

– To on cię tak skrzywdził?! Jeśli to on, przysięgam...

– Ależ skąd! Wcale mnie nie skrzywdził.

Uprzytomniwszy sobie, że lubiąca odgrywać rolę doświadczonej kobiety Jessica nadal jest niewiniątkiem, Rosalinda usiadła na łóżku i powiedziała, siląc się na spokój:

– Bardzo przepraszam... powinnam być ostrożniejsza, ale od tak dawna mamy wspólną sypialnię, że po prostu nie pomyślałam o tym. Możesz mi wierzyć, Jessico: Stephen nie wyrządził mi żadnej krzywdy! Oboje zachowaliśmy się niezbyt rozsądnie, ale było to cudowne! Nie zapominaj, że jestem dojrzałą kobietą, a w dodatku wdową. Mogę sobie pozwolić na nieco swobody, ale ty nie waż się brać ze mnie przykładu, choćby ten twój Romeo wydawał ci się nie wiem jak romantyczny!

Teraz z kolei Jessica spłonęła rumieńcem.

– To nie jest wcale „mój" Romeo! Ale przyznasz, że pan Kent jest wspaniałym aktorem, prawda?

– Istotnie. Jestem pewna, że dzięki tobie zżyje się z naszą trupą w błyskawicznym tempie – droczyła się z siostrą Rosalinda. – A ty będziesz miała okazję przekonać się, czy jego pocałunki są równie urzekające jak talenty aktorskie. – Przypomniała sobie zdumiewającą więź, jaka wytworzyła się pomiędzy jej siostrzyczką a nowym aktorem i nagle, ku swemu ogromnemu zaskoczeniu, wybuchnęła płaczem.

– Różyczko, co się stało? – spytała z niepokojem Jessica. – To mi wcale nie wygląda na łzy szczęścia!

Rosalinda rozszlochała się jeszcze bardziej. Czuła rozpaczliwą potrzebę podzielenia się z kimś tragicznym sekretem, a Jessica była jej najserdeczniejszą przyjaciółką. Ileż to razy do późnej nocy zwierzały się sobie z różnych spraw! Siostra nigdy nie nadużyła jej zaufania; teraz też dochowa tajemnicy.

– Stephen jest bardzo chory – powiedziała drżącym głosem. – Ma przed sobą najwyżej kilka miesięcy życia.

– Boże miłosierny! – Jessica objęła siostrę. – Och, Różyczko, jak ci współczuję! To dlatego zwlekał z oświadczynami, choć widać było wyraźnie, że szaleje za tobą?

Rosalinda skinęła głową potakująco.

– Zamierzał nas opuścić bez żadnych wyjaśnień, ale dostał strasznego ataku i zmusiłam go do wyjawienia prawdy. No a potem… i ostatecznie pobieramy się za cztery dni.

Cała trzęsła się od płaczu. Jessica tuliła ją do siebie bez słowa i głaskała po plecach, aż wreszcie łzy przestały płynąć Rosalindzie z oczu. Nie mogła sobie pozwolić na taką słabość w obecności Stephena. Przy nim musiała być zawsze spokojna i opanowana.

Z trudem wzięła się w garść. Wyprostowała plecy i sięgnęła po chusteczkę.

– Nie mów nic mamie ani papie! W końcu i tak się dowiedzą, ale nie chcę, żeby zamartwiali się już teraz.

– Nie powiem – obiecała solennie Jessica. – Czy jednak naprawdę chcesz wyjść za niego? Ogromnie lubię Stephena, ale on nie ma prawa żądać od ciebie takiego poświęcenia!

– Ma do tego wszelkie prawa. – Rosalinda kurczowo zacisnęła spoczywające na podołku ręce. – Niczego w świecie nie pragnę bardziej niż zostać żoną Stephena. I być przy nim tak długo, jak to możliwe.

16

Zimny, przenikliwy jesienny deszcz padał od świtu, strącając z drzew pożółkłe liście i zmieniając drogi w grzęzawisko. Lord Michael Kenyon był zmęczony i diablo rozdrażniony. Po dwóch tygodniach poszukiwań zaginionego brata wiedział niewiele więcej niż na początku. Uświadomił sobie tylko, że wytropienie samotnego jeźdźca jest znacznie trudniejsze niż odnalezienie kogoś, kto podróżuje powozem.

Chociaż doktor Blackmer zapewniał go – i to nie raz – że nagłe pogorszenie zdrowia w przypadku Stephena jest wysoce nieprawdopodobne i że z pewnością nie leży samotny i bezradny na odludziu, Michael odczuwał ogromną ulgę za każdym razem, gdy natrafiali na dowód niedawnej obecności brata w takim czy innym miejscu. Jeśli przez dłuższy czas żadnych śladów nie było, zawracali i przeszukiwali wszelkie inne drogi, póki znów nie wpadli na trop zaginionego.

Dodatkowo utrudniało im sprawę to, że Stephen najwidoczniej jechał bez wyraźnego celu, gdzie oczy poniosą.

Posuwali się więc bardzo krętym szlakiem na północ. Michael zatrzymał się w posiadłości swego przyjaciela Luciena, hrabiego Strathmore – asa wywiadu – i poprosił go o pomoc. Luce podsunął kilka trafnych sugestii i obiecał zdobyć jak najwięcej wiadomości za pomocą sieci swych informatorów. Michael nie zaprzestał jednak osobistych poszukiwań, polegających przede wszystkim na odwiedzaniu niemal każdego zajazdu w West Midlands i rozpytywaniu, czy ktoś przypadkiem nie widział Stephena. Na szczęście książę dosiadał Jowisza, jednego z najwspanialszych koni ze stadniny lorda Aberdare, jeszcze jednego z przyjaciół Michaela. Taki koń rzucał się od razu w oczy i pozostawał w pamięci nawet tych, którzy nie zwrócili uwagi na jeźdźca.

Michael podarował bratu Jowisza na ubiegłoroczne urodziny. Na to wspomnienie serce mu się ścisnęło. W głębi duszy nie mógł uwierzyć, że jego starszy brat jest śmiertelnie chory. Lekarze często popełniali omyłki, a Stephen był w znakomitej formie, gdy widzieli się po raz ostatni.

A jednak… zarówno mężczyźni, jak i kobiety umierali w przeróżnym wieku i z rozmaitych powodów. Michael teoretycznie zdawał sobie z tego sprawę, choć uważał to za krzyczącą niesprawiedliwość, że ma stracić jedynego brata wkrótce po tym, jak wreszcie się zaprzyjaźnili.

Aż dziw, że Stephen wyrósł na tak porządnego i normalnego człowieka, choć – jako spadkobierca tytułu – musiał znosić od kolebki krytyczne uwagi starego księcia. Michael starał się przebywać w rodzinnym domu jak najrzadziej; to trzymanie się na odległość uchroniło go od nieodwracalnych urazów psychicznych. Jednakże Stephen był ulepiony z twardszej gliny. Wyrósł na silnego, prawego człowieka. I właśnie dlatego jego zniknięcie wydawało się czymś tak niepojętym.

Michael zerknął na swego towarzysza, skulonego smętnie na deszczu. Choć wiedział, że jego niechęć w stosunku do doktora Blackmera jest irracjonalna, mimo woli obciążał go winą za chorobę brata. Lekarz mógł co prawda w bardziej delikatny sposób powiadomić Stephena o stanie jego zdrowia albo nawet przemilczeć prawdę... Ze swych kontaktów z ciężko rannymi żołnierzami Michael wiedział, że stan ducha pacjenta ma ogromny wpływ na szybki powrót do zdrowia. Powiadomienie chorego o tym, że jest umierający, mogło w znacznym stopniu przyczynić się do pogorszenia jego stanu. A w kontaktach z pacjentami bezwzględna szczerość nie zawsze bywa najlepszym rozwiązaniem.

W tym ponurym medyku było coś zagadkowego. Nawet po dwóch tygodniach nieustannego obcowania z nim od rana do nocy Michael nie miał pojęcia, co kryje się za nieodgadnionym spojrzeniem Blackmera; nie ulegało jedynie wątpliwości, że leży mu na sercu zdrowie Stephena. Może po prostu martwił się, by utrata najznakomitszego z pacjentów nie wpłynęła negatywnie na jego praktykę lekarską?

– Czy zatrzymamy się gdzieś na obiad? – Znużony głos doktora przerwał Michaelowi tok myśli.

– Owszem, w najbliższym miasteczku. W Redminster – odparł Michael. – Koniom przyda się godzina wypoczynku. Potem znów ruszymy w drogę, będziemy jechali aż do zmroku.

Blackmer nic na to nie odpowiedział. Milczenie trwało do chwili, gdy późnym popołudniem wjechali do Redminster. Deszcz przestał padać i blade słońce zaiśniło w kałużach. Byli już blisko zajazdu Pod Trzema Koronami, gdy Michael raptownie zawrócił konia, by nie stratować cztero- lub pięcioletniej dziewczynki, która w pogoni za piłką wyskoczyła na drogę. Ładna ciemnowłosa kobieta wybiegła ze swego podwórka, by zapędzić do domu niesforną pociechę. Uśmiechnęła się przepraszająco do Michaela.

Gdy wjechali wreszcie na dziedziniec zajazdu, Michael był już porządnie zmęczony. Poczuł wyrzuty sumienia, że zmusił do tak wielkiego wysiłku swego towarzysza, nieprzywykłego do trudów życia obozowego. Powiedział więc do doktora:

– Zaprowadzę konie do stajni. Niech pan idzie prosto do oberży i zamówi dla nas coś do jedzenia.

Blackmer skinął głową z wyraźną wdzięcznością, zsiadł z konia i wszedł do wnętrza budynku. Michael z końmi udał się na tyły zajazdu. Stajenny z glinianą fajką w zębach polerował właśnie uprząż.

Michael miał się już odezwać, gdy stajenny zerknął na niego i uśmiechnął się.

– Miło znów pana widzieć! Pieska pogoda, co? W taki dzień lepiej siedzieć w domu niż podróżować. Mam rację?

155

Michael się ożywił.

– Co do pogody, owszem. Ale do ludzi nie masz zbyt bystrego oka, dobry człowieku. Nigdy przedtem nie byłem Pod Trzema Koronami. Czyżby bawił tu ktoś podobny do mnie?

Stajenny przymrużył oczy, by lepiej mu się przyjrzeć, i wykonał przepraszający gest ręką uzbrojoną w fajkę.

– Ano, prawda! Aż dziw, jaki pan podobny do tamtego, co gościł u nas parę tygodni temu! I konie macie takie same!

– Prawdę mówiąc, szukam właśnie mego brata. Wybrał się w podróż na koniu z tej samej stadniny, po tym samym ogierze co mój.

Usatysfakcjonowany tym wyjaśnieniem stajenny skinął głową.

– Znaczy się, drugi pan Ashe! Teraz wszystko jasne. Zaraz pomyślałem, że takie podobieństwo to nie przypadek! Zatrzyma się pan u nas na noc, żeby konie mogły wypocząć?

Pan Ashe? Widać Stephen podróżował incognito.

– Zatrzymaliśmy się tu z moim towarzyszem tylko na obiad. Bądź tak dobry i zaopiekuj się naszymi końmi przez godzinkę. – Michael zdjął kapelusz i przygładził dłonią wilgotne włosy. – Nie wiesz przypadkiem, dokąd mój brat się wybierał?

Stajenny zmarszczył czoło, zbierając myśli.

– Chyba trupa Fitzgeralda miała następny występ w Withcombe.

– Trupa teatralna?

– A jakże! Pański brat odjechał razem z nimi – wyjaśnił stajenny. – Wyratował synka Fitzgeraldów, jak chłopak wpadł do rzeki, choć sam przy tym ucierpiał. Prawdziwy bohater z pańskiego brata!

– Sam ucierpiał, powiadasz? – zaniepokoił się Michael.

– Nie tak znowu strasznie – zapewnił go stajenny. – Był zdrów jak ryba, kiedy stąd odjeżdżali. Nawet raz wystąpił z nimi na scenie! – Przymrużył wymownie oko. – Coś mi się zdaje, że tak się z nimi pokumał z powodu aktorek. Fitzgerald ma w swojej trupie kilka klaczek pierwsza klasa! No i sam pan wie, jakie są aktorki…

Rewelacje stajennego zaszokowały Michaela, ale równocześnie natchnęły go nadzieją. Czyżby Stephen naprawdę występował na scenie z trupą wędrownych komediantów?! Prawda, że zawsze pasjonował się teatrem i sam grał całkiem dobrze podczas amatorskich przedstawień, w gronie przyjaciół… lecz to przecież całkiem co innego! Czyżby naprawdę wdał się w romans z jakąś aktoreczką? Zawsze odznaczał się zdrowym rozsądkiem… ale diabli wiedzą, co może strzelić człowiekowi do głowy, kiedy się dowie, że mu zostało niewiele życia…

Jeśli naprawdę zabrał się z tą trupą, powinni go niebawem znaleźć. Taki objazdowy teatr nie przenosi się zbyt szybko z miejsca na miejsce. I pozostawia po sobie wyraźny ślad. Podniesiony na duchu Michael podziękował stajennemu za informacje i wszedł do wnętrza oberży. Gdy jedli wołowinę z ziemniakami, podzielił się swym najnowszym odkryciem z doktorem. Blackmer wydawał się równie jak on zaskoczony wieścią o występie księcia na deskach scenicznych, ale z właściwą sobie powściągliwością powstrzymał się od uwag. Po zakończeniu posiłku wstał bez słowa, gotów do dalszej drogi – tym razem do Whitcombe.

Pogoda znów uległa zmianie. Przerwa w deszczu miała się ku końcowi: nad ich głowami zbierały się groźne burzowe chmury. W chwili gdy wyszli na dziedziniec, niebo rozświetliła ogromna błyskawica i zaraz po niej rozległ się przeciągły pomruk gromu. Lunął znów deszcz.

Gdy następne błyskawice przecięły niebo, Blackmer odezwał się obojętnym tonem:

– Nie najlepsze warunki do konnej jazdy.

Po raz pierwszy doktor wyraził w oględny sposób niechęć do dalszej podróży. Michael się zawahał. Był co prawda przyzwyczajony do trudów życia obozowego, nie znaczyło to wszakże, iż lubił moknąć, marznąć i zamęczać się na śmierć! Jednakowoż informacje uzyskane od stajennego sprawiły, że chciał czym prędzej wyruszyć w ślad za bratem.

– Burze z piorunami zwykle nie trwają długo. Powinniśmy dotrzeć do Whitcombe przed zmrokiem.

Blackmer westchnął z cicha, ale nie protestował.

Opuszczali właśnie stajnię, gdy straszliwa błyskawica przeorała niebo, zalewając dziedziniec sinawym blaskiem. W tym samym momencie rozległo się uderzenie pioruna.

Michael odruchowo pochylił się w siodle, jakby znalazł się pod bezpośrednim ostrzałem francuskiej artylerii. Gdy się prostował, powietrze rozdarł przeciągły, straszliwy trzask.

– Co to było, na litość boską?! – wykrzyknął Blackmore.

– Chyba zwaliło się drzewo.

Nagle w pobliżu rozległ się rozdzierający krzyk jakiejś kobiety. Michael bez namysłu zawrócił konia, przemknął galopem przez dziedziniec i wypadł na ulicę. Natychmiast ujrzał przyczynę trzasku i okrzyku przerażenia:

piorun uderzył w wielki wiąz i drzewo runęło na domek tej ładnej ciemnowłosej kobiety, której córeczka omal nie wpadła pod końskie kopyta.

Dym unosił się jeszcze z osmolonego od pioruna drzewa, ale podczas ulewy nie groził przynajmniej pożar. Kiedy Michael dotarł do rozwalonego domu, ujrzał, że ciemnowłosa kobieta gołymi rękoma usiłuje rozkopać gruzy.

– Nie jest pani ranna?! – zawołał Michael, starając się przekrzyczeć odgłosy burzy.

Odwróciła się raptownie. Twarz miała zalaną deszczem i łzami, a oczy szkliste skutkiem doznanego szoku.

– Ja… ja wybiegłam akurat do warzywnika… i włos mi nie spadł z głowy… ale tam, w domu, są mój mąż i córeczka! – Drżącymi rękami chwyciła Michaela za ramię. – Błagam, niech ich pan ratuje!

Wszystko wskazywało na to, że pod rumowiskiem leżą zwłoki lub straszliwie okaleczone ofiary.

Podbiegł Blackmer, sapiąc z wysiłku.

– Są tam jacyś ludzie?

– Mąż i dziecko tej kobiety.

Michael zmierzył rumowisko doświadczonym wzrokiem właściciela kopalni. Podjęta bez należytych środków ostrożności próba wydobycia uwięzionych pod gruzami mogła spowodować osunięcie się resztek ścian, co skazałoby biedaków na pewną śmierć. Tu, na szczęście, akcja ratownicza była łatwiejsza niż w Walii, pięćset stóp pod powierzchnią ziemi, gdy doszło do eksplozji w kopalni węgla.

– Najpierw trzeba dźwignąć drzewo, bo pod jego ciężarem dom zawali się do reszty.

Przez ten czas zebrała się grupka sąsiadów. Jeden z nich wykrzyknął:

– Dobry Boże, co też zostało z domu Wymanów!

Inny, zapewne brat rozpaczającej kobiety, sądząc z podobieństwa rysów, aż jęknął:

– Emmo, czy Jack i Lissie są tam, w środku?!

Kiedy skinęła głową, drżąc na całym ciele, objął ją mocno. Twarz mu poszarzała.

Michael od dawna wiedział, że w takich przypadkach lepiej skoncentrować się na konkretnym działaniu, niż martwić się o poszkodowanych, którym na razie nie można było pomóc. Objął komendę, ponieważ nikt inny się do tego nie kwapił. Zaczął wydawać rozkazy, do czego przywykł, będąc oficerem. Mężczyźni rozbiegli się po sprzęt niezbędny do podźwignięcia drzewa oraz woły do zaprzęgu.

Nagle z ruin domu dobiegł płacz dziecka. Emma wyrwała się z uścisku brata i podbiegła bliżej.

– Lissie! Nic ci się nie stało?

Dziecko, chlipiąc, odpowiedziało:

– Mnie nic… ale tatusiowi krew leci… i nie mogę go obudzić!…

Michael znów zmierzył okiem zawalisko. Dziecko znajdowało się zapewne przy drugiej ścianie, w kuchni. Może udałoby się wydobyć małą jeszcze przed podźwignięciem drzewa? Uchwycił krawędź zawalonej ściany z gliny i drzewnej plecionki, próbując ją obruszyć tak, by nie spowodować osunięcia resztek murów.

Blackmer pomagał mu z drugiego końca. Nie po raz pierwszy Michael stwierdził ze zdziwieniem, że lekarz dorównuje mu wzrostem. Zazwyczaj robił wrażenie niższego, bo garbił się, chodząc. Zdołali we dwóch usunąć zwaloną ścianę. Ukazał się pod nią ciemny otwór o nieregularnym kształcie.

Lissie wykrzyknęła:

– Mamusiu! Widzę światło!

Emma otarła fartuchem mokrą od deszczu, pełną napięcia twarz.

– Może uda ci cię podczołgać do światła, kochanie, i wyjść przez dziurę? – spytała z pozornym spokojem.

Zapadła cisza. Po chwili odezwał się znów drżący głosik Lissie.

– Nie mogę stąd wyjść, mamusiu! Tatuś tu leży… i kawałki domu…

Blackmer zmierzył otwór bacznym wzrokiem.

– Spróbuję się tędy wczołgać. Jeśli Wyman leży pomiędzy nami a dzieckiem, może zdołam udzielić mu pomocy.

– Ani się waż, doktorze! – sprzeciwił się kategorycznie Michael.

Blackmer spojrzał na niego z wyższością.

– Jeśli panu tak spieszno, milordzie, niech pan jedzie do Whitcombe sam. Jutro do pana dołączę.

Twarz doktora, zazwyczaj pozbawiona wszelkiego wyrazu, teraz pełna była emocji. Jego szarozielone oczy pałały oburzeniem.

Michael warknął w odpowiedzi:

– Nie pleć bzdur, doktorze! Chodzi mi tylko o pańskie bezpieczeństwo! Reszta domu w każdej chwili może runąć!

– Jestem lekarzem. Mam obowiązek spieszyć z pomocą.

Leżąc na brzuchu, Blackmer podpełzł po błocie do dziury. Powoli, ostrożnie wsuwał się do wnętrza. Śledzący jego usiłowania ludzie wstrzymali dech. Kiedy rozległ się niepokojący hałas, Michael poczuł, że całe ciało mu tężeje. Na szczęście nic się nie stało.

Po dwóch minutach, dłużących się w nieskończoność, Blackmer zawołał:

— Wyman żyje! Tętno jest wyraźne, ale stracił przytomność. Krwawi z uszkodzonej tętnicy.

Emma szepnęła z ulgą:

— Bogu niech będą dzięki!

Znający się dobrze na ranach i groźnych krwotokach Michael spytał:

— Możesz mu założyć opaskę uciskową, doktorze?

— Nie mogę – burknął. – Jakaś cholerna belka stoi mi na zawadzie! Na razie uciskam ranę dłonią i krwotok ustał, ale zabierzcie to przeklęte drzewo jak najszybciej!

Przyniesiono niezbędny sprzęt i zmontowano podnośnik pod czujnym okiem Michaela. Kiedy wszystko było już gotowe, zawołał:

— Zaraz zaczynamy, Blackmer! Lepiej wyjdź stamtąd.

— Nie mogę. Wyman całkiem by się wykrwawił.

Jakiś starszy mężczyzna odezwał się zaniepokojony:

— Jeśli się zawali do reszty, doktor zginie!

— On dobrze o tym wie – odparł ponuro Michael i dał znak do rozpoczęcia akcji.

Woły ruszyły z chrzęstem uprzęży. Zapiszczały liny, napięte do ostateczności. Michael wstrzymał dech. Czy wytrzymają? Gdyby pękły, trzeba będzie uciec się do innych, bardziej czasochłonnych i jeszcze bardziej ryzykownych metod… o ile trzy uwięzione pod gruzami osoby nie zginą natychmiast.

Potężny pień wiązu zaczął powoli unosić się nad zawalonym domem. Posypały się niewielkie odłamki, ale reszta ścian nadal stała. Wyciągnęło się mnóstwo chętnych do pomocy rąk. Zwalone drzewo odciągano spiesznie na bok. Kiedy zawieszony w powietrzu pień nie zagrażał już domowi Wymanów, jedna z podtrzymujących ciężar lin pękła. Za nią trzasnęły dwie pozostałe. Drzewo grzmotnęło z takim impetem, że zatrzęsła się zlana deszczem ziemia. Jeden z gapiów omal nie postradał życia, ale jakimś cudem nie doszło do tragedii.

Zgodnie z przewidywaniami Michaela po usunięciu drzewa odsłoniła się wielka dziura w dachu. Można było tamtędy dostać się do wnętrza domu. Z niezwykłą ostrożnością ratownicy dotarli wkrótce do dziecka. Pierwszy szedł brat Emmy.

Lissie zawołała:

– Wujek Ian!

Chwilę później Ian wynurzył się z ruin, tuląc do siebie obejmującą go za szyję dziewczynkę. Emma chwyciła Lissie w ramiona. Trzymała ją tak mocno, jakby już nigdy nie miała jej puścić. Krople deszczu mieszały się na jej twarzy ze łzami radości.

Nie tracąc czasu na przyglądanie się tej wzruszającej scenie, Michael zajął się dwoma pozostałymi w ruinach mężczyznami. Razem ze zwalistym, małomównym kowalem zdołali dotrzeć do rannego Wymana. Leżał na boku, jego koszula przesiąknięta była krwią. Na szczęście zwalona belka, która zablokowała dostęp do rannego, osłaniała go częściowo, toteż nie doznał innych obrażeń prócz głębokiej rany ciętej na ręce.

Blackmer był prawie niewidoczny w usypisku gruzu. Cały czas mocno ściskał rękę Wymana powyżej rany. W ten sposób udało mu się zatamować krwotok. Gdyby nie Blackmer, ranny już by nie żył.

Michael wyciągnął chustkę i zacisnął ją mocno na ręce rannego.

– Możesz się już wycofać, doktorze! Twego pacjenta wydobędziemy z tej strony.

Michael i kowal podnieśli rannego. Znów wyciągnęły się pomocne ręce i niebawem wydobyty z gruzów Wyman leżał już na ziemi. Emma uklękła przy nim. Jedną ręką obejmowała dziecko, drugą pochwyciła rękę męża.

– Dzięki Bogu! – szepnęła. – I wam wszystkim!

Wyczerpany do cna Michael wygramolił się z ruin. Starszy mężczyzna, który już raz odezwał się do niego, powiedział teraz:

– Nazywam się William Johnson. Jako burmistrz Redminster chciałbym w imieniu wszystkich podziękować panu i pańskiemu przyjacielowi za to, co zrobiliście… dla całkiem obcych ludzi.

– Mnie też kiedyś obcy ludzie uratowali życie – odparł z bladym uśmiechem Michael. – Spłaciłem po prostu dług, jak mam w zwyczaju.

Przeszedł na drugą stronę zwalonego domu, by przekonać się, czy Blackmer nie potrzebuje pomocy. Deszcz ustał. Było już prawie ciemno.

Doktor wycofywał się powolutku przez wąskie przejście. Zdołał się już prawie wydostać, gdy nagle reszta ścian zatrzęsła się i runęła z przeraźliwym łoskotem. Michael chwycił lekarza za rękę i jednym szarpnięciem wyciągnął na powierzchnię. W tej samej chwili przejście się zawaliło. Ostry odłamek twardej gliny rozciął Blackmerowi policzek, ale poza tym doktor wyszedł bez szwanku.

Dziękując w duchu opatrzności, że wspierała ich aż do końca, Michael pomógł lekarzowi podnieść się na nogi.

– Wygląda na to, że Wyman się wyliże. A co z panem?

Blackmer dotknął rany na policzku, rozmazując krew po twarzy.

– Wszystko w porządku. Widać Bóg ma wobec mnie inne plany.

Doktor miał się już odwrócić, gdy Michael położył mu rękę na ramieniu.

– Dobra robota, doktorze! – powiedział z przekonaniem.

Blackmer wzdrygnął się, spojrzał na rękę Michaela takim wzrokiem, jakby to był skorpion, i spytał ze zwykłym sarkazmem:

– Chcesz powiedzieć, milordzie, że pora ruszać do Whithcombe?

Michael uśmiechnął się krzywo.

– Myślę, że nam obu przyda się kąpiel, spora dawka koniaku i wygodny nocleg Pod Trzema Koronami.

Lekarz odetchnął z trudem. Nie krył już zmęczenia.

– Doskonały pomysł! – rzucił i odszedł, by sprawdzić, jak się miewa Wyman.

Michael spoglądał za oddalającym się doktorem. Nadal nie mógł rozgryźć Blackmera i nie czuł do niego sympatii… Ale odwagi mu nie brakowało!

17

Nie wierć się, Różyczko, bo staniesz przed ołtarzem rozczochrana! – rzuciła groźnym tonem Jessica.

Rosalinda potulnie usiadła prosto i splotła leżące na kolanach ręce. Nie otrząsnęła się jeszcze z szoku, o jaki przyprawiły ją oświadczyny Stephena i perspektywa tak rychłego ślubu. Nie miała pojęcia, jak Stephen zdołał tego dokonać, ale zdobył błyskawicznie specjalną licencję. Ponieważ zezwalała ona na zawarcie związku małżeńskiego w dowolnym czasie i miejscu, Maria Fitzgerald zasugerowała, żeby – o ile pogoda się utrzyma – ceremonia ślubna odbyła się na malowniczej leśnej polanie tuż za miastem Bury St. James, gdzie ich trupa miała kolejny występ.

Dzień był słoneczny, ale chłodny, zdecydowanie jesienny. Za godzinę Rosalinda miała zostać mężatką.

Jessica upięła włosy siostry w kunsztowny węzeł i ozdobiła uczesanie drobnymi brązowymi chryzantemami.

– Wyglądasz wspaniale! Obiecujesz, że będziesz grzecznie siedziała, póki się nie przebiorę?

– Chyba jakoś wytrzymam – odparła Rosalinda z uśmieszkiem. – Nie zapominaj, że brałam już kiedyś ślub!

– Wiem. Ale za pierwszym razem nie byłaś aż tak zamroczona! – rzuciła Jessica na odchodnym.

Rosalinda z westchnieniem ulgi usadowiła się wygodnie. Była rada, że ma kilka minut spokoju. Choć wychodziła za mąż po raz drugi, napięcie jej nie opuszczało.

Czym ten dzień weselny różnił się od poprzedniego?

Za pierwszym razem była pełna złudzeń i radosnego podniecenia. Uczucie, które żywiła do Charlesa Jordana, było nie tyle miłością, co młodzieńczą namiętnością. Wówczas stawała przed ołtarzem młodziutka dziewczyna, teraz zdecydowała się na ten krok dojrzała kobieta. A jej uczucia do Stephena były o wiele głębsze od tamtych sprzed lat.

No i tym razem dobrze wiedziała, co ją czeka w małżeńskim łożu. Na samą myśl o tym oblała się gorącym rumieńcem i uśmiechnęła się, pełna radosnego oczekiwania. Od tamtej czarownej godziny na stryszku ani razu nie spotkali się ze Stephenem sam na sam. Aż trudno uwierzyć, jak stęskniła się za jego pieszczotami… A przecież upłynęły od tamtej chwili zaledwie cztery dni! Bogu dzięki, za kilka godzin będą znów tylko we dwoje. I to w majestacie prawa!

Rozległo się stukanie do drzwi, a potem usłyszała głos narzeczonego:

– Jak myślisz, czy świat się zawali, jeśli wejdę?

Rosalinda wstała, podbiegła do drzwi i otworzyła je z westchnieniem ulgi.

– Jak się cieszę, że cię widzę! Z każdą chwilą bardziej żałuję, że nie uciekliśmy do Gretna Green! Co za piekielny zamęt! Jakim cudem moja matka i siostra mogły narobić tyle zamieszania?!

Stephen roześmiał się, postawił na stole drewniane pudełko średnich rozmiarów i przygarnął narzeczoną do siebie.

– A mnie się podoba cała ta krzątanina! Zasługujesz na to, by dzień twego ślubu zakasował wszystkie święta z kalendarza! – Położył ręce na ramionach swej oblubienicy i cofnął się o krok, by przyjrzeć się jej dokładnie. – Jesteś przepiękna, Rosalindo! – powiedział cicho. – A ja jestem najszczęśliwszym z ludzi!

Kostium Ofelii rzeczywiście prezentował się dobrze. Rosalinda spojrzała na narzeczonego. Miał na sobie nowe ubranie. Jakim cudem zdołał je wyczarować?! Był zbyt szczupły, ale doskonale skrojony strój weselny podkreślał wszystkie walory jego wysokiej, barczystej postaci.

– Jesteś taki dystyngowany, że chyba nie ośmielę się wyjść za ciebie! – rzuciła pół żartem, pół serio.

– Znalazłoby się wiele powodów, przemawiających przeciwko temu małżeństwu, ale ten nie jest zbyt przekonujący. – Zamilkł na chwilę, po czym ciągnął dalej: – Chciałbym cię o czymś uprzedzić, żebyś nie doznała szoku w trakcie ślubu. Nazywam się naprawdę Kenyon, a nie Ashe.

Zamrugała oczyma.

– W takim razie czemu przedstawiłeś mi się jako Ashe?

Uśmiechnął się krzywo.

– Coś tam wybełkotałem niezbyt przytomnie, a ty źle usłyszałaś. Uznałem, że prościej będzie nie wyprowadzać cię z błędu niż zagłębiać się w zawiłe wyjaśnienia. Sądziłem, że nasza znajomość potrwa najwyżej kilka dni.

Rosalinda mogła to zrozumieć, ale na wszelki wypadek upewniła się:

– Ale na imię masz Stephen? Jeśli nie, to zrywam zaręczyny!

– Na szczęście naprawdę mam na imię Stephen. Stephen Edward Kenyon, do usług.

Pochylił się i ucałował ją. Jego wargi były ciepłe i jędrne.

– Pani Stephenowa Kenyon… to brzmi całkiem nieźle!

Odetchnęła z ulgą i odprężyła się w jego objęciach. Przynajmniej dziś, w tym radosnym dniu, nie będzie myśleć o tym, jak się niebawem zakończy ich małżeństwo. Ale świadomość nieuchronnej tragedii czaiła się w zakamarkach jej umysłu. Instynktownie objęła mocniej Stephena.

Gładził ją po szyi, której nie zasłaniały upięte wysoko włosy; subtelna pieszczota przyprawiała Rosalindę o rozkoszne dreszcze.

– Jest jeszcze coś, o czym powinnaś wiedzieć…

Przechyliła głowę na bok i spojrzała spod sennie opadających na oczy powiek.

– Jest pan istną kopalnią niespodzianek, panie Kenyon! Czyżbyś chciał uraczyć mnie wyznaniem, że wychodzę za rozbójnika, zbiegłego z więzienia Newgate?

Uśmiechnął się blado.

– Prawie zgadłaś!

W tym momencie, z przyniesionego przezeń pudełka rozległy się jakieś piski. Przyjrzawszy się baczniej, Rosalinda spostrzegła mosiężną rączkę ułatwiającą przenoszenie skrzynki z miejsca na miejsce oraz szereg wywierconych w drewnie otworków.

– Co to?

– To mój prezent ślubny dla ciebie. – Stephen podniósł wieczko. Wewnątrz pudełka, wyłożonego puszystą wyściółką, znajdowały się miniaturowa tacka z piaskiem i łaciaty kotek ze stryszku w stodole Brownów. Zwierzątko wspięło się na tylne łapki, przednimi oparło się o brzeg skrzynki i wielkimi zielonymi ślepkami rozglądało się ciekawie dokoła. – Wahałem się z podjęciem decyzji: czy obsypać cię brylantami, czy podarować podwórzowego kota, na którego nikt by się nie połakomił – wyjaśniał Stephen. – Ale ponieważ mam węża w kieszeni, zdecydowałem się ostatecznie na to drugie.

– Och, Stephenie! – Uszczęśliwiona Rosalinda wyciągnęła łaciate kociątko ze skrzynki. Miało czarną główkę z zawadiacką pomarańczową smugą na czole i białą plamką na brodzie. Wspięło się natychmiast na ramię Rosalindy, która nie przeszkadzała mu w tym, nie zdając sobie sprawy z tego, jakie czyni jej szkody. Kremowa jedwabna suknia Ofelii oblazła czarnym kocim futerkiem! Rosalinda promiennym wzrokiem wpatrywała się w przyszłego męża. – To sto razy lepszy prezent niż jakieś tam klejnoty!

Stephen pogładził ją czule po policzku.

– Cieszę się, że sprawiłem ci przyjemność.

Serce jej się ścisnęło, gdyż uświadomiła sobie nagle, co skłoniło Stephena do wyboru takiego właśnie prezentu. Kocię miało stać się dla niej pociechą w ciężkich chwilach, których będzie coraz więcej. Jaki on dobry! Jak bardzo godzien miłości…

Rosalinda spuściła oczy, by Stephen nie wyczytał z nich, o czym myśli, zdjęła kotka z ramienia i posadziła na swoim łóżku. Kociątko zaczęło hasać po narzucie. Krótki puszysty ogonek sterczał pionowo do góry.

Drzwi otworzyły się i wkroczyła Maria, jakże imponująca w błękitnej szacie, w której grywała królowe. U jej boku biegł w podskokach Aloysius. Nagle poczuł kota i uszy stanęły mu sztorcem. Jednym susem pokonał przestrzeń dzielącą go od łóżka i wysunął nos w kierunku intruza.

– Ani się waż! – krzyknęła Rosalinda, rzucając się w obronie kociątka, któremu groziło pożarcie żywcem.

Stephen również gotów był do interwencji, ale ich pomoc okazała się zbędna. Nieustraszone kocię spojrzało na stojącego nad nim z rozwartą paszczą psa i jakby od niechcenia, ale zadziwiająco celnie, podniesioną łapką trzepnęło Aloysiusa po nosie.

Pies zaskamlał i podskoczył. Kicia zbliżyła się do niego o dwa kroczki i zmierzyła psa groźnym spojrzeniem, godnym syberyjskiego tygrysa. Zaległa cisza pełna napięcia, którą zamącił przenikliwy koci syk. Aloysius nie wytrzymał nerwowo. Podał tyły i ukrył się za plecami Marii.

Matka Rosalindy wybuchnęła śmiechem.

– Co się tu dzieje, na litość boską?! Biedny Aloysius chyba nigdy nie otrząśnie się po tak sromotnej klęsce!

Rosalinda wzięła dzielną kicię na ręce i podrapała za uszkami.

– To Porcja, prezent ślubny od Stephena.

– Porcja? – zdziwił się rozbawiony Stephen. – Tak, jak nazywała się dzielna bohaterka z *Kupca weneckiego*?

– Bardzo trafnie wybrane imię! – orzekła Maria. – Po czym – w całej glorii scenicznego majestatu – zwróciła się do Stephena. – Ale ty, podstępny młodzieńcze, jakim prawem wdarłeś się na zakazany teren?! Nigdy nie słyszałeś, że spotkanie panny młodej z oblubieńcem tuż przed ceremonią ślubną źle wróży ich małżeństwu?

– Musiałem coś powiedzieć Rosalindzie – wyjaśnił pokornie.

– Będziecie mieli całe życie na konwersację – stwierdziła Maria tonem nieznoszącym sprzeciwu i wypłoszyła go z pokoju. – Już cię tu nie ma!

Nim wycofał się, rzucił Rosalindzie żałosne spojrzenie. Przez chwilę zastanawiała się, co jeszcze chciał jej wyznać. Potem wzruszyła ramionami. Cokolwiek by to było, może poczekać! W porównaniu z utrzymywaną w tajemnicy chorobą Stephena wszystkie inne rewelacje były bez znaczenia. Co za różnica, czy nazywa się Kenyon, czy Ashe?

– Pozwól, że ci się przyjrzę – odezwała się Maria. Zmierzyła córkę krytycznym wzrokiem ze wszystkich stron, zanim skinęła głową na znak aprobaty. – Kochanie! Wyglądasz dokładnie tak, jak powinna wyglądać panna młoda!

– Nie pierwszej młodości – uzupełniła Rosalinda.

– Piękno jest wieczne i niezmienne – orzekła jej matka, sadowiąc się na łóżku.

Porcja natychmiast podbiegła do niej i zaczęła ocierać się o rękę Marii, chcąc zwrócić na siebie jej uwagę.

Gdy Maria zaczęła głaskać kotka, Rosalinda szepnęła:

– Wszystkie bezbronne stworzonka garną się do ciebie z pełnym zaufaniem. Tak jak ja…

– Wydaje mi się, że nie dalej niż wczoraj znaleźliśmy z Thomasem małe biedactwo w strasznych opałach – powiedziała Maria z tęsknym uśmiechem. – Jakim cudem tak szybko dorosłaś?

– Och, mamusiu! – Rosalinda ze łzami w oczach przycupnęła na łóżku obok Marii i uściskała ją z całej siły. – Co by się ze mną stało, gdyby nie ty i papa? Doznałam od was tyle dobrego! Nigdy nie zdołam się odwdzięczyć!

– Przygarnięcie ciebie było najmądrzejszym krokiem w naszym życiu! – Maria wzięła córkę za rękę i mocno ją uścisnęła. – Czasem mi się zdaje, że opatrzność umyślnie tak nami pokierowała, że nie związaliśmy się z żadnym z renomowanych teatrów. Wielkie sukcesy wiązałyby się z mnóstwem dodatkowych zajęć… i nasza rodzina nie byłaby tym, czym jest obecnie. A co by tu mówić, rodzina jest w życiu najważniejsza. – Uśmiechnęła się. – Choć nie ukrywam, że z przyjemnością zagrałabym Izabellę w Covent Garden, zwłaszcza gdyby Sara Siddons występowała w tej samej roli przy Drury Lane. Nie sądzę, żeby publiczność, oglądając moją interpretację, czuła się rozczarowana!

– Zakasowałabyś z kretesem panią Siddons! – stwierdziła z rodzinną solidarnością Rosalinda.

– Może tak, a może nie… – Maria wzruszyła ramionami. – Nieważne, że nie występowałam na wielkich scenach, przed różnymi znakomitościami. Grunt, że grałam wielkie role… i to, jak mi mówiono, znakomicie! Mamy jeszcze kilka minut. Może powinnam udzielić ci macierzyńskich rad na temat powinności małżeńskich?

Rosalinda się roześmiała.

– Chyba wiem na ten temat wszystko, co trzeba. Ostatecznie byłam przez trzy lata mężatką! – Zmarszczyła brwi, widząc, że matka ociera oczy. – Co się stało, mamusiu? Nie masz chyba nic przeciwko temu małżeństwu? Myślałam, że lubisz Stephena.

– Lubię go ogromnie! To wspaniały człowiek! – Maria wyciągnęła chusteczkę i energicznie wytarła nos. – Rzecz w tym, że nic już nie będzie takie jak dawniej. Kiedy pobraliście się z Charlesem, nie opuściłaś nas, ale Stephen zabierze cię ze sobą, wprowadzi do swojego, całkiem odmiennego świata. A wkrótce nastąpią dalsze zmiany… Sama widziałaś, jakim wzrokiem spoglądają na siebie Jessica i Simon Kent. Ani się obejrzymy, jak pomaszerują do ołtarza… zwłaszcza jeśli papa przyłapie ich na całowaniu się w garderobie. I pewnie oboje spróbują szczęścia w którymś z bardziej znanych teatrów. A nam zostanie już tylko Brian, choć i on rośnie jak na drożdżach!

167

Rosalinda poczuła, że coś ją znowu ściska w gardle.

– Gdyby... gdyby coś się... przytrafiło Stephenowi... przyjmiecie mnie z powrotem, prawda?

– Oczywiście! Ale co to za gadanie?! I to w dniu ślubu! – odparła wyraźnie zgorszona Maria.

Na widok reakcji matki Rosalinda pogratulowała sobie w duchu, że nie opowiedziała rodzicom o chorobie Stephena. Przyjdzie na to czas, gdy mąż zacznie nalegać, by wróciła do rodziny. Jessica nigdy nie wspominała o tym, co Rosalinda powiedziała jej w tajemnicy; czasem tylko spoglądała na siostrę i Stephena pełnymi smutku oczami.

Dość tego! Rosalinda zerwała się na równe nogi i chwyciła swój ślubny bukiet – wiązankę jesiennych kwiatów.

– Już czas, mamo!

Kiedy razem z matką schodziły ze schodów, przypomniała sobie, jak Stephen zapewnił, że powie jej: „Już czas, Rosalindo!", gdy przyjdzie pora rozstania.

Czas był teraz jej wrogiem.

Jeszcze tylko pięćdziesiąt pięć dni...

Mimo uspokajających zapewnień starego proboszcza, że wszystko będzie dobrze, Stephen krążył niespokojnie po zalanej słońcem polanie, na której miała się odbyć ceremonia ślubna. Była to idealna sceneria do tego rodzaju uroczystości; drzewa stały w całym przepychu jesiennych barw. Zebrali się już wszyscy członkowie trupy (z wyjątkiem orszaku panny młodej). Inne damy wpadły na ten sam pomysł co Rosalinda i sięgnęły do skrzyni z kostiumami, by wystąpić w pełnej gali na uroczystości weselnej.

Prócz aktorów zjawili się mieszkańcy Bury St. James, którzy z biegiem lat bardzo się zaprzyjaźnili z objazdową trupą; był też miejscowy dziedzic, wielki miłośnik teatru. Polanka, na której miał odbyć się ślub, znajdowała się na terenie jego posiadłości. Wchodzący w skład trupy Fitzgeralda muzycy grali jakiś utwór Haendla, a reszta gości spoglądała pożądliwie na uginające się pod ciężarem przeróżnych frykasów stoły. Ustawiono je na skraju polany, gdyż Stephen zamówił weselne śniadanie, a miejscowy oberżysta przygotował imponujący wybór zimnych mięs i gorących dań – w tym udziec wołu pieczony na rożnie. Stara Nan stała na straży wszystkich tych przysmaków i podobna do jednej z szekspirowskich czarownic, odstraszała każdego łakomczucha, który próbował uszczknąć przed czasem smakowity kąsek.

Stephen krążył jak lew w klatce, błagając w duchu Boga, by nie pokarał go atakiem bólu. Przynajmniej dziś pragnął być zdrowy.

Jeremiah Jones, któremu przypadła rola drużby, uspokajał pana młodego:

– Przestań się miotać jak opętany, Stephenie! Wydepczesz dziury w murawie, całkiem bez powodu. Różyczka nie zrobi ci zawodu! – Roześmiał się z własnego mimowolnego rymu. – Jane Landers i Mary Kent poradzą sobie znakomicie z jej rolami, ale takiej inspicjentki jak nasza Rosalinda ze świecą szukać! Już sobie wyobrażam, jaki będzie zamęt przez dobrych kilka tygodni po jej odjeździe!

Czy jednak Rosalinda naprawdę przybędzie na ślub? A nuż rozmyśli się w ostatniej chwili? Aż dziw, że zgodziła się wyjść za kogoś takiego jak on. Nie mogły skłonić jej do tego względy finansowe, bo żadne z Fitzgeraldów nie przywiązywało większej wagi do pieniędzy. Widocznie przyjęła jego oświadczyny z litości.

Wielki Boże, jeśli tak wygląda prawda, nie dozwól, by zbrakło jej litości w tym decydującym momencie!

Muzyka nagle umilkła. Stephen odwrócił się i ujrzał na drugim końcu polany orszak panny młodej. Rosalinda była tak piękna, że na jej widok serce mu zamarło. Kostium Ofelii odznaczał się wytworną prostotą – jedwab w kolorze kości słoniowej spływał do ziemi w obfitych fałdach. Ta prostota idealnie pasowała do Rosalindy, brązowe chryzantemy ślicznie zdobiły jej włosy, a zasznurowana z tyłu suknia podkreślała jej wspaniałą figurę. Żadna z aktorek grających rolę Ofelii, które Stephen podziwiał na scenie, nawet się nie umywała do Rosalindy! Zresztą szekspirowska Ofelia była słabą istotą, podczas gdy Rosalinda promieniała kobiecym ciepłem i siłą.

Stephen stanął przy ołtarzu, Jeremiah obok niego. Muzycy zagrali uroczystego marsza. Panna młoda zmierzała ku nim przez środek polany, brodząc w trawie. Szła pełna gracji z ojcem i Brianem po jednej stronie, a matką i Jessicą po drugiej. Cały klan Fitzgeraldów prowadził oblubienicę do pana młodego.

Stephen poczuł ściskanie w gardle. Jakim prawem rozłącza Rosalindę z tak kochającą rodziną? A jednak nie czuł skruchy z powodu swego egoizmu.

Kiedy orszak panny młodej dotarł do ołtarza, Thomas zwrócił się do Stephena scenicznym szeptem, doskonale słyszalnym na całej polanie:

169

– Dbaj o nią, chłopcze, bo będziesz miał ze mną do czynienia!

– Zrobię wszystko, żeby była szczęśliwa.

I Stephen z uśmiechem ujął rękę Rosalindy. To był najdziwniejszy ślub, jaki widział w życiu. I najwspanialszy!

Rosalinda odwzajemniła uścisk ręki; jej ciemne oczy błyszczały. Stephen z najwyższym trudem powstrzymał się, by jej nie pocałować. Oboje zwrócili się do proboszcza, a rodzina oblubienicy przyłączyła się do reszty gości.

Silnym głosem, który śmiało mógł konkurować z głosem Thomasa Fitzgeralda, proboszcz wypowiedział pierwsze słowa liturgii ślubnej. Znane na pamięć zwroty przemówiły do Stephena jak nigdy dotąd... być może dlatego, że pierwsze małżeństwo zawierał z obowiązku, a nie z potrzeby serca.

Wymienione przez pastora nazwisko „Kenyon" wywołało pewne zdziwienie, ale nikt nie zareagował w niestosowny sposób. Dla Stephena najbardziej gorzko zabrzmiały ostatnie słowa sakramentalnego pytania: „...póki śmierć was nie rozłączy".

W tym właśnie momencie Rosalinda, wiedziona instynktem, spojrzała na Stephena. Dostrzegł w jej oczach odbicie własnych emocji.

Na pytanie pastora, czy chce pojąć za żonę Rosalindę, odpowiedział twierdząco, z pełnym przekonaniem.

Gdy przyszła kolej na nią, złożyła przysięgę małżeńską czystym, doskonale postawionym głosem, bez chwili wahania.

Jeremiah podał obrączkę ze swadą aktora, który potrafi wykorzystać chwilę, gdy oczy wszystkich skierowane są na niego. Stephen wsunął obrączkę na palec Rosalindy, wymawiając z przejęciem tradycyjną formułkę: „Przyjmij tę obrączkę na znak naszej wspólnoty małżeńskiej. Odtąd wszystko, co moje, będzie również i twoje".

Rosalinda uśmiechnęła się, gdy obrączka znalazła się na jej palcu. Wątpliwe, czy zauważyła, iż jest wysadzana niewielkimi, lecz wyjątkowo pięknymi brylantami. No, cóż... chciał obdarzyć ją nie tylko kotem ze stryszku... Prawdę mówiąc, chętnie obsypałby ją wszelkimi skarbami świata w podzięce za jej bezcenny dar – obdarzyła go przecież sobą.

– Ogłaszam was mężem i żoną.

Ceremonia ślubna dobiegła końca i Stephen mógł ucałować promieniejącą szczęściem oblubienicę. Ich wargi musnęły się zaledwie, ale przytulił ją mocno i czuł, jak ich serca biją zgodnym rytmem. Rosalinda. Jego żona. Jego Róża nad różami.

170

Obstąpiono ich zewsząd i zasypano życzeniami wszelkiej pomyślności. Mężczyźni klepali Stephena po plecach i potrząsali jego ręką. Pannę młodą każdy ściskał z całej siły. Pozbawiona wszelkiej pompy uroczystość w nietypowej scenerii skłaniała uczestników do składania życzeń i gratulacji z radosnym zapamiętaniem.

Kiedy podniecenie nieco opadło, Stephen podał ramię dopiero co poślubionej żonie i spytał:

– Chyba pora na weselne śniadanie?

Thomas, marszcząc brwi, zaprotestował:

– Chwileczkę! Proboszcz powiedział, że nazywasz się Kenyon, nieprawdaż?

– Stephen wspomniał mi o tym dziś rano. – Rosalinda uśmiechnęła się czule do męża. – Pierwszego dnia naszej znajomości nie dosłyszałam, co powiedział, i stąd się wziął „pan Ashe". A Stephen, dżentelmen w każdym calu, nie chciał zwracać damie uwagi, że popełniła omyłkę!

Kilka osób zachichotało, ale Thomas nachmurzył się jeszcze bardziej.

– Jakoś mi to dziwnie wygląda… – Nagle w jego oczach pojawiło się przerażenie. – Kenyon… Ashe… Ashburton. Czy książę Ashburton nie nazywa się przypadkiem… Stephen Kenyon?

Stephen nie w ten sposób zamierzał oznajmić tę nowinę… ale Maria przeszkodziła mu, gdy próbował wyjaśnić to Rosalindzie przed ślubem.

Spojrzał na swoją żonę i objął ją mocniej.

– Istotnie. A pełne nazwisko nowej księżnej Ashburton brzmi Rosalinda Fitzgerald Kenyon.

18

Wszyscy osłupieli. Rosalinda gapiła się na swego dopiero co poślubionego męża. Z pewnością żartował! Ale w jego oczach nie dostrzegła wesołości, tylko obawę i rezygnację.

Jej mąż, Stephen, miałby być księciem, jednym z najbogatszych ludzi w Anglii? Odezwała się niepewnym głosem:

– Jeśli to nie są żarty… nic dziwnego, że papa obsadzał cię w rolach książąt!

Stephen uśmiechnął się niewesoło.

– To nie żarty, Rosalindo.

Thomas Fitzgerald wybuchnął gniewem.

– Do wszystkich diabłów, Ashburton! Jakim prawem tak cynicznie nas okłamujesz?! Fałszywa licencja, pozorowany ślub…

– Nic podobnego – odparł Stephen, nie podnosząc głosu. – Małżeństwo jest jak najbardziej legalne. A wszystko, co mówiłem o sobie, to szczera prawda. Zataiłem jedynie swoje nazwisko.

Thomas już otwierał usta, by zaprotestować, ale powstrzymała go żona, kładąc mu rękę na ramieniu.

– Powściągnij swój irlandzki temperament, mój drogi!

– Okłamał nas! To niewybaczalne! – warknął.

– Doprawdy? – Maria obrzuciła Stephena przenikliwym spojrzeniem. – Thomasie najmilszy! I ty, i ja występujemy w coraz to innej roli, a po zejściu ze sceny możemy o niej zapomnieć. Pomyśl, o ile cięższy jest los człowieka skazanego na dożywotnie odgrywanie roli księcia!

– Właśnie! Nigdy nie pozwolono mi zejść z koturnów i zapomnieć o szumnych tytułach. – Stephen obrzucił ironicznym spojrzeniem krąg weselnych gości. – Gdybyście wiedzieli, co czuję, kiedy na mój widok każdy odsuwa się z pośpiechem jak od trędowatego, może zrozumielibyście, ile dla mnie znaczyła rola najzwyklejszego pana Ashe'a!

Podeszła do nich Jessica.

– Jeśli o mnie chodzi, to jestem zachwycona takim obrotem sprawy! Już się nie mogę doczekać chwili, gdy rzucę od niechcenia: „Byłam właśnie na obiedzie u mego szwagra, księcia Ashburton…" albo „Ładny mam szal, nieprawdaż? To prezent od mojej siostry, księżnej Ashburton". Będę się bezwstydnie przechwalać utytułowanymi krewniakami! – Uściskała Stephena z całej siły. – Przepadam za tobą, szwagierku… nawet twoja błękitna krew mnie nie odstrasza!

Błogosławiąc w duchu siostrę, dzięki której lody zostały przełamane, Rosalinda wyjaśniła ojcu:

– Stephen naprawdę chciał mi wszystko wyznać, papo, ale nie zdążył, bo mama wygoniła go z pokoju!

Choć Rosalinda starała się jakoś wybrnąć z tej niezręcznej sytuacji, sama nie otrząsnęła się jeszcze z szoku. Wpatrywała się w dopiero co poślubionego męża, próbując przewidzieć konsekwencje tego, co się stało. Księżna? Ona, Rosalinda Fitzgerald Jordan – znajda, aktorka, nie najmłodsza wdowa – miałaby być księżną?!

Jej spojrzenie padło na obrączkę ślubną. Iskrzyła się od brylantów i zapewne kosztowała mnóstwo pieniędzy. Rosalinda zacisnęła usta. Nawet ta obrączka była dowodem, że ona i Stephen należą do dwóch diametralnie różnych światów.

Przemyśli to sobie później. Teraz instynkt nakazywał jej przekonać Stephena, że jej uczucia w stosunku do niego nie uległy zmianie. Powiedziała więc lekkim tonem:

– Kotek księżnej pani powinien mieć brylantową obróżkę, drogi mężu!

Na twarzy Stephena odmalowała się ulga.

– Jeśli wolisz oglądać brylanty na kocie niż na sobie, obstaluję dla Porcji taką obróżkę.

Thomas nadal miał wojowniczą minę. Rosalinda podejrzewała, że jego gniew na Stephena wynikał z różnych pobudek. Przede wszystkim naprawdę oburzało go to, że Stephen ich okłamał. Niechęć do zięcia mogła być także przejawem zazdrości kochającego ojca o córkę, którą mu teraz odbierano. Wiedziała jednak, że papa szybko się udobrucha. Jego napady złości nigdy nie trwały długo.

Zanim Thomas zdążył znów coś powiedzieć, odezwał się Brian, wygłaszając kwestię jakby wyjętą żywcem z roli Puka w *Śnie nocy letniej*:

– Zacnych mężów, piękne damy na śniadanie zapraszamy! – Zerknął łobuzersko na nowożeńców i dodał: – W dzień powszedni i od święta każdy je… nawet książęta!

Jego mówka rozśmieszyła całe towarzystwo i wszyscy ruszyli w kierunku bankietowych stołów. Stephen nadal obejmował ramieniem Rosalindę, gdy szli razem przez polanę. Ten opiekuńczy uścisk działał na nią kojąco. Ciągle jednak nie mogła dociec, jakie będą konsekwencje jej niewiarygodnego wywyższenia.

Bankiet weselny udał się bardzo, choć Rosalinda miała tak napięte nerwy, że nie mogła cieszyć się nim w pełni. Śmiała się, rozmawiała i w milczącym porozumieniu z Marią zdołała zapobiec kolejnej sprzeczce Thomasa ze Stephenem.

Olbrzymie ilości jadła i napitków sprawiły, że członkowie trupy Fitzgeralda otrząsnęli się z szoku, jakiego doznali na wieść, że prawdziwy książę ustawiał im dekoracje. Stephen był jednak taki miły i naturalny, że w chwili odjazdu młodej pary prawie wszyscy traktowali całą sprawę jako świetny żart.

Rosalinda uściskała każdego z obecnych członków rodziny dwukrotnie i z pomocą Stephena wsiadła do eleganckiego powozu, który wynajął na tę okazję. Nie była zresztą całkiem pewna... może kupił ten ekwipaż za resztę drobnych, które mu zostały w kieszeni? W każdym razie z Porcją w podróżnym pudełku wsiadł do powozu, zamknął drzwiczki i zajął miejsce naprzeciw żony, tyłem do kierunku jazdy.

Rosalinda uśmiechała się i machała ręką na pożegnanie, do chwili gdy rodzina znikła jej z oczu. Następnie, gdy konie pomknęły z taką szybkością, jaką osiągają tylko najlepsze zaprzęgi, oparła się o aksamitne poduszki, wpatrując się w dopiero co poślubionego męża. Teraz kiedy całkowicie otrząsnęła się z szoku, w gruncie rzeczy wcale jej nie dziwiło, że Stephen jest parem Anglii. Od razu było widać, że jest dżentelmenem i cieszy się wielkim autorytetem. Poskromił przecież jednym spojrzeniem tego grubianina Craina, gminnego nadzorcę! Rosalinda zapominała często o tej stronie jego osobowości, gdyż w kontaktach z nią i jej przyjaciółmi Stephen zachowywał się zawsze przyjaźnie i naturalnie.

Należał jednak do najbardziej poważanych ludzi w Anglii. Gdyby miał coś do powiedzenia księciu regentowi, następca tronu z pewnością by go wysłuchał. Rosalinda zamknęła oczy i potarła skronie.

– Głowa cię boli? – spytał zaniepokojony mąż.

– Troszeczkę. Jessica zbyt ciasno upięła mi włosy. – Rosalinda pozbyła się szpilek i zwiędłych chryzantem. Odetchnęła z ulgą, kiedy włosy opadły jej swobodnie na ramiona. – Nie mówiąc już o tym, że czuję się jak żebraczka z *Księgi tysiąca i jednej nocy*... ta, która wyszła za króla.

Twarz Stephena spochmurniała.

– Ani ja nie jestem królem, ani ty żebraczką.

– Ale podobieństwo rzuca się w oczy. – Zaczęła przebierać palcami we włosach, by je rozdzielić na drobniejsze pasma. – Jeśli dżentelmen żeni się z aktorką wątpliwego pochodzenia, popełnia skandaliczny mezalians. Ale jeśli decyduje się na podobny krok książę, to już prawdziwa zgroza! Wszyscy uznają mnie za wyrachowaną awanturnicę, a ciebie za głupca.

– W naszym małżeństwie nie ma nic skandalicznego ani budzącego zgrozę – odparł ostrym tonem. – Wychowałaś się w rodzinie prawdziwego dżentelmena. To niezaprzeczalny fakt, choć Fitzgerald zdecydował się zostać aktorem. Jesteś damą; można to poznać po twoich manierach, sposobie wysławiania się, dyskretnej elegancji. Stwierdzi to każdy, kto zetknie się z tobą. A jeśli to będzie mężczyzna, to z pewnością uzna mnie nie za głupca, tylko za godnego zazdrości szczęściarza.

Czyżby był aż tak naiwny? Czy nie pojmuje, iż jego pozycja nie będzie chronić jego niegodnej oblubienicy, zwłaszcza gdy nie będzie go miała przy sobie? W przypływie czarnego humoru pomyślała: Dobrze, że to małżeństwo długo nie potrwa... nie wytrzymałabym w świecie, który mnie nigdy nie zaakceptuje!

Jednak w obecnej sytuacji opinia wielkiego świata nie miała dla niej większego znaczenia. Kiedy zabraknie Stephena, wróci po prostu tam, skąd przyszła. A na razie...

– Czego się po mnie spodziewasz, Stephenie? Jakie obowiązki wiążą się z pozycją księżnej?

Wydawał się zaskoczony jej pytaniem.

– Pragnę, żebyś była moją żoną, Rosalindo. Moją przyjaciółką. Towarzyszką. Kochanką. Inne obowiązki zależą wyłącznie od twojej chęci. Jeżeli pragniesz być przedstawiona na dworze, mogę to zaaranżować. Jeśli nie masz ochoty brać udziału w życiu towarzyskim, nie zamierzam cię do tego zmuszać. Wybór zależy od ciebie.

Wydawało się to bardzo proste, ale Rosalinda nie mogła w to uwierzyć.

– Twoja pozycja sprawia, że jesteś na oczach wszystkich. Na pewno wiążą się z nią także konkretne powinności. Założę się, że w twoich rękach spoczywają losy wielu ludzi i każdy z nich żąda od ciebie opieki i pomocy.

– A jak myślisz, czemu chciałem uciec od tego wszystkiego? – spytał z goryczą.

– Czy to takie straszne być księciem?

Opanował rosnące w nim wzburzenie i odparł:

– Prawdę mówiąc, w ciągu ostatnich dwóch lat, odkąd odziedziczyłem tytuł książęcy, przekonałem się, że znacznie lepiej być księciem niż przyszłym spadkobiercą, wdrażanym od kolebki do książęcych obowiązków. Teraz mogę robić prawie wszystko, co zechcę... nawet udawać człowieka z gminu, jeśli przyjdzie mi taka fantazja. Byle nie nazbyt długo!

– Dobrze się czułeś w roli pana Ashe'a?

Wahał się przez chwilę, zanim odparł cicho:

– Nigdy przedtem nie czułem się do tego stopnia sobą, jak w ciągu ostatniego miesiąca. Nikt nie oczekiwał, że zachowam się tak, a nie inaczej... że powiem to, a nie tamto. Czułem się jak sokół wyzwolony z pęt.

Rosalinda uświadomiła sobie, że to bardzo istotny dla niego temat. Spytała więc:

– Powiedziałeś, że łatwiej być księciem niż przyszłym spadkobiercą tytułu. Dlaczego tak uważasz?

Twarz Stephena przybrała twardy wyraz.

– Od urodzenia przysługiwał mi tytuł markiza Benfield. Całe moje życie było nieustannym przygotowywaniem się do godności, którą miałem piastować. Chłopcu, który ma zostać księciem, nie wolno płakać: ani pod wpływem wzruszeń, ani podczas bicia. A bicia mi nie żałowano! Nie może zniżać się do niegodnych jego pozycji rozrywek, na przykład zabaw z dziećmi z pospólstwa. Musi wyróżniać się w nauce i sporcie. Nie może skarżyć się, kiedy starsi koledzy znęcają się nad nim w szkole, ani z żadnego innego powodu. Nie może wzbraniać się przed żadnym z ciążących na nim obowiązków, nie może tłumaczyć motywów swego postępowania osobom niedorównującym mu godnością (czyli, praktycznie rzecz biorąc, nikomu). Ma oddawać należną cześć swemu monarsze, choćby był nim ordynarny przybłęda z Hanoweru. Wybiera sobie towarzyszy wyłącznie spośród równych sobie. A żeni się…

Stephen urwał nagle i zamilkł.

Rosalinda wpatrywała się w niego z przerażeniem.

– To prawdziwy koszmar!

Bezwiednie masował górną część brzucha; była to widoma oznaka bólu.

– Z pewnością zauważyłaś, że nie wszystkie z tych pouczeń utkwiły mi w głowie. Ojciec był wściekły na mnie za to, że nie przywiązywałem należytej wagi do swej wysokiej pozycji. Uważał mnie za mięczaka bez charakteru. – Uśmiechnął się ironicznie. – Według jego kryteriów rzeczywiście nim byłem.

Jednak część wpajanych Stephenowi zasad ukształtowała jego charakter. Nic dziwnego, że krył się ze swym bólem! Gdyby nie to, że był z natury porządnym człowiekiem i miał poczucie sprawiedliwości, wyrósłby na takiego potwora jak jego ojciec.

– Czy w tym książęcym kodeksie honorowym jest trochę miejsca na miłość? – spytała cicho.

Zwrócił wzrok w stronę okna.

– Miłość nie była… przewidziana w programie dla przyszłych książąt. Co innego żądza. Uznawano jej istnienie i spoglądano na nią przez palce. Każde z moich rodziców romansowało na prawo i lewo. Ale miłość była dla nich pojęciem niezrozumiałym. Zwrotem obcojęzycznym, niemającym swego odpowiednika w ich mowie. – W policzku Stephena zaczął drgać mięsień. – Mam wrażenie, że odczuwania i wyrażania miłości należy uczyć od najmłodszych lat, podobnie jak obcych języków. Później nigdy się już nie osiągnie pełnej doskonałości.

A więc choćby nawet kochał swoją żonę, nie mógłby jej tego wyznać. Rosalinda miała jednak nadzieję, że poprzednia księżna umiała czytać w jego sercu.

– Kiedy to słyszę, jestem wręcz dumna ze swego plebejskiego pochodzenia i wychowania! Ale w twoim wypadku te okropne metody dały dobry rezultat: wyrosłeś na całkiem porządnego człowieka.

– A więc nie żałujesz, że za mnie wyszłaś?

Powiedział to lekkim tonem, ale po jego oczach poznała, że jej odpowiedź ma dla niego ogromne znaczenie. Dobry Boże! Czemu tracą czas na porównywanie swych pozycji społecznych?!

– Oczywiście że nie! Gratuluję sobie niezawodnej intuicji! Uważałam cię za zwykłego śmiertelnika, co prawda przemiłego i bardzo atrakcyjnego… a tu masz! Dowiaduję się, że nieświadomie zdobyłam pierwszą nagrodę w tegorocznym wielkim wyścigu matrymonialnym! – przekomarzała się Rosalinda. – A w tej chwili żałuję tylko jednego: że jesteś strasznie daleko ode mnie.

– Łatwo temu zaradzić. – Stephen wstał z miejsca, ostrożnie wyminął kocią skrzynkę i usiadł obok Rosalindy. W ciasnym wnętrzu powozu ich ciała przylegały do siebie.

– Dokąd właściwie jedziemy i kiedy tam dotrzemy? – Wzięła dłoń męża i splotła palce z jego palcami. – W całym tym zamieszaniu zapomniałam o to spytać.

– Mam mały domek nad morzem w pobliżu Chester. Jest ładny i zaciszny, a opiekuje się nim tylko dwoje służących, mąż i żona. Dotrzemy tam o zachodzie słońca.

– Ile masz domów? – spytała z ciekawością.

Zastanowił się przez chwilę.

– Sześć. Pamiętasz, jak spytałem cię kiedyś, czy chciałabyś mieszkać w dawnym opactwie? W naszej rodowej siedzibie, Ashburton Abbey, zachował się nawet klasztorny ogród otoczony murem. Prześliczny!

A zatem włóczęga marząca nadaremnie o własnym dachu nad głową stała się właścicielką sześciu domów! Oszołomiona Rosalinda pokręciła głową i nieoczekiwanie dla samej siebie ziewnęła. Zakryła usta ręką i zaczęła się usprawiedliwiać:

– Bardzo przepraszam! Prawie nie spałam tej nocy…

Stephen ją objął.

– Chętnie posłużę ci za poduszkę.

Przytuliła się do niego i oparła głowę na jego ramieniu. Do diabła z różnicą ich pozycji w świecie! Byli dla siebie stworzeni! Pragnęła takiego właśnie męża: darzącego ją spokojem i poczuciem bezpieczeństwa, a zarazem budzącego płomienne tęsknoty.

Z uśmiechem na ustach zapadła w głęboki sen.

Powóz toczył się po falistym, pięknie zadrzewionym terenie hrabstwa Cheshire, a Stephen rozkoszował się bliskością tak ufnie przytulonej do niego nowo poślubionej żony. Był zadowolony z życia jak nigdy dotąd. W ciągu ostatnich kilku tygodni nauczył się żyć chwilą obecną – a ta, którą właśnie przeżywał, była niezrównanie piękna.

Nagle przeraźliwy ból sparzył mu przełyk i przeniknął do żołądka. Stephen zamarł w bezruchu, zmagając się z instynktem nakazującym mu zwinąć się w kłębek. Nie teraz! Nie dziś!

Mimo woli jego ramię obejmujące Rosalindę zacisnęło się wokół jej talii. Wymamrotała coś cichutko. Stephen zmusił się do bezruchu, by nie zbudzić żony.

Jak mogła spać tak spokojnie, gdy parę cali od jej policzka płonął straszliwy ogień bólu?! Czy czuła, jak bardzo zimne i wilgotne jest obejmujące ją ramię?

Ale Rosalinda poruszyła się tylko leciutko i spała dalej – taka słodka, taka kojąca samą swą obecnością… Ostrożnie sięgnął do wewnętrznej kieszeni surduta po pigułki z opium. Zażył już jedną przed weselnym śniadaniem i wolałby nie brać drugiej w tak krótkim czasie… Pragnął wykorzystać w pełni każdą chwilę, gdyż pozostało ich niewiele, a po pigułkach bywał zamroczony. Być może pod sam koniec będzie z tego rad, jeśli lęk przed bólem pokona wszelkie inne pragnienia. Wielu ludzi marzyło o „dobrej" czyli bezbolesnej śmierci, a coraz większe dawki opium zmniejszały cierpienia.

Jeśli dzięki tej pigułce Rosalinda nie dowie się o dzisiejszym ataku, to warto ją zażyć. Przełknął lekarstwo z pewnym trudem, przymknął oczy i czekał aż zacznie działać. Stopniowo ból słabł, a otępienie rosło. Powinien być wdzięczny losowi za to, że atakowi nie towarzyszyły wymioty czy inne odrażające symptomy choroby. Miał szczęście…

Szczęście?!

Najgorszemu wrogowi nie życzył takiego szczęścia!

Poczuła na ramieniu pieszczotliwy dotyk czułej ręki.

– Dość tego spania, pani Kaliban! Jesteśmy już prawie na miejscu.

– Mmm… – wymamrotała. Rozkosznie jej się drzemało tak bliziutko Stephena. I nagle, w chwili gdy powóz zatrzymał się, coś zimnego i wilgotnego dotknęło jej policzka. Otworzyła oczy i ujrzała Porcję. – Czy ja śnię, czy rzeczywiście siedzi na mej piersi jakieś kocisko?!

– Wypuściłem Porcję z pudełka. Najpierw skakała po całym wnętrzu jak piłka, potem doszła do wniosku, że jesteś wyjątkowo mięciutka i przytulna. – Oczy Stephena iskrzyły się wesołością. – Muszę przyznać, że zgadzam się z nią w zupełności!

Rumieniąc się lekko, Rosalinda przeciągnęła się, by rozruszać zesztywniałe kończyny.

– Naprawdę jesteśmy już na miejscu?

– Naprawdę. – Stephen złapał Porcję i wsadził ją z powrotem do pudełka. – Spałaś jak suseł! Dwa razy zmienialiśmy konie, a ty się nawet nie poruszyłaś.

– Umiejętność zasypiania w każdych warunkach bardzo się przydaje wędrownym aktorom. – Wyjrzała przez okno powozu. Roztaczał się przed nią ogromny, doskonale utrzymany park, opadający tarasami ku plaży. W dali, na horyzoncie, czerwone jak krew słońce zanurzało się powoli w morzu. Ogniste promienie przeistaczały płynące po niebie chmury w koralowe wyspy na ciemnoszafirowym oceanie. – Ależ tu pięknie! Jak się nazywa ta posiadłość?

– Kirby Manor. Masz przed sobą ujście rzeki Dee do Morza Irlandzkiego. – Otworzył drzwiczki powozu i pomógł żonie wysiąść. – Dom znajduje się za nami.

Stephen miał się już odwrócić w tamtą stronę, ale chwyciła go za rękę i powstrzymała.

– Dom może zaczekać!

W milczeniu wpatrywali się w słońce zanurzające się powoli w morzu i w ciemniejące chmury. Jak szybko dzień dobiegł kresu! Rosalinda pomyślała mimo woli o zbliżającej się śmierci Stephena i poczuła bolesne ściskanie w gardle.

Odwróciła się w stronę domu. Kirby Manor, zgodnie z panującą w tych stronach modą, wzniesiono z pruskiego muru. Był to wielki dom, rozbudowywany latami w dość chaotyczny sposób. Miał wygięte belki i okna złożone z kwadratowych szybek, połyskujących teraz złociście w promieniach zachodzącego słońca. To również był piękny widok. Rosalinda podziwiała, z jaką starannością umieszczono belki na ścianach.

– Kirby Manor jest cudowne... ale nigdy nie nazwałabym go „małym domkiem"!

– To najmniejsza z moich rezydencji. Zaledwie pięć sypialni.

Mężczyzna i kobieta, którzy dotąd czekali cierpliwie, aż książę raczy zwrócić na nich uwagę, podeszli bliżej.

– Witamy w Kirby Manor, wasza książęca mość! – Mężczyzna skłonił nisko głowę, kobieta dygnęła. – Mamy nadzieję, że książę będzie zadowolony… Gdybyśmy mieli trochę więcej czasu… – Głos załamał mu się ze zdenerwowania.

– Jeśli w pokojach jest czysto jak zwykle, a w kuchni nie braknie miejscowych przysmaków, nie będzie powodu do narzekania. – Stephen przyciągnął do siebie trzymającą się nieco z tyłu żonę. – Pozwól, Rosalindo, to państwo Nylandowie. A oto nowa księżna Ashburton.

Rosalinda aż się wzdrygnęła, gdy pani Nyland dygnęła przed nią, a jej mąż ukłonił się niezgrabnie. Nie była przecież księżną, na litość boską! Była zwykłą aktorką, w dodatku rozkudłaną jak jakaś smarkula!

A jednak wszystko wskazywało na to, że naprawdę została księżną. Musi więc zachowywać się odpowiednio, żeby nie przynieść Stephenowi wstydu!

Przyszedł jej nagle do głowy wyśmienity pomysł: będzie zachowywać się tak, jakby grała księżną na scenie! Skłoniła lekko głowę i uśmiechnęła się łaskawie, nie nazbyt familiarnie.

– Domyślam się, że niełatwo było przygotować wszystko w tak krótkim czasie, i tym bardziej to doceniam. Przy wnoszeniu moich bagaży proszę uważać na pudło z kociątkiem. Porcja doskonale zniosła podróż, ale teraz z pewnością chętnie by coś przekąsiła.

Nylandowie wnieśli Porcję i pozostałe bagaże do wnętrza domu. Stangret odjechał do stajni, a Rosalinda i Stephen weszli po schodkach wiodących do drzwi frontowych. Stephen otworzył je i niespodzianie chwycił żonę na ręce. Gdy roześmiała się zaskoczona i objęła go mocno za szyję, wyjaśnił:

– Co prawda to nie Asburton Abbey, ale zawsze próg mojego domu!

– Masz zamiar przenosić mnie przez próg każdego z twoich sześciu domów?! – spytała, gdy wniósł ją do wnętrza.

– Jeśli chcesz, proszę bardzo. Myślę jednak, że możemy sobie darować zwiedzanie domku myśliwskiego. Nic tam nie ma do oglądania: wszędzie ciemna boazeria i spreparowane głowy biednych zwierząt.

Czy starczy nam czasu na zwiedzenie tych domów?

– Masz rację, to brzmi zgoła nieciekawie – przytaknęła, a w jej głosie nie było już ożywienia.

Wniósł ją na rękach przez mroczny przedsionek do obszernego holu. Opuszczając żonę na podłogę, Stephen nadal tulił ją mocno do siebie. Kiedy stanęła wreszcie na własnych nogach, brakło jej tchu.

Stephen nie śmiał się już; jego twarz była pełna skupienia, jakby chciał zachować tę chwilę na zawsze w pamięci. A potem pocałował żonę z czułością. Usta Rosalindy otworzyły się pod naporem jego ust, poczuła erotyczne dreszcze. Cztery dni, które minęły od chwili, gdy się kochali, wydawały się wiecznością.

Kiedy sprawił już swymi pocałunkami, że była w jego ramionach miękka jak wosk, uniósł nieco głowę i spytał gardłowym szeptem:

– Kiedy się odświeżymy i zjemy coś, czy mogę przyjść do twego pokoju?

Przez chwilę wpatrywała się w niego ze zdumieniem, potem się roześmiała.

– O, mój najdroższy! Twoja uwaga to najlepszy dowód, że pochodzimy z dwóch odmiennych światów. W moim światku mężowie nie tracą czasu na pytanie, czy wolno im dzielić pokój lub łóżko własnej żony. Rozumie się to samo przez się. Być może skutkiem tego małżonkowie częściej się kłócą. – Odgarnęła Stephenowi włosy z czoła, żałując, że musi powstrzymać się od miłosnych wynurzeń. – Będziesz zawsze mile widziany w moim łóżku. Szczerze mówiąc, poczuję się urażona, gdybyś sypiał gdzie indziej!

Wpatrywał się w nią z jeszcze większym napięciem.

– A zatem twoja odpowiedź brzmi „tak"?

– Oczywiście! – Musnęła wargi językiem. – Prawdę mówiąc, ponieważ dzień był bardzo długi, proponuję, byśmy zrezygnowali z kolacji i poszli od razu do łóżka.

– Nie… – Cofnął się o krok, trzymając jej rękę. – Za pierwszym razem wszystko odbyło się zbyt spiesznie. Zakosztujmy dziś rozkoszy oczekiwania.

Jeszcze więcej oczekiwania i rzuci się na niego jak drapieżna pantera! Ale w gruncie rzeczy Stephen miał rację. Nie było żadnego powodu do pośpiechu, wręcz odwrotnie.

– To brzmi całkiem rozsądnie. Choć muszę przyznać, że w tej chwili rozsądek nie jest moją najmocniejszą stroną… – Przechyliła głowę na bok. – Mam pewną propozycję. Oprowadź mnie po domu, póki kolacja nie będzie gotowa. A potem zjemy ją sam na sam w moim pokoju.

– Genialny pomysł! – Ucałował koniuszki jej palców i wziął ją pod rękę. Zaczął objaśniać napuszonym tonem doskonale wyszkolonego majordoma: – Znajdujemy się, wasza książęca mość, w głównym holu. To najstarsza część budynku, pochodzi podobno z początków XV wieku. Proszę łaskawie zwrócić uwagę na niezrównane sztukaterie.

Rosalinda zachichotała i pomyślała, że ze Stephena byłby całkiem dobry aktor komiczny.

– Doprawdy niezrównane, wasza książęca mość! – odparła, wcielając się w rolę zachwyconej, wdzięczącej się damy. – Tylko czy wypada, by na suficie tej wspaniałej sali tak bezwstydnie gziły się amorki?!

– Jest pani w błędzie, madame. One się bynajmniej nie… pardon, nie gżą, tylko okazują sobie niezwykle gorącą przyjaźń.

Oprowadził ją po całym parterze, wskazując godne uwagi detale i opatrując je komentarzem, który pobudzał ją do nieustannego śmiechu.

Jak we wszystkich budynkach z pruskiego muru, tak i w Kirby Manor podłogi były nierówne, okna spaczone i ogólnie rzecz biorąc, nic nie stało prosto ani nie wisiało równo. Mimo to Rosalinda była oczarowana tym domem. A jeszcze bardziej zachwycało ją to, że w trakcie zwiedzania ona i Stephen, zachowując pozory wszelkiej przyzwoitości, coraz to dotykali się, ocierali o siebie, potęgując gorejący w ich wnętrzu pożar.

Kiedy ruszyli w stronę schodów, spytała męża:

– Jak często tu bywasz?

– Mniej więcej raz do roku. Kiedy udaję się na północ w interesach, zazwyczaj zatrzymuję się w Kirby Manor na kilka dni. – Uśmiechnął się ze smutkiem. – Wiem, co sobie teraz myślisz: co za marnotrawstwo! Nieprawdaż?

– Czy w twojej rodzinie nie znalazłby się jakiś zubożały Kenyon, chętny do objęcia tego domu w posiadanie?

– Zubożałych Kenyonów nie brakuje, ale wszyscy wolą osiedlać się na południu, „bliżej cywilizacji". Jeden z nich osiadł w mojej posiadłości w Norfolk, gdzie zamieszkała Ellie Warden ze swoim dzieckiem. – W uśmiechu Stephena błysnęła odrobina ironii. – Bez względu na to, co bym powiedział na ten temat, mój kuzyn Kwintus i jego żona z pewnością sądzą, że spłodziłem tego malca. I dzięki temu dziecko będzie miało troskliwą opiekę.

– Bardzo mnie to cieszy ze względu na Ellie i jej synka, choćby nawet twoja reputacja miała nieco ucierpieć. – Uścisnęła ramię męża, gdy prowadził ją krętym, ale dobrze oświetlonym korytarzem. Od lat marzyła o własnym domu, nigdy jednak nie wyobrażała sobie czegoś równie wspaniałego jak Kirby Manor. Miała nadzieję, że pewnego dnia któryś z pośledniejszych Kenyonów doceni walory tej siedziby.

Gdy dotarli do końca korytarza, Stephen wyjaśnił:

– Sypialnia pana domu znajduje się po lewej, pani domu po prawej, a pomiędzy nimi jest garderoba. I drzwi wewnętrzne, ułatwiające dyskretne odwiedziny.

Otworzył drzwi z prawej strony.

Rosalinda weszła do środka i znów zaparło jej dech. Przy jednej ścianie długiego pomieszczenia stało ogromne łoże z baldachimem, a przy drugiej szezlong, wygodne fotele i inne meble. Ale uwagę Rosalindy przykuły przede wszystkim róże. Wazony pełne pachnących czerwonych, różowych i białych kwiatów. Jarzyły się w blasku ognia trzaskającego na kominku. W powietrzu unosił się odurzający zapach.

– Jestem wprost oszołomiona. Jak zdołałeś tego dokonać na odległość?! – spytała Rosalinda.

– Mam nieco zdolności organizacyjnych – przyznał, całując ją w niezwykle wrażliwe miejsce u podstawy szyi. – A sam pomysł nasunął mi się na zasadzie prostego skojarzenia: kilka róż dla mojej Róży nad różami.

Z trudem przełknęła ślinę. Miała nadzieję, że Stephen nigdy się nie dowie, jak była daleka od ideału, za który ją uważał.

– Kwiaty są przepiękne! Szkoda, że tak szybko zwiędną.

– To im tylko dodaje uroku – powiedział cicho.

Na sekundę spotkały się ich spojrzenia pełne gwałtownych emocji. Nawet perspektywa nocy poślubnej nie uchroniła ich od rozważań nad nietrwałością życia. Rosalinda żarliwie przysięgała sobie w duchu, że póki są razem ze Stephenem, nie zmarnują ani jednej chwili radości, którą zdołają wydrzeć szalejącym wokół nich żywiołom.

19

Stephen sączył wino z kieliszka, nie odwracając oczu od Rosalindy, która siedziała naprzeciw niego przy okrągłym stoliku. Wyszczotkowała włosy, ale ich nie upięła. Opadały swobodnie na plecy gęstą grzywą lśniących loków o barwie ciemnego złota; połyskiwały w niej bursztynowe światełka, ilekroć Rosalinda poruszyła głową. Pomysł zjedzenia kolacji w tym pokoju okazał się genialny; panowała tu intymna atmosfera, jakiej nigdy by nie zaznali w wielkiej jadalni.

Zgodnie z sugestią Stephena delektowali się rozkoszą oczekiwania – cała atmosfera oświetlonego blaskiem ognia pokoju przepełniona była radosnym podnieceniem. Każdy kęs, każdy łyczek wina potęgował w nich świadomość tego, jaki deser czeka ich po tym posiłku.

Uczucia Stephena dotyczące ich nocy poślubnej były zaskakująco mieszane. Z jednej strony pragnął Rosalindy, płonął gwałtownym pożądaniem. Chciał się z nią kochać do upadłego, przespać resztę nocy w jej ramionach, a po obudzeniu zacząć wszystko od nowa.

Równocześnie jednak czuł się niepewnie jak młody chłopak. Zanim ożenił się z Louisą, nabrał nieco doświadczenia, zadając się, jak większość bogatych młodzieńców, z najsłynniejszymi londyńskimi kurtyzanami i czerpiąc z tego beztroską radość.

Skończyło się to jednak po ślubie z Louisą. Nie czyniłaby mu zapewne wyrzutów, gdyby miewał kochanki; wśród zasad, które jej wpajano od dzieciństwa, była i ta, że dobrze wychowana żona nie zwraca uwagi na podobne grzeszki męża. Stephen domyślał się jednak, że raniłoby to jej dumę. Miał zaś tak niewiele do zaofiarowania Louisie, że powinien był obdarzyć ją przynajmniej wiernością. A poza tym nie zamierzał kroczyć w ślady swego rozpustnego ojca.

Z początku niełatwo mu było ograniczyć swoje życie erotyczne do zimnych, niezadowalających go stosunków małżeńskich. W ciągu niezliczonych samotnych nocy tęsknił za ciepłym, chętnym kobiecym ciałem. Z czasem przywykł jednak do tych ograniczeń. Dobrze wiedział, że uczciwe postępowanie nigdy nie jest łatwe.

Przez wiele lat żywił przekonanie, że nie jest człowiekiem namiętnym. Potem jednak spotkał Rosalindę. Fizyczne zbliżenie z nią było najgłębszym, najcudowniejszym doznaniem erotycznym w jego życiu.

Czy zdoła spełnić oczekiwania Rosalindy? Była zmysłowa i żywiołowa, a on nie oglądał nagiego kobiecego ciała od chwili, gdy poślubił Louisę. Dla jego pierwszej żony pożycie seksualne było odrażającym, wstydliwym rytuałem, który powinien odbywać się w zupełnej ciemności, pod osłoną pościeli i nocnej bielizny. Wzdragała się również na myśl o wszelkich innowacjach, o wszystkim, co wykraczało poza ciasne ramy najbardziej elementarnego spółkowania. Dlatego Stephen nie był zbyt biegły w subtelnej sztuce kochania.

Teraz nie starczy mu już czasu na doskonalenie się w niej. Choć jego modły o dobre samopoczucie w pierwszym dniu małżeństwa zostały po większej części wysłuchane, ból czaił się w pobliżu i w każdej chwili mógł zaatakować. Również siły opuszczały Stephena. Wkrótce nadejdzie dzień, gdy Rosalinda nie będzie miała żadnego pożytku ze swego męża. Nie obawiał się wyrzutów z jej strony; znał jej współczującą naturę. Pragnął jednak nade wszystko zostawić po sobie wspomnienia, których nie zdoła zatrzeć żaden inny mężczyzna. Jeśli jego życzenie miało się ziścić, musiał narzucić sobie żelazną dyscyplinę; ich pieszczoty winny być leniwe, dalekie od gorączkowego pośpiechu, którego tak łaknęło jego zgłodniałe ciało.

Uśmiechnął się gorzko na myśl o powściąganiu pragnień, gdy odchodził niemal od zmysłów z pożądania. Rosalinda nadal miała na sobie wspaniałą suknię Ofelii; ilekroć pochylała się ku niemu przez stół, olśniewała go pięknem swego biustu. W ciągu godziny, którą razem spędzili w szopie, zdołał lepiej poznać jej ciało, niż przez wszystkie lata małżeństwa z Louisą poznał ciało swej pierwszej żony. Prawdę mówiąc, nawet w tej chwili mógł podziwiać więcej, niż Louisa kiedykolwiek skłonna była zademonstrować.

Rosalinda nie tylko pociągała go nieodparcie, ale i potrafiła rozweselić. Podczas kolacji raczyła go uroczymi anegdotkami teatralnymi. Jedną z nich właśnie kończyła. Odkładając widelec, wygłosiła puentę:

– I wówczas kot, który jak zapewniał inspicjent, miał być wzorem grzeczności i posłuszeństwa, obudził się i wysunął głowę z koszyka stojącego pośrodku sceny. A mama z zimną krwią wepchnęła go znów do środka, oświadczając stanowczo: „Nie rwij się tak do grania, kotku. Nie wystawiamy dziś *Dicka Whittingtona!*"

Stephen wybuchnął śmiechem.

– Szkoda, że tego nie widziałem! Naprawdę mieliście w repertuarze tę sztukę?

– Tak! – Oczy Rosalindy zabłysły. – Ot, takie sobie sztuczydło... ale mile je wspominam, bo kiedy byłam mała, występowałam w roli kota.

Stephen wyobraził sobie rozkoszne dziecko z przyprawionym ogonkiem i kocimi wąsami i znowu się roześmiał. Odstawił kieliszek wina i pokroił kawałek sera na drobne kawałki.

– Chcesz spróbować wspaniałego sera z Cheshire?

Rosalinda spojrzała na niego spod półprzymkniętych powiek.

– Chętnie.

Pochylił się przez stół i włożył jej kawałek sera prosto do ust. Jej miękkie wargi zacisnęły się na koniuszkach jego palców.

– Wyborne – wymruczała. – Może i ty dasz się skusić?

– Chyba tak.

Wzięła w dwa palce okruch sera i podała mu do ust. Palce miała wysmukłe i silne. Objął je wargami, pieszcząc zmysłowo językiem.

– Zauważyłeś, jak tu gorąco?

– Przygasić ogień?

– Mam lepszy pomysł! – Rosalinda wstała i odwróciła się do niego plecami. – Nie wzięłam ze sobą mojej garderobianej, Jessiki. Mógłbyś mi rozsznurować suknię?

Czując, jak krew tętni mu w żyłach, Stephen wstał i rozwiązał kokardkę nad krzyżującymi się tasiemkami. Nawet teraz, bez pantofli, Rosalinda sięgała mu głową do nosa. Bardzo mu się podobało, że jest tak wysoka, zaokrąglona tam, gdzie trzeba. Louisa była zbyt krucha.

Nie należy myśleć o Louisie! Trzeba się zabrać do rozsznurowania sukni!

– To najpiękniejsza suknia ślubna, jaką widziałem. Zbyt piękna dla takiej płaksy jak Ofelia!

Rosalinda zachichotała.

– Zawsze uważałam, że to suknia godna królowej! Albo księżnej.

Kiedy uporał się z tasiemkami, suknia rozchyliła się z tyłu, odsłaniając smukłe plecy. Skóra w wycięciu koszuli była gładka jak atłas, ciepła i kremowa jak śmietanka.

Podobały się jej przedtem pocałunki w ramię, więc… Pochylił się lekko i uszczypnął zębami kark wyłaniający się zza zasłony lśniących włosów. Westchnęła cichutko. Wówczas obsypał drobniutkimi pocałunkami jej szyję i końcem języka obwiódł kontur ucha.

Zadrżała na całym ciele.

– Wolę… stokroć wolę osobistego lokaja od zwykłej pokojówki…

– Staram się jak mogę, moja najdroższa księżno.

Rozluźnił sznurówkę do reszty, by ściągnąć jej suknię z ramion.

Za pomocą czarujących wygibasów wyplątywała się z kostiumu. Stanik i rękawy opadły do pasa. Kiedy Stephen pomagał jej ściągnąć ciężką jedwabną suknię przez jędrne biodra, zaschło mu w gardle. Szata Ofelii opadła z szelestem na podłogę i oto Rosalinda stała przed nim w samej w koszuli, pończochach i pikowanym gorsecie, niezbędnym przy tak obcisłej sukni. Stephen zsunął jej jedno ramiączko gorsetu i rękawek koszuli, pragnąc ucałować nieskalaną biel ramienia.

– Zdjęłam z siebie tyle ubrania, a ciągle mi gorąco! – powiedziała z leciutkim uśmiechem.

– Widocznie nadal masz go na sobie zbyt wiele.

Ze sznurówką gorsetu uporał się znacznie szybciej niż z tasiemkami sukni. Uwalniając Rosalindę od muślinowej bielizny, pogładził jej smukłą talię.

– Uff! Teraz znacznie lepiej!

Oparła się plecami o niego. Sutki prześwitywały kusząco przez cieniutki batyst koszulki. Zapach jej ciała mieszał się upajająco z wonią róż, których było tu pełno. O Boże! Z zaschniętym gardłem objął jej piersi. Wyczuwał dłońmi ich ciepło i ciężar. Gdy pocałował ją, Rosalinda westchnęła i zadrżała.

– Może już dość tego oczekiwania? – spytała gardłowym głosem i dla podkreślenia tych słów napięła i rozluźniła mięśnie pośladków, którymi opierała się o męża.

Nie powinni się śpieszyć! Nie czeka ich zbyt wiele takich nocy jak ta… Ale Rosalinda miała absolutną rację: w pokoju było stanowczo za gorąco! Odsunął się od żony i zdjął surdut. Zastanawiał się właśnie, czy nie pozbyć się również haftowanej kamizelki, kiedy Rosalinda obróciła się twarzą do niego i zaczęła mu ją rozpinać.

– Teraz ja zabawię się w lokaja, wasza książęca mość!

Odpiąwszy ostatni guzik, uwolniła go od kamizelki i rzuciła ją do tyłu. Kamizelka wylądowała na szezlongu, ustawionym prostopadle do kominka, a Rosalinda przesunęła dłońmi po piersi i ramionach męża. Serce zabiło mu gwałtownie, a w miejscach, których dotknęły jej ręce, czuł zmysłowe dreszcze.

Zaczęła rozwiązywać fular, przyglądając się Stephenowi z wyraźnym podziwem.

– Gdyby nie pech, który sprawił, że zostałeś księciem, zrobiłbyś karierę w teatrze, grając amantów; damy na widowni mdlałyby z uwielbienia! – Rosalinda cisnęła na podłogę chustę i chłodnymi palcami głaskała męża po szyi.

Pochwycił jej rękę i ucałował wnętrze dłoni.

– Wcale nie pragnę uwielbienia nieznanych dam na widowni! Chciałbym się podobać tylko tobie.

Spojrzała na niego ciemnymi oczyma zamglonymi pożądaniem.

– Podobasz mi się, Stephenie. Najbardziej ze wszystkich mężczyzn, jakich znałam.

Jej wargi były soczyste i pełne, niewiarygodnie podniecające. Nachylił się i je ucałował. Była jak przednie wino: wyrafinowana słodycz, cudowny bukiet, odurzająca moc…

Skoncentrował się do tego stopnia na niekończącym się, upajającym pocałunku, że prawie do niego nie docierało, co się z nim dzieje. Rosalinda wyciągnęła mu koszulę zza pasa i rozpięła spodnie. Na koniec przez bieliznę pogładziła nabrzmiałą męskość.

Stephen zesztywniał, krew zahuczała mu w żyłach. Cały świat przestał dla niego istnieć z wyjątkiem pieszczotliwego dotyku jej ręki i własnego dojmującego pożądania. Łóżko znajdowało się na drugim końcu pokoju… stanowczo za daleko. Chwycił Rosalindę na ręce i zaniósł na stojący dwa kroki od nich szezlong. Poddał się ogarniającemu go szaleństwu. Ile jeszcze razy doznają tego, co w tej chwili? Jego życie było jak świeca dopalająca się w mroku nocy, buchająca silniejszym płomieniem, zanim zgaśnie ostatecznie. Ile jeszcze razy będzie głaskał te jedwabiste włosy? Wdychał odurzającą, tajemniczą woń kobiecości? Czuł słonawy smak jej skóry? Ile jeszcze razy rozgorzeje mu we krwi szkarłatna szalona żądza, którą tylko Rosalinda może zaspokoić?

Ściągnął jej koszulę do pasa i przywarł ustami do piersi. Zdławiony jęk Rosalindy był mu ambrozją, pokarmem bogów, afrodyzjakiem, pod którego wpływem zaczął zapamiętale ssać prężący się pod pieszczotą jego języka sutek.

– Stephenie… O Boże!… Stephenie…

Obiema rękami wczepiła się w jego włosy. Palce Rosalindy zaciskały się na nich i rozluźniały w rytmie jej przyspieszonego oddechu.

Podciągnął jej koszulkę nad kolana. Podwiązki haftowane w różyczki podtrzymywały pończochy. Jednym szarpnięciem zębów zerwał podwiązkę. Odfrunęła gdzieś daleko. Lizał wewnętrzną stronę jej uda i czuł, jak krew pulsuje pod gładką skórą, którą pieścił języczkiem.

Miękkie włosy u zbiegu ud były ciemniejsze niż jej płowe loki – w kasztanowym kolorze. Rosalinda pisnęła ze zdumienia, gdy dmuchnął gorącym oddechem na kędzierzawe włoski. Było to jednak miłe zdumienie, nieoczekiwana radość. Tak, radość… i gotowość. Poczucie własnej potęgi go odurzyło. Ucałował kryjące się pod włoskami zagłębienie, wtargnął językiem między śliskie, soczyste fałdki. Rosalinda krzyknęła i uniosła biodra, poddając się rytmicznym muśnięciom języka.

Wstrząsały nią coraz silniejsze dreszcze, aż wreszcie osunęła się bezwładnie na szezlong.

Stephen oparł głowę na jej brzuchu, z trudem łapiąc oddech. Ręka Rosalindy błądziła w jego potarganych włosach.

– O Boże! – szepnęła. – Nie miałam pojęcia…

Przez długą chwilę trwali w milczeniu. Potem Stephen, drżąc z napięcia, opadł na nią, wtargnąwszy udami pomiędzy jej nogi. Podniecony aż do bólu, zagłębił się w niej. Otoczył go żar jej ciała, jedwabistego i spragnionego.

Rosalinda jęknęła, jej oczy rozszerzyły się. Uniosła prawą nogę na tylne oparcie szezlonga, a lewą opuściła aż do ziemi. Otworzyła się przed nim szeroko, objęła go ramionami w pasie i przyciągnęła do siebie. Przylgnęła do niego biodrami i zaczęła nimi kołysać. Wnikał w nią raz za razem, przetaczały się przez niego gorące, rozszalałe fale rozkoszy. Unosił się… szybował w przestworzach…

I runął rozszarpany na strzępy w eksplozji najwyższego uniesienia.

Przycisnął policzek do twarzy Rosalindy, jęcząc z bezsilności wobec potęgi orgazmu, który spadł nań jak piorun i trwał całą wieczność.

Śmierć i przeistoczenie.

Opadł bezwładnie na nią, wyczerpany do cna dygotał, z trudem chwytając powietrze. Kiedy mógł wreszcie poruszyć się, wsparty na łokciu wpatrywał się w rozognioną twarz żony. Płowe loki przylgnęły jej do czoła, w sennych oczach malowało się zaspokojenie. Ten widok sprawił Stephenowi głęboką satysfakcję. Mimo iż nie był doświadczonym kochankiem, zdołał zaspokoić pragnienia Rosalindy i przeżył wstrząsającą ekstazę.

Pocałował żonę w skroń.

– Nie mogę uwierzyć, że znów do tego doszło! – powiedział z żalem. – Miałem takie dobre intencje… Przysięgałem sobie nie spieszyć się, zapoznać gruntownie z każdą cząsteczką twojego ciała…

– W każdym razie ja zapoznałam się bardzo dokładnie z najważniejszymi cząstkami twego ciała – rzuciła przekornie.

Roześmiał się i usiadł na brzegu szezlonga. Wymięta koszulka Rosalindy ledwie zakrywała jej śliczne ciało.

– Jesteś najrozkoszniejszą rozpustnicą, jaką znałem.

Twarz Rosalindy stężała i Stephen zrozumiał, że popełnił błąd. Widocznie uznała jego słowa za przytyk do jej niechlubnej aktorskiej przeszłości. Delikatnie pogładził ją po twarzy, odgarniając wilgotne kędziory z czoła.

– To miał być komplement – wyjaśnił miękko. – Zbyt długo żyłem jak staroświecki ponurak; bardzo sobie cenię to, że jesteś otwarta na wszelkie nowości i reagujesz tak entuzjastycznie.

Z jej twarzy zniknęło napięcie, ale nadal była zażenowana. Obciągnęła koszulę, próbując osłonić się od piersi po kolana.

Pogasił świece; pokój był teraz oświetlony jedynie blaskiem ognia. Wyciągnął rękę do żony. Wstała i ujęła jego dłoń. Razem przeszli na drugi koniec pokoju. Kiedy dotarli do łóżka, Stephen zwrócił się twarzą do Rosalindy i położył ręce na jej ramionach. Choć zaspokoił pożądanie, nadal z prawdziwą radością cieszył oczy jej urodą – i pragnął zobaczyć wszystko, co było do oglądania.

Dżentelmen powinien uszanować skromność damy... ale człowiek, któremu nie pozostało już wiele życia, nie mógł sobie pozwolić na taki luksus. Przesunął dłońmi po jej ramionach i talii, a potem zacisnął palce na fałdach koszulki.

– Pozwolisz?

Nieco zażenowana skinęła głową. Ściągnął jej koszulkę przez głowę. Potem przyklęknął i odpiął drugą podwiązkę – tym razem palcami, nie zębami – po czym zrolował i zdjął jej pończochy. Łydki i kostki u nóg miała niezwykle zgrabne. Z rozkoszą wodził po nich dłońmi.

Podniósł się z klęczek i sycił oczy jej pięknością. Uwolniona od zasłaniającego jej uroki i krępującego ruchy odzienia była wspaniała. Stworzona do miłości, do dawania i brania rozkoszy.

– Jakaś ty piękna – powiedział zdławionym głosem. – Przerażająco piękna. Tak piękna, że aż serce pęknąć może...

Przełknęła z trudem ślinę; jedwabista szyja napięła się z wysiłku.

– Nie mów mi takich rzeczy, bo jeszcze w nie uwierzę!

– No to uwierz wreszcie, Rosalindo! – Podsadził ją na łoże z baldachimem. Potem rozebrał się, boleśnie świadom swej chudości, choć poza tym choroba nie pozostawiła na jego ciele żadnych śladów. Wygląda na to, że próżność była kolejną wadą, z której nie zdawał sobie sprawy. No, cóż... na poprawę wyglądu nie miał co liczyć... Wszedł do łóżka. – Jestem zmęczony, ale nie chcę, by dzień skończył się tak wcześnie.

– Doskonale cię rozumiem!

Rosalinda wzięła go za rękę. Leżał obok niej na boku, z uniesioną głową, by nie tracić żony z oczu. W pokoju naprawdę było gorąco, toteż za milczącym porozumieniem pozostawili zwinięte przykrycie w nogach łóżka i odpoczywali na chłodnej pościeli. Ich dłonie leżały obok siebie, splecione palcami.

Rosalinda z miłością wpatrywała się w niedawno poślubionego męża. Poznawała jego ciało o długich kościach i wyraźnie odznaczających się muskułach. Ciemne włoski układały się w symetryczny wzór na jego piersi i wąskim klinem biegły w dół. Ciało Stephena wydawało się jej kwintesencją wszelkich męskich powabów.

Był to wieczór pełen niespodzianek, a największą z nich było dla Rosalindy odkrycie, czym jest prawdziwa namiętność. Choć oboje z Charlesem czerpali zrozumiałą radość z małżeńskich stosunków, akt miłosny trwał krótko, a Charles zasypiał natychmiast. Rosalinda zaś leżała, wpatrując się w ciemność, póki nie przygasło uczucie niezaspokojenia i tęsknoty nie wiadomo za czym. Teraz, po jednej wspólnej nocy, pojęła, że Stephen jest kochankiem znacznie bardziej szczodrym i pomysłowym od jej pierwszego męża.

Leżąc obok siebie nago, nie czuli się skrępowani, a milczenie im nie ciążyło. Było im po prostu dobrze ze sobą.

– Jest takie stare powiedzonko – mruknęła. – „Odziani w niebo", czyli nadzy. Ładne, prawda?

– „Odziani w niebo"… – powtórzył. – Bardzo mi się to podoba! Pasuje zwłaszcza do ciebie. Szkoda, że nie możesz chodzić w tym stroju od rana do nocy… ale nasz angielski klimat nie pozwala na takie fantazje! I wcale bym nie chciał, by inni mężczyźni oglądali cię w tym stroju!

Rosalinda pomyślała o swej niechlubnej teatralnej przeszłości.

– Nie masz mi za złe, że grywałam męskie role i połowa ludności środkowej Anglii widywała mnie w spodniach?

– Jak mógłbym mieć pretensję o coś, co wydarzyło się dawno temu, zanim się poznaliśmy? Chociaż… – Zawahał się. – To naprawdę nie mój interes, ale… czy był jeszcze ktoś oprócz Jordana?

– Pytasz, czy miałam kochanków? Ani jednego! Nie brak mężczyzn, którzy chętnie by się przespali z aktorką, zwłaszcza gdy ma zbyt obfite kształty. Ale wierz mi, to żadna przyjemność, kiedy po wyczerpującym przedstawieniu jakiś dureń chucha na ciebie piwem i rwie się do obmacywania! Po czymś takim traci się ochotę na rozmowy z lokalnymi miłośnikami teatru.

– Nie masz wcale zbyt obfitych kształtów! – Wyjął ze stojącego obok łóżka wazonu różę na długiej łodyżce i zaczął delikatnie gładzić tym kwiatem piersi Rosalindy. – Jesteś chodzącą doskonałością!

Roześmiała się; muśnięcia chłodnych płatków sprawiały jej przyjemność, podobnie jak subtelna woń róży. Przekonała się, że jeden kwiat pachnie zupełnie inaczej niż cały bukiet.

– Jestem dość atrakcyjna, co bardzo się przydaje aktorce, zwłaszcza gdy nie odznacza się wybitnym talentem. Ale do doskonałości mi daleko!

Ponieważ Stephen sam poruszył temat, ośmieliła się zapytać, nie patrząc na niego:

– A w twoim życiu ile było kobiet?

Pożałowała od razu swej ciekawości. Mężczyźni tak wpływowi i bogaci jak Stephen mieli łatwy dostęp do najpiękniejszych kobiet w Anglii – zarówno kurtyzan, jak i wiarołomnych żon. Rosalinda wiedziała, że większość mężczyzn z arystokracji chętnie korzysta z takich okazji, a Stephen był z natury zmysłowy.

Ku jej zaskoczeniu odparł:

– Ani jednej od chwili, gdy zawarłem pierwsze małżeństwo. Cudzołóstwo budzi we mnie niesmak, a po śmierci Louisy… nie byłem w nastroju do rozglądania się za kochanką.

A więc aż tak kochał swą pierwszą żonę! Rosalinda wolałaby już bardziej, żeby przyznał się do wielu miłosnych przygód. Ależ z niej idiotka! Odparła jednak:

– Miło mi to słyszeć.

Stephen nadal bawił się różą. Teraz muskał nią drugą pierś Rosalindy.

– Przeczuwałem widać, że los chowa dla mnie w zanadrzu kogoś lepszego.

– Nie brakuje ci romantycznych słówek – powiedziała z pewnym roztargnieniem.

Róża w ręku Stephena zachowywała się w zdumiewający sposób! W tej chwili łaskotała sutek, który wyprężył się pod wpływem tych pieszczot, a Rosalinda poczuła bardzo przyjemne mrowienie.

Stephen się roześmiał.

– To nie romantyczne słówka, tylko szczera prawda!

Róża zjechała niżej i usiłowała zajrzeć do pępka. Potem, sunąc po brzuchu, kreśliła na nim dziwne zawijasy. Ukołysana tą monotonną, aksamitną pieszczotą Rosalinda mruknęła sennie:

– Cóż za ironia losu! Gdyby nie twoja choroba, nigdy byśmy się nie poznali! – Urwała nagle w obawie, że popełniła niewybaczalną gafę, wspominając o stanie zdrowia Stephena. Po namyśle doszła do wniosku, że najlepiej będzie mówić dalej, jakby nigdy nic. – Gdybyś mnie ujrzał tylko na scenie, nie poświęciłbyś mi ani jednej myśli!

– Nic podobnego! – zaprotestował, obrysowując różą trójkąt pomiędzy brzuchem a udami. – Zwróciłem na ciebie uwagę, skoro tylko ściągnęłaś z głowy maskę Kalibana. Udałbym się z pewnością za kulisy i przyłączył do roju chuchających piwem durniów, gdybyśmy byli w Londynie i... – Urwał nagle, a potem zakończył niezręcznie: – ...I gdyby sprawy inaczej się przedstawiały.

Jego słowa zawisły w powietrzu, zakłócając pogodny nastrój. W pierwszej chwili Rosalinda chciała zmienić temat, ale potem uświadomiła sobie, że nie mogą wiecznie pomijać milczeniem tego problemu. Odezwała się więc, starannie dobierając słowa:

– Twoja choroba to coś... coś takiego, o czym nie da się zapomnieć, bez przerwy tkwi w pobliżu. Nie wiem, jak należy zachowywać się w takim wypadku. Chyba oboje nie mamy o tym pojęcia. – Spojrzała mu w oczy, próbując coś z nich wyczytać. – Czy chcesz, Stephenie, bym udawała, że nic ci nie dolega? A może wolisz, żebym mówiła o twojej chorobie rzeczowo, tak jak się mówi o ciężkiej zimie, podatkach i innych dopustach boskich, których nie da się zignorować?

Twarz Stephena znieruchomiała. Zrobiło się tak cicho, że Rosalinda miała wrażenie, iż słyszy szelest różanych płatków, ocierających się o jej skórę.

– Oboje obchodzimy na paluszkach problem mojej niedalekiej śmierci – powiedział wreszcie, nadal pieszcząc Rosalindę kwiatem. – Chyba wolę szczerość... Tak, z całą pewnością wolę mówić o tym otwarcie! Mamy zbyt mało czasu, by go marnować na ważenie każdego słówka.

Rosalinda poczuła ogromną ulgę, ponieważ przez cały czas żyła w napięciu, bojąc się powiedzieć coś nieodpowiedniego.

– Jesteś naprawdę niezwykłym człowiekiem, Stephenie!

– Ja? – zdumiał się. – Niezwykłe jest tylko to, że bocian przyniósł mnie bogatej i wpływowej rodzinie!

Rosalinda się roześmiała.

– Naprawdę wierzysz, że wszyscy widzą w tobie tylko książęcy tytuł i bogactwo? Obserwowałam wielu mężczyzn w różnym wieku, różnej pozycji... i możesz mi wierzyć, że zwracałbyś ogólną uwagę bez względu na to, komu bocian by cię podrzucił!

Stephen uśmiechnął się i pokręcił głową.

– Cieszę się, że masz o mnie takie dobre zdanie.

Róża przemieszczała się wolno wzdłuż stykających się ze sobą ud Rosalindy. Pieszczota stała się coraz bardziej intensywna. Rosalindzie aż zaparło dech.

Kwiat znieruchomiał.

– O, przepraszam! – sapnął Stephen. – Czyżbyś miała łaskotki?

– To całkiem przyjemne uczucie – odparła zdławionym głosem, gdyż tlące się w jej wnętrzu węgielki buchnęły żywszym płomieniem. – Dziwi mnie tylko, jak to możliwe, że chwilę po tym, co niedawno robiliśmy…

– Ciekawe… Ja też zadaję sobie to pytanie – mruknął.

Kwiat róży trącał kędzierzawe włoski u zbiegu ud Rosalindy. Jej dotyk był przyjemnie chłodny w porównaniu z rozgorączkowanym ciałem.

– Coś podobnego! Kto słyszał o uwodzeniu za pomocą kwiatka?! – powiedziała ze śmiechem, w którym rozbawienie splatało się z zażenowaniem.

– Gdybyśmy poszperali w antycznych mitach, być może znaleźlibyśmy wzmiankę o Zeusie, który przybrał postać słonecznika, by napastować jakąś nimfę – odparł Stephen z miną poważnego naukowca.

– Niemożliwe! – zaśmiała się Rosalinda. Przymknęła oczy, co zwiększyło jeszcze efekt zmysłowej pieszczoty. Jej nogi same się rozchyliły i taniec płatków róży nabrał zdecydowanie erotycznego charakteru. Krew zaczęła jej pulsować w najbardziej intymnych miejscach. Poruszała niespokojnie biodrami, jakby domagając się nacisku, ciężaru, których brakło w kusicielskich igraszkach róży.

Nagle pieszczotliwe dotknięcia ustały. Rosalinda otworzyła oczy.

– Niedobry kwiatku! Albo raczej: niedobry człowieku! Jak możesz przerywać w takiej chwili?!

– Nie mam wcale takiego zamiaru. Ale uprzedzam: tym razem ty będziesz się musiała przyłożyć do roboty!

Przyciągnął ją do siebie i skłonił, by usiadła na nim okrakiem. Był pobudzony równie mocno jak ona. Choć nigdy dotąd Rosalinda nie kochała się w taki sposób, w zasadzie wszystko wydawało się jej całkiem proste. Uniosła się na kolanach i objęła Stephena udami. Potem wolno, wolniusieńko opuściła się tak, by jego rozgorączkowana męskość ją wypełniła. Wówczas zacisnęła się wokół niego.

Stephen jęknął i schwycił ją rękoma za biodra.

Roześmiała się w głos i oparła głowę na jego ramieniu. Jej biodra, przyciśnięte do bioder Stephena, powoli zaczęły się kołysać. Wszystko to różniło się całkowicie od zaspokajania szaleńczego głodu, którego doświadczyli dwukrotnie. Tym razem zmysłowe odurzenie ogarnęło ją całą, zamiast zogniskować się w jednym miejscu. Rosalindzie bardzo się podobało, że teraz ona nadaje tempo. Wyraźnie czuła, jak serce Stephena zaczyna szybciej bić, sprowokowane wyzywającym ruchem jej bioder. Najbardziej jednak fascynowało ją poczucie wzajemnej bliskości, więź zgoła odmienna od łączącej ich poprzednio gwałtownej namiętności, ale równie głęboka.

Leniwe pieszczoty z wolna stawały się coraz bardziej natarczywe, aż wreszcie Rosalinda przywarła do męża, znacząc mu ramiona swymi paznokciami. Gorączkowo ocierała się o niego. Krzyknęła, a on wydał gardłowy pomruk. Poczuła, jak porusza się konwulsyjnie wewnątrz niej.

Zlane potem ciała odprężały się powoli. Stephen znów zaczął ją pieścić; czuła ciepły dotyk jego ręki na krzyżu. Żadne z nich nie próbowało się rozłączyć. Rosalinda pragnęła pozostać tak na zawsze, nierozerwalnie złączona ze Stephenem.

Zapadając w sen, poczuła, że oczy napełniają się jej piekącymi łzami. Opłakiwała graniczące z bólem piękno miłości, która niebawem zwiędnie jak róża.

20

Jeszcze tylko pięćdziesiąt cztery dni…

Stephen obudził się skoro świt. Rosalinda spała wtulona w niego, z ręką przerzuconą przez pierś męża. Deszcz bębnił o szyby. W perłowym blasku jutrzenki Stephen ujrzał kaskadę splątanych loków żony, spływających na jego ramię. Pogładził ją bardzo ostrożnie po głowie. Westchnęła przez sen i przytuliła się do niego jeszcze mocniej.

Wrócił myślami do wczorajszego dnia. Czuł się doskonale, jeśli nie liczyć jednego ataku bólu, zresztą niewielkiego. A noc poślubna okazała się zapierającym dech ucieleśnieniem zmysłowych marzeń. Nic dziwnego, że pragnął, by następny dzień był równie pomyślny. Marzył o jeszcze jednej równie cudownej nocy. I o takim zachwycającym przebudzeniu z Rosalindą w objęciach i otuchą w sercu.

Zapadł znów w sen i po obudzeniu spostrzegł, że niebo jest już jasne, a deszcz ustał. Rosalinda nadal spała. Najlepszy dowód, że ma czyste sumienie. Jego zaś rozpierała wprost energia. Nie wytrzyma dłużej w łóżku! Chyba że… Przemknęło mu przez myśl, by obudzić żonę i kochać się z nią… ale jako troskliwy mąż pozwolił jej wyspać się do syta. Niech nabierze sił na później!

Zdecydował się na poranny spacer. Ostrożnie uwolnił się z uścisku Rosalindy i zaczął się ubierać. Żona poruszyła się we śnie: zawłaszczyła miejsce, które przed chwilą zajmował, przytuliła się do poduszki, na której pozostał jeszcze odcisk jego głowy. Przypominała rozespane kociątko.

Takie porównanie sprawiło, że postanowił zajrzeć do Porcji. Kotka spała rozkosznie, zwinięta w kłębuszek wewnątrz pudełka, do którego włożyli ją wczoraj wieczorem, nakarmiwszy obficie. Wyjął Porcję ze skrzynki i położył obok Rosalindy. Kociątko ocknęło się na chwilę, ziewnęło potężnie i usnęło z powrotem.

Ubiegłej nocy Stephen nie wziął lekarstwa. Z całym rozmysłem. Nie chciał, by opium wprawiło go w otępienie. Postanowił zażywać odtąd lekarstwo rano, a nie wieczorem.

Połknął pigułkę, po czym ubrał się, skreślił kilka słów do Rosalindy i pozostawił kartkę na nocnym stoliku. Oskubał jedną z róż i obsypał różanymi płatkami swą oblubienicę i jej kota. Porcja otworzyła ślepka, próbując schwytać unoszący się w powietrzu płatek. Potem przewróciła się na grzbiet, wymachując łapkami.

Stephen narzucił płaszcz i zszedł na dół. Było jeszcze bardzo wcześnie i nie spotkał Nylandów. Wyszedłszy na dwór, poczuł w powietrzu jesienny chłód; niebo było zaciągnięte chmurami, niewiele jaśniejsze od ołowianego morza. Była właśnie pora przypływu i piaszczyste ujście rzeki Dee znikło niemal pod falami. Stephen przystanął na niewielkim cyplu wysuniętym na północ w stronę Morza Irlandzkiego. Smagał go morski wiatr. Czuł się tak nieprawdopodobnie żywy i zdrowy! Czyżby porywy namiętności okazały się najlepszym lekarstwem na jego chorobę? Roześmiał się na samą myśl o takiej kuracji. To dopiero byłby szok dla tego ponuraka Blackmera!

Pogodny nastrój nie opuszczał go podczas spaceru. Z powodu porywistych morskich wichrów nie wznoszono nad samym brzegiem żadnych budynków. Jedyny wyjątek stanowiła stara kaplica, zbudowana tu niegdyś z kamienia dla mieszkańców nieistniejącej już rybackiej osady. Stephen napawał się samotnością, której rozkosze odkrył dopiero wówczas, gdy porzucił Ashburton Abbey.

Dotarł już niemal do kaplicy, gdy gwałtowny ból przeszył mu brzuch tak nieoczekiwanie, że zachwiał się na nogach. Dobrnął jakoś do powykrzywianego od wichrów drzewa i przywarł do niego. Wstrząsały nim torsje, choć żołądek miał prawie pusty. Kiedy ustąpiły, przycisnął czoło do pnia. Szorstkość kory była jedynym strzępkiem realnego świata, który nie zatonął w bezmiarze cierpienia.

Z wolna ból nieco zelżał, ale osłabił Stephena tak dalece, że o chodzeniu nie było mowy. Trząsł się z zimna. Obrócił się i oparł plecami o pień, walcząc z bezsilnością i z rozpaczą. Stracił czucie w rękach i stopach; jedynie od czasu do czasu odzywało się w nich niepokojące mrowienie. Czyżby przed śmiercią miał go obezwładnić paraliż? Boże miłosierny! Jak mógł choćby przez chwilę łudzić się, że jest jeszcze nadzieja?!

O powrocie pieszo do Kirby Manor nie było mowy. Zdołał jednak dowlec się do odległej o sto jardów kaplicy. Na szczęście ciężkie drzwi nie były zamknięte. Wszedł do mrocznego wnętrza i osunął się na dębową ławę. Było tu zimno, ale przynajmniej nie czuło się wiatru.

Ponieważ kaplica stała na gruntach należących do Kirby Manor, Stephen płacił za niezbędne remonty budynku i utrzymywanie go w czystości. Przypomniało mu się jak przez mgłę, że niedawno otrzymał list od kongregacji metodystów. Zwrócili się do niego z prośbą, by zezwolił im na odprawianie nabożeństw w starej kaplicy. Był to jeden z licznych listów z prośbami, jakimi zasypywano księcia Ashburton. Chętnie wyraził zgodę, był bowiem zdania, że kaplica powinna służyć wiernym, choćby była to zaledwie garstka dysydentów, a nie wyznawców Kościoła anglikańskiego. Kongregacja, zdumiona tak szybkim spełnieniem ich prośby, wysłała do księcia list z gorącymi podziękowaniami. Stephen wkrótce zapomniał o tej mało istotnej sprawie.

Spojrzenie Stephena pobiegło ku zabytkowym oknom z witrażami, a potem spoczęło na pozbawionym wszelkich ozdób ołtarzu. Stał na nim tylko mosiężny krucyfiks. Metodyści starannie wysprzątali już wnętrze i pobielili stare kamienne ściany, ale nabożeństwa jeszcze się tu nie odbywały. Już wkrótce wnętrze kaplicy powinno wyglądać znacznie lepiej, teraz jednak zionęło grobową pustką.

Każdego ranka Stephen zaraz po przebudzeniu zadawał sobie pytanie: ile dni jeszcze mi pozostało? Teraz zaczął powątpiewać, czy przeżyje nawet te trzy miesiące, które mu gwarantował Blackmer. A zatem, jak długo jeszcze pociągnie: czterdzieści pięć dni? Trzydzieści? O Boże! Nie odmówisz mi chyba przynajmniej miesiąca z Rosalindą?…

Tylko… jak będzie wyglądał ten miesiąc? I jakim prawem żebrze o litość u Boga, w którego nie wierzy? Usta Stephena wykrzywiły się w gorzkim uśmiechu. Nawet tu, w świątyni, która pamiętała zapewne czasy, gdy łodzie wikingów pływały po rzece Dee, nie wyczuwał obecności Boga, nie spłynęło na niego ukojenie, nie wierzył, że jego los jest cząstką dobroczynnego boskiego planu.

Ponura rezygnacja Stephena znikła. Ogarnął go wściekły gniew. To krzycząca niesprawiedliwość, że właśnie teraz, gdy po raz pierwszy w życiu zakosztował szczęścia, musi umrzeć. Znów zostanie sam, i to na wieki! To podłość!

Po raz pierwszy od wielu lat doszedł w nim do głosu zapalczywy temperament Kenyonów. Najchętniej porozbijałby i zniszczył wszystko wokół siebie, by zemścić się za niesprawiedliwość losu. Gwałtowność targającego nim gniewu przyprawiła Stephena o zawrót głowy i pozbawiła tchu. Skrzyżował ramiona na oparciu stojącej przed nim ławy i skłoniwszy na nie głowę, usiłował zapanować nad sobą.

A spoza płomiennej zasłony gniewu dochodziło coraz wyraźniejsze, coraz bardziej naglące pulsowanie lodowatej trwogi.

Rosalinda obudziła się z wrażeniem, że ktoś skacze jej po brzuchu. Otworzyła oczy w samą porę, by ujrzeć czarno-rudy kształt, przeskakujący z łóżka na szezlong. Porcja! Rosalinda uśmiechnęła się od ucha do ucha, widząc, jak niestrudzona kicia z szezlonga przenosi się drogą powietrzną na jedno z krzeseł. Porcja najwidoczniej doszła do siebie po trudach podróży i rozsadzała ją energia.

Ale gdzie się podział Stephen? Rosalinda usiadła na łóżku i poczuła się jak rozpustnica: spała na golasa! Spostrzegła rozsypane po pościeli płatki róży – niemy hołd ze strony niedawno poślubionego męża. Podniosła jeden z różanych płatków i przytknęła do policzka, wspominając nocne igraszki z kwiatem róży. Nieuleczalna rozpustnica!…

Spostrzegła liścik na nocnym stoliku. Sięgnęła po kartkę i przeczytała: *Idę na spacer. Wrócę niebawem na śniadanie. Zgadnij, na co mam największy apetyt? S.*

Zarumieniła się jak wiśnia i wstała z łóżka. Ogień na kominku wygasł, w pokoju było zimno. Umyła się więc i ubrała w pośpiechu. Potem zeszła do kuchni i wyżebrała filiżankę herbaty od całkiem zbitej z tropu pani Nyland; gospodyni nie przywykła, by księżne plątały się jej po kuchni.

Rosalinda wypiła herbatę, a Stephena w dalszym ciągu nie było. Postanowiła więc wybrać się także na przechadzkę. Okryła się peleryną i wyszła na dwór. Na pewno Stephen poszedł wzdłuż wybrzeża na północ, skąd roztaczał się urzekający widok na otwarte morze. W oddali, na drugim brzegu, znajdowała się Irlandia. A za linią horyzontu, w niezmierzonej dali, był tajemniczy nowy świat… Każdego skusiłby taki widok!

Rosalindzie spacerowało się bardzo przyjemnie, mimo iż dzień był zimny i wilgotny, a niebo pochmurne. W dalszym ciągu ani śladu Stephena! Widać udał się w innym kierunku. Postanowiła dojść do małego kościółka na skalnym cyplu i wrócić stamtąd do Kirby Manor. Pewnie Stephen czeka już na nią w domu.

Kamienna kaplica dzielnie stawiała czoło porywistym wiatrom. Najlepszy dowód umiejętności dawnych budowniczych. Powodowana nagłym impulsem Rosalinda pchnęła drzwi. Otworzyły się bez trudu. Weszła do wnętrza i zamarła na widok dobrze znanej postaci w ostatniej ławce. Postaci dziwnie bezwładnej i nieruchomej... Krew zastygła jej w żyłach. Dobry Boże, to Stephen! On przecież... chyba nie...

Nim straszliwe podejrzenie skrystalizowało się w jej mózgu, Stephen podniósł głowę i spostrzegł Rosalindę. Na sekundę długą jak wieczność ich spojrzenia się spotkały. Widać znów złapały go bóle... i to gwałtowne, gdyż jego oczy były puste, martwe i szare. Wyglądał, jakby przybyło mu dwadzieścia lat od ostatniej nocy. A co gorsza, Rosalinda wyczuwała instynktownie, że oddalił się od niej, znalazł się na drugim brzegu bezdennej przepaści, której nigdy nie zdołają przekroczyć.

Ta myśl wydała się jej równie przerażająca, jak straszne podejrzenie, które nasunęło się jej na widok męża. Modląc się w duchu, by tym razem jej przeczucia okazały się nietrafne, odrzuciła kaptur peleryny na plecy i podeszła do Stephena z promiennym uśmiechem na ustach.

– Dzień dobry! Ja też wybrałam się na spacer... miałam nadzieję, że się spotkamy!

Usiadła koło niego w ławce i wzięła go za rękę.

Spojrzenie Stephena pobiegło z powrotem w stronę ołtarza, a ręka, którą trzymała, ani drgnęła. Serce w niej zamarło. Ubiegłej nocy przyrzekli sobie całkowitą szczerość, a ona już po kilku godzinach złamała dane słowo.

Stephen może nawet nie słyszał jej niemądrej uwagi, gdyż spytał posępnie:

– Boisz się śmierci, Rosalindo?

Kolejna próba szczerości!

– Boję się bólu – odparła z namysłem. – A ponieważ kocham życie, nie chcę umrzeć.

– Czyżbyś wierzyła w niebo i piekło? Skrzydlate anioły i pokraczne diabły z widłami? – spytał ironicznym tonem.

– Sama nie wiem. – Westchnęła, czując, że zawiodła jego oczekiwania. – Żałuję, że nie stać mnie na mądrzejszą odpowiedź... Ale nigdy nie rozmyślałam poważnie o religii i związanych z nią sprawach.

Na ustach Stephena pojawił się niewesoły uśmiech.

– Za to ja ostatnimi czasy wiele o nich myślę.

– Sądząc po tym, nie podniosło cię na duchu.

– Moim zdaniem religia to zwykłe oszukaństwo. Bajeczka dla tych, którzy nie zaznali szczęścia w życiu. – Zacisnął wargi. – Obiecanki cacanki, na które nabierają się tylko głupcy.

– Nieprawda! – zaprotestowała. – Wielu mądrych ludzi wierzy w Boga. A świat jest zbyt piękny i zbyt złożony, by mógł powstać ot tak, przez przypadek!

Ucałował palce żony.

– Udowodnij mi, że istnieje inne życie prócz tego, które toczy się wokół nas, Rosalindo, a będę ci wdzięczny do śmierci! – Uśmiechnął się blado. – To znaczy niezbyt długo!

Przytuliła jego rękę do swego policzka, walcząc ze łzami. Ubiegłej nocy łącząca ich namiętność była taka gorąca, taka żywiołowa, że wydawała się niezniszczalna. A tego ranka ujrzała piętno śmierci na twarzy męża.

Puścił jej rękę i wstał.

– Trzęsiesz się z zimna. Najwyższy czas odstawić cię do domu i posadzić przed kominkiem.

Skinęła głową potakująco i wyszła z kościelnej ławki. Chciał pójść za nią, ale ledwie trzymał się na nogach. Chwycił się oparcia, żeby nie upaść. Przerażona Rosalinda zawołała:

– Nie starczy ci sił, Stephenie! Pobiegnę do dworu i wrócę tu powozem!

– Nie! – Stephen wyprostował się, twarz jego miała zawzięty wyraz. – Czuję się doskonale.

– Nie pleć głupstw! – odparła. Nie chciała sprzeciwiać mu się, ale z bólem uświadomiła sobie, jak bardzo jest chory. – Zaczekaj tu na mnie! Wrócę za pół godziny ze stangretem.

Obrzucił ją lodowatym spojrzeniem.

– Nasze małżeństwo było pomyłką – rzucił szorstko. – Przeżyliśmy razem piękny dzień, ale teraz wracaj do swoich i zapamiętaj mnie takim, jaki byłem wczoraj.

Spoglądała na niego w osłupieniu.

– Pozbywasz się mnie następnego dnia po ślubie?!

– Nie obawiaj się, dostaniesz wszystko, co ci obiecałem. – Bezmyślnie zginał i rozluźniał palce, nie był w stanie zacisnąć dłoni w pięść. – Chcesz, żebym przepisał na ciebie Kirby Manor? Chyba ci się tu spodobało. Nie wchodzi w skład majoratu, więc mogę nim dysponować jak zechcę. Dostaniesz posiadłość razem z rentą zapewniającą należyte utrzymanie.

Rosalinda nauczyła się powściągać gniew, ale tym razem nie wytrzymała.

– Jak śmiesz?! – wybuchnęła. – Myślisz, że wyszłam za ciebie dla twoich parszywych pieniędzy?! Jeśli jeszcze raz o tym wspomnisz, zamorduję cię własnymi rękami! – Łzy zaczęły jej spływać po policzkach. Otarła je ze zniecierpliwieniem. – Niech cię wszyscy diabli, Stephenie! Co ci takiego zrobiłam, że chcesz się mnie pozbyć?

Na chwilę zaległa przeraźliwa cisza. Potem Stephen podszedł do żony i objął ją tak mocno, że omal nie połamał jej żeber.

– Niech to szlag!… Przepraszam, Rosalindo – powiedział z rozpaczą. – Nie ma w tym żadnej twojej winy, tylko… Nie mogę znieść myśli, że będziesz widziała, jak stopniowo umieram. Myślałem, że jakoś to zniosę… ale im bliżej końca, tym bardziej mnie to przeraża!

Ukryła twarz na jego ramieniu. Był taki jej bliski, choć znali się zaledwie od sześciu tygodni. Kiedy przekonała się już, że głos jej nie zawiedzie, powiedziała:

– Czyżbyś zapomniał przysięgi, którą złożyliśmy? Na dobre i złe, w zdrowiu i w chorobie, póki śmierć nas nie rozłączy. Wiedziałam, co mnie czeka, kiedy zgodziłam się wyjść za ciebie. Nie pozwól, by ból zatarł to w twojej pamięci! – Przechyliła głowę na bok i spojrzała na niego zadziornie. – A poza tym z pewnością jest jakaś reguła, która zabrania dyktować księżnej, co ma robić!

– Widzę, że czujesz się coraz lepiej w książęcej skórze. – W oczach Stephena pojawił się błysk wesołości, ale zaraz znowu spochmurniał. – Pragnę mieć cię przy sobie. Bardzo tego pragnę. Ale moja duma i poczucie sprawiedliwości nie pozwalają mi więzić cię przy sobie.

– A moja duma się nie liczy? – spytała z nutką ironii. – Drugi mąż pozbywa się mnie nazajutrz po ślubie… Nie przeżyję takiej hańby! Pierwszy mąż miał mnie dość dopiero po sześciu miesiącach!

Głos jej się załamał, a łzy trysnęły znów z oczu. Odwróciła głowę, łudząc się, że Stephen tego nie zauważy. Był jednak zbyt spostrzegawczy.

– Bardzo cierpiałaś z powodu zdrad Jordana, choć udawałaś, że ci wszystko jedno, prawda?

Przytaknęła ruchem głowy.

– Gdyby moi rodzice dowiedzieli się, jaka jestem nieszczęśliwa, rozpętałoby się piekło… I kto wie, czy nie przestałaby istnieć nasza trupa.

Mój ojciec chybaby zabił Charlesa! A już z pewnością kazałby mu wynosić się gdzie pieprz rośnie... A ja stanęłabym w obliczu alternatywy: obowiązek wobec męża czy przywiązanie do rodziców... Ukrywałam więc przed światem wszystkie eskapady Charlesa i udawałam, że jego zachowanie nic mnie nie obchodzi. Łudziłam się, że z czasem naprawdę zobojętnieję... ale było mi coraz ciężej i ciężej. Odczułam prawdziwą ulgę, kiedy wyjechał do Dublina. Nawet kiedy został zabity, w pierwszej chwili ulżyło mi... i zaraz potem zaczęły mnie dręczyć straszne wyrzuty sumienia.

Stephen łagodnie głaskał ją po plecach.

– Nie poszczęściło ci się w małżeństwie. Najpierw wiarołomca... a teraz zdechlak. Zasługujesz na coś znacznie lepszego!

Nie mogła na to pozwolić, by martwił się o nią. Miał dość własnych problemów, znacznie poważniejszych. Zdołała się jakoś opanować.

– Moje małżeństwo z Charlesem należy do przeszłości. Obchodzi mnie tylko chwila obecna. Nie mam powodu do narzekania na układ, jaki ze sobą zawarliśmy. – Spojrzała mu prosto w oczy i wykorzystując całe swe doświadczenie sceniczne, postarała się, by jej słowa zabrzmiały szczerze. – Nie mamy zbyt wiele czasu. To bardzo smutne, ale dzięki temu nigdy się sobą nie znudzimy. A jeśli któremuś z nas sprzykrzy się to małżeństwo, nie będzie musiał długo cierpieć skutkiem tej pomyłki. Nie grozi nam też zwykła szara codzienność, która zżera jak rdza nawet najlepsze małżeństwa. Będziemy zbierać samą śmietankę! Pomyśl tylko: radosne podniecenie, wzajemna fascynacja, poznawanie kogoś bliskiego od podszewki...

– Przedstawiasz to w niezwykle interesującym świetle – powiedział. – Nie dotarło do ciebie, że nasza śmietanka z pewnością skwaśnieje... ale masz rację, że nuda nam nie grozi.

– W takim razie dość tego gadania o odsyłaniu mnie do rodziców! – Cofnęła się o krok i naciągnęła kaptur na głowę. – I tak nie odjadę, żebyś wiedział! Muszę zachować twarz!

Jego śmiech zabrzmiał całkiem szczerze.

– Rozmowa z tobą jest lekarstwem lepszym od wszelkich pigułek! Zgoda. Obiecuję nie poruszać tego drażliwego tematu przez dwa tygodnie. Delektujmy się przez ten czas śmietanką, którą tak zachwalasz! – Podał jej ramię. – A teraz zastanówmy się, jak najprzyjemniej spędzić czas. Chętnie zostałbym tu kilka dni, a potem moglibyśmy udać się do Londynu. Po drodze zwiedzilibyśmy to i owo... Jest kilka miejscowości, które od dawna chciałem poznać bliżej, ale nigdy nie było czasu... Może i ty masz jakieś specjalne życzenia?

Oparła się na jego ramieniu.

– Zawsze chciałam zwiedzić York. Możemy tam pojechać?

– Oczywiście! – Otworzył przed nią drzwi kaplicy. – Sam miałem ochotę zobaczyć krainę jezior... ale uprzedzam, że to będzie bardzo krótka wizyta!

Słońce przedarło się przez chmury. Rosalinda uznała to za dobry omen. Stephen znowu wyglądał prawie tak jak wczoraj; nadal jednak – choć bardzo dyskretnie – trzymał się od niej na dystans.

Stephen chciał ją mieć przy sobie, ale nie mógł pogodzić się z myślą, że będzie świadkiem jego słabości. Może i jej to trzymanie się na dystans ułatwi przebrnięcie przez najbliższe tygodnie?

A jednak żal jej było ogromnie tamtej wzajemnej bliskości z ubiegłej nocy.

21

Lord Michael Kenyon – zaanonsował majordomus.

Michael wszedł do saloniku w Bourne Castle; jego towarzysz trzymał się z tyłu, kilka kroków za nim. Siedzący przy kominku i popijający nieco spóźnioną popołudniową herbatę księstwo Candover zerwali się na widok Michaela i pospieszyli z uśmiechem na jego powitanie.

– Cóż za miła niespodzianka, Michaelu! – powiedział Rafe, ściskając z całej siły dłoń przyjaciela. – Zjawiasz się w samą porę. Za dwa dni nie zastałbyś nas w domu: wybieramy się do Londynu.

– Obawiałem się, że już wyjechaliście; przecież „mały sezon" w pełni! – Michael uwolnił rękę z uścisku Rafe'a i zwrócił się do księżnej. – Jak miło cię widzieć, Margot! Twoja śliczna buzia to prawdziwa radość dla oczu!

Uściskała go serdecznie.

– Jak się miewają Catherine i dzidziuś?

– Oboje po prostu kwitli, kiedy ich ostatni raz widziałem... całe wieki temu. – Zwrócił się do swego towarzysza, który stał tuż przy drzwiach, wyraźnie skrępowany. – Rafe, Margot, pozwólcie, że wam przedstawię doktora Blackmera.

Po dokonaniu prezentacji Margot obrzuciła Michaela bystrym spojrzeniem i oznajmiła:

– Obaj zostaniecie oczywiście na noc. Pozwoli pan, doktorze, że wskażę panu pokój gościnny? Będzie pan mógł wypocząć i odświeżyć się przed obiadem. Ciebie, Michaelu, ulokujemy tam gdzie zawsze.

Wyprowadziła Blackmera z saloniku, umożliwiając mężowi rozmowę w cztery oczy z przyjacielem.

– Siadaj! – Rafe nalał Michaelowi herbaty i doprawił ją szczodrze koniakiem. – Cholerna plucha! Wyglądasz jak obraz nędzy i rozpaczy. Dobrze ci zrobi wzmocniona herbatka.

– Pogoda w sam raz dla kaczek, ale nie dla ludzi. – Michael usadowił się w fotelu z wysokim oparciem; poczuł, że po raz pierwszy od otrzymania listu od Blackmera opuszcza go napięcie. Gorąca, doprawiona koniakiem herbata przyjemnie rozgrzewała.

Rafe wrócił na swoje miejsce.

– Ostatnimi czasy w naszych stronach nietrudno się natknąć na Kenyona!

Michael nadstawił uszu.

– Widziałeś się z moim bratem?

– Owszem, Ashburton zjawił się tu kilka tygodni temu. – Candover się uśmiechnął. – W charakterze aktora. Wspaniale zagrał Tezeusza w *Śnie nocy letniej*.

Michael aż się wychylił z fotela.

– Jak wyglądał?

– Miał perukę i sztuczny zarost, nikt by się nie domyślił, że ukrywa się pod tym książę Ashburton. Ale Margot poznała go po głosie. Pogadałem sobie z nim po przedstawieniu. Odniosłem wrażenie, że się znakomicie bawi.

– Nie wyglądał na chorego?

Rafe zmarszczył czoło.

– Chyba nie. Czyżby mu coś dolegało?

Michael odstawił filiżankę i wstał z fotela.

– Mój brat jest ciężko chory. Blackmer twierdzi, że umierający. Kiedy oznajmił mu, w jak ciężkim jest stanie, Stephen bez zwłoki opuścił Ashburton Abbey. Nawet nie zabrał ze sobą lokaja. Nie powiedział, kiedy wróci. W końcu Blackmer napisał do mnie… i od tej pory uganiam się po całej Anglii w poszukiwaniu zaginionego brata. – Michael krążył nerwowo po salonie. – Ale szukaj wiatru w polu! Nawet Lucien i ci jego okropni agenci nie mogli nam pomóc.

Rafe spoważniał.

– Tak mi przykro… Ale może ten doktor się myli?

– Któż to wie? Blackmer nie jest gadatliwy, ale sam fakt, że przyczepił się do mnie jak rzep i razem szukamy Stephena, nie wróży nic dobrego. Widzę, jaki jest zaniepokojony. Pewnie się boi, że zanim natkniemy się na Stephena, będzie… – Michael urwał i z najwyższym wysiłkiem zakończył zdanie: – …Będzie za późno.

Rafe, który bardzo rzadko klął, wymamrotał pod nosem coś naprawdę paskudnego.

Michael zerknął z ukosa na przyjaciela.

– Ale mówiłeś, że Stephen dobrze wyglądał?

Książę się zawahał.

– Nie widziałem go w pełnym świetle, ale chyba był znacznie chudszy i twarz miał taką ściągniętą… Wtedy nie zwróciłem na to uwagi, bo był w doskonałym humorze.

– Myślisz, że nadal włóczy się z tą trupą?

– Być może… choć wspomniał w rozmowie ze mną, że niebawem wraca do normalnego życia. – Brwi Rafe'a zbiegły się nad nosem. – Dzień czy dwa później prosił mnie przez posłańca, bym podesłał mu kogoś zaufanego, komu mógłby powierzyć ważne zlecenie. Wybrałem Gardinera, pomocnika rządcy. Pojechał do Londynu i wrócił po trzech dniach.

– Nie wiesz, co mu Stephen kazał załatwić w Londynie?

– Nie wypytywałem Gardinera, bo to przecież nie mój interes. Tobie jednak może przydadzą się te informacje. Poślę po niego!

Książę zadzwonił na lokaja i polecił mu wezwać pomocnika rządcy. Kiedy lokaj wyszedł i zostali znów sami, zagadnął Michaela:

– Czy nie lepiej zaczekać, aż zguba sama się odnajdzie? Twój brat zawsze był rozsądny i zrównoważony. Z pewnością wróci do domu, kiedy uzna to za stosowne!

– Czyżby? Już miesiąc z okładem, jak wyjechał i nie daje znaku życia! Blackmer zapewnia, że ta choroba nie powoduje utraty zmysłów, ale czy to pewne? Stephen zachowuje się tak dziwacznie, że obawiam się najgorszego. – Usta Michaela wykrzywił gorzki grymas. – Opuszcza dom. Podróżuje bez służącego. Występuje na scenie pod przybranym nazwiskiem. Zawsze był miłośnikiem teatru, ale doprawdy trudno uwierzyć…

– Lepiej w to uwierz. – Książę Candover wypił resztkę herbaty i odstawił filiżankę. – Masz jakiś konkretny powód, by szukać Ashburtona z takim pośpiechem?

Krążący po pokoju Michael znalazł się w pobliżu okna.

– Jest wiele konkretnych powodów, dla których chcę odnaleźć go jak najszybciej… ale nie jest to sprawa życia lub śmierci. – Wpatrywał się niewidzącymi oczyma w deszcz za oknem. – Ja… ja nadal nie mogę uwierzyć, że mój brat umiera. Muszę ujrzeć to na własne oczy. Przekonać się, czy naprawdę jest tak ciężko chory, jak twierdzi ten ponurak Blackmer. A jeśli to prawda, to chcę, by go obejrzeli Ian Kinlock… i Catherine. Nowatorskie metody Iana i pielęgniarskie talenty Catherine uratowały mi niegdyś życie. Może zdołają ocalić Stephena?

– A jeśli dla niego nie ma już ratunku?

– W takim razie chcę się przynajmniej pożegnać z moim bratem. – Michael z trudem przełknął ślinę. – Powiedzieć mu, ile dla mnie znaczy… zwłaszcza teraz. Kenyonowie to twardzi ludzie, trudno ich wysłać na tamten świat. Liczyłem, że mamy jeszcze trzydzieści, może nawet czterdzieści lat na braterskie pogaduszki… – Potarł kark, boleśnie zesztywniały po wielu dniach szaleńczej jazdy i ciągłego niepokoju. – To dziwne, jak wiele jest rodzajów przyjaźni… Cała nasza czwórka, ty, Luce, Nicholas i ja, dorastała razem. Wiemy o sobie wszystko, znamy swoje sekrety, nawet te najbardziej wstydliwe. Mam do was absolutne zaufanie. Ale Stephen to mój rodzony brat! Łączą nas więzy krwi, wspomnienia z dzieciństwa i podobieństwo charakterów. Czasem to bywa niewygodne. Przez wiele lat boczyliśmy się na siebie ze Stephenem. Ale kiedy go zabraknie, w moim życiu powstanie luka, której nikt inny nie zdoła zapełnić. Chcę… muszę powiedzieć mu o tym!

– Zawsze żałowałem, że nie mam rodzeństwa – stwierdził Rafe. – Ale teraz sam już nie wiem, co o tym myśleć. Czy twoje słowa są dla mnie pociechą? Dowodem, że los jedynaka jest lżejszy? A może wzmagają jeszcze mój żal?

Michael zawahał się i po namyśle odparł:

– Myślę, że lepiej kochać kogoś i stracić go niż nie kochać wcale. Ale gdy odchodzi ktoś, kogo kochamy, to piekielnie boli!

Kiedy zaś umiera brat – pełen życia, starszy zaledwie o dwa lata – uświadamiamy sobie własną śmiertelność. Zwłaszcza jeśli nie jest to szybka śmierć w zamęcie bitwy, której Michael nieraz spoglądał w oczy. Śmierć z powodu choroby, śmierć rozłożona na raty to osobisty wróg, zdradziecko przyczajony. Jeśli nieuleczalna choroba pokona Stephena, to i jego, Michaela, może spotkać to samo. I Catherine. Nawet ich małego synka. Świadomość uniwersalnej śmiertelności była nie do zniesienia!

Żaden z przyjaciół nie odezwał się do chwili, gdy przybył pomocnik rządcy.

Michael odwrócił się od okna i zmierzył wzrokiem młodego, krępego rudzielca.

Nieco zaniepokojony Gardiner spytał:

– Wasza książęca mość mnie wzywał?

Książę Candover skinął głową.

– Lord Michael Kenyon, brat księcia Ashburtona, chciałby się dowiedzieć, Gardiner, co jego książęca mość polecił ci załatwić w Londynie.

– Odprowadziłem konia jego książęcej mości do stajni przy Ashburton House. I zabrałem ubrania jego książęcej mości, które spakowała gospodyni. Potem zrealizowałem czek księcia w jego banku. A na koniec udałem się do Kolegium Prawa Cywilnego po specjalną licencję.

Słuchaczom odebrało mowę ze zdumienia.

– Niech to diabli! Wysłał cię do Londynu po indult?! – Michael zapytał wreszcie takim tonem, jakby nie mógł w to uwierzyć.

– Tak jest, milordzie. – Gardiner, ujrzawszy wyraz twarzy Michaela, bezwiednie cofnął się o krok. – To był główny cel mojej podróży. Wszystko inne załatwiłem przy okazji.

Ponieważ Michael był o krok od wybuchu, Rafe wyręczył go, zadając następne pytanie.

– Czy pamiętasz nazwisko panny, którą książę Ashburton zamierzał poślubić?

Twarz Gardinera spochmurniała.

– Bardzo mi przykro, wasza książęca mość. Po prostu oddałem kanceliście pisemną prośbę księcia Ashburtona i odebrałem dokument. – Zastanowił się przez chwilę i dodał z nadzieją w głosie: – Książę pan nie powiedział tego otwarcie, ale odniosłem wrażenie, że chce poślubić jedną z dziewcząt z trupy Fitzgeralda.

– Aktorkę?! – W ustach Michaela słowo to zabrzmiało jak najgorsze wyzwisko. – A ty do tej pory siedziałeś cicho?!

– Komuś takiemu jak ja nie przystoi krytykować decyzji jego książęcej mości, milordzie.

Candover rzekł:

– Jeśli to już wszystko, co masz nam do powiedzenia, możesz odejść, Gardiner. Dzięki za informacje.

Ledwo drzwi zamknęły się za pomocnikiem rządcy, Michael wybuchnął:

– Rany boskie! Żebym tylko zdążył na czas! Stephenowi rzuciło się na mózg, nie ulega wątpliwości! Inaczej nigdy by nie pomyślał o ożenku z bezczelnym wyciruchem spod latarni!

– Zakup licencji nie jest równoznaczny z małżeństwem – przypomniał mu Rafe. – A poza tym, jeśli twój brat chce się ożenić, nie możesz mu tego zabronić.

– Mógłbym przynajmniej spróbować – odparł posępnie Michael.

Candover westchnął.

– Nie jestem wcale przekonany, że to ladacznica. Fitzgerald to wyjątkowo przyzwoity facet, dżentelmen z urodzenia i wychowania. Trupa, którą kieruje wraz ze swą żoną, cieszy się ogólnym poważaniem, co stanowi rzadkość w świecie teatru.

– No, sam przyznałeś, że przyzwoitość w teatralnym światku to prawdziwy unikat! – rzucił sarkastycznym tonem Michael. – Nie pragnę bogactw Stephena! Ale prędzej mnie szlag trafi, niż pozwolę, by jakaś pazerna harpia wykorzystała słabość mego brata, by dorwać się do jego pieniędzy!

– Może po prostu zakochali się w sobie?

Michael prychnął pogardliwie.

– Cynik z ciebie – zauważył beznamiętnym tonem Rafe. – Ale choćby nawet to nie była miłość, jakim prawem chcesz pozbawić swego brata czegoś, co może mu osłodzić ostatnie chwile życia?

Michaelowi twarz się skurczyła.

– Stephen to człowiek o wyrobionym smaku, a jego zmarła żona była wzorem wszelkich cnót. Nie mogę uwierzyć, by wulgarna i wyrachowana awanturnica mogła mu osłodzić ostatnie chwile życia!

– No, właśnie… jego zmarła żona. Aż tak ją lubiłeś i podziwiałeś, że nie możesz znieść, by jej miejsce zajęła kobieta z gminu?

Michael się zawahał.

– Tyle lat służyłem w wojsku… Prawdę mówiąc, nigdy nie poznałem bliżej Louisy. Była bardzo piękna. Miała nienaganne maniery. Pozostały po niej cudowne hafty…

Rafe uniósł brwi.

– I dzięki tym zaletom uszczęśliwiła męża?

– Tego nie wiem – przyznał Michael. – Ale zawsze odnosili się do siebie z taką kurtuazją…

– Jakoś mi to nie wygląda na małżeńską idyllę – zauważył sucho Rafe. – Wiem z doświadczenia, że łatwo poznać parę zakochanych, jeśli nawet nie czulą się na ludzkich oczach. Jeżeli nigdy nie dostrzegłeś nic więcej prócz wzajemnej uprzejmości, śmiem przypuszczać, że było to małżeństwo ułożone przez obie rodziny. Robili dobrą minę do złej gry, choć twojego brata pociągały zapewne kobiety w innym typie.

– Na przykład aktorki z prowincjonalnych teatrzyków? – obruszył się Michael.

– No, cóż... ja poślubiłem kobietę szpiega, Nicholas metodystkę trudniącą się belferką, Lucien złodziejkę, która nawiasem mówiąc, była obiecującą aktorką komiczną, a ty ożeniłeś się, bez urazy, z notoryczną kłamczuchą – wyliczał Rafaał, a jego szare oczy błyszczały wesołością. – Czemu więc Stephen nie miałby poślubić aktorki?

Michael wiedział doskonale, że przyjaciel z rozmysłem go prowokuje. Zdusił w sobie gniew.

– Niezbyt ładnie się wyrażasz o Catherine i wszystkich żonach z naszego kółka. Robisz im krzywdę, bo choć zachowują się niekonwencjonalnie, każda z nich to prawdziwa dama!

– Skąd wiesz, że przyszła żona Stephena nie jest również damą?

Michael westchnął i przeczesał palcami włosy.

– Kompletnie otępiałem ze zmęczenia. Mów jasno i prosto, o co ci chodzi!

– Wiem, że gotów jesteś bronić Stephena nawet przed nim samym – powiedział łagodnie Candover. – Ale nie można uchronić dorosłego mężczyzny od popełnienia głupstwa... jeśli rzeczywiście zachowuje się niemądrze. Jeżeli więc odnalazłszy wreszcie brata, rzucisz się z wrzaskiem do ataku niczym szwadron kawalerii, jeżeli zaczniesz wyzywać jego nowo poślubioną żonę od pazernych dziwek, skutki będą katastrofalne. Ashburton jako dżentelmen z pewnością wystąpi w obronie czci swojej żony, nawet przeciw tobie. A jeśli w dodatku kocha tę kobietę, twoja porywczość doprowadzi do zerwania wszelkich stosunków między wami. I kto wie, czy zdążycie załagodzić sprawę przed jego śmiercią. Gdybyście się nie pogodzili, dręczyłbyś się tym do końca życia.

Słowa przyjaciela ugodziły Michaela z siłą kowalskiego młota.

– O mój Boże! – jęknął. – Chyba nigdy nie nauczę się rozumu! Ileż to razy przez te wszystkie lata dawałeś mi dobre rady?

– Mnóstwo razy.

– A ile z nich brałem sobie do serca?

Rafe się zastanowił.

– Mniej więcej co drugą.

– No to możesz zaliczyć dzisiejszy przypadek do twoich sukcesów. – Michael stanął znów przy oknie. Dżdżysty dzień kończył się wczesnym zmierzchem. – Jeśli będę miał okazję spotkać się z nową księżną Ashburton, okażę jej wszelkie względy, bez względu na to, czy jest ich godna, czy nie. – Uśmiechnął się blado. – Ale i ty przyjmij ode mnie radę: nigdy nie porównuj oficera piechoty do wrzeszczących kawalerzystów!

Candover wybuchnął śmiechem.

– Wezmę to pod uwagę następnym razem, gdy trzeba będzie wygłosić ci kazanie.

O tym, że kolejne kazanie niebawem nastąpi, Michael był święcie przekonany. Dobrze znał swój wybuchowy charakter. Ale dzięki kazaniom przyjaciela wykazywał nieco więcej rozsądku. Postanowił odnaleźć trupę Fitzgeralda i dowiedzieć się, czy małżeństwo zostało zawarte. Jeśli tak, spróbuje dowiedzieć się, kim jest nowa księżna.

Kiedy wreszcie odnajdzie marnotrawnego księcia, będzie miał na uwadze przede wszystkim dobro Stephena i jego szczęście. A jeżeli okoliczności zmuszą go do prawienia uprzejmości tej dziwce, jakoś to zniesie.

22

Rosalinda zerkała ciekawie z okna powozu na rojne ulice Londynu.

– Nie byłam tu od dzieciństwa. Myślałam, że w moich wspomnieniach jest sporo dziecięcej przesady, ale miasto wydaje mi się jeszcze większe i ruchliwsze, niż sądziłam!

Stephen się uśmiechnął.

– Przy opisie Londynu trudno o przesadę.

– Na przykład jeśli chodzi o jego zapachy?

Rosalinda zmarszczyła nosek z niesmakiem. Miała nadzieję, że Mayfair okaże się mniej wonne i hałaśliwe. Umościła się wygodnie na siedzeniu i poszukała ręki męża. Czuła potrzebę dotykania go przy każdej okazji, jakby w ten sposób mogła zatrzymać go przy sobie na zawsze.

Mimo kapryśnej jesiennej pogody ich krótki miesiąc miodowy był po prostu cudowny. Po dniach pełnych wesołości następowały noce wypełnione oszałamiającą namiętnością. Być może odczuwali wszystko intensywniej, wiedząc, jak krótkie będzie ich małżeńskie pożycie. Rosalinda nieraz wybuchała płaczem, uświadamiając sobie nagle, jak szybko upływa czas. Nigdy jednak nie płakała w obecności męża.

Stephen znosił heroicznie kolejne ataki bólów; na szczęście żaden z nich nie dorównywał intensywnością tamtym dwóm, których była świadkiem. Przeważnie obojgu nieźle szło udawanie, że wszystko jest w najlepszym porządku. Jednak od pamiętnego ranka po nocy poślubnej rozdzielała ich niewidoczna, nieprzekraczalna bariera.

Woleli o tym nie wspominać. Zamiast dyskutować na kłopotliwe tematy, podziwiali stare mury Yorku i York Minster, jedną z najwspanialszych katedr na terenie Brytanii. Kraina jezior także nie zawiodła ich oczekiwań – niezwykle malownicze połączenie skalistych wzgórz o stromych zboczach i jezior o spokojnej toni. Na brzegu jeziora Windermere wynajęli łódź i pływali w ciszy po lustrzanej powierzchni spowitych mgłą wód. Stephen okazał się niezrównanym towarzyszem podróży. Jego niezwykłe zainteresowanie światem przypominało nienasyconą ciekawość dziecka. Różnica polegała tylko na tym, że dziecko zafascynowane jest tym, co widzi po raz pierwszy, on zaś ogarniał wszystko wzrokiem po raz ostatni. Był wyraźnie rad z tego, że może się z kimś podzielić swymi spostrzeżeniami. A Rosalinda była szczęśliwa, że ma go przy sobie.

Powóz zatrzymał się raptownie. Porcja, oparta o klamkę przy oknie, straciła równowagę. Z iście kocią zręcznością spadła na cztery łapki. W ciągu ostatnich dwóch tygodni wyraźnie urosła i zadziwiająco łatwo przystosowała się do koczowniczego trybu życia.

Stephen chwycił kotkę, pogłaskał pieszczotliwie i wsadził z powrotem do pudełka.

– Grosvenor Square. Jesteśmy na miejscu!

Stangret otworzył drzwiczki, a Stephen pomógł żonie wysiąść z obryzganego błotem powozu. W zapadającym zmierzchu Ashburton House przybrało (przynajmniej w oczach Rosalindy) nadnaturalne rozmiary. Zebrała wszystkie siły i wzięła się w garść. W czasie podróży poślubnej posługiwali się rodowym nazwiskiem Stephena. Jako państwo Kenyonowie spotykali się wszędzie z uprzejmością należną osobom z towarzystwa; nie zwracali jednak powszechnej uwagi. Bardzo to Rosalindzie odpowiadało. Teraz jednak przybyli do Londynu. Stephen był znów księciem Ashburton, ona zaś jego małżonką, niegodną tego zaszczytu. Księżną.

Zmusiła się do uśmiechu.

– Rezydencja jest doprawdy imponująca!

– Aż za bardzo. – Stephen, z kocią skrzynką w jednej ręce i z Rosalindą wspartą na jego drugim ramieniu, wspiął się po szerokich schodach do głównego wejścia. – Spędzenie kilku nocy pod rząd w tym samym łóżku powinno być miłą odmianą. Chciałbym jednak czym prędzej wrócić do Ashburton Abbey. Wyruszymy tam, jak tylko pozałatwiam wszystkie interesy.

Pragnął umrzeć w Ashburton Abbey. Zwierzył jej się z tego, kiedy zwiedzali groby królewskie przy katedrze York Minster.

Stephen długo dobijał się do drzwi. W końcu pojawił się w nich lokaj w liberii. Ujrzawszy, kto stoi na progu, skamieniał.

– W... wasza książęca mość!... N...nie spodziewaliśmy się... – wydukał wreszcie.

– Wiem – odparł Stephen. – Zabawimy tu co najmniej dwa tygodnie, Milton. Zawieś z powrotem kołatkę na drzwiach★. I powiadom o naszym przybyciu resztę służby. Zjemy lekką kolację, ale przedtem chcemy wziąć gorącą kąpiel. Jak najprędzej. – Przyciągnął do siebie Rosalindę. – Oto nowa księżna Ashburton. Macie spełniać wszelkie jej rozkazy.

Po czym wręczył lokajowi kocią skrzynkę.

– To kotka księżnej pani. Zanieś ją niezwłocznie do naszych apartamentów.

Milton omal nie upuścił cennego pudła, gdy z wnętrza rozległ się chrapliwy protest oburzonej Porcji. Pomknął czym prędzej spełnić rozkazy księcia, trzymając skrzynkę z najwyższą ostrożnością. Stephen odwrócił się do żony i wziął ją na ręce.

– Pora przenieść cię przez mój drugi próg!

Rosalinda roześmiała się, a on wniósł ją do domu.

– Zostały nam jeszcze trzy progi... bo doszłam do wniosku, że darujemy sobie myśliwski domek!

– Rozsądna decyzja. – Postawił żonę na lśniącej marmurowej posadzce i zaczął całować tak, że ugięły się pod nią kolana. Wówczas uniósł głowę i obdarzył ją ujmującym uśmiechem. – Witaj w Ashburton House, droga księżno!

Ogarnęło ją pojawiające się od czasu do czasu uczucie, że ktoś tak pełen życia jak Stephen po prostu nie może umrzeć. Wiedziała jednak z doświadczenia, że taka niczym nieusprawiedliwiona nadzieja rozpłynie się zaraz w potokach łez. A w obecności Stephena nie pozwalała sobie na żadne łzy.

Prowadził ją w stronę schodów.

– Dowiemy się, czy jutro wieczór Edmund Kean występuje w teatrze przy Drury Lane. Chciałabyś go obejrzeć?

– Jeszcze jak!

★ Brak kołatki na drzwiach frontowych był widomym znakiem, że właściciel przebywa poza rezydencją. Ten ogólnie przyjęty zwyczaj ułatwiał życie domownikom: nie musieli w kółko powtarzać tych samych wyjaśnień nieproszonym gościom.

Nadal uśmiechała się z ożywieniem. Kiedy jednak przyjrzała się wszystkim otaczającym ją wspaniałościom, na które nie szczędzono złota, westchnęła w duchu: Daj Boże, żebyśmy jak najprędzej przenieśli się do Ashburton Abbey! Ta przytłaczająca swym przepychem miejska rezydencja nigdy nie stanie się domem prowincjonalnej aktorki, wchodzącej z najwyższym trudem w skórę księżnej.

Jeszcze tylko trzydzieści dziewięć dni...

Pierwszy poranek w Londynie powitał Stephena monotonnym bębnieniem kropel jesiennego deszczu o okna sypialni. Nie podziałało to na niego przygnębiająco, ponieważ miał przy sobie Rosalindę, przytuloną plecami do jego piersi. Leżał bez ruchu, rozkoszując się miękkością jej ciepłego ciała i gładkością nagiej skóry. Cenił sobie podobne chwile równie wysoko jak szaleńczą namiętność, która jednoczyła ich w mroku nocy. Ponieważ niezmiennie spali wtuleni w siebie, szybko doszli do wniosku, że koszule nocne tylko by im zawadzały.

Gładził ją po włosach, zdumiewając się raz jeszcze, jakim cudem odnalazł taki skarb. Dzięki pogodnej naturze Rosalindy ostatnie tygodnie należały do najszczęśliwszych w jego życiu. Pod każdym względem stanowiła przeciwieństwo jego pierwszej żony. Ani razu nie spędził całej nocy w łóżku Louisy. Wspominał swe pierwsze małżeństwo z żalem i z poczuciem winy. Gdyby zadał sobie więcej trudu, może zdołałby dotrzeć do namiętności kryjącej się za maską dobrego wychowania? A może inny mężczyzna obdarzyłby Louisę szczęściem, którego on nie potrafił jej dać? Nigdy się tego nie dowie.

Odpędził od siebie myśli o pierwszej żonie i pocałował Rosalindę w głowę. Jak wszystkie dzieci z jego sfery miał francuską nianię i mówił jej językiem równie płynnie jak po angielsku. W swoim czasie odkrył, że jest stworzony do wyrażania uczuć. Dlatego też posłużył się nim i teraz.

– Moja słodka księżno – szepnął – urzekasz mnie!

Rzęsy śpiącej Rosalindy zadrżały.

– O mój najdroższy! – szepnęła w nienagannej francuszczyźnie.

Stephen zdumiał się i przemówił do niej znów po francusku. Ponownie odpowiedziała mu w tym języku. Wymienili w ten sposób kilka zdań, zanim otworzyła oczy. Obdarzyła go uroczym, sennym uśmiechem.

– Dzień dobry! – powiedziała po angielsku.

– Dzień dobry! – odparł, owijając sobie wokół palca jeden z jej loków. – Nie wiedziałem, że znasz francuski!

Rosalinda się roześmiała.

– Bo go nie znam. Papa mówi po francusku, gdyż wychowano go na dżentelmena, ale reszta naszej rodziny zna tylko parę francuskich zwrotów z tej czy z innej sztuki.

Stephen pomyślał, że jak zwykle żona nie docenia swych umiejętności. Powtórzył jedno ze zdań wymówionych przed chwilą.

Rosalinda zmarszczyła czoło.

– Co to znaczy? Mam dziwne wrażenie, że te słowa są mi znane… Ale nic nie rozumiem.

– Tymi słowy odpowiedziałaś na moje pytanie, zanim się obudziłaś. – Końcem języka obwiódł kontur jej uszka. – Czyżbyś była rodowitą Francuzką?

Zastanowiła się, ale po chwili pokręciła głową.

– Bardzo wątpię! Według mamy mówiłam płynnie i poprawnie po angielsku, kiedy znaleźli mnie i zabrali ze sobą.

– Gdybyś była tak obrzydliwie błękitnokrwista jak ja, mogłabyś nauczyć się francuskiego od niani – podsunął Stephen. Rozmowa zeszła na bardzo interesujące tory, ale miała charakter wyłącznie teoretyczny. Nie było większej nadziei, że dowiedzą się prawdy o pochodzeniu Rosalindy. Natomiast jej prześliczne ciało wprost kusiło do sprawdzenia metodą empiryczną, jak też zareaguje na takie czy inne bodźce. Stephen wsunął rękę pod kołdrę i zaczął kreślić esy-floresy na brzuchu żony. – Dochodzę do wniosku, że małżeństwo ma tylu zwolenników, gdyż łączy w sobie maksymalną ilość pokus z optymalnymi warunkami do ulegania im.

Ze śmiechem przewróciła się na wznak i jej ręce też zabrały się do roboty.

– Uważam, że to genialne odkrycie, warte uwiecznienia jako… pewnik Ashburtona!

Ściągnął żonie kołdrę do pasa i pochylił się, by ucałować jej pierś. Westchnęła z rozkoszą, a zaraz potem pisnęła, gdy ścisnął sutek wargami.

Natychmiast przerwał pieszczotę.

– Wybacz, kochanie! Nie chciałem sprawić ci bólu.

– I nie sprawiłeś! – zapewniła go. – Jestem dziś trochę przewrażliwiona. – Uśmiechnęła się łobuzersko. – Coś mi się zdaje, że te partie mej anatomii, do których masz szczególne upodobanie, są nieco… sfatygowane.

214

– Coś podobnego! – Próbował zliczyć, ile razy kochali się zapamiętale od dnia ślubu, a potem odsunął się od żony. – Może istotnie lepiej zwolnić tempo.

– Ani się waż! – Jej bezczelna ręka sunęła prosto do celu. – Tylko żartowałam, najdroższy! Każdy wie, że praktyka prowadzi do doskonałości.

Leniwa pieszczota jej ręki pozbawiła go tchu.

– Oj, pani Kaliban! Przez ciebie moje najlepsze intencje biorą w łeb! – szepnął i okrywając jej brzuch pocałunkami, dodał: – Daj mi znać, gdyby inny fragment twej anatomii domagał się remontu!

Sądząc z przyspieszonego oddechu żony, wszystko w niej działało bez zarzutu.

Zanim Stephen poddał się wszechogarniającej namiętności, pomyślał: O, tak! Małżeństwo to znakomity wynalazek!

Zmęczona miłością Rosalinda znów zapadła w sen. Stephen obudził ją pocałunkiem w ucho.

– Wybacz, kochanie – szepnął. – Muszę dziś rano spotkać się z moim adwokatem.

Od dnia ślubu prawie się nie rozstawali, ale miesiąc miodowy musiał kiedyś dobiec końca. Pokryła rozczarowanie ziewnięciem.

– Wobec tego jeszcze trochę pośpię. Cóż za pochmurny ranek!

– Śpij, śpij! Byleś się obudziła w porę, żeby zdążyć na spektakl przy Drury Lane.

Pogładził ją leciutko po policzku i przeszedł do garderoby.

Rosalinda znowu zasnęła. Obudziła się godzinę później, nie całkiem przytomna. Co prawda członkowie wędrownej trupy aktorskiej byli przyzwyczajeni do ustawicznego przenoszenia się z miejsca na miejsce, ale podróż ze Stephenem odbywała się w znacznie szybszym tempie. Pomyślała, że pewnie dlatego jest ostatnio ciągle zmęczona. Ziewnęła, zwiesiła nogi z łóżka, już miała wstać, ale strasznie się jej zakręciło w głowie i opadła znów na łóżko.

Zawrót głowy wkrótce minął. Rosalinda wstała, tym razem bez pośpiechu, modląc się w duchu, by nie przyplątało się do niej jesienne przeziębienie. Nie chciała tracić cennego czasu na chorowanie. Narzuciła szlafrok i zadzwoniła na służbę, by przyniesiono jej gorącą wodę do kąpieli. Taka kuracja powinna ją uleczyć z wszelkich dolegliwości. Przecież była zawsze zdrowa jak rydz! Zbyt zdrowa jak na damę.

Podczas kąpieli zwróciła uwagę na niezwykłą wrażliwość piersi. Musi wytrzeć je bardzo ostrożnie ręcznikiem po wyjściu z wanny. Pewnie zbliża się jej miesięczna przypadłość. Ile to czasu upłynęło od poprzedniej?

Odpowiedź na to proste pytanie poraziła ją niczym piorun. Miesiączki miała zawsze regularne. Co cztery tygodnie, zawsze w piątek po południu, jak w zegarku.

A tu masz: cały tydzień opóźnienia!

Starała się opanować i myśleć logicznie. W początkach swego pierwszego małżeństwa skłoniła Marię, by wymieniła jej wszelkie oznaki wczesnej ciąży. Nadaremnie wyczekiwała upragnionych objawów przez trzy lata małżeństwa, coraz bardziej tracąc nadzieję.

Tak, ale teraz miała innego męża! Zrzuciła z siebie ręcznik i podeszła do dużego ściennego lustra, chcąc obejrzeć dokładnie całe ciało. Maria twierdziła, że najpierw, prawie natychmiast, można dostrzec zmiany w piersiach. Czy jej biust się powiększył? Tak, piersi były chyba trochę pełniejsze i stały się wrażliwe jak nigdy dotąd.

A co z innymi objawami? Mama wspominała o niezwykle wyczulonym węchu. A ona przedwczoraj, wjeżdżając do Londynu, wyjątkowo silnie zareagowała na wielkomiejskie zapachy (żeby nie powiedzieć smrody!) Uczucie ciągłego zmęczenia. A jakże! Była teraz bez przerwy zmęczona. Dopiero co miała zawrót głowy, co nigdy dotąd jej się nie zdarzało.

Stała tak, wpatrując się w swoje odbicie w lustrze… i nagle zyskała pewność. Wiedziała już, że jest w ciąży. Oboje ze Stephenem byli przekonani, że nie doczekają się nigdy własnego dziecka. A jednak wspólnie dali początek nowemu życiu w tamto pamiętne popołudnie na zalanym słońcem stryszku, po którym harcowały kocięta.

Oszołomiona tą nowiną Rosalinda otuliła się szlafrokiem i padła na krytą brokatem sofę, na której wylegiwała się Porcja. Kotka wskoczyła jej na kolana, a potem wdrapała się na ramię swojej pani. Rosalinda w roztargnieniu gładziła jedwabiste futerko. Od tamtego popołudnia spędzonego w stodole czuła się inną kobietą. Sądziła jednak, że zachodzące w niej zmiany mają podłoże emocjonalne: narodziny miłości i zawarcie małżeństwa. A tymczasem przyczyna była głębsza. Organiczna. Rosalinda miała ochotę otworzyć okno i radosnym głosem obwieścić całemu miastu o swoim szczęściu. Kiedy tylko Stephen wróci do domu…

Nie dokończyła myśli, bo nastąpiło nagłe otrzeźwienie. Za wcześnie na to, by powiadomić męża! Gdyby opisała lekarzowi ledwo dostrzegalne symptomy i wspomniała o intuicji, która podszeptywała, że rodzi się w niej nowe życie, pewnie by ją wyśmiał... I miałby rację.

Siląc się na obiektywizm, próbowała rozważyć inną ewentualność: gwałtowne pragnienie macierzyństwa zakłóciło trafność jej osądu. Gdyby oznajmiła mężowi, że jest w ciąży, a potem okazałoby się to pomyłką, byłby to dla Stephena dotkliwy cios. Musi więc zaczekać z ogłoszeniem radosnej nowiny do chwili, gdy będzie miała pewność.

Pogrążona w marzeniach opadła na sofę, tuląc Porcję w ramionach tak, jak tuliłaby niemowlę. Złożyła należny hołd logice, więc mogła słuchać znów głosu intuicji. Czuła po prostu w kościach, że nosi pod sercem dziecko. Urodzi je szczęśliwie i będzie zdrowiusieńkie! Ze względu na ciągłość rodu przydałby się chłopiec... zwłaszcza że Stephen zapewniał, iż jego bratu kamień spadnie z serca... Ale dziewczynka będzie równie mile widziana.

Na jej radosne marzenia padł cień, gdy uświadomiła sobie, że Stephen nie doczeka narodzin dziecka... chyba że zdarzy się cud.

Po tej pierwszej bolesnej refleksji niebawem pojawiła się druga. Jeśli istotnie ma urodzić dziecko Stephena, musi zrezygnować z powrotu do rodziny.

Wychodząc za Stephena, zamierzała towarzyszyć mu aż do śmierci, potem zaś wrócić do swoich. Jednak nienarodzone dziecko udaremniło raz na zawsze poprzednie plany, uczyniło ją więźniem świata, do którego wcale nie pasowała. Jej syn zostanie kiedyś księciem, a jej córka wielką damą. Obowiązkiem Rosalindy, księżnej wdowy, będzie wychowanie jedynego dziecka Stephena w sposób odpowiadający jego pozycji w świecie. To zaś oznaczało, że ona sama musi przywyknąć do życia w kręgach arystokracji.

Teraz, gdy u jej boku stał Stephen, miała szansę na to, żeby zaakceptowało ją środowisko męża. Musi wykorzystać kilka tygodni pobytu w Londynie na zawarcie znajomości z jego przyjaciółmi. Jeśli nie zrazi ich swą powierzchownością i brakiem obycia, może zechcą ją tolerować nawet po śmierci męża – choćby ze względu na Stephena i jego dziecko.

Jeszcze ważniejsze było znalezienie wspólnego języka z rodziną męża, gdyż jako matka małego Kenyona stanie się jedną z nich. Pomyślała o wyniosłej damie, starszej siostrze Stephena, i o jego młodszym bracie. Jeśli chcąc nie chcąc, zaakceptują ją, zażądają pewnie, by zerwała wszelkie więzi ze swą nisko urodzoną rodziną. Nie miała oczywiście zamiaru wyrzekać się Fitzgeraldów, ale musi być przygotowana na naciski ze strony Kenyonów i wieczną wojnę nerwów.

Rosalinda westchnęła i przymknęła oczy. Nie będzie martwić się na zapas! Teraz dołoży wszelkich starań, by zyskać aprobatę londyńskiej śmietanki towarzyskiej. Przede wszystkim zadba o szykowne stroje. Na szczęście powłóczyste szaty, będące ostatnim krzykiem mody, skutecznie zatuszują jej poszerzającą się talię. Następnie oboje ze Stephenem powinni wziąć udział w kilku imprezach towarzyskich „małego sezonu". Zrobi wszystko, by oczarować przyjaciół Stephena. Nie pozwoli, by przypięto jej raz na zawsze etykietkę „komediantki, która uwiodła Ashburtona na łożu śmierci!" Udowodni całemu światu, że ma dość ogłady, by zyskać prawo wstępu na londyńskie salony. Musi tego dokonać dla dobra dziecka!

Rosalinda położyła rękę na brzuchu i na jej twarzy pojawił się uśmiech. Przyszłość nie będzie łatwa, ale, jeśli przeczucie jej nie zawodzi, będzie miała dla kogo żyć i znosić wszelkie trudności!

23

Stephen opadł z westchnieniem na poduszki powozu. Trudno o coś bardziej przygnębiającego niż ranek spędzony w towarzystwie adwokata na sporządzaniu ostatecznej wersji testamentu. W dodatku w najbliższych dniach czekało go więcej podobnych spotkań. Co prawda większość dóbr objęta majoratem po jego śmierci automatycznie przejdzie w ręce Michaela, ale Stephen posiadał również pokaźny majątek osobisty, którym musiał rozporządzić teraz według własnej woli. Do licha! Przygotowanie się na śmierć było wyjątkowo żmudnym i skomplikowanym procesem!

Dobrze przynajmniej, że mógł już teraz wrócić do Rosalindy. Przy niej zapominał o zmęczeniu i ciągłych bólach.

Natychmiast po powrocie do Ashburton House oddał mokry płaszcz i kapelusz lokajowi i ruszył na poszukiwanie żony.

Nagle znów odezwał się stukot kołatki. Lokaj otworzył drzwi, wpuszczając gościa. Hrabina Herrington. Claudia! Stephen zebrał wszystkie siły. Wolałby odłożyć to spotkanie, ale w tej sytuacji nie miał wyboru. Zmusił się do uśmiechu i powitał siostrę.

– Dzień dobry, Claudio!

Hrabina jak statek na pełnych żaglach przepłynęła majestatycznie obok lokaja. Słuszny wzrost Kenyonów i kunsztownie upięte, lśniące kasztanowate włosy potęgowały jeszcze ogólne wrażenie nieco wzgardliwej wyniosłości.

– Przejeżdżałam obok Ashburton House i zauważyłam kołatkę na drzwiach. Cieszę się, że zdecydowałeś się przyjechać do Londynu w trakcie „małego sezonu", Stephenie. W sąsiedztwie Ashburton Abbey nigdy nie znajdziesz odpowiedniej żony. – Musnęła policzek brata chłodnym, ledwie wyczuwalnym pocałunkiem i ciągnęła: – Wyobraź sobie, pokojówka powtórzyła mi dziś rano wyjątkowo niedorzeczną plotkę! Usłyszała rzekomo od swej kuzynki, zatrudnionej w którymś z pobliskich domów, żc przybyłeś wczoraj do Londynu z nową żoną! Powiedziałam, że z pewnością coś jej się pokręciło.

Nie chcąc rozwijać tego tematu w obecności lokaja, książę ujął siostrę pod ramię i wprowadził do saloniku.

– Wyglądasz znakomicie, Claudio! Jakże się miewaj Andrew i dzieciaki?

Hrabina uśmiechnęła się; nie był to sztuczny salonowy uśmiech.

– Miewają się doskonale, dzięki za pamięć. James czuje się w Cambridge jak ryba w wodzie! Studia całkiem go pochłaniają.

Raczyła go rodzinnymi ploteczkami. Książę zadzwonił na służbę. Niebawem przyniesiono na tacy herbatę i ciastka. Kiedy zostali znów sami, Stephen oznajmił siostrze:

– Szczerze mówiąc, przekazana ci przez pokojówkę informacja jest całkiem prawdziwa. Istotnie przyjechałem wczoraj ze swą niedawno poślubioną małżonką.

Claudia zakrztusiła się herbatą i zaczęła kasłać. Kiedy odzyskała już dech i mowę, wykrzyknęła:

– Zdumiewające! Czyżbyś ożenił się z córką Chumleighów? To w promieniu czterdziestu mil od Ashburton Abbey jedyna panna, która dzięki urodzeniu i pozycji od biedy nadaje się na twoją żonę. Nawet niebrzydka… choć muszę przyznać, że jej koneksje nie imponują mi specjalnie.

– Ożeniłem się z kimś, kogo nie znasz.

Stephen zamierzał właśnie rozwinąć ten temat, gdy drzwi się otworzyły i ukazała się Rosalinda. Z uśmiechem szła przez pokój do męża, nie zauważywszy Claudii.

– Czy rozmowa z adwokatem bardzo cię zmęczyła? Ułożyłam już program dla nas na popołudnie i jeśli tylko zechcesz, spróbuję cię rozweselić – powiedziała, całując go mocno.

Stefan widząc, że nie uniknie konfrontacji, oddał żonie pocałunek, po czym wziął ją za rękę i odwrócił twarzą do gościa.

– Rosalindo, mamy pierwszego gościa. Jest nim moja siostra, hrabina Herrington. Claudio, to moja żona Rosalinda.

Claudia wpatrywała się w nową bratową, zbita z tropu tak dalece, że odebrało jej mowę. Opanowała się jednak i powiedziała:

– Proszę wybaczyć... To takie nieoczekiwane...

Rosalinda była również zaskoczona tym spotkaniem, ale uśmiechnęła się przyjaźnie.

– To dla mnie prawdziwy zaszczyt i wielka radość, lady Herrington.

Stephen był dumny z żony. Dostrzegł napięcie na twarzy Rosalindy, ale zachowała się bez zarzutu.

Claudia zmarszczyła brwi.

– Pani twarz wydaje mi się znajoma... ale nie mogę sobie przypomnieć, gdzieśmy się spotkały. Wolno spytać o pani rodowe nazwisko?

Spodziewając się w każdej chwili ataku i pragnąc ściągnąć ogień przede wszystkim na siebie, Stephen wyręczył żonę w odpowiedzi.

– Panna Fitzgerald. Ale kiedy poznałem Rosalindę, była już wdową, panią Jordan.

Nastąpiła chwila ciszy. I nagle Claudia zerwała się z miejsca.

– Już wiem, gdzie ją widziałam! Podczas przedstawienia w Candover Castle. Komediantka! Wystąpiła w roli elfa... w wyjątkowo nieprzyzwoitym kostiumie!

– Cóż za znakomita pamięć do twarzy, pani hrabino! – zauważyła obojętnym tonem Rosalinda.

Ignorując jej uwagę, Claudia z oburzeniem zaatakowała brata.

– Jak mogłeś, ty, Ashburton, ożenić się z pospolitą komediantką?! – Urwała i dodała niemal błagalnym tonem: – To tylko żart, prawda? Ona jest oczywiście twoją kochanką! Zawsze miałeś osobliwe poczucie humoru. Wstydziłbyś się doprawdy! Jak można przedstawiać rodzonej siostrze kochanicę?!

Stephen odetchnął głęboko.

– Bynajmniej nie żartuję, Claudio. Rosalinda jest moją żoną, księżną Ashburton.

Claudia osłupiała, ale już chwilę później jej piwne oczy zabłysły gniewem.

– Ty... ty odrażający rozpustniku! Prawdziwy dżentelmen nie afiszuje się z kochanką. A już z pewnością się z nią nie żeni! Nie masz za grosz taktu! Ani przyzwoitości! Co by na to powiedział ojciec?! – Spojrzała na Rosalindę z najwyższą odrazą. – Padłby trupem na widok hańby, jaką na nas ściągnąłeś!

Ręka Rosalindy zaczęła drżeć w uścisku męża. Na sekundę ogarnęła go nieposkromiona wściekłość. Opanował się jednak, uprzytomniwszy sobie, jak bardzo pragnie zbliżyć się znów z siostrą, nim będzie na to za późno. Jeśli teraz nie powściągnie języka, wszelkie szanse na pojednanie zostaną zniweczone.

– Jestem pewien, że ojciec nie pochwaliłby mego wyboru – powiedział sucho. – Ja również nie zawsze byłem zachwycony jego postępkami. Ostatecznie każdy ma prawo do własnego zdania.

Claudia oblała się ciemnym rumieńcem. Przez chwilę Stephen był pewien, że siostra ciśnie w niego torebką.

– Oszczędź mi tych kpin! Boże litościwy! Często zadawałam sobie pytanie, jakim cudem ktoś tak wyzuty z wszelkiej godności może być synem naszego ojca! Czyżbyś był owocem jednego z godnych pożałowania romansów naszej matki?!

– Dość tego! – rzucił ostrym tonem. – Wiem, że to był dla ciebie szok. Gdybym miał trochę czasu, postarałbym się przekazać ci tę wiadomość bardziej oględnie. Ale nie zmienia to istoty rzeczy. Rosalinda jest moją żoną i nie pozwolę jej znieważać.

– Jesteś tchórzem, Stephenie, niegodnym tytułu i rodowego nazwiska! – wyrzuciła z goryczą Claudia.

Rosalindzie zaparło dech, gdy to usłyszała. Obawiając się reakcji żony, Stephen uścisnął ostrzegawczo jej rękę.

– Obawiam się, że twoje poglądy na temat godności różnią się diametralnie od moich. Proszę cię tylko o jedno, Claudio: nie osądzaj z góry mojej żony, lecz postaraj się ją poznać. Przekonasz się, że nie przynosi wstydu swej nowej rodzinie. Raczej zaszczyt! A w każdym razie jest mniej zepsuta i ma znacznie lepsze maniery niż nasza matka.

– Gdyby ojciec żył, wyparłby się ciebie! – oświadczyła jego siostra drżącym głosem. – A ponieważ nie ma go wśród nas, ja go zastąpię. Nie jesteś już moim bratem!

Wykręciła się na pięcie i ruszyła ku drzwiom.

Stephen poczuł współczucie dla siostry.

– Wiem, Claudio, że w twoich oczach nikt nie dorasta do piet naszemu ojcu, którego ubóstwiasz. I masz do mnie pretensję o to, że nie próbuję upodobnić się do twego ideału. Ale fakt pozostaje faktem: teraz ja jestem księciem Ashburton i głową rodziny. Jeśli zerwiemy ze sobą stosunki, nic dobrego z tego nie wyniknie. Przysporzymy jedynie bólu tym, których kochamy. Spróbuj zaakceptować mnie takim, jaki jestem, nie uprzedzaj się do kobiety, którą wybrałem!

Jego siostra zatrzymała się na moment i zwróciła ku niemu twarz białą jak kreda.

– Nie mogę, Stephenie – wyszeptała. – Nie mogę!

I ze łzami w oczach podbiegła do drzwi.

Kiedy zamknęły się za nią z trzaskiem, zapadła głucha cisza. Stephen odetchnął z trudem.

– Bardzo mi przykro, Rosalindo, że musiałaś być świadkiem tej nieprzyjemnej sceny.

Choć starała się zachować spokój, głos jej się rwał, kiedy zwróciła się do męża:

– Wiedziałam, że będziesz miał przykrości z powodu naszego małżeństwa... ale nie sądziłam, że tak cię to skłóci z jedyną siostrą! Och, Stephenie! Wybacz mi! To z mojego powodu spotkało cię takie nieszczęście...

Przyciągnął ją do siebie i mocno przytulił.

– To przecież nie twoja wina, tylko Claudii! Przez całe życie robiła, co mogła, by zyskać aprobatę ojca. Bezskutecznie. My dwaj, Michael i ja, niezależnie od siebie doszliśmy do wniosku, że choćbyśmy dali z siebie wszystko, jemu zawsze będzie za mało. Postanowiliśmy więc ratować się, każdy na swój sposób. Michael zdecydował się na otwarty bunt, ja wybrałem bierny opór. Ale biedna Claudia nadal rozpaczliwie usiłowała stać się dla niego idealną córką.

Pomyślał ze smutkiem o dawnych czasach, gdy byli jeszcze dziećmi. Claudia matkowała mu, wywiązując się z tej roli znacznie lepiej niż prawdziwa matka. Jedno z najwcześniejszych wspomnień Stephena wiązało się z Claudią: gdy stawiał dopiero pierwsze kroki, podszedł do niej, a ona uściskała go z całej siły.

– Wielka szkoda, że przejęła po ojcu jego najgłupsze uprzedzenia.

Rosalinda ukryła twarz na ramieniu męża.

– Czy twój brat zareaguje równie gwałtownie?

– Ależ skąd! Michael będzie zaskoczony, może z początku odniesie się do tego krytycznie, ale nie potępi nas od razu i postara się poznać cię bliżej. – Stephen gładził żonę po włosach i modlił się w duchu, by jego przewidywania okazały się słuszne. – A kiedy to nastąpi, z pewnością zrozumie i w pełni zaakceptuje mój wybór.

Rosalinda podniosła głowę i próbowała się uśmiechnąć.

– Wiesz co? Rano po twoim wyjściu podjęłam ważną decyzję. Postanowiłam, że z tobą u boku stawię czoło wielkiemu światu! Nie będę się kryła po kątach. Niech nikt sobie nie wyobraża, że jestem zbyt nieokrzesana, by wziąć udział w życiu towarzyskim! Ale teraz... – Głos jej się załamał. – Nie jestem pewna, czy starczy mi odwagi...

Scysja z siostrą sprawiła, że Stephen z tym większym zapałem podchwycił sugestię żony.

– Oto najwłaściwsze rozwiązanie! Wystroimy cię w modne fatałaszki i udowodnimy wszystkim, że zdobyłem prawdziwy skarb! Niech się londyńska elita przekona, że książę Ashburton jest dumny ze swej żony. – Ucałował ją i spojrzał bacznie w jej ciemne oczy. – Zapomnijmy o tym, co cię spotkało ze strony Claudii. Nic równie przykrego już się nie zdarzy. Słowo honoru!

Nie był pewny, czy Rosalinda mu uwierzyła. Podniosła jednak dumnie głowę i powiedziała:

– Zrobię wszystko, żeby ci nie przynieść wstydu.

– O żadnym wstydzie nie ma mowy! Chociaż Claudia stroi takie fochy, jakbym był zbrodniarzem i zdrajcą, nie jestem pierwszym z parów Anglii, który ożenił się z aktorką. Elisabeth Warren, córka wędrownych komediantów, była gwiazdą teatrów w Covent Garden i przy Drury Lane. A teraz jest hrabiną Derby i cieszy się ogólnym poważaniem. Jak widzisz, inni wpadli wcześniej na ten sam pomysł co my.

Rosalinda uśmiechnęła się smutno.

– Z tego, co mówisz, wynika, że panna Warren była znacznie lepszą aktorką niż ja. Może utalentowanym ludziom łatwiej uzyskać ogólną aprobatę?

– Liczy się tylko twój charakter, a nie to, gdzie występowałaś. – Stephen zastanowił się przez chwilę. – Ponieważ wieść o naszym małżeństwie już się rozeszła za pośrednictwem gadatliwej służby, do tej pory co najmniej połowa Londynu wie już o naszym małżeństwie. Wobec tego wystawimy cię na pokaz dziś wieczorem, w teatrze przy Drury Lane. Po południu wybierzemy się do renomowanej modystki, ale nowe stroje będą gotowe dopiero za dwa, trzy dni. Musimy wyczarować dla ciebie jakąś kreację na dziś wieczór… Może w szafach Catherine znajdzie się coś odpowiedniego.

– O czym ty mówisz? – spytała podejrzliwie.

– Michael i jego żona zatrzymują się w Ashburton House, ilekroć przyjeżdżają do Londynu. Catherine przechowuje tu swoje najwspanialsze toalety, gdyż w Walii nie ma okazji wystąpić w pełnej gali. – Zmierzył żonę od stóp do głów z wyraźną aprobatą. – Jesteś od niej trochę wyższa, ale przypominasz ją z figury i postawy. Któraś z jej sukien z pewnością będzie na ciebie pasować; ubierzesz się w nią do teatru.

Rosalindzie zaparło dech. Stanęła jak wryta.

– Nigdy w życiu nie włożę cudzej sukni bez pozwolenia właścicielki! Nie chcę mieć wroga w twojej bratowej, a może i w twoim bracie!

– Catherine z pewnością nie pogniewa się na ciebie o takie głupstwo. Ręczę głową!

Rosalinda prychnęła pogardliwie.

– Tylko mężczyzna może powiedzieć coś równie głupiego! Od piętnastu lat mieszkałyśmy z Jessicą w jednym pokoju, a mimo to nie odważyłabym się pożyczyć czegoś z jej garderoby… i to bez pytania!

– Catherine to nie Jessica – stwierdził beztrosko Stephen. – No, chodź! Zobaczymy, co zostawiła w szafie.

Rosalinda się poddała. Pozwoliła, by mąż zaprowadził ją do apartamentów swojego brata. Uczyniła to przede wszystkim dlatego, że łatwiej było ustąpić, a potem stwierdzić stanowczo, że nic jej nie odpowiada, niż dyskutować z mężczyzną, który nie miał pojęcia o skomplikowanych problemach kobiecej duszy.

Pokoje Michaela i Catherine były równie wspaniałe jak książęce apartamenty. Rosalinda weszła do środka, czując się bardzo niepewnie. Niemal się spodziewała, że Michael, były oficer „o siedmiomilowym wzroku", jak to określił Stephen, wyskoczy z jakiegoś kąta i spiorunuje ją wzrokiem. Jednak nikogo tu nie było, w apartamencie panowała cisza, meble były osłonięte pokrowcami z szarego płótna. Stephen pociągnął żonę do garderoby, w której po przeciwległych stronach stały dwie szafy. Otworzył jedną z nich.

Rosalinda zrobiła wielkie oczy. Podczas swych występów na scenie nosiła najrozmaitsze kostiumy, począwszy od żebraczych łachmanów, kończąc zaś na zakupionych okazyjnie toaletach, które znudziły się arystokratycznym właścicielkom, ale po drobnych przeróbkach nadawały się jak najbardziej na scenę. Nigdy jednak nie oglądała równie wspaniałej kolekcji strojów! Połyskliwe jedwabie, puszyste aksamity o nasyconych barwach, kaskady wzorzystych koronek… Żona lorda Michaela miała znakomity gust!

Z trudem powstrzymując się od pogładzenia kosztownych tkanin, powiedziała:

– Od razu można się domyślić, że twoja bratowa ma ciemne włosy. Idealne dla niej kolory ani trochę nie pasują do mnie.

– Catherine jest brunetką z turkusowymi oczyma – przyznał Stephen. – Ale z pewnością znajdzie się tu kilka strojów, które będą się nadawały dla ciebie. – Przejrzał wiszące toalety i wyciągnął wieczorową suknię z jedwabiu w niezwykłym odcieniu błękitu. – Choćby ten!

Przyłożył jej suknię do piersi, po czym okręcił żoną tak, że znalazła się na wprost ściennego lustra. Zaparło jej dech. Ależ on miał oko do kolorów! Turkusowy jedwab wspaniale harmonizował z jej płowymi włosami i jasną cerą.

– Suknia jest bardzo ładna, ale pewnie się w nią nie wcisnę – protestowała słabo. – Mam za dużo sadełka!

Uśmiechnął się od ucha do ucha.

– Masz wspaniałą figurę, pełną kobiecych powabów. Podobnie jak Catherine. No, przymierz!

Rosalinda nadal się wahała.

– Pożyczanie bez pytania cudzych strojów to niesłychana bezczelność!

Stephen pokręcił głową.

– Catherine była jedną z tych oficerskich żon, które przemierzały Hiszpanię szlakiem naszej armii. Była narażona na zaczepki i groźby francuskich żołnierzy. Pomagała odnajdywać rannych, pozostawionych na polu bitwy pośród trupów. Pielęgnowała tych, co umierali w koszmarnych warunkach lazaretów polowych… Z tych wszystkich doświadczeń wyniosła życiową mądrość. Dobrze wie, co ma prawdziwą wartość. Z pewnością nie są to takie czy inne stroje. Ani trochę nie przejmie się tym, że pożyczyłaś sobie na jeden wieczór jej suknię, bo nie miałaś co na siebie włożyć.

To wyjaśnienie przemówiło Rosalindzie do przekonania bardziej niż poprzednie gołosłowne zapewnienia Stephena. Bez słowa odwróciła się do męża plecami, by rozpiął suknię, którą miała na sobie. Podczas ich podróży poślubnej nabrał w tym wprawy.

Co do fasonu sukni Stephen też się nie pomylił. Prosty krój i podwyższony stan bardzo Rosalindzie odpowiadały, tylko dekolt odsłaniał niemal całe piersi. Spojrzała niepewnie na naszywany kryształkami stanik sukni.

– Czy twoim zdaniem w takim stroju wyglądam na szacowną mężatkę?! Nawet na scenie nie miałam nigdy dekoltu do pasa!

Stephen roześmiał się i stanął za nią, obejmując ją w talii.

– Wyglądasz cudownie, a suknia jest ostatnim krzykiem mody. Wszyscy mężczyźni będą olśnieni, a kobiety zazdrosne. Musisz tylko być pełna godności i równocześnie łaskawa, tak jak Hipolita.

Spojrzała na jego odbicie w lustrze i wiedziała już, że nigdy nie zapomni tego momentu. Każdego dnia powiększała się jej kolekcja pamięciowych portretów Stephena. Będą radowały jej serce przez następne puste lata.

Chcąc ukryć swój smutek, odezwała się lekkim tonem:

– W takim razie byłoby lepiej, żebym miała do obrony także oręż Hipolity. Jako królowa amazonek mam prawo co najmniej do łuku i kołczanu pełnego strzał!

– Zaopatrzę cię w lepszą broń niż łuk i strzały.

Wziął ją za rękę i sprowadził na parter do swego gabinetu.

– Przyjrzyj się uważnie! Musisz nabrać w tym wprawy.

Podszedł do biurka i pokazał jej, jak otworzyć pierwszą skrytkę. Był w niej klucz. Następnie zapoznał ją z drugą sekretną szufladką, zawierającą klucz numer dwa. Wreszcie zdjął ze ściany pejzaż, za którym krył się sejf. Otwierało się go za pomocą obydwu kluczy. Rosalinda była wzruszona i nieco zażenowana tym dowodem bezgranicznego zaufania ze strony męża.

Wewnątrz sejfu znajdowały się porządnie ułożone dokumenty, papiery wartościowe i jakieś pudełka. Stephen wyjął największe z nich.

– Najcenniejsze klejnoty rodzinne przechowujemy w Ashburton Abbey, ale i tu znajdziemy kilka błyskotek.

Postawił kasetkę z biżuterią na stole i podniósł wieczko.

– Wybieraj!

Aż jęknęła na widok iskrzących się klejnotów. Ciekawe, czy przywyknie kiedyś do tych niesamowitych bogactw i będzie je traktować jako coś oczywistego? Chyba nie.

Po starannym rozważeniu sprawy wybrała naszyjnik z emaliowanych owali otoczonych misterną ramką ze złotego filigranu. Połączone były złotym łańcuszkiem w kształcie kwietnej girlandy. Pośrodku każdego owalu błyszczał niewielki, ale bardzo piękny brylant. Brylantowy naszyjnik tworzył harmonijną całość z przodem sukni, naszywanym błyszczącymi kryształkami. Pokryte niebieskozieloną emalią listki kwietnej girlandy podkreślały niezwykły odcień błękitnego jedwabiu.

– To najlepiej pasuje.

Wyjęła ze szkatułki kolczyki identycznej roboty i przyłożywszy je do uszu, spojrzała w lustro.

Stephen skinął głową.

– Ślubny komplet biżuterii Habsburgów: obróżka i kolczyki. Bardzo stosowne.

– Chyba żartujesz! – Spojrzała z pełnym czci podziwem na kolczyki. – To naprawdę królewskie klejnoty?!

– Należały do którejś z niewiele znaczących księżniczek. Habsburgów było na pęczki, wielkich i maluczkich.

Rosalinda odłożyła klejnoty z powrotem do pudła. Ogarnęło ją nagle przygnębienie. Jak ona – znajda i aktorka – wytrzyma w zwariowanym świecie, gdzie klejnoty Habsburgów uważa się za coś niewartego wzmianki, mniej cennego od pamiątek rodzinnych?

Nieprawdopodobna różnica ich pozycji społecznej sprawiła, że w mózgu Rosalindy zrodziło się przerażające podejrzenie. Jeśli urodzi dziecko już po śmierci Stephena, czy jego siostra nie zechce „ocalić" go od wpływów niegodnej matki? Gdyby lady Herrington zyskała poparcie drugiego z braci, ten plan mógłby się powieść. Prawdę mówiąc, przy takim sojuszu Rosalinda byłaby zdana na łaskę i niełaskę Kenyonów.

Odetchnęła głęboko i z trudem okiełznała rozigraną wyobraźnię. Z pewnością nie dojdzie do tego! A gdyby próbowano wydrzeć jej dziecko, to ucieknie z nim choćby do Ameryki, zdobędzie pieniądze na utrzymanie i wychowanie swego maleństwa. Wszystko jedno jak, ale zdobędzie!

Stephen dotknął jej ramienia.

– Taka jesteś milcząca...

W głowie Rosalindy kształtował się coraz wyraźniej pewien pomysł. Od samego początku starała się zapomnieć o wszystkim, co wydarzyło się przed spotkaniem z Fitzgeraldami, ale teraz, gdy miała urodzić dziecko, postanowiła zmusić się do spojrzenia wstecz.

– Myślałam o tym, by odwiedzić znów tamtą uliczkę nad rzeką.

Stephen natychmiast zrozumiał, co miała na myśli.

– Tę, na której Thomas i Maria znaleźli ciebie?

Skinęła głową.

Stephen zmarszczył brwi.

– Brzeg Tamizy w obrębie miasta i portu londyńskiego ma jakieś sześć mil długości. Czy mogłabyś bliżej określić, gdzie znajdowała się ta twoja uliczka?

– Papa i mama chcieli zwiedzić Tower, a potem postanowili pokręcić się trochę po okolicy. Według papy poszli na wschód.

– Znajduje się tam dzielnica St. Katherine's. Istny labirynt krętych uliczek i niechlujnych ruder... całkiem pasuje do twoich opowieści o zbieraniu odpadków. – Pogładził ją po ramieniu. – Wybierzemy się tam jutro. Ale co spodziewasz się znaleźć?

Rosalinda się zawahała.

– Sama nie wiem... Może... swoje korzenie?

– Dla mnie nie ma znaczenia, kim byli twoi naturalni rodzice – powiedział cicho. – Dla Marii i Thomasa również nie było to ważne.

– Wiem – odparła szeptem. – Ale chciałabym wiedzieć, kim jestem.

Spojrzała na klejnoty Habsburgów i ku swemu zdumieniu poczuła niemal sympatię do Claudii. A w każdym razie zaczęła ją rozumieć. Każda z nich uparcie i bezskutecznie dążyła do nieosiągalnego celu.

24

Do uszu Rosalindy docierały szepty, które rozległy się, gdy tylko wkroczyli do foyer teatru przy Drury Lane. Oparta na ramieniu męża witającego się ze znajomymi, słyszała mimo woli komentarze w rodzaju: „Więc naprawdę się ożenił, no, no!", „Przebrzydłe babsko! A takie nadzieje wiązałam z Ashburtonem!" albo pełne zawiści słowa jakiegoś sfrustrowanego samca: „Ładna mi sprawiedliwość: jak się zdarzy apetyczna dupcia, zaraz ją łapsnie któryś z książąt!"

Udając, że nie słyszy tych uwag, Rosalinda z dumnie podniesioną głową starała się skupić uwagę na osobach, które przedstawiał jej Stephen. Na szczęście żadna z nich nie zareagowała jak lady Herrington. Wszyscy okazywali nowej księżnej uprzejmość, nawet życzliwość. Oczywiście postępowali tak ze względu na Stephena; nie ulegało wątpliwości, że jest ogólnie poważany, a jego niechęć do życia towarzyskiego po śmierci pierwszej żony martwiła przyjaciół.

Mimo wszystko Rosalinda odczuła ulgę, gdy znaleźli się w zaciszu prywatnej loży. To był naprawdę męczący dzień! Popołudnie spędzili w zakładzie jednej z najznakomitszych londyńskich modystek, zamawiając całą wyprawę dla nowej księżnej. Stephen brał w tym żywy udział i decydował, co jeszcze żona powinna sobie kupić. Zarzucił Rosalindzie, że zdana na własne siły niepotrzebnie skąpiłaby pieniędzy na najmodniejsze i najbardziej efektowne stroje.

Kiedy zasiedli wreszcie w loży Ashburtonów, Rosalinda rozejrzała się ciekawie dokoła. Teatr przy Drury Lane był największy i najwspanialszy ze wszystkich, jakie widziała. Dzięki Bogu, że dała się namówić Stephenowi na włożenie cudownej toalety jego bratowej! Gdyby ubrała się w którąkolwiek ze swoich sukien, wyglądałaby jak niepozorna myszka!

– Wspaniały teatr! Ilu widzów może pomieścić?

– Jeśli jest komplet, ponad trzy tysiące. Stary budynek spłonął dziewięć czy dziesięć lat temu; po pożarze rozbudowano go i teraz nie ma sobie równego w Londynie.

Rosalinda usadowiła się wygodnie w fotelu, starannie układając fałdy sukni.

– Czuję, że łatwo przywyknę do takich luksusów.

Uśmiechnął się, siadając obok niej, i wziął ją za rękę.

– Doskonale! Chciałbym, żebyś dobrze się tu czuła. – Gładził prowokacyjnie kciukiem wnętrze jej opiętej w rękawiczkę dłoni. – Choć dla mnie cuda Drury Lane bledną w porównaniu ze stodołą Brownów w Bury St. James.

– Przecież w końcu nie skorzystaliśmy z niej!

– Doprawdy?

Wymowny błysk w jego oku przyprawił Rosalindę o rumieńce. Ukryła mimowolny uśmiech za rozpostartym wachlarzem i poruszając nim lekko, chłodziła rozpaloną twarz. Wachlarz był dla aktorki przydatnym rekwizytem. Rosalinda posługiwała się nim po mistrzowsku. Ów talent odgrywał znaczącą rolę także w wielkim świecie; wszystkie oczy wpatrzone w tajemniczą nową księżną dostrzegły biegłość i elegancję jej ruchów.

Przedstawienie rozpoczęło się i przynajmniej część publiczności odwróciła wzrok od loży Ashburtonów, spoglądając na scenę. Rosalinda aż się wychyliła z fotela, czekając z napięciem na pierwsze wejście Keana.

Był dość niski, z dużą głową. Jednak miotające błyskawice ciemne oczy i magnetyczna siła geniuszu porywały publiczność. Tego wieczoru wystawiano *Otella*. Tytułowa rola należała do największych kreacji wielkiego aktora. Wcielając się w tragiczną postać trawionego zazdrością Maura, Kean niezwykle sugestywnie przedstawił rosnącą w nim żądzę mordu. Rosalinda była tak urzeczona jego interpretacją, że zapomniała o całym świecie. Oprzytomniała dopiero wówczas, gdy palce Stephena wpiły się boleśnie w jej rękę.

Odwróciła się do męża i ujrzała, że siedzi z zaciśniętymi powiekami, stężały z bólu.

– Stephenie! – wyszeptała z przerażeniem.

Miała się już zerwać, ale ścisnął jej rękę jeszcze mocniej i niemal niedostrzegalnie pokręcił głową. Oczywiście! Za żadne skarby nie chciał zdradzić się ze swą słabością, a na widowni było wystarczająco jasno, by nagły ruch w jednej z lóż przyciągnął uwagę i wywołał niepożądaną sensację.

Rosalinda opanowała się z najwyższym trudem. Odwróciła się znów w stronę sceny, ukradkiem jednak obserwowała męża. Twarz miał zlaną potem, zaciśnięta na jej dłoni ręka była lodowato zimna. Rosalinda całą uwagę skoncentrowała na osobie Stephena, nie słysząc grzmiących tyrad Keana.

Boleśnie świadoma tego, że atak trwa dłużej niż oba poprzednie, których była świadkiem, szepnęła nagląco:

– Musimy wyjść! Portier nam pomoże…

Stephen otworzył oczy. Błysnął w nich gniew.

– Nie!

Niechętnie poddała się woli męża i znów utkwiła niewidzący wzrok w scenie. Po jakimś czasie uścisk jego ręki nieco zelżał. W samą porę! Rozpoczął się pierwszy antrakt i natychmiast do drzwi ich loży ktoś zastukał. Rosalinda rzuciła trwożne spojrzenie na męża.

– Stephenie…

Otworzył oczy. Dostrzegła, że twarz mu zszarzała z bólu.

– Już dobrze. – Z widocznym wysiłkiem zapanował nad sobą. Rzucił głośno: – Proszę wejść!

Rosalinda puściła jego rękę i błyskawicznie zmieniła miejsce. Siedziała teraz pomiędzy drzwiami loży a Stephenem, toteż goście nie widzieli go zbyt dokładnie.

Miała ochotę wrzasnąć na nich, by wynieśli się natychmiast. Zamiast tego jednak uśmiechała się, powtarzała, jak jej przyjemnie poznać tego i owego i z całą premedytacją ściągała na siebie powszechną uwagę. Nie była piękna, ale wystarczająco znała swój fach, by stworzyć iluzję pełnej temperamentu piękności.

Występowała więc w roli królowej wieczoru, a Stephen w roli czułego, pobłażliwego małżonka grał drugie skrzypce. Dzięki temu nie rzucało się w oczy ani to, że prawie się nie odzywał, ani to, że nie wstał ani razu z fotela. Dla kogoś obserwującego Stephena tak uważnie i z tak bliska, jak siedząca przy nim żona, nie ulegało wątpliwości, że źle się czuje… ale żaden z jego znajomych niczego się chyba nie domyślił.

Dzwonek na rozpoczęcie następnego aktu powitali z ulgą. Goście wyszli. Kilka osób ociągało się w nadziei, że spędzą resztę przedstawienia w ich loży. Ale Rosalinda potraktowała ich królewskim spojrzeniem z repertuaru Marii Fitzgerald i wynieśli się wreszcie.

Kiedy rozpoczął się drugi akt, Stephen szepnął z wysiłkiem:

– Zdumiewająco szybko weszłaś w rolę księżnej!

Wzięła go znów za rękę.

– Chętnie zagram każdą rolę, w jakiej chciałbyś mnie widzieć.

– Pragnę widzieć cię tylko w roli żony – szepnął miękko.

Uśmiechnęła się i przyłożyła sobie jego rękę do policzka.

– To nie rola, tylko rzeczywistość.

Reszta przedstawienia minęła bez przykrych niespodzianek. Rosalindzie udało się skłonić męża do opuszczenia teatru przed jednoaktową farsą, stanowiącą tradycyjne zakończenie spektaklu. Zdołała tego dokonać, skarżąc się na zmęczenie, co było zresztą zgodne z prawdą. Wiedziała, że Stephen nigdy by nie wyszedł wcześniej ze względu na siebie.

W drodze powrotnej spytał:

– No i co myślisz o Keanie?

– To wspaniały aktor! Nic dziwnego, że zyskał taką sławę. – Zawahała się. – Może to zaślepienic kochającej córki, ale… moim zdaniem papa dorównuje mu talentem.

– Zgadzam się z tobą w zupełności. – Wziął ją za rękę. – Ty również odniosłaś dziś wielki sukces. Mam nadzieję, że twoje obawy przed londyńską elitą rozwiały się?

– Prawie… Póki jesteś przy mnie, nic mi nie grozi. Wszyscy przepadają za tobą!

– Nie byłem księciem dostatecznie długo, by napytać sobie wrogów – zbagatelizował.

Nie po raz pierwszy zauważyła, że jej mąż nie przyjmuje do wiadomości żadnych komplementów. No, cóż… on także dorastał w przeświadczeniu, że nigdy nie spełni związanych z nim oczekiwań.

Resztę drogi powrotnej odbyli w milczeniu, a przybywszy do Ashbourton House, udali się natychmiast do swych apartamentów. Po raz pierwszy od nocy poślubnej nie kochali się. Stephen od razu zasnął w objęciach żony, z głową na jej piersi.

Gładziła czule jego plecy i ramiona. W roli żony musiała być nie tylko kochanką, przyjaciółką i towarzyszką Stephena, ale także jego partnerką sceniczną i współautorką scenariusza; również ona musiała nieustannie sprawdzać się, udowadniać coś sobie i innym.

Nie mogła ocalić mu życia. Przysięgła sobie jednak, że zrobi wszystko, by ocalić jego godność.

Jeszcze tylko trzydzieści osiem dni…

Następnego dnia zaświeciło blade jesienne słońce. Ponieważ mieli do przebycia długą drogę na wschód, Stephen wybrał sześciowiosłową łódź spośród tych, które czekały na chętnych do przejażdżki po Tamizie. Wynajął ją wraz z załogą. W ten sposób mogli dotrzeć do celu wygodniej i szybciej niż powozem.

Stephen podjął pewne środki ostrożności, gdyż dzielnica, do której zamierzali się udać, okryta była złą sławą. Po pierwsze zabrał dwóch lokajów, weteranów ostatniej wojny, dawnych podkomendnych Michaela. Mieli im dyskretnie towarzyszyć w zwykłym odzieniu zamiast rzucającej się w oczy liberii. Stephenowi nie chodziło o własne, niewiele już warte życie, lecz o bezpieczeństwo żony.

Rosalinda była oczarowana podróżą; podziwiała jednowiosłowe bączki, lekkie łodzie przewozowe i galary, które płynęły we wszystkie strony.

– Nie miałam pojęcia, że na rzece jest tak tłoczno!

– Bez tej rzeki Londyn nie mógłby istnieć. Jeśli chcesz zobaczyć prawdziwy tłok, poczekaj, aż dotrzemy do Pool of London przy London Bridge! Stoją tam na kotwicy nawet wielkie statki oceaniczne. Ponieważ Fitzgeraldowie znaleźli cię w tej właśnie okolicy, przybyłaś zapewne do Londynu na którymś ze statków kursujących wzdłuż wybrzeża lub po kanale La Manche.

Rosalinda skinęła głową. Jej spojrzenie pobiegło ku górze; gdyż przepływali właśnie pod arkadami Blackfriars Bridge. Stephen wpatrywał się w urzeczoną twarz żony, ciesząc się, że te widoki dostarczają jej takiej radości. Ciekawe, czy następny mąż Rosalindy też będzie należał do arystokracji? Wczoraj w teatrze olśniła wszystkich. Z pewnością znalazłoby się kilku pedantów, mających jej za złe sceniczną przeszłość, ale niebawem zostanie wdową. Bogatą, czarującą wdową. Będzie miała na kiwnięcie palcem niemal każdego.

Zaczął się zastanawiać, kto byłby jej godny… Szybko jednak pojął, że nie jest zdolny do takiego obiektywizmu i tylko się zadręcza. Poprosi Michaela, by opiekował się nią i bronił jej przed łowcami posagów.

W Pool of London było istotnie tłoczno. Stały tu na kotwicy statki, wokół których uwijały się łodzie przewożące ładunek na nadbrzeże. Ich sześciowiosłówka zwolniła, omijając przeszkody. Wkrótce przepływali już obok potężnych, groźnych murów London Tower.

Stephen polecił wioślarzom przybić do pierwszych schodów wodnych, położonych na wschód od Tower. Wspiąwszy się po nich, dotrą do dzielnicy St. Katherine's. Jeśli pamięć Rosalindy nie zawodziła, Fitzgeraldowie znaleźli ją właśnie tam. Stephen polecił swoim lokajom, by towarzyszyli im w pewnej odległości, i pomógł żonie wysiąść z łodzi.

Stanęła na wilgotnym stopniu i nagle się zachwiała. Twarz jej pobladła.

– Pamiętam wyraźnie ten zapach! Z pewnością jesteśmy już blisko! – zawołała.

Rzeczywiście trudno byłoby pomylić tę kompozycję zapachową z czymkolwiek innym. Składały się na nią smród spoconych, brudnych ciał, odór ryb gnijących na płyciznach, zapach piwa i egzotyczne wonie towarów przywożonych z odległych krain.

Na widok pobladłej twarzy żony Stephen zmarszczył brwi.

– Jesteś pewna, że ta wyprawa to dobry pomysł?

Chwyciła go mocniej za ramię.

– Nie. Ale po prostu muszę to zrobić.

Wspięli się po schodach na wysoki brzeg i na chybił trafił wybrali jedną z wąskich uliczek. Ze ścian stojących przy niej domów odpadał tynk. Poczerniały od dymu i ze starości. Kiedy minęli dwie przecznice, Stephen zapytał:

– Poznajesz coś?

Rosalinda rozejrzała się dokoła i otuliła się szczelniej płaszczem, choć ranek nie był wcale zimny.

– Nie… Pamiętam, że był tam jakiś kościół… I browar.

– Kościół pod wezwaniem Świętej Catherine jest niedaleko stąd. A browar też musi być w pobliżu; czuję zapach piwa. – Pomógł żonie wyminąć stertę niedających się zidentyfikować odpadków. – Mówi się o wyburzeniu wszystkich domów w tej dzielnicy i o budowie krytego doku na wzór tych, z których korzysta Towarzystwo Wschodnioindyjskie. Gdyby ta dzielnica przestała istnieć, Londyn tylko by na tym zyskał.

Zapuścili się głębiej w labirynt smrodliwych zaułków. Rosalinda rozglądała się dokoła niespokojnym wzrokiem.

– Tak tu cicho i pusto… Pamiętam ruch i gwar.

– Uznałem, że bezpieczniej będzie zjawić się tu rano. – Kątem oka pochwycił jakiś ruch. Coś prześliznęło się ukradkiem. Pewnie szczur. – Ci, którzy uczciwie pracują, poszli do roboty. A złoczyńcy jeszcze śpią… miejmy nadzieję!

Rosalinda uśmiechnęła się, ale jej oczy pozostały mroczne.

Ktoś zbliżał się w ich stronę. Brudny oberwaniec z gębą podobną do łasicy, z ciekawością w chytrych oczkach. Choć Stephen i jego żona ubrali się bardzo skromnie, i tak różnili się znacznie od stałych mieszkańców tej dzielnicy nędzy. Obdartus, mijając ich, gapił się z obraźliwą ciekawością na Rosalindę.

Jej palce zacisnęły się na ramieniu Stephena.

– On… – wykrztusiła.

– Znasz tego człowieka?

Obejrzał się przez ramię, ale oberwaniec już zniknął.

– Nie, tamten byłby o wiele starszy… Ale trochę go przypomina…

Otarła usta grzbietem dłoni.

233

Przygotowany na najgorsze Stephen spytał ponuro:

– Czy tamten człowiek zrobił ci jakąś krzywdę?

– On... on dał mi coś do jedzenia – powiedziała z wahaniem. – Chyba kiełbasę. Nie podobało mi się, jak na mnie patrzył... ale byłam głodna, więc wzięłam od niego jedzenie. I wtedy... o mój Boże!... pocałował mnie i... włożył mi rękę pod sukienkę. Strasznie cuchnął, a ten jego język... Myślałam, że mnie pożre!

Znów otarła usta drżącą ręką.

Stephena ogarnęła żądza mordu.

– Napastował cię?

– Ugryzłam go w język... aż do krwi. Wrzasnął i puścił mnie... Wtedy uciekłam. – Rosalinda opanowała się z trudem. – Nawet nie zgubiłam kiełbasy! Zjadłam ją za stertą śmieci.

Stephen czuł się przerażająco bezradny, a równocześnie kipiał z gniewu.

– Jakim cudem przeżyłaś to wszystko?! Gdzie spałaś?

Ruszyła znowu szybkim, nerwowym krokiem.

– Nie brakuje tu zacisznych kącików, do których małe dziecko może się wcisnąć. Oczywiście nie tylko ja szukałam tam schronienia! – Podwinęła rękaw i pokazała niemal niewidoczną bliznę poniżej łokcia. – To od zębów szczura.

Stephen pragnął porwać ją w objęcia i zabrać stąd czym prędzej, wsiąść do łodzi i jak najszybciej wrócić z nią do bezpiecznego Mayfair. Ale Rosalindzie zależało na tej wycieczce, więc się opanował.

– Czy w tym otoczeniu przypomniało ci się coś z czasu, zanim zostałaś bez opieki?

– Pamiętam statek, który mnie przywiózł do Londynu – powiedziała z namysłem. – Wypłynęliśmy z miejsca, gdzie wszyscy mówili po francusku, a ja ich rozumiałam.

– Z kim tu przypłynęłaś?

– Z jakąś kobietą. – Rosalinda zatrzymała się nagle; oczy miała błędne. – Była chora. Pamiętam, że przyniosłam jej coś do jedzenia. Powiedziała, żebym się o nią nie martwiła. Nie wiedziałam, co jej dolega.

– Czy to była twoja matka?

– Nie! – odparła zdecydowanie Rosalinda. – To nie była moja mama!

Stephen zdziwił się, że tak gwałtownie zaprzecza. Nie mieli jednak czasu na drobiazgowe dociekania. Wziął żonę pod rękę i ruszył dalej. Za rogiem skręcili w inną ulicę. Stephen kilkakrotnie wyczuł na sobie czyjeś spojrzenie. Obserwowano ich bacznie zza zalepionych brudem okien, tylko nieliczni przechodnie, których mijali na ulicy, okazywali całkowity brak zainteresowania.

Stephen wyminął zabiedzonego, zalęknionego psa i zwrócił się do żony.

– Teraz, gdy tu jestem, łatwiej mogę zrozumieć, czemu nikt się nie zaopiekował bezdomnym dzieckiem.

Rosalinda uśmiechnęła się smutno.

– Tym bardziej jestem wdzięczna Fitzgeraldom! Od razu poczułam zaufanie do Marii. Chyba... chyba przypominała mi matkę. Kiedy wzięła mnie na ręce i spytała, czy chcę mieć nową mamę i nowego papę, pamiętam bardzo wyraźnie, że przysięgłam sobie w duchu, że nigdy, przenigdy nie sprawię jej kłopotu!

– I nie sprawiłaś! Thomas powiedział, że byłaś idealnym dzieckiem.

– Bałam się, że jeśli będę niegrzeczna, odwiozą mnie tu i zostawią samą. – Nerwowym ruchem odgarnęła opadające na twarz włosy. – To oczywista bzdura, ale jakoś nie mogłam wybić sobie tego z głowy.

Stephena ścisnęło boleśnie w żołądku na myśl o strachu, który nie odstępował Rosalindy przez całe lata pobytu u przybranych rodziców.

– Nic dziwnego, że byłaś taka grzeczna!

Skręcili za róg, w kolejną uliczkę. Mniej więcej w połowie rzędu stojących przy niej domów, na stopniach chylącej się do upadku rudery siedziała wiekowa kobieta z glinianą fajką w bezzębnych ustach.

Rosalinda raptownie wciągnęła powietrze.

– Poznaję ją!... A w każdym razie kobieta podobna do niej wysiadywała tu całymi dniami. Mówili na nią „stara Molly". Chyba... chyba wyszła za marynarza i, kiedy był na morzu, przyglądała się wszystkiemu, co działo się w sąsiedztwie.

– Czy to może być ona? – spytał Stephen.

Rosalinda w zamyśleniu przygryzła dolną wargę.

– Wtedy wydawała mi się bardzo stara... ale włosy miała ciemniejsze. Ta wygląda podobnie, tylko całkiem posiwiała i ma więcej zmarszczek. Myślę, że to chyba ona! – Rosalinda obrzuciła wzrokiem obskurne rudery. – A to jest z pewnością ulica, po której się wtedy błąkałam. Pamiętam fasady tych domków... Są takie dziwaczne!

– Zbudowano je w stylu holenderskim – wyjaśnił Stephen. Próbował spojrzeć na tę uliczkę oczyma zalęknionego dziecka. – Czy zapamiętałaś ten zaułek i tę kobietę z jakiegoś szczególnego powodu?

Rosalinda skinęła głową.

– To właśnie tu Thomas i Maria natknęli się na mnie. A Molly wszystkiemu się przyglądała.

– Wobec tego sprawdźmy, czy nadal pamięta tamten dzień. – Trzymając żonę pod rękę, Stephen zbliżył się do starej kobiety. Jej twarz była tak pobrużdżona i wymizerowana, że chyba ostatnie ćwierćwiecze spędziła na ulicy.

– Dzień dobry pani – zagadnął ją grzecznie. – Moja żona chciałaby panią o coś spytać.

Stara kobieta wyjęła z ust glinianą fajeczkę.

– O co chodzi?

– Dawno temu... minęły już od tej pory dwadzieścia cztery lata, błąkało się tutaj i żywiło odpadkami osierocone dziecko – powiedziała Rosalinda. – Czy pani je pamięta?

Staruszka wzruszyła ramionami.

– Sierot tu nie brakuje.

– To była bardzo mała dziewczynka.

Stara kobieta wetknęła do ust niezapaloną fajkę i się zastanowiła.

– A, tamta! Dziewczynek niewiele się błąka po ulicach. Bardziej się opłaci zaciągnąć taką do burdelu. Tę małą zabrało dwoje ludzi. Oboje mieli ciemne włosy. Nie wyglądali na rajfurów, chociaż... kto ich tam wie? – Spojrzała na Rosalindę zmrużonymi oczami. – To byłaś ty? Mało kto z jasnymi włosami ma ciemne oczy.

Rosalinda skinęła głową potakująco.

Spojrzenie starej kobiety przeniosło się na Stephena.

– Jeśli to twój chłop, toś spadła na cztery łapy, dziewuszko!

– Dobrze wiem, jak mi się poszczęściło – zapewniła ją Rosalinda. – A panią zapamiętałam, bo była pani dla mnie dobra. Raz nawet dała mi chleba.

– Nie dałam, nie dałam! – Starucha zachichotała. – Stara Molly nie rozdaje chleba za „pięknie dziękuję"!

– Prawda, coś pani wtedy dałam – powiedziała powoli Rosalinda, zbierając myśli. – Ale nie mogę sobie przypomnieć, co to było.

– Chusteczka. Cieniutka, haftowana! Długo ją trzymałam, ale w końcu opyliłam za dwa szylingi.

Rosalinda słuchała z zapartym tchem i rozszerzonymi oczyma.

– Chusteczka... Czy pani pamięta, co na niej było wyhaftowane?

Molly zmarszczyła czoło z wysiłku.

– Kwiatki... jakieś zwierzę... i litera. To było M. Pamiętam, bo pasowało do mego imienia. – Zachichotała. – Właśnie przez to chciałam zatrzymać tę szmatkę... ale w końcu ją sprzedałam.

Rosalinda zwróciła się do męża.

– Masz przy sobie papier i ołówek, Stephenie? – zapytała pełnym napięcia głosem.

Podał jej ołówek i złożony list. Rosalinda pospiesznie nakreśliła kwadrat. Potem w jednym rogu pojawił się stylizowany lew, a w drugim ozdobione wymyślnymi zawijasami M. Jedno i drugie otoczone było kwietnym wianuszkiem. Pokazała swój rysunek Molly i spytała:

– Czy tak wyglądał haft na chusteczce?

Stara kobieta zerknęła na szkic.

– A jakże! Takusieńki. Znaczy się, to była twoja chusteczka.

Stephen ujął drżącą rękę żony i zwrócił się do starej Molly:

– Czy pamięta pani, jak do tego doszło, że moja żona błąkała się bez opieki po ulicach?

Molly wzruszyła ramionami.

– Ludzie gadali, że ta mała była na statku z jakąś starą kobietą i któraś z łodzi dowiozła je do nadbrzeża. Ale ta stara ledwie dotkła nogą ziemi, wzięła i umarła. Strażnik portowy chciał złapać dzieciaka i odstawić do przytułku. Ale takie to było żywe, że mu uciekło. Tak powiadali.

Stara opiekunka. A więc Rosalinda miała słuszność, zapewniając, że nie przybyła tu razem z matką.

– Jak długo moja żona błąkała się po ulicach, zanim zabrali ją przybrani rodzice?

– Bo ja wiem? Może ze dwa miesiące... Może więcej.

A więc Rosalinda spędziła osiem czy dziewięć tygodni w brudnych zaułkach, uciekając przed szczurami i zboczeńcami, żywiąc się jedynie ochłapami, które od czasu do czasu udało jej się zdobyć. Myśl o tym przejmowała go niemal fizycznym bólem, a jego wdzięczność dla Fitzgeraldów jeszcze wzrosła. Musi w najbliższym czasie zrobić coś dla Thomasa i Marii!

– Bardzo pani dziękuję – powiedział do Molly.

Pokazała w uśmiechu bezzębne dziąsła.

– Tylko „dziękuję" i w nogi? Taki pan z panów nie pożałuje chyba grosza starej Molly, co?

Wydobył z kieszeni złotego suwerena. Pokojówka musiałaby pracować cały rok, by zarobić tyle pieniędzy. Podał monetę staruszce. Zachichotała radośnie i natychmiast znikła wewnątrz domu. Obawiała się widać, by ofiarodawca nie zmienił zdania.

Stephen z uwagą przyglądał się rysunkowi Rosalindy.

– To chyba herbowy lew... Może jeszcze coś ci się przypomniało?

Rosalinda pokręciła głową.

– Nawet nie wiem, dlaczego mi się przypomniał ten haft… Zobaczyłam go nagle, całkiem wyraźnie…

Powiódł palcem po ozdobnym inicjale.

– Wygląda na to, że twoje prawdziwe imię zaczynało się na M. Mary? Margaret?

Rosalinda wciągnęła głośno powietrze i cofnęła się o krok. Była trupio blada.

– O Boże! Popełniłam błąd… Nie powinnam była tu wracać!

Po kiego diabła dopytywałem się o to M? Teraz będą ją dręczyć koszmarne wspomnienia! – wyrzucał sobie Stephen. Objął żonę.

– Zaraz wrócimy do domu – uspokajał ją. – Już dobrze, Rosalindo, już dobrze! Nieważne, co się zdarzyło dawno temu. Teraz nic ci nie grozi. Wszystko w porządku!

Spojrzała na niego nieprzytomnym wzrokiem.

– W porządku? Już nigdy nie będzie w porządku… – powiedziała po francusku.

Jak mogłeś ją tu przywieźć, przeklęty głupcze?! – wymyślał sobie w duchu Stephen. Wziął Rosalindę za rękę i zawrócił w stronę nadbrzeża.

– Zaraz wsiądziemy do łodzi i popłyniemy Tamizą do domu. Nigdy już nie będziesz musiała tu wracać, moja mała Różyczko! Nigdy!

Szła jak ślepa, potykając się na nierównym gruncie. Stephen skoncentrował wszystkie myśli na osobie żony i nie zwracał prawie uwagi na otoczenie. Skręcili za róg i niemal zderzyli się ze zwalistym mężczyzną. W jego ręku błysnął złowieszczo nóż.

– Nadziany z ciebie palant – warknął groźnie zbir. Był wysoki, ale dziwnie sflaczały. Jechało od niego podłą whisky. – Miałeś złocisza dla Molly, to możesz dać i mnie. Ale mnie jedną sztuką gęby nie zatkasz! – Pokazał w uśmiechu szczerbate zęby. – Tylko pospiesz się, koleś, bo jeszcze się przytrafi coś złego tobie albo twojej laluni!

Jego spojrzenie pobiegło w stronę Rosalindy. Przyjrzał się jej dokładnie. Widać było, co mu chodzi po głowie.

Rosalinda cofnęła się, przywarła plecami do Stephena i wykrztusiła:

– Nie! Nie!

Gniew, który narastał w Stephenie od momentu opuszczenia łodzi, wyładował się w błyskawicznym ataku. Wytrącony celnym kopniakiem nóż wypadł z ręki zbira i błysnął w powietrzu. Zaraz potem potężny cios twardej pięści powalił opryszka na ziemię.

Stephen błyskawicznie wyciągnął z kieszeni pistolet, odbezpieczył i wymierzył pomiędzy oczy zbira. Już miał nacisnąć spust, gdy ujrzał przerażenie w przekrwionych oczach i poczuł litość. Cholera, po co zabijać tego żałosnego sukinsyna?!

– Weź się lepiej do uczciwej pracy! – mruknął z lodowatą pogardą. Dwaj lokaje, którzy mieli ich ubezpieczać z pewnej odległości, wyłonili się właśnie zza węgła. Widząc, co się dzieje, podlecieli do swego pana.

– Czy waszej książęcej mości i księżnej pani nic się nie stało? – spytał jeden z nich z twarzą pobladłą ze strachu.

– Absolutnie nic. Ale weźcie ten majcher! – Stephen wskazał lufą pistoletu leżący na ziemi nóż. – Żmija bez żądła nikomu nie zaszkodzi. – Zabezpieczył pistolet i ukrył znów pod płaszczem. Następnie zwrócił się do Rosalindy. Przygarnął ją do siebie i powiedział: – Zostawmy lepiej to śmietnisko szczurom, zgoda?

Drżała na całym ciele i mimo wysokiego wzrostu wydawała się dziwnie krucha. Stephen gładził ją po jedwabistych włosach i szeptał kojące słowa, czując przypływ gwałtownego pożądania.

Po chwili spojrzała na niego, uspokajając się nagle.

– Ciągle odkrywam w tobie nowe talenty, Stephenie! Gdybyś urodził się jako młodszy syn i musiał zaciągnąć się do wojska, zrobiłbyś tam z pewnością karierę!

Stephen uświadomił sobie, że Rosalinda w momencie największego zagrożenia odgradzała się jakby murem od rzeczywistości przerastającej jej siły. Prawdopodobnie dzięki temu zdołała przeżyć wszystkie te okropieństwa. Rozluźniając uścisk i odsuwając się nieco od żony, rzucił lekkim tonem:

– Nigdy nie zawadzi, jeśli człowiek potrafi sam się obronić!

Poprowadził Rosalindę ku schodom, przy których czekała na nich łódź. Lokaje szli teraz tuż za nimi.

Choć pozostawili daleko za sobą cuchnące zaułki, Stephen obawiał się, że nie zdołają tak łatwo oderwać się od mrocznych wspomnień, które zbudziły się w pamięci Rosalindy.

25

Przez pierwszą część drogi powrotnej Rosalinda przebywała w tajemnej sferze ducha, gdzie od dzieciństwa znajdowała ucieczkę i ukojenie. Jej umysł napełniał się wówczas cudowną jasnością, której blask przesłaniał wszelkie potworności realnego świata. Ilekroć przebywała w tym sanktuarium, nic nie mogło jej zranić. Po jakimś czasie powoli wynurzała się stamtąd. Pamiętała, co wydarzyło się wcześniej, ale nie budziło to w niej emocji, które przedtem paraliżowały ją lub targały na strzępy.

Gdy spostrzegła, że Stephen wpatruje się w nią z ogromną troską, uśmiechnęła się i wzięła go za rękę.

– Wytłumacz mi, co to za statki tam cumują i na co czekają? Czy to urząd celny?

Stephen odprężył się i zaczął jej wyjaśniać wszystko, co działo się dokoła. Kiedy ich łódź zdołała przecisnąć się przez ciżbę stateczków i barek, zaproponował:

– Jeśli nie jesteś zbyt zmęczona, chciałbym pokazać ci coś w pobliżu Covent Garden.

– Nie jestem ani trochę zmęczona! – zapewniła męża, rada, że może czymś innym zająć myśli.

Obawiała się, że raczej Stephen mógł być zmęczony, ale pokonanie zbirów najwyraźniej dobrze mu robiło. Łódź przybiła do brzegu obok nowo wzniesionego mostu Waterloo Bridge. Stephen polecił swym lokajom wracać rzeką do Ashburton House, sam zaś wyskoczył na brzeg i pomógł wysiąść Rosalindzie. Następnie przywołał dorożkę i ruszyli w stronę Covent Garden.

Tuż za tym rojnym i gwarnym targowiskiem Stephen dał woźnicy znak, by zatrzymał konie. Wręczył mu pieniądze i kazał zaczekać tu na nich. Wysiadłszy z dorożki, Rosalinda znalazła się nieoczekiwanie przed frontem niewielkiego teatru.

– Ateneum? Nigdy nie słyszałam o takim londyńskim teatrze.

– Od wielu lat jest zamknięty. Pomyślałem, że zechcesz go zobaczyć: to prawdziwy unikat! Ostatni z budynków teatralnych dawnego typu, które wzniesiono po powrocie na tron Karola II. Namnożyło się ich, gdy król zniósł ustanowiony za rządów Cromwella purytański zakaz urządzania i oglądania widowisk teatralnych. Ale wszystkie teatry prócz tego jednego spłonęły lub zostały zburzone i odbudowane w nowym stylu.

Stephen podszedł do niewielkich drzwi na prawo od głównego wejścia i zastukał energicznie.

Kiedy stali pod drzwiami, czekając, aż ktoś je otworzy, od strony targowiska nadeszła uliczna kwiaciarka z koszykiem pełnym jesiennych kwiatów o jaskrawych barwach.

– Wielmożny pan kupi kwiatek tej ślicznej damie? – zagadnęła Stephena.

Miała dobre oko do klientów. Stephen zapłacił sowicie za mały bukiecik, po czym wręczył go żonie z przepraszającym uśmiechem.

– Obawiam się, że nie mają tu róż.

– Gdyby wszędzie rosły róże, świat byłby znacznie mniej interesujący! – Rosalinda zanurzyła nosek w jesiennych kwiatach. – Dziękuję, Stephenie! Tak się o mnie troszczysz...

Skrzywił usta w niewesołym uśmiechu.

– Gdybym troszczył się o ciebie jak należy, nie zgodziłbym się na tę pielgrzymkę do slumsów!

Rosalinda zadrżała. Coś mrocznego, niepokojącego pojawiło się pod powłoką sztucznego spokoju.

– Musiałam tam wrócić.

Drzwi teatru otworzyły się wreszcie i stanął w nich starszawy jegomość z kawałkiem sera w ręku i smutnookim psem przy nodze.

– Czego?

– Proszę mi wybaczyć, że przeszkadzam w posiłku – odparł Stephen – ale szukam pana Farleya, dozorcy. Został uprzedzony o moim przybyciu. Nazywam się Ashburton.

– Aha. – Farley odsunął się i wpuścił ich do zapuszczonego foyer. Stephen pozwolił, by kundel go obwąchał, i dopiero wtedy, gdy pies kichnął na znak aprobaty, odezwał się znów do dozorcy:

– Pozwoli pan, że sami rozejrzymy się po całym budynku?

– Jak tam państwo wolą. To ja wracam do mojej klitki.

Farley odgryzł kawał sera i skręcił w boczny korytarzyk. Pies ruszył jego śladem.

Rosalinda zajrzała na widownię. Oświetlały ją słabo promienie słońca, wpadające przez rząd umieszczonych bardzo wysoko okien.

– Jaki śliczny teatr! – powiedziała, mierząc fachowym okiem scenę i widownię. – Wystarczająco duży, by pomieścić sporo widzów, ale nie aż taki wielki, by aktor musiał zdzierać sobie gardło. Nie przypomina ani trochę tego kolosa z Drury Lane... Nie przeczę, że tamten teatr jest imponujący, ale wielki jak stodoła i nie ma mowy o intymnej atmosferze.

– Ateneum nie otrzymało szczytnego miana „królewskiego teatru", toteż jego dzieje były burzliwe. Przechodziło z rąk do rąk i rozrywki, jakie tu oferowano, nie zawsze były w najlepszym guście – mówił Stephen, idąc bocznym przejściem między rzędami pozbawionych oparcia ław. –

Jakimś cudem teatr uniknął zburzenia i zbudowania na jego miejscu czegoś w rodzaju Drury Lane czy Covent Garden. Bardzo lubiłem tu przychodzić i było mi przykro, gdy Ateneum zostało zamknięte.

Idąca za nim Rosalinda kichnęła.

– Budynek jest w okropnym stanie! Wymaga generalnego remontu – powiedziała.

– Święta prawda. – Stephen zajrzał do kanału dla orkiestry. Wąskie schodki przy ścianie wiodły stąd na scenę. Odwrócił się i wyciągnął rękę do żony. – Pójdź ze mną, Hipolito!

O ileż prostsze wydawało się życie, gdy on był zwykłym panem Ashe, a ona aktorką z wędrownej trupy! Rosalinda zapragnęła choć na chwilę wrócić do tamtych dni, odrzuciła więc do tyłu swe okrycie niczym królewski płaszcz, wcielając się we władczynię amazonek. Ujęła wyciągniętą rękę męża.

– Z ochotą, najdroższy Tezeuszu!

Wkroczyli na scenę tak dumnie, jakby to było ich pierwsze wejście w *Śnie nocy letniej*. Potem jednak Stephen, ni stąd, ni zowąd przeistoczył się w rozpustnego księcia z farsy *Niewierny kochanek*, chwytając żonę w objęcia i darząc przesadnym scenicznym pocałunkiem... który dziwnym trafem stał się absolutnie szczery i intymny, gdyż na widowni nie było żywej duszy. Rosalinda nie miała już wątpliwości, że jej mąż całkiem przyszedł do siebie po wczorajszym ataku.

Gdy pocałunek się skończył, była znów beztroska i roześmiana; pod wpływem namiętnej pieszczoty znikł wewnętrzny chłód – ostatni ślad porannej wycieczki w krainę przeszłości. Ręka męża obejmowała jej pierś, kciuk od niechcenia igrał z sutkiem... Rosalinda głośno zaczerpnęła powietrza.

– Mój panie, pozwalasz sobie na zbyt wiele! Czyżbyś zapomniał, że jesteśmy na oczach widowni?

Stephen się uśmiechnął. Na opalonej skórze wokół oczu pojawiły się zmarszczki.

– Nie ma tu nikogo prócz myszy i pająków.

– Mylisz się! – Zręcznym ruchem wysunęła się z jego objęć i odfrunęła na proscenium. – Na widowni mamy komplet! Duchy dawnych widzów czekają w napięciu, gotowe śmiać się i płakać albo rzucać w nas zgniłymi pomarańczami, gdybyśmy nie przypadli im do gustu. – Skłoniła się z wdziękiem przed niewidzialnym audytorium, przytrzymując fałdy spódnicy lewą ręką, prawą zaś podnosząc bukiecik do twarzy.

– Nie uważasz, że powinniśmy przećwiczyć wielokrotnie pocałunek, by ostateczny efekt spotkał się z pełną aprobatą?

Obdarzyła go szelmowskim uśmiechem, lecz pokręciła głową.

– Dobrze wiesz, panie mężu, czym by się skończyły takie repetycje! Pająki dostałyby przez nas palpitacji serca!

Stephen nie wyszedł na proscenium. Zainteresował się ciemnymi zakamarkami z tyłu sceny.

– Sądząc z dekoracji, ostatnią sztuką, jaką tu grano, był jakiś mroczny melodramat. – Pociągnął za brzeg malowanej na płótnie dekoracji, przedstawiającej odległe, dziwnie złowieszcze zamczysko. Płachta zwisała krzywo z szyny, zasłaniając horyzont ze słonecznym, sielankowym pejzażem; niewątpliwie służył za tło ostatniej sceny, szczęśliwego zakończenia.

Rosalinda śledziła ruchy męża. W jej pamięci utrwalał się kolejny portret Stephena, jako pierwszego amanta. W tradycyjnym czarnym kostiumie Hamleta wzbudziłby prawdziwą sensację… Ciemny kubrak i krótkie bufiaste spodnie uwydatniłyby piękno długich muskularnych nóg i szerokich ramion.

Zorientowawszy się, w jakim kierunku biegną jej myśli, Rosalinda się zarumieniła. Miała ochotę zaproponować, by wrócili już do Ashburton House. Pomyślała jednak, że byłaby to czarna niewdzięczność wobec Stephena. Wybrał się wraz z nią do tego uroczego teatru jedynie po to, by sprawić jej przyjemność. Zresztą oczekiwanie wzmaga rozkosz spełnienia.

Powąchała bukiecik otrzymany od męża. Jeśli nawet Stephen darzył wielką miłością pierwszą żonę, druga też nie miała powodów do narzekania!

Stephen podniósł wzrok w górę.

– Pewnie te wszystkie liny i wyciągi pomagały wzbijać się w niebo i unosić się w powietrzu?

Kiwnęła głową potakująco.

– Zauważyłam też co najmniej trzy zapadnie dla znikających duchów i innych stworów wyskakujących nagle spod ziemi. Brian byłby zachwycony!

Stephen uśmiechnął się szeroko.

– Do unoszenia się w powietrzu nie trzeba żadnej skomplikowanej aparatury. W Bourne Castle nawet Maria huśtała się w koronach drzew!

Rosalinda zaśmiała się na to wspomnienie. Dzielnica St. Katharine's i stara Molly stały się dla niej zamierzchłą przeszłością.

– Może obejrzymy sobie resztę pomieszczeń w Ateneum? – Wetknęła prowokacyjnie za dekolt bukiecik od męża. – A potem, niestety, muszę nalegać na powrót do domu. Chcę od razu położyć się do łóżka. Trudy tego dnia całkiem mnie zmogły.

– Będzie tak, jak sobie życzysz. – Skinął wymownie głową i otworzył drzwi za sceną.

Roześmiała się i lekka jak piórko przepłynęła przez próg. Ze Stephena byłby znakomity aktor komiczny! Potrafił każde, nawet najprostsze zdanie powiedzieć tak, że nabierało pikantnego znaczenia.

Wnętrze Ateneum stanowiło istny labirynt pomieszczeń; były tam garderoby aktorów oraz warsztaty i pracownie rzemieślników teatralnych. Wychowana w teatrze Rosalinda urozmaicała zwiedzanie teatralnymi anegdotkami, których miała mnóstwo w zapasie. Stephen śmiał się bez przerwy. Dodatkowego uroku tym oględzinom dodawała subtelna gra spojrzeń i przelotnych dotknięć, będąca dla nich obojga rozkoszną zapowiedzią tego, co ich czeka po powrocie do domu. Kiedy Stephen przepuszczał żonę we drzwiach, ocierała się o niego niby to niechcący albo prowokacyjnie muskała go fałdami spódnicy. On zaś korzystał z każdego pretekstu – na przykład wypaczonej podłogi – by wziąć Rosalindę za rękę i pieścić jej dłoń.

Maksymalna ilość pokus i optymalne warunki do ulegania im.

Po dokładnym obejrzeniu parteru wspięli się po schodach na górę. Większa część pierwszego piętra została zamieniona na warsztaty i rekwizytornię.

– To wprost niewiarygodne – stwierdziła Rosalinda na widok ustawionych pośrodku pokoju nieukończonych dekoracji. – Musieli zamknąć teatr z dnia na dzień!

– Tak właśnie było. Opiekujący się Ateneum mecenas sztuki zbankrutował. Właściciel teatru miał nadzieję, że znajdzie innego bogatego sponsora, który pokryje ich długi i wyprowadzi teatr na czyste wody. Nikt jednak nie chciał podjąć takiego ryzyka.

Stephen opuścił warsztat teatralnego cieśli i otworzył następne drzwi, a potem jeszcze inne… Większość z nich prowadziła do magazynów załadowanych pod sufit teatralnymi meblami i elementami dekoracji.

Za ostatnimi drzwiami odkryli skład kostiumów. Na półkach leżały kapelusze, królewskie insygnia i inne rekwizyty. Kostiumy wisiały na kołkach wbitych w ściany. Rosalinda podeszła do najbliższego i uniosła płócienny pokrowiec.

– O! Henryk VIII. Zawsze ma na sobie ten strój, dokładnie taki jak na portrecie Holbeina!

Stephen uśmiechnął się na widok tak dobrze mu znanych rozciętych, wywatowanych rękawów i żywych barw królewskiego stroju.

– Thomas prezentowałby się w tym wspaniale! Po królewsku. – Uniósł następny pokrowiec. – Kreza pod szyją i wysokie buty z mankietami... Chyba Falstaff?

– Prawdopodobnie. Tak zazwyczaj przedstawiają go na scenie. Ostatnio mówi się coraz więcej o staranniejszym doborze kostiumów, o ich zgodności z epoką... Ale nim te zasady przyjmą się wszędzie, wiele jeszcze wody upłynie. – Rosalinda uniosła obiema rękami tandetnie pozłacaną koronę. – To także coś dla papy! Zamierza wystawić *Króla Lira* w następnym sezonie. Jego zdaniem żaden aktor nie powinien grać tej roli, póki mu nie stuknie pięćdziesiątka.

Stephen ze stosu broni pod ścianą wyciągnął sceniczny miecz i trzymał go w ręku, zatopiony w myślach.

– Thomas ma słuszność. Młodzi wierzą, że są nieśmiertelni... Jakim cudem młody aktor mógłby zrozumieć problem podeszłego wieku i rozpaczliwe uczucie ludzi starych, którzy już wiedzą, że śmierć jest nieuchronna?

Wzdrygnął się, uchwyciwszy w swym głosie płaczliwą nutę. Był o krok od użalania się nad sobą!

Wywinął mieczem, by sprawdzić, czy broń jest właściwie wyważona.

– Tym żelastwem nawet sera by nie ukroił!

Rosalinda śledziła jego ruchy z podziwem.

– Pewnie uczyli cię szermierki od dziecka? To jedna z tych umiejętności, w których arystokrata powinien celować, prawda?

Skinął głową potakująco.

– Nawet mi to nieźle szło. We wczesnej młodości miałem skłonności do melodramatów i nieraz marzyłem o tym, by ktoś wyzwał mnie na pojedynek. Wyzwanemu przysługuje wybór broni, mógłbym więc przedłożyć broń białą nad palną.

Zrobił nagły wypad do przodu, przeszywając mieczem niewidzialnego przeciwnika.

– Jacy krwiożerczy bywają młodzi ludzie! – Rosalinda odłożyła ogromną koronę i wzięła do ręki lżejszy diadem.

– Muszę znaleźć sklep z rekwizytami teatralnymi i kupić nową koronę dla papy. Stara jest już w opłakanym stanie!

– Lepiej kup od razu dwie: dla niego i dla Marii.

– Prawdę mówiąc, marzy mi się dla mamy naprawdę królewski płaszcz, obramowany gronostajami. – Obrzuciła wnętrze tęsknym spojrzeniem. – Jak myślisz, czy Ateneum wróci kiedyś do życia?

– Całkiem możliwe. – Stephen odłożył miecz na stertę teatralnego oręża. Doszedł do wniosku, że przyszła odpowiednia pora. Zapytał więc: – Czy twoim rodzicom spodobałoby się Ateneum?

– Jeszcze jak! Już sobie wyobrażam, jak mama w roli Izabelli umiera na tej sofie, a publiczność zalewa się łzami! – odparła Rosalinda z czułym uśmiechem. – A papa jako król Lir chwiejnym krokiem wlecze się po scenie, podtrzymywany przez Jessicę-Kordelię!

– Może kupiłbym dla nich ten teatr? – rzucił Stephen niby to od niechcenia.

Do Rosalindy, pochłoniętej obrazami, które stwarzała jej bujna imaginacja, w pierwszej chwili nie dotarła treść słów męża. Potem odłożyła diadem i spojrzała na Stephena oczyma wielkimi jak spodki.

– Chyba żartujesz!

– Skądże znowu! Zastanawiałem się nad tym, jak zagwarantować twoim rodzicom bezpieczną przyszłość. Czy nie byłoby najlepiej, gdyby mieli własny teatr? Jako właściciel, dyrektor i reżyser w jednej osobie Thomas miałby absolutnie wolną rękę. I razem z Marią osiągnęliby wreszcie zasłużony sukces. – Spojrzał na gipsowy postument, na którym stało mocno sfatygowane popiersie Juliusza Cezara. – A ponieważ zawsze ciepło wspominam Ateneum, zleciłem memu doradcy prawnemu, by zorientował się, jak obecnie przedstawia się sytuacja.

– Można go będzie wydzierżawić? – spytała Rosalinda cichym głosem.

– Tak się składa, że gmach teatru wraz całą zawartością oraz skromnym domkiem na zapleczu został akurat wystawiony na sprzedaż. Pomyślałem więc, że ofiaruję twoim rodzicom całą tę posesję. Pokryję też koszta remontu i dorzucę sumkę, która pokryje niezbędne wydatki w ciągu pierwszych dwóch lat. – Z bezwładnej ręki Rosalindy wyjął koronę i osadził ją na bakier na głowie Cezara. – Ponieważ nie będą płacić czynszu, ich teatr, choć niewielki według obecnych standardów, powinien wkrótce przynieść niezły dochód. Na szczęście przepisy niekorzystne dla teatrów pozbawionych królewskiego patentu zostały w ostatnich latach wyraźnie złagodzone. Dzięki Bogu! Londyńskim widzom nie zaszkodzi trochę nietuzinkowej rozrywki, a londyńskim teatrom zdrowej konkurencji.

– Kupno teatru… a potem gruntowny remont… toż to będzie kosztowało majątek!

– W porządku – uspokoił ją. – Mam majątek. I to znacznie przekraczający te wszystkie wydatki. A pieniędzy i tak do grobu nie zabiorę.

Przegarnęła włosy drżącą ręką.

– Papa jest bardzo niezależny… Może nie przyjąć takiego prezentu.

– Od zięcia?! Czemu miałby się wzdragać? Może być niezależny, ale z pewnością nie jest skończonym głupcem! – Stephen uśmiechnął się od ucha do ucha. – Powiedz mu, że Ateneum to mój okup za żonę. Mógłbym uiścić go w krowach albo w wielbłądach… Sądzę jednak, że teatr bardziej przypadnie do gustu twoim rodzicom.

Oczy Rosalindy płonęły coraz bardziej, w miarę jak docierały do niej wszelkie implikacje owego daru.

– Jeśli rodzice przeniosą się na stałe do Londynu, Jessica może zrobić karierę, nie rozstając się z nimi. Brian również, kiedy dorośnie!

– Jeżeli zaś twoja siostra wyjdzie za Simona Kenta czy za jakiegoś innego aktora, mogą przejąć pałeczkę po rodzicach i dzięki temu Ateneum przetrwa co najmniej do połowy stulecia. A potem może zacznie tu rządy następne pokolenie… – Uśmiechnął się z odrobinką żalu. – Nawet jeśli sam tego nie doczekam, rad jestem, że przyczynię się do osadzenia dynastii Fitzgeraldów na londyńskim tronie!

– Och, Stephenie! To najwspanialszy pomysł, o jakim kiedykolwiek słyszałam! A ty jesteś najcudowniejszym z mężów! Nie tylko z racji swej szczodrobliwości! – Rzuciła mu się na szyję i uścisnęła go z całej siły. – Potrafiłeś dostrzec w Thomasie i Marii coś więcej niż parę prowincjonalnych aktorów w wiecznych rozjazdach od jednej zabitej deskami dziury do drugiej, w wiecznych kłopotach finansowych. Doceniłeś ich dobroć i talent, uszanowałeś ich marzenia… – Podniosła na męża oczy pełne łez. – …I potraktowałeś je serio do tego stopnia, że chcesz pomóc w ich urzeczywistnieniu!

Wpatrując się w jej lśniące włosy oraz gibką kobiecą postać, myślał o przerażonym dziecku, którym niegdyś była.

– Oni ci ocalili życie. Gdyby nie zabrali cię z tych slumsów, pewnie byś umarła… być może w męczarniach. Maria i Thomas byli wtedy młodzi, nie mieli pieniędzy, a jednak wzięli cię do siebie. Dzięki nim miałaś rodzinny dom i szczęśliwe dzieciństwo. – Czule objął jej twarz obiema rękami. – Za to wszystko, co dla ciebie zrobili, oddałbym im z ochotą cały mój majątek do ostatniego grosza.

– Teatr w zupełności wystarczy! – Śmiejąc się przez łzy, Rosalinda uniosła ku niemu twarz i pocałowała go; pieszczotą warg przekazała mu wszystko, czego nie zdołałyby wyrazić słowa. Stephen odwzajemnił pocałunek. Narastające w nim z wolna pożądanie buchnęło żywym ogniem, przeistoczyło się w nieodpartą potrzebę wniknięcia w nią tak głęboko, zespolenia tak zupełnego, by nigdy już nie zaznała samotności i trwogi.

Oderwała usta od jego ust i ponagliła gardłowym szeptem:

– Wracajmy do domu!

Jej oczy były niemal czarne. Soczyste wargi kusiły obietnicą zmysłowych pieszczot.

– Później!

Chciał ją mieć zaraz, natychmiast. Ubiegłej nocy był tak bardzo wyczerpany bólem, że nie było mowy o namiętnych uniesieniach. Z każdym dniem obserwował postępy swojej choroby. Ile jeszcze razy będzie miał dość sił, by kochać się z Rosalindą? Czyżby miał znów bawić się w odliczanie: jeszcze tyle a tyle… już nie dni życia, ale miłosnych nocy przed śmiercią?

Porywczo przycisnął Rosalindę do ściany pokrytej grubą warstwą kostiumów. Długa do kolan aksamitna szata Henryka VIII spadła z kołka na podłogę. Stephen przywarł znów ustami do ust żony, przygwoździł ją do ściany własnym ciałem. Napierał piersią na jej pierś, miażdżąc bukiecik wetknięty za dekolt. Płatki kwiatów pachniały gorzko i słodko zarazem. Język Rosalindy zatańczył ochoczo z jego językiem, zakołysały się jej biodra, przylegające do jego bioder.

Nakrył dłonią pełną pierś żony. Kwintesencja kobiecej dojrzałości, podniecającej i życiodajnej.

Mogła umrzeć z głodu, paść ofiarą zarazy. Mogła doznać niewypowiedzianych okropności jako ofiara jakiegoś zboczeńca. Boże wielki! Ich drogi mogły się nigdy nie skrzyżować! Nie, nie! Tej myśli nie był w stanie znieść.

Przemknął mu przez głowę początek jednego z wierszy Andrew Marvella: „Gdyby świat stał otworem i życia starczyło…"

Gdyby życia starczyło? Jego życie dobiegało końca. Wspólnych dni i godzin ubywało jak piasku w klepsydrze. Ręka Stephena wśliznęła się między ich przylegające do siebie ciała i sunąc pieszczotliwie w dół, dotarła do zbiegu ud. Rosalinda jęknęła. Teraz jej ręce zabłądziły pod okrycie męża i zataczały niespokojne kręgi na jego plecach…

„…Lecz ja ze strachem w każdej życia chwili słyszę, jak rozpędzony rydwan czasu mąci ciszę…" Podgarnął spódnicę Rosalindy, przez warstwy bielizny dotarł do najskrytszego miejsca, rozpalonego, pulsującego życiem.

Oczy Rosalindy zamknęły się, głowa opadła do tyłu i uwięzła w grubych fałdach królewskiej szaty, gdy ręka męża poruszała się rytmicznie w intymnej pieszczocie.

„...Zaciszne śmierci łoże wkrótce nas ugości, lecz czyż na nim ktoś może oddać się miłości?..." Tak, wkrótce... Ale jeszcze nie teraz. Nie dziś! Tętniąca krew... mocne kości... prężące się muskuły. Jest człowiekiem. Żywym człowiekiem!

Szarpnął zapięcie spodni. Uniósł lewą nogę Rosalindy i skłonił, by go nią objęła. Wniknął do wnętrza jej płonącego, spragnionego ciała, zanurzył się w niej.

Mógł jeszcze myśleć, kochać, posiadać ją. Jeszcze żył!

Rosalinda raptownie wciągnęła powietrze. Stephen znieruchomiał na sekundę, zażenowany swym brutalnym pośpiechem.

„Zaciszne śmierci łoże..." Przestał nad sobą panować. Przy Rosalindzie był żywy. Całkowicie, rozpaczliwie żywy. Znów się w niej zagłębił, przyciskając ją do zawieszonej kostiumami ściany.

Rosalinda wydała jakiś gardłowy pomruk, palce jej wpiły się w plecy Stephena. Gdy wbijał się w nią raz po raz, jej uniesiona noga zaciskała się coraz mocniej wokół niego, a jej giętkie ciało wiło się w uwięzi jego ramion.

„...Lecz czy na nim ktoś może oddać się miłości?..." Ale tu i teraz mogli się jeszcze kochać, złączyć się odwieczną więzią... Jego żona, jego druga połowa na zawsze odcisnęła ślad na jego duszy... jeśli miał jakąś duszę. Namiętność narastała, przerodziła się w pochłaniającą wszystko pożogę. Jeszcze żył. Jeszcze żył!

Rosalinda krzyknęła i zadygotała. Ukrył twarz w jej włosach i z całej siły natarł biodrami na jej uległe ciało. Zatopiła zęby w jego ramieniu i zacisnęła się konwulsyjnie wokół niego. Jej orgazm przyspieszył eksplozję jego szczytowania. Spłynęło w nią życie – tajemnicze i rozpasane. „Mała śmierć" zniweczyła jego „ja" i na nieskończenie długą chwilę połączyła ich oboje. Życie sięgnęło poza śmierć.

A potem – zbyt wcześnie – zostali rozdzieleni. Dwie odrębne istoty zamiast jednej.

Przywarł do Rosalindy. Oddychał z trudem. Jej uniesiona noga ześlizgnęła się po jego łydce na podłogę. Poza tym żadne z nich nie zmieniło pozycji. Przylegała do niego tak ściśle... Była taka miękka... taka kobieca... To, że miał zamknięte oczy, potęgowało inne wrażenia odbierane przez zmysły; gorąco i piżmowy zapach miłości zawisły w nieruchomym powietrzu.

Pomyślał z bólem, że tak niewiele czasu pozostało. Tak niewiele…
Z niezmierzonej dali dotarł do niego jakiś hałas. Potem poczuł, że coś trąca go w łydkę.

Zdumiony otworzył oczy i spojrzał w dół. Kundel Farleya spoglądał na nich z zainteresowaniem. Widocznie wszedł po schodach i wlazł do składu kostiumów przez uchylone drzwi.

Stephen uśmiechnął się krzywo. Powrót do rzeczywistości. Z ręką na ramieniu Rosalindy spróbował drugą ręką poprawić na sobie ubranie.

Niebiańsko… a może grzesznie ponętna Rosalinda obciągnęła halki i spódnicę i bezskutecznie próbowała ujarzmić nieposłuszne włosy.

– W najwspanialszy sposób uczciliśmy powrót Ateneum do życia – powiedziała, zasłaniając skromnie płaszczem suknię.

Szalona niecierpliwość Stephena znikła. Spłynął na niego dziwny spokój. Tak, jego śmierć była coraz bliższa, ale życie będzie trwało nadal i obfitowało w narodziny, przełomowe chwile i triumfy.

Żałował tylko, że nie doczeka większości z nich i nie będzie mógł należycie ich uczcić.

26

Niemal od razu młodą parę porwał wir życia towarzyskiego. Po powrocie z teatru Ateneum na Rosalindę i Stephena czekał stos zaproszeń na różne imprezy. Najwyraźniej nowa księżna zdała wstępny egzamin podczas spektaklu przy Drury Lane.

Nie zwracając uwagi na korespondencję, udali się prosto do łóżka, nie po to jednak, żeby się kochać. Gwałtowne uniesienia w składzie kostiumów teatralnych wyczerpały ich fizycznie i psychicznie; zasnęli więc przytuleni do siebie. Rosalinda ostatnimi czasy łatwo się męczyła. Kondycja Stephena również uległa pogorszeniu, o czym jednak żadne z nich nie wspomniało. Chociaż oboje postanowili rozmawiać otwarcie o jego chorobie, Rosalinda wkrótce zorientowała się, że pewnych tematów lepiej unikać.

Przespali całe popołudnie. Po skromnej kolacji przeszli na kawę do gabinetu i Stephen zabrał się do przeglądania sterty zaproszeń. Sortował je z szybkością świadczącą o długoletniej wprawie.

– Barnham, nie. Wigler, nie. Manningham, nie. Strathmore, tak. Hillingford, nie. Devonshire, być może…

Zafascynowana Rosalinda śledziła poczynania męża, siedząc w niedbałej pozie: łokcie na biurku, broda oparta na dłoni.

– Czym się kierujesz przy tej selekcji?

– Ponieważ to twoje pierwsze kroki w wielkim świecie, wybieram tylko najważniejsze imprezy u najbardziej liczących się osób.

Odrzucił trzy następne zaproszenia.

– Nie bierzesz pod uwagę charakteru imprezy?

– Do pewnego stopnia tak. – Zerknął na kolejne zaproszenie. – Na przykład to: Śniadanie w Wenecji… czyli na wodzie. O tej porze roku jest zbyt chłodno na takie zabawy. W dodatku pani domu nie odznacza się talentem organizacyjnym.

Rosalinda się roześmiała.

– A ja myślałam, że nie jesteś snobem!

– Życie w wielkim świecie to rodzaj gry towarzyskiej. Jeśli ktoś przyłącza się do gry, musi stosować się do jej reguł; tylko wówczas ma szanse na wygraną. – Odrzuciwszy cztery następne zaproszenia, Stephen przyjrzał się uważniej następnemu.

– St. Aubyn, tak. I on, i jego żona to moi serdeczni przyjaciele.

Rosalinda pokręciła głową z ubolewaniem.

– Wszystkie te gościnne panie domu byłyby zrozpaczone, gdyby wiedziały z jaką nonszalancją potraktowałeś ich zaproszenia!

– Wręcz przeciwnie! Większości odrzuconych zaimponowałyby moje wysokie wymagania i zdwoiliby wysiłki, żebym ich zaakceptował.

Rosalinda wypiła łyk kawy.

– Jeśli życie towarzyskie to gra, z pewnością jako książę masz w ręku najlepsze karty!

Błysnął zębami w przelotnym uśmiechu.

– To samo dotyczy ciebie, księżna pani!

Przynajmniej na razie, gdy miała go u boku.

– Nie przyjmuj zbyt wielu zaproszeń. Co prawda chcę się spotykać z ludźmi, ale wolę być tylko z tobą. – Urwała nagle, uświadamiając sobie, że życie w wielkim świecie jest dla Stephena czymś naturalnym. Zapewne chciał spotkać się ze swymi przyjaciółmi, zanim… zanim będzie za późno.

Stephen nie wydawał się oburzony jej egoistycznym podejściem do sprawy.

– Ja też wolę być z tobą sam na sam, ale powinnaś koniecznie poznać moich bliskich przyjaciół. Dzięki temu będziesz miała w nich oparcie, gdybyś w przyszłości chciała nadal obracać się w tych kręgach.

– A jeśli ci najwspanialsi ze wspaniałych odrzucą mnie?

– Z pewnością nie postąpi tak żaden z moich prawdziwych przyjaciół. – Stephen z roztargnieniem układał w równy stosik odrzucone zaproszenia. – Niegdyś traktowałem zobowiązania towarzyskie z całą powagą; sądziłem, że należy to do obowiązków przyszłego księcia. Dopiero w ciągu ostatnich kilku tygodni uświadomiłem sobie, jak mało jest spraw, które warto traktować serio.

Nieco niezręczne milczenie przerwała Porcja, wpadając do gabinetu niczym czarno-pomarańczowa raca. Zahamowała nagle, rzuciła swojej pani i swemu panu wściekłe spojrzenie, wykonała akrobatyczną kompozycję uskoków w bok i koziołków do tyłu, po czym wypadła z gabinetu. Rosalinda i Stephen wybuchnęli śmiechem.

– Gdybym miała do wyboru śmiech lub zachowanie powagi, zawsze i wszędzie wybrałabym śmiech! – oświadczyła Rosalinda. – Nic dziwnego: spędziłam prawie całe życie na dostarczaniu bliźnim niewinnej rozrywki.

Stephen skinął głową.

– Tamtego wieczoru, kiedy ujrzałem cię po raz pierwszy, we Fletchfield, zwróciłem uwagę na dwie starsze panie. Nie mogły się doczekać przedstawienia! Od razu było widać, że wasz spektakl jest dla nich wyjątkową atrakcją, którą będą wspominać z zachwytem przez całe lata. Sprawianie ludziom takiej radości jest powołaniem, które wszyscy winni traktować serio. – Wziął do ręki kolejne zaproszenie, zerknął i odrzucił niedbałym gestem. – A branie udziału w spotkaniach największych w Anglii bufonów z pewnością nie zasługuje na poważne traktowanie.

Otworzył następną kopertę i przebiegł wzrokiem list.

– Od kuzyna Kwintusa z Norfolk. Informuje mnie, że pani Reese (tak się tam zowie Ellie Warden) i jej dziecko dobrze się miewają w nowym otoczeniu. I że główny stajenny smali do Ellie cholewki. To porządny chłopak i podobno wpadł jej w oko. Wobec tego kuzyn Kwintus chciałby się dowiedzieć, czy nie mam nic przeciwko temu, by się pobrali?

Rosalinda uśmiechnęła się smutno.

– Miałeś słuszność! Twój kuzyn jest przekonany, że Ellie to twoja kochanka, a jej synek to twój bękart… Zakładam, że nie masz nic przeciwko temu, by wyszła za mąż?

– Absolutnie nic! Ten stajenny to naprawdę porządne chłopisko. Powinno im być dobrze ze sobą. – Otworzył ostatnie zaproszenie. – Hrabina Cassell zaprasza na wieczór muzyczny. Słabo ją znam, ale lubię dobrą muzykę. A na wieczorach lady Cassell występują zawsze znakomici wykonawcy.

– W takim razie przyjmujemy zaproszenie! – oświadczyła stanowczo Rosalinda. – Ja też lubię dobrą muzykę.

Stephen roześmiał się i dołączył ostatnie zaproszenie do kupki przyjętych.

– Jak myślisz, czy twoi rodzice mogliby wpaść do Londynu na kilka dni, gdybym wysłał po nich powóz? Chciałbym pogadać z nimi w sprawie Ateneum. Zanim kupię ten teatr, muszę mieć pewność, że mój projekt przypadł im do gustu.

– Myślę, że uda im się wymknąć na krótko, choć pod ich nieobecność pojawią się pewne problemy z repertuarem. Mamy w pobliżu kilka zajazdów… chcesz, żebym zarezerwowała dla nich pokój w którymś z nich?

Stephen uniósł brwi.

– Sądzisz, że nie zechcą zatrzymać się pod moim dachem?

Zawahała się, ale postanowiła powiedzieć mu prawdę.

– Z pewnością nie chcieliby postawić cię w niezręcznej sytuacji. Są przecież tylko parą wędrownych komediantów.

Stephen był wyraźnie dotknięty.

– Wiem, że uważasz mnie za nadetego arystokratę, ale ładny byłby ze mnie dżentelmen, gdybym nie przyznawał się do teściów! A poza tym chcę nacieszyć się towarzystwem Thomasa i Marii. Stęskniłem się za nimi!

– Doskonale! – odparła, rada, że pobyt w Londynie nie skłonił męża do ściślejszego przestrzegania konwenansów. – Twój stangret przywiezie ich prosto do Ashburton House, więc nie będą mieli wyboru!

Sięgnął po gęsie pióro.

– Wezwę też mego sekretarza i mojego osobistego lokaja z Ashburton Abbey. Pewnie się zastanawiają, gdzie się podziewam.

Spojrzała na niego ze zdumieniem.

– Przez te wszystkie tygodnie nie powiadomiłeś nikogo ze swych domowników, gdzie przebywasz i co robisz?!

– Nie. Bardzo mi odpowiadała taka całkowita izolacja. Ale teraz z przyjemnością skorzystam znów z usług mego lokaja. Nauczyłem się obywać bez nich. Udowodniłem, że umiem sam sobie radzić, więc bez ujmy na honorze obarczę znów tymi kłopotami Hubble'a .

Rosalinda pokręciła głową i się uśmiechnęła. Kto by pomyślał, że ich światy różnią się do tego stopnia!

– Żadnych uśmieszków wyższości! – zapowiedział stanowczo mąż. – Zaangażujemy dla ciebie pannę służącą. Musisz ją mieć.

Rosalinda jęknęła, ale nie protestowała. Ostatecznie ruszyła na podbój wielkiego świata nie dla własnej przyjemności, tylko dla dobra Stephena i jego dziecka, które nosiła pod sercem. I ze względu na nich da z siebie wszystko, odgrywając tę najważniejszą rolę swego życia.

Szybko przywykli do nowego rozkładu dnia. Ranki Stephen poświęcał interesom. Popołudnia mijały im na wspólnej rozmowie, lekturze i zabawie z baraszkującą Porcją. Wieczory spędzali poza domem. Każdy dzień przynosił nowe wrażenia. Zgodnie z przewidywaniami Rosalindy spijali z życia wyłącznie śmietankę. Jednakże rozkoszowanie się urokami życia miało gorzki posmak. Większość nowożeńców wkrótce po ślubie zaczyna urządzać dom i planować dalsze wspólne życie, a ich małżeństwo miało się zakończyć przed upływem miodowego miesiąca.

Ciągle towarzyszył im romantyczny nastrój. Każdego ranka Rosalinda znajdowała na nocnym stoliku przepiękną czerwoną różę w kryształowym flakonie. Czerwona róża – symbol namiętności tętniącej w ich żyłach i łączącej ich ze sobą.

Wkrótce zaczęła przybywać do ich rezydencji zamówiona książęca wyprawa Rosalindy – dostarczano po kilka sukien dziennie. Nic tak nie uskrzydla kobiety jak olśniewające toalety. A przyjaciele Stephena dbali o to, by jego żona czuła się wszędzie pożądanym gościem. Dodatkową atrakcją wśród obowiązków towarzyskich Rosalindy były imprezy wybierane przez męża. Stephen nie zamierzał tracić czasu na coś, co nie sprawiało im przyjemności.

Jednym z tematów, którego nigdy nie poruszali w rozmowie, było pierwsze małżeństwo Stephena. Kiedy Rosalinda zaczęła się zachwycać przepięknymi haftami nad kominkiem w swoim buduarze, Stephen wyjaśnił lakonicznie, że jest to dzieło Louisy. Od tej pory Rosalinda napotkała szereg innych dowodów jej mistrzostwa we władaniu igłą. Do dzieł Louisy, rozsianych po całym domu, należały haftowane poduszki, obicia na krzesła, ozdobne draperie, a nawet zakładka do książki, wyszywana we wdzięczne kwiatki, którą znalazła w Biblii.

Dzięki oprawionej w ramę akwareli, przedstawiającej zmarłą księżnę, Rosalinda przekonała się, że jej poprzedniczka była rzeczywiście piękna, promieniała jakimś nieziemskim urokiem.

Niekiedy Rosalinda zastanawiała się, czy u podstaw choroby Stephena nie leży nieutulony żal po śmierci Louisy. Znała osobiście kilka osób, które po śmierci ukochanego męża czy żony rychło same schodziły do grobu. Była przekonana, że taki właśnie los czeka jej rodziców: jeśli jedno umrze, drugie pospieszy za nim. Thomas i Maria byli tak nierozłączni, że nic – nawet śmierć – nie mogło ich rozdzielić.

Rosalinda włożyła zakładkę na dawne miejsce; zmarła księżna zaznaczyła nią Psalm 23. Rosalindzie rzuciły się w oczy słowa: „Choćbym nawet szedł ciemną doliną, zła się nie ulęknę, boś Ty ze mną"*. Poczuła ściskanie w gardle. Stephen dobrze wiedział, co to lęk przed czającym się w ciemności złem. Nigdy o tym nie mówił, ale ona wyczuwała mrożącą obecność tego zła... może dlatego, że sama żyła w okowach strachu. Jak Stephen mógł nie odczuwać lęku, jeśli nie wierzył w istnienie potęgi większej niż śmierć? Strach Rosalindy wynikał z wielu przyczyn, błahych w porównaniu z grozą śmierci... Ale zawsze miała oparcie w wierze. Jednak Stephen, mimo nieustannie towarzyszącego mu lęku, nie był tchórzem. O jego wyjątkowej odwadze świadczył spokój i opanowanie, umiejętność czerpania radości z życia nawet w takich warunkach, a także siła charakteru, dzięki której znosił bez szemrania nasilające się wciąż bóle.

Rosalinda stanowczym ruchem odłożyła Biblię Louisy i odpędziła od siebie posępne myśli. Wyciągnęła się na sofie i przymknęła oczy. Niebawem trzeba będzie zająć się fryzurą i toaletą... Czekał ich wieczór muzyczny u lady Cassell. Teraz jednak – jak przed każdym spotkaniem towarzyskim w wielkim świecie – Rosalinda zgodnie z radami Marii przez kilka minut „wchodziła w skórę" czarującej piękności, którą z powodzeniem odgrywała na londyńskich salonach.

Tak niewiele mogła zrobić dla Stephena! Dołoży więc starań, żeby przynajmniej był z niej dumny.

Jeszcze tylko trzydzieści jeden dni...

Jadąc z żoną na wieczór muzyczny w rezydencji Cassellów, Stephen rozważał posępnie, jak bliskie prawdy okażą się jego przewidywania. Zgodnie z nimi pozostało mu jeszcze trzydzieści jeden dni życia. Początkowo sądził, że trzy miesiące to minimum, z pewnością pociągnie dłużej. Teraz powątpiewał, czy nawet tyle przeżyje. Dopóki był zdrów, uważał sprawność swego ciała za coś oczywistego i naturalnego. Teraz wsłuchiwał się w nierówny oddech i w przyspieszone bicie serca, dostrzegał wadliwe funkcjonowanie całego organizmu i uświadamiał sobie postępujący zanik sił fizycznych.

---

* Psalm 23, wers 4, Pismo Święte Starego i Nowego Testamentu, nowy przekład z języków hebrajskiego i greckiego, Brytyjskie i Zagraniczne Towarzystwo Biblijne, Warszawa 1990 (przyp. tłum.).

Wkrótce przekroczy niewidzialny próg; jego choroba tak się rozwinie, że nie będzie już mowy o zachowaniu pozorów normalnego życia. A jeżeli ból będzie coraz silniejszy, to śmierć okaże się dobroczyńcą uwalniającym od mąk.

A jednak nie chciał umierać. Spojrzał na profil Rosalindy, rysujący się wyraźnie na tle okna. Tyle jeszcze chciałby się o niej dowiedzieć! Tyle pragnął zdziałać wraz z nią i dokonać dla niej! Każdy jego dzień zaczynał się od sennego uśmiechu, którym go witała, i kończył się błogim westchnieniem, z jakim przytulała się do niego przed zaśnięciem. Od wyprawy do dzielnicy St. Katharine's oczy Rosalindy stały się bardziej mroczne, ale dla niego zawsze miała uśmiech. Niezmiennie szczodra, tkliwa… Jego Róża nad różami.

Trzydzieści jeden dni… Boże, jeśli istniejesz, daj ich jak najwięcej!

Powóz zatrzymał się przed rezydencją Cassellów. Rosalinda i Stephen się spóźnili. Gdy majordomus otworzył im drzwi, z wnętrza domu dobiegały już dźwięki klawikordu. Hrabia i hrabina powitali wszystkich przybyłych na czas gości i przeszli do salonu. Teraz jednak wrócili, by z kurtuazją powitać spóźnioną parę.

Lord Cassell prawił komplementy świeżo upieczonej księżnej Ashburton, a jego małżonka – wysoka, wytworna dama koło pięćdziesiątki – witała Stephena.

– Jakże się cieszę, drogi książę, że zechcieliście nas odwiedzić. – Zniżyła głos do teatralnego szeptu: – Nie mogę się doczekać spotkania z twoją nową księżną! Wszyscy wychwalają pod niebiosa jej urodę i wdzięk.

– I mają rację! – Pochylił się w ukłonie nad ręką hrabiny. – Tak mi przykro, że się spóźniliśmy… Koń nam okulał. Czy możemy liczyć na odpuszczenie win i przyjęcie do muzycznego raju?

– Książętom wolno się spóźniać wszędzie… z wyjątkiem balów w świętym przybytku Almack's – odparła z lekką ironią hrabina.

– To prawda… ale spóźnianie się jest w złym tonie! – Zwrócił się do żony, która śmiała się rozbawiona jakąś uwagą Cassella. – Nasza gospodyni pragnie cię poznać, kochanie.

Tego wieczoru Rosalinda w jedwabnej kreacji bursztynowego koloru po prostu olśniewała. Z uśmiechem zwróciła się do pani domu:

– Jakże się cieszę, lady Cassell, że wezmę udział w pani wieczorze muzycznym. Przepadam za klawikordem!

Ręka hrabiny, wyciągnięta w stronę gościa, opadła bezwładnie. Zwrócona ku Rosalindzie twarz okryła się trupią bladością. A potem, ku przerażeniu wszystkich, lady Cassell osunęła się na podłogę.

Stojący o krok od niej Stephen zdążył podtrzymać hrabinę i ustrzec od bolesnego zderzenia z marmurową posadzką. Lord Cassell zawołał „Anne!" i podbiegł do żony.

Powieki hrabiny zatrzepotały.

– Już... dobrze – szepnęła do męża. – Pomóż... do biblioteki!... I ty... Ashburton... – Spojrzała na Rosalindę i przebiegł ją dreszcz. – I twoja żona...

Stephen i Rosalinda wymienili zdumione spojrzenia. Pomogli hrabiemu doprowadzić słaniającą się na nogach żonę do biblioteki, która na szczęście znajdowała się tuż obok holu. Cassell posadził żonę na sofie. Majordomus podał jej kieliszek koniaku, po czym na znak hrabiego opuścił bibliotekę.

Lady Cassell wypiła spory łyk koniaku i jej twarz odzyskała naturalną barwę.

– Napędziłam wam strachu... Bardzo przepraszam. – Spojrzała na Rosalindę. – To dlatego... że jest pani podobna... niesamowicie podobna... do mojej młodszej siostry Sophii. Może moje rodowe nazwisko coś pani powie? Anne Westley... Czy to możliwe... żebyśmy były spokrewnione?

Rosalinda zesztywniała.

– Ja... Ja nie mam pojęcia. Byłam bezdomnym dzieckiem... Moi przybrani rodzice zaopiekowali się mną... Miałam wtedy mniej więcej trzy lata.

– Kiedy to było? Gdzie? – zapytała hrabina.

Rosalinda opadła na fotel. Jej ręce zacisnęły się na poręczach.

– W Londynie. Błąkałam się w pobliżu londyńskiego portu... Działo się to latem 1794 roku.

W ciszy, która zapadła po tych słowach, zabrzmiały donośniej słodkie, harmonijne tony sonaty Mozarta, którą ktoś grał w salonie.

– Wielki Boże! Czy to możliwe?! – Lady Cassell przycisnęła rękę do piersi i spojrzała na męża. – Jak myślisz, Rogerze?

Rosalinda zastygła w bezruchu. Stephen wyczuwał jej przerażenie. Stanął obok jej fotela i położył rękę na ramieniu żony. Następnie zwrócił się do hrabiny.

– Proszę nam opowiedzieć o swojej siostrze!

– Sophia poślubiła Francuza. Był to Philippe St. Cyr, hrabia du Lac. Oboje stracili życie w czasach terroru. Ich córeczka Marguerite miała wówczas trzy i pół roku. Nie mieliśmy pewności, ale sądziliśmy, że dziecko również zostało zamordowane. – Lady Cassell zwróciła się do Rosalindy, mówiąc z wielkim wzburzeniem: – Jest pani niezwykle podobna do

Sophii, księżno, z wyjątkiem ciemnych oczu... takich, jakie miał jej mąż Philippe. Czy pani pamięta podróż do Londynu?

– Nie!

Rosalinda skuliła się w fotelu. Twarz miała szarą, nerwowo kiwała głową.

Dochodzące z salonu dźwięki klawikordu stawały się coraz szybsze, gwałtowniejsze...

Nie odrywając od żony zaniepokojonych oczu, Stephen wyjaśnił:

– Podobno przypłynęła na statku kursującym po kanale La Manche z jakąś starą kobietą, która zmarła zaraz po zejściu na ląd. Rosalinda błąkała się przez kilka tygodni po ulicach Londynu, póki nie zaopiekowało się nią młode małżeństwo, Thomas i Maria Fitzgeraldowie. Niedawno przekonałem się, że moja żona przez sen mówi po francusku, choć nigdy, o ile pamięta, nie uczyła się tego języka.

Lady Cassell odstawiła kieliszek drżącą ręką.

– Nasza stara niania, pani Standish, mimo iż chorowała na serce, wyjechała do Francji z Sophią... Moja siostra pragnęła, by jej dzieci znały angielski. – Głos jej się załamał. – W ostatnim liście do mnie Sophia napisała, że jej córeczka płynnie mówi po francusku i po angielsku. Była z niej taka dumna!

– To może być zbieg okoliczności, Anne – powiedział lord Cassell, wpatrując się w przenikliwym wzrokiem w twarz Rosalindy. – Od trzydziestu lat nie widziałaś swojej siostry. Być może podobieństwo nie jest aż tak wielkie.

Jednak Stephen spostrzegł, że Rosalinda i hrabina także są do siebie podobne. Miały taką samą figurę, a włosy lady Cassell, obecnie siwiejące, musiały być niegdyś płowe jak loki jego żony.

Ręka Stephena, spoczywająca na ramieniu Rosalindy, zacisnęła się mocniej, gdy rzekł:

– W pamięci Rosalindy zachowało się bardzo niewiele wspomnień ze wczesnego dzieciństwa, przed spotkaniem z przybranymi rodzicami. Przypomniała sobie jednak dziecięcą chusteczkę haftowaną w kwiatki i ozdobioną w dwóch przeciwległych rogach inicjałem M oraz stylizowanym lwem.

– Herbowy lew St. Cyrów! Moja matka wyhaftowała dwie takie chusteczki dla swojej wnusi, córeczki Sophii. – Ze łzami w oczach lady Cassel wyciągnęła rękę do Rosalindy. – Dla ciebie, drogie dziecko! Jesteś moją siostrzenicą. Pani Standish zdołała wywieźć cię z Francji i dotrzeć z tobą do Londynu, Marguerite...

– Nie nazywajcie mnie tak! – zaprotestowała gwałtownie Rosalinda.

– Czemu? – spytał łagodnie Stephen.

Muzyka dochodząca z salonu potężniała, przechodziła w crescendo. Rosalinda zerwała się z fotela i zaczęła krążyć nerwowo po pokoju.

– Uciekałyśmy… gonili nas żołnierze… Wiedziałam… wiedziałam, że nie wolno mi wymawiać tamtego imienia. Już nigdy. Nigdy!

– Mówisz o ucieczce z Palais du Lac? – spytała hrabina. – To rezydencja twoich rodziców, niedaleko Paryża. Wielki pałac z białego kamienia, z wieżyczkami. Jest tam jezioro, a na nim łabędzie.

– Łabędzie? Mój Boże, pamiętam te łabędzie! Tak lubiłam je karmić… – Rosalinda zatrzymała się nagle, jakby poraził ją grom. Zwiesiła głowę i przycisnęła palce do czoła. – Pamiętam, że biegłam do dziecięcego pokoju… szukałam Standy… Strasznie krzyczałam… musiała mnie uderzyć w twarz, żebym przestała… Powiedziała: „Nie waż się pisnąć! Rozumiesz?" Ale sama płakała… Standy nigdy przedtem nie płakała!

Hrabina spytała z wahaniem:

– Czemu tak krzyczałaś? Czy ci żołnierze… zrobili komuś krzywdę?

Rosalinda jakby nie słyszała jej pytania. Mówiła dalej głosem pełnym napięcia:

– Standy sprowadziła mnie na dół tylnymi schodami. Ściemniało się już. Koło kuchennego wyjścia wisiały okrycia służby. Standy zdjęła dwa płaszcze. Biegłyśmy brzegiem jeziora. Żołnierze powystrzelali łabędzie, które unosiły się teraz martwe na wodzie… – Rosalinda z trudem zaczerpnęła tchu. – Uciekałyśmy i uciekałyśmy, aż mnie rozbolało w boku i nie mogłam dłużej biec… Ale tamci za nami ciągle krzyczeli, więc Standy wzięła mnie na ręce. Ciągle powtarzała, że nie wolno mi wymówić swego imienia. I muszę być bardzo grzeczna, żeby nikt nie zwrócił na nas uwagi, nim dopłyniemy do Anglii. Ale sama płakała… nie mogła przestać…

– Biedne dziecko z pewnością było świadkiem strasznych scen, Anno – szepnął hrabia do żony tak cicho, że Rosalinda go nie usłyszała. – Nie wypytuj jej!

Stephen był tego samego zdania. Podszedł do Rosalindy i ją objął. Była sztywna, jak z drewna. Podprowadził ją do sofy i usiadł obok niej. Ukryła twarz na jego piersi i zaczęła rozpaczliwie szlochać.

– Jaki los spotkał Sophię i Philippe'a?… – szepnęła hrabina z poszarzałą twarzą.

– Zostali zabici we własnym domu – odparł posępnie jej mąż. – Dzięki Bogu nie znęcano się nad nimi.

Stephen tulił do siebie żonę, zastanawiając się, jakie jeszcze potworne wspomnienia kryją się w jej pamięci. Nic dziwnego, że dziecko uciekło w popłochu przed strażnikiem portowym. Miał przecież mundur – jak tamci żołnierze… Nic dziwnego, że zamknęła się wewnątrz siebie przed bólem i trwogą… I że była zawsze bardzo grzeczna…Wzorowa córka… Idealna żona…

Jakim był egoistą! Nie dostrzegał oznak bólu Rosalindy, ilekroć rozmowa schodziła na jej pochodzenie. Czuł taką wdzięczność dla Fitzgeraldów, że gotów był kupić dla nich wszystkie teatry w Londynie – za to, ile zrobili dla Rosalindy. Nie tylko zaopiekowali się nią, ale otoczyli ją miłością, która uleczyła wiele jej duchowych ran… choć nie wszystkie.

W salonie dobiegł końca kolejny utwór i rozległy się oklaski. Kiedy ucichły, znów popłynęły dźwięki pełne radości. Niestosownej radości!

Płacz Rosalindy stawał się coraz cichszy. Stephen podał żonie chusteczkę i szepnął łagodnie:

– Chcesz już wracać do domu, kochanie?

– Jeszcze nie. – Siadła prosto i wytarła nos. – Przepraszam, lady Cassell. Żałuję, że nie pamiętam nic więcej.

– Ależ, drogie dziecko! To ja powinnam cię przeprosić, gdyż obudziłam te straszliwe wspomnienia. Ale dzięki temu odzyskaliśmy ciebie, a to wielka Boża łaska!

Stephen delikatnie odgarnął wilgotne włosy z twarzy żony.

– A zatem Rosalinda jest hrabianką du Lac? Czy ma we Francji dużo krewnych?

– Kilka kuzynek i paru kuzynów. – Lord Cassell przymrużył oczy i się zastanowił. – Teraz, gdy pozbyliśmy się już Bonapartego i Francja ma znów króla, twoja żona, Ashburton, odzyska zapewne prawa do pokaźnego majątku.

Możliwe. Ale zdaniem Stephena w całej Francji nie było takich bogactw, które mogłyby wynagrodzić Rosalindzie wszystkie cierpienia.

27

Przez całe lata Rosalinda snuła domysły, czy ktoś nadaremnie oczekiwał przybycia małej dziewczynki, która nie dotarła do celu podróży. Nigdy jednak nie przyszło jej do głowy, że mógłby to być ktoś z arystokracji, że hrabina była rodzoną siostrą jej mamy!

– Proszę mi opowiedzieć o swojej rodzinie, lady Cassell – zwróciła się do nieoczekiwanie odnalezionej ciotki. – To znaczy... o mojej rodzinie.

– Nazywaj mnie ciocią Anne, moje dziecko – powiedziała hrabina, wyraźnie rada z powrotu do teraźniejszości. – A więc... mój młodszy brat, lord Westley, ma żonę i czworo dzieci. Ich rodowa siedziba znajduje się w Leicestershire. My z Rogerem dorobiliśmy się dwóch synów i córki. I trojga wnucząt. Nasze dobra leżą w hrabstwie Suffolk. – Bezwiednie poklepała męża po kolanie. Był to dowód zażyłości, jakiej nigdy nie okazuje się publicznie. – Poza tym mamy mnóstwo kuzynów. No i żyje jeszcze moja matka, lady Westley. Po śmierci męża osiadła w Richmond. Jest bardzo słabego zdrowia. Powinnaś odwiedzić ją jak najszybciej, Marguerite!

– Mam na imię Rosalinda – odparła porywczo. Czuła nieprzezwyciężoną odrazę do swego francuskiego imienia. – Tak nazywano mnie przez większość życia i nie chcę tego zmieniać.

– Jak sobie życzysz, moja droga – odparła ugodowym tonem ciotka. – A teraz opowiedz mi o ludziach, którzy się tobą zaopiekowali, o... Fitzgeraldach, nieprawdaż? Pochodzą zapewne z irlandzkiej szlachty?

– Moi rodzice są wędrownymi aktorami – wypaliła bez ogródek Rosalinda. – Wychowałam się w teatrze. W ciągłych objazdach po hrabstwach środkowej Anglii.

– O mój Boże... – jęknęła słabo lady Cassell. – Słyszałam wprawdzie plotki, ale... No, cóż... to widać bardzo poczciwi ludzie.

– To moi rodzice, pani hrabino! – Rosalinda zorientowała się, jak ostro zabrzmiały te słowa. Łagodniejszym nieco tonem kontynuowała: – Kiedy minie szok, z pewnością będę bardzo szczęśliwa z odnalezienia ciebie, ciociu, i was wszystkich. Ale Thomas i Maria przygarnęli mnie i wychowali z czystej dobroci serca.

– Jestem dumny z moich teściów – oświadczył Stephen.

– Ja również nie powstydzę się tych więzi. – Lady Cassell pochyliła się ku młodej parze. – Jakaż to będzie radość dla mojej matki! Córka Sophii żyje! Jutro odwiedzę mamę i bardzo ostrożnie przekażę jej tę nowinę, by nie doznała szoku. Może przyjedziecie pojutrze do Richmond? Chciałabym, żeby uczestniczyli w tym spotkaniu moje dzieci i brat z rodziną...

Rosalinda spojrzała na Stephena. Była w tej chwili niezdolna do podjęcia decyzji. Poczuła krzepiący uścisk jego ręki, gdy zwrócił się do hrabiny.

– Zjawimy się u lady Westley, ale bardzo proszę, hrabino, niech to nie będzie zbyt liczne zebranie.

Rosalinda odczuła ulgę. Stephen rozumiał ją bez słowa! Pojadą do jej babki… Wielkie nieba! Miała babcię! Ciotki, wujowie, krewniacy i ich rodowe siedziby – wszystko to wirowało jej w głowie jak karuzela. Nie mogła ogarnąć tego umysłem. Szepnęła do męża:

– Może… wrócimy już do domu, Stephenie?

– Oczywiście. – Pomógł jej wstać i zwrócił się do gospodarzy: – Proszę wybaczyć, ale powinniśmy już wracać. Rosalinda musi wypocząć. Czy zechce pani powiadomić nas dokładniej, hrabino, kiedy i gdzie mamy się spotkać w Richmond?

Lady Cassell skinęła głową i podeszła do Rosalindy.

– Bardzo kochałam moją małą siostrzyczkę – powiedziała miękko. – Nie potrafię wyrazić, jak się cieszę, że nadal żyje w tobie!

Ucałowała siostrzenicę w policzek. Był to przelotny, ale serdeczny pocałunek.

Rosalinda zaledwie zdołała uśmiechnąć się w odpowiedzi. Była jak odrętwiała. Później z pewnością ucieszy się z niezwykłego odkrycia, ale jeszcze nie teraz.

Jeszcze nie teraz…

Stephen bez słowa sprowadził powóz, odwiózł Rosalindę do domu i sprawnie ją rozebrał. Potem sam pozbył się ubrania, zdmuchnął świece i położył się obok żony. Ukryła się w jego ramionach, czerpiąc pociechę z jego bliskości i przyjemność z dotyku ich nagich ciał.

Tuląc ją do siebie, spytał szeptem:

– Jak się czujesz?

Z trudem zdobyła się na szczerą, niezdawkową odpowiedź. Ten wysiłek myślowy pomógł jej uporządkować mętlik w głowie.

– Jak rażona piorunem. I taka… wypalona w środku. Kim ja właściwie jestem? Rosalinda Fitzgerald nigdy naprawdę nie istniała… A Marguerite St. Cyr zginęła dawno temu.

– Z całą pewnością jesteś księżną Ashburton. – Ciepła ręka Stephena sunęła w dół jej kręgosłupa. – I moją żoną.

Jakie to szczęście, że ma przy sobie Stephena! Strach przed pościgiem nadal ją prześladował jak zły sen, ale w ramionach męża była bezpieczna. Przemknęło jej przez głowę pytanie, jakie jeszcze potworności kryją się w jej pamięci, ale stanowczo odsunęła od siebie podobne rozważania.

– Cóż za zdumiewający zbieg okoliczności: ni stąd, ni zowąd natknęłam się na swoją ciotkę!

– Nie taki znów zdumiewający – stwierdził rzeczowo. – Gdybyś nie pochodziła z arystokratycznej rodziny, nie musiałabyś uciekać z Francji. A biorąc pod uwagę podobieństwo do matki, stwierdzenie twojej tożsamości było tylko kwestią czasu, odkąd zaczęłaś pokazywać się w wielkim świecie.

I pomyśleć tylko, że zdecydowała się na ten debiut towarzyski wyłącznie ze względu na dziecko, które w sobie nosiła! Odruchowo dotknęła ręką brzucha. Już niebawem będzie mogła podzielić się tą nowiną ze Stephenem.

– Jeśli naprawdę jestem francuską hrabianką, to nasze małżeństwo nie jest znów taką hańbą dla ciebie. Zabawne!

– Wiem od bardzo dawna, że małżeństwo z tobą jest najmądrzejszą decyzją, jaką podjąłem. – Głaskał jej plecy od ramion aż po biodra; była to łagodna, nie natarczywa pieszczota. – Mam nadzieję, że teraz, gdy poznałaś już swoje korzenie, pozbędziesz się idiotycznego przeświadczenia, że jesteś niegodna mego nazwiska i tytułu! Cała ta gadanina o mezaliansie była od początku szczytem absurdu!

Teoretyczna wiedza o swym pochodzeniu nie wystarczała do wyzbycia się kompleksów, spowodowanych całymi latami pogardy i szyderstw, których nie szczędzono aktorkom. Ale w każdym razie był to krok we właściwym kierunku. Rosalinda uśmiechnęła się pod osłoną ciemności.

– A więc pochodzę z hrabiowskiego rodu! No, no… Nie od razu do tego przywyknę… Co też na to powiedzą ro… – Urwała i sformułowała pytanie nieco inaczej: – Co sobie pomyślą Fitzgeraldowie?

– Oni nadal są twoimi rodzicami, Różyczko – zapewnił ją Stephen. – Tak ci się poszczęściło, że masz teraz kilka rodzin: jedną z urodzenia, drugą z wyboru, a trzecią z racji małżeństwa.

Jej nowa pozycja w świecie powinna usposobić Kenyonów nieco przychylniej. Oby tak było! Może nawet Claudia przekona się do niej? Rosalinda westchnęła. To zbyt piękne, by mogło być prawdziwe!

Mylnie tłumacząc sobie westchnienie żony, Stephen zwrócił się do niej:

– Z pewnością to wielki szok dowiedzieć się ni stąd, ni zowąd, czym się jest dzieckiem… a zaraz potem usłyszeć o strasznej śmierci rodziców. Ale nie zapominaj, że zdarzyło się to wiele lat temu. – Przycisnął usta do jej skroni. – Twoi rodzice od dawna spoczywają w pokoju. Masz prawo opłakiwać ich, ale nie zapominaj, że najlepiej okażesz im swą pamięć, żyjąc szczęśliwie, jak by tego pragnęli.

Rosalinda wiedziała, że mąż ma słuszność, ale ból towarzyszący odnalezionym wspomnieniom, mieszał się ze świadomością bliskiej, nieuniknionej śmierci Stephena, tworząc koszmar nie do zniesienia. Objęła męża. Był taki ciepły, silny, pełen życia... Ale wychudł już do tego stopnia, że twarde, sterczące żebra uwierały ją w piersi. Ile jeszcze mają przed sobą wspólnego życia?

Nie mogła oczywiście zadać głośno tego pytania. Nie zdołała jednak powstrzymać bolesnego szeptu:

– Nie chcę być sama!

Ucałował mocno bijące tętno u nasady jej szyi. Dotyk jego ust był łagodny i tak dobrze znany.

– Nie mogę zostać z tobą na zawsze. Ale teraz jestem przy tobie!

Czuła na ustach jego wargi – kojące, nie natarczywe.

Zrozumiała, że Stephen stara się otoczyć ją ochronnym kokonem. Próbuje najstarszą w świecie mową – dotykiem i pieszczotą – dotrzeć do niej, przekazać jej to, czego słowa nie mogą wyrazić. Boże miłosierny... co się z nią stanie, gdy jego zabraknie?

Usta Rosalindy rozchyliły się pod ustami męża w milczącym błaganiu o pociechę. Jutro – jeśli Bóg da – okaże więcej hartu. Ale dziś wzywała na pomoc Stephena, nie kryjąc swej rozpaczy.

Pojął to wołanie. Jego pocałunki i pieszczoty stały się gorące. Nie był już czułym opiekunem, lecz kochankiem. Tlący się żar namiętności buchnął płomieniem, wypierając przejmujące ją do kości zimno. Obrazy przeszłości stały się bledsze. Nie znikły, ale straciły na ostrości, przyćmione rosnącym wciąż pożądaniem.

Od samego początku wiedzieli, że ich ciała były stworzone dla siebie. W tej chwili Stephen wykorzystał łączącą ich naturalną więź niczym wirtuoz grający na ukochanym instrumencie, tworząc arcydzieło zmysłowości – od *lento* po *furioso* pożądania.

Kiedy oddech Rosalindy stał się szybszy i chrapliwy, Stephen wypełnił sobą pustkę, na którą się uskarżała. Jego płomienna czułość była tak głęboka, iż Rosalinda gotowa była nadać jej miano miłości. To zjednoczenie ciał zasklepiało otwarte znów rany jej ducha. Stephen – jej mąż... ojciec jej dziecka... jej ukochany.

Odwieczny taniec zakończył się orgazmem długotrwałym i potężnym; jego żar przeniknął w każdą drobinkę jej istoty. O Boże! Ile jeszcze razy będzie trzymała Stephena w objęciach, dzieląc z nim szaleństwo doskonałego spełnienia i rozkoszując się spokojem, który ogarniał ich potem? Ile jeszcze razy poczuje słony smak jego skóry i potęgę jego namiętności?

Zdołała powstrzymać łzy. Oddychali coraz swobodniej. Pełne napięcia ciała odprężały się, uściski stały się łagodne. Nie będzie myśleć o przyszłości! „Dosyć ma dzień swego utrapienia"*. Wystarczy jej pewność, że teraz, gdy tak rozpaczliwie potrzebuje Stephena, ma go przy sobie.

– Śpij dobrze, maleńka – szepnął.

Jego czułe słowa powinny uspokoić Rosalindę, ale stało się inaczej. Przedarły się przez osłonę chwilowego zaspokojenia, docierając do kolejnej warstwy zatartych wspomnień. Przypomniała sobie, że te same słowa wyszeptała stara Angielka, kiedy schroniły się w jakiejś stodole. Obrazy z przeszłości, palące żywym ogniem, kłębiły się jej w mózgu.

– Boże miłosierny!… – jęknęła w przerażeniu. – Moi rodzice! Widzę śmierć moich rodziców!

– Byłaś przy tym? – spytał Stephen zmienionym głosem. Objął żonę jeszcze mocniej.

Skinęła głową. Jej ciało było zimne jak lód.

– To byli żołnierze, brudni i pijani…Wpadli do salonu. Mama i papa pili kawę po obiedzie. Kazali mi wrócić do dziecięcego pokoju… ale schowałam się na galerii razem z Minette. Moją lalką. Często tam uciekałam…

– Czego chcieli ci żołnierze? – odezwał się Stephen cichym, opanowanym głosem.

Rosalinda poruszyła się niespokojnie w jego objęciach.

– Wołali: „Wszyscy *aristo* na gilotynę!" Papa protestował, przypominał, że zawsze był zwolennikiem rewolucji… Jakiś żołnierz uderzył go i papa upadł… Mama krzyknęła i chciała podbiec do papy… Ale oni ją złapali. Jeden zawołał: *„Très belle aristo putain!"* (Ale ci arystokraci mają dziwki!) I zaczęli się śmiać… Potem inny zawołał: „Po co marnować taką lalunię na gilotynie?! Nam się bardziej przyda!" – Serce Rosalindy biło tak gwałtownie, że zagłuszało wszystkie dźwięki świata, odgradzając ją od rzeczywistości. Była teraz sama w krainie wspomnień. – Rzucili mamę na podłogę, zaczęli zdzierać z niej ubranie…

Stephen wciągnął głośno powietrze.

– To potworne, że musiałaś patrzeć na coś takiego!

Paniczny strach, który Rosalinda taiła w sobie przez tyle lat, wypływał z niej teraz potokiem urwanych zdań.

– Żołnierze całkiem zapomnieli o papie! A on doczołgał się do stolika. W szufladzie był pistolet… Papa słyszał o rozruchach w mieście, więc

---

* Mt. 6,34, Pismo Święte Starego i Nowego Testamentu, nowy przekład z języków hebrajskiego i greckiego, Brytyjskie i Zagraniczne Towarzystwo Biblijne, Warszawa 1990 (przyp. tłum.).

go tam schował… A teraz wyjął i powiedział… – Rosalinda miotała się jak dzikie zwierzę w klatce. – Powiedział: „Boże, wybacz mi!… I ty, Sophio…" Potem… potem… – Głos jej się załamał. Nie była w stanie mówić dalej.

Stephen szepnął:

– Nie bój się, kochanie! To było dawno, bardzo dawno temu. Teraz jesteś bezpieczna.

Zacisnęła mocno powieki, jakby w ten sposób mogła usunąć obraz wypalony w jej mózgu.

– Potem strzelił do mamusi – powiedziała z niezmiernym bólem. – To był bardzo głośny strzał. I oczy bolały mnie od dymu. Nic nie rozumiałam! Mama już się nie wyrywała. I miała taką spokojną twarz… Ale żołnierze bardzo się gniewali. Jeden wrzasnął: „Ten drań zabił dziwkę, zanim jej posmakowaliśmy!" – Rosalinda z trudem zaczerpnęła powietrza. – Chwycił szablę, zamachnął się… i ściął papie głowę…

Stephen zaklął pod nosem, przygarnął Rosalindę do piersi, własnym ciałem jak tarczą osłonił żonę przed koszmarną wizją.

Rosalinda wiedziała, że nie wróciłaby jej pamięć, gdyby nie czuła się bezpieczna w objęciach Stephena. Zwierzała mu się dalej cichym szeptem.

– Wszędzie było tyle krwi… Płynęła strumieniami… Zaczęłam krzyczeć. Ich dowódca popatrzył w górę, zobaczył mnie i wrzasnął: „To dzieciak tej ladacznicy! Mała Marguerite. Ściągnąć ją tu! Niech zastąpi mamuśkę!" Dwóch żołnierzy zaczęło się rozglądać za schodami na galerię. Jeden zawołał: „Już po ciebie idziemy, Marguerite!" Miał taki straszny głos… Znów zaczerpnęła powietrza. – Uciekłam, znalazłam Standy… potem to już wiesz.

Przywarła do Stephena tak mocno, że słyszała bicie jego serca… A może to było jej serce?…

– To straszna opowieść, Różyczko – powiedział Stephen. Jego łagodny głos koił jak balsam. – Serce mi pęka na myśl, że byłaś świadkiem tego wszystkiego. Na szczęście nie trwało to długo. Twój ojciec miał dość odwagi, by ocalić żonę od nieopisanych męczarni. – Głaskał pieszczotliwie potargane włosy Rosalindy. – Musiał ją bardzo kochać.

Rosalinda pomyślała o przerażającej decyzji, którą podjął w mgnieniu oka jej ojciec.

– Nie tylko ocalił mamę, ale sam miał dzięki temu lżejszą śmierć – powiedziała drżącym głosem.

– Twój ojciec był bohaterem – szepnął Stephen. – Nie wiem, czy mnie starczyłoby na to odwagi…

– Jak możesz wątpić w swoją odwagę? Przecież codziennie stawiasz czoło śmierci z takim spokojem i godnością! – powiedziała miękko. – Jesteś najmężniejszym człowiekiem, jakiego znałam!

– Wątpię, czy najmężniejszym... ale z pewnością najszczęśliwszym. – Ucałował ją w skroń. – I pomyśleć, że błądząc bez celu po całej Anglii, znalazłem ciebie!

Czułość Stephena była teraz jeszcze większa niż przedtem, kiedy się kochali. Rosalinda powoli się odprężyła.

– Cieszę się, że to wszystko przypomniałam sobie – powiedziała, zaskoczona ulgą, jaką odczuła po swych zwierzeniach. – Zawsze wiedziałam, że gdzieś w mej pamięci kryją się potwory... ale dopiero teraz wiem, co mnie tak przerażało.

– Potwory nie znoszą światła. Ono je niszczy. – Nie wypuszczając żony z objęć, obrócił ją tak, że przylegała teraz plecami do niego. – Śpij, Różyczko. I pamiętaj, że jesteś bezpieczna.

Całkowicie bezpieczna w jego kochających ramionach Rosalinda zasnęła głębokim, spokojnym snem.

28

Ogromne płatki śniegu wirowały w powietrzu, skutkiem czego krajobraz tej północnej krainy wydawał się jeszcze bardziej mroźny i nieprzyjazny. Zima wcześnie zawitała do Szkocji. Michael spoglądał przez okno na śnieżną zadymkę, pokrzepiając się od czasu do czasu łykiem gorącego, mocnego ponczu z cynowego kufla.

Ktoś stanął obok niego z podobnym kuflem w ręku. Nawet nie podnosząc wzroku, Michael wiedział, że to Blackmer. Wspólna włóczęga po Anglii połączyła ich węzłem może nie przyjaźni, ale zażyłości i koleżeństwa.

– Myśli pan, milordzie, że zasypie nas tu na dobre? – spytał doktor.

– Może będziemy musieli posiedzieć tu kilka dni – odparł z westchnieniem Michael. Był zupełnie wykończony. – Ta zadymka jest dla nas wyraźnym ostrzeżeniem. Pora dać za wygraną i wracać na południe.

– A już myślałem, że pan się nigdy nie poddaje, milordzie! – rzucił nieco kąśliwie lekarz.

– Czasami trzeba się poddać. Mam wrażenie, że cała nasza wyprawa była z góry skazana na niepowodzenie. Zmarnowaliśmy na poszukiwania wiele tygodni, a ilekroć zwęszyliśmy trop, to nigdy nie zjawialiśmy się we właściwym miejscu o właściwej porze. – Michael łyknął znowu ponczu, pragnąc się rozgrzać. – A już największym szyderstwem losu było to, że zapuściliśmy się aż do Szkocji śladem jakichś obcych ludzi podobnych z opisu do Stephena i jego wybranki. Powinienem był zaczekać, aż mój brat sam się zdecyduje na powrót.

– No to czemu pan tak nie postąpił, milordzie?

Po kilku tygodniach spędzonych w towarzystwie Blackmera Michael jeszcze bardziej krępował się przyznać do tego, że chciał oddać brata pod opiekę innego lekarza. Odpowiedział więc nieco wykrętnie:

– Po prostu czułem potrzebę działania. Wszystko jedno jakiego. Uwierzyłem w to, że jeśli zadam sobie trochę trudu, przedłużę Stephenowi życie. – Teraz, gdy wypowiedział te słowa, zdał sobie sprawę z tego, jak płonne były jego nadzieje. Spojrzał na swego towarzysza i zbudziła się w nim nagła ciekawość. Spytał prosto z mostu, gdyż był zbyt zmęczony, by kluczyć:

– A pan, doktorze? Co pana skłoniło do podjęcia takich trudów? Książę Ashburton może i jest pańskim najwyżej urodzonym pacjentem, ale w ten sposób zaniedbuje pan innych podopiecznych. Może ich pan przez to stracić!

– Co mnie skłoniło do podróży? Poczucie odpowiedzialności. A może winy. – Po twarzy doktora przebiegł skurcz. – Gdybym… gdybym postąpił inaczej, książę zapewne nie opuściłby domu.

– Jeśli mój brat umiera, to nie może pan wiele dla niego zrobić. – Michael utkwił wzrok w kuflu. – A jeżeli pańska diagnoza była fałszywa i Stephen czuje się dobrze, to niepotrzebna mu pańska pomoc.

– Może i tak… Nie potrafię odgadnąć, w jakim stanie jest teraz książę.

– Jest pan bardzo szczery jak na medyka. Większość pańskich kolegów po fachu woli robić mądre miny i osłaniać się mgiełką tajemniczości.

– Nie przepada pan za lekarzami, milordzie – stwierdził bez ogródek doktor. – Wolno spytać czemu?

Michael wzruszył ramionami.

– Drażnią mnie te wszystkie pigułki, mikstury i wymyślne sposoby zażywania leków. Większość tych zaleceń to zwykłe efekciarstwo. Byle zrobić wrażenie na pacjencie! Osobiście miałem do czynienia z lekarzami, przeważnie z chirurgami. – Pomyślał o Ianie Kinlocku i omal się nie uśmiechnął. – Ci, z którymi się zetknąłem, to banda beztroskich rzeźników, wyruszających na podbój świata z nożem w garści i szerokim uśmiechem na gębie. Ale z dwojga złego wolę tych oprawców od tamtych szarlatanów.

Zapadło dłuższe milczenie; obaj wpatrywali się w wirujący śnieg i szybko zapadający mrok. Potem odezwał się Blackmer.

– Poprzedni książę Ashburton też był moim pacjentem, ale nie miałem okazji bliżej go poznać. Jakim był ojcem?

Michael uśmiechnął się niewesoło.

– Trudnym – odparł krótko.

– Lepiej mieć trudnego ojca niż żadnego.

Michael pomyślał o okrutnych cięgach, które musiał znosić, o jeszcze boleśniejszych torturach psychicznych, o szyderstwach i upokorzeniach... Blackmer był w błędzie. Lepiej nie mieć ojca niż być wychowywanym przez wroga, pełnego nienawiści i znienawidzonego. Ale trudno się dziwić, że nieślubne dziecko idealizuje coś, czego nigdy w życiu nie doświadczyło.

– Życie rodzinne może być piekłem albo rajem. Pana ominęło jedno i drugie. Może to i lepiej?...

Życie rodzinne Michaela w dzieciństwie i wczesnej młodości było piekłem. To, które stworzyła mu Catherine, okazało się rajem. Szczęśliwie się złożyło, że po piekle zaznał raju, a nie odwrotnie.

Catherine... Dojmująca tęsknota za żoną rozgorzała jak pożar. Musiał ją mieć przy sobie! W jej ramionach wypłakać ból i lęk o brata. Kochać się z nią aż do utraty zmysłów! Zanim otrzymał list od Blackmera i wyruszył w ten zwariowany pościg, Catherine wspomniała, że najwyższy czas postarać się o drugie dziecko. Nie miał nic przeciwko temu. Co tu gadać, palił się do tego!

Kilka dni temu napisał do Catherine prosząc, by spotkała się z nim w Londynie. Jeśli nie zastaną Stephena w Ashburton House, mogą pojechać z Catherine do Ashburton Abbey. Stephen kochał tę cholerną ruderę i pewnie chciałby tam umrzeć.

Stephen miałby umrzeć? Michael nabrał powietrza w płuca i powoli je wypuścił. Odsunął się od okna. Pora wracać do domu!

29

Jeszcze tylko dwadzieścia dziewięć dni...

Ostry ból sprawił, że pogrążony w drzemce Stephen w jednej chwili oprzytomniał. Przez chwilę leżał bez ruchu, usiłując przewidzieć, z jaką siłą tym razem zaatakuje go choroba. Poprzedniego wieczoru zażył dwie pigułki i dzięki temu przespał się trochę. Ale działanie leku nie trwało długo.

Bogu dzięki Rosalinda nadal spała mocno, z ręką przerzuconą przez pierś męża, z twarzą ukrytą w zagłębieniu między jego ramieniem a szyją. Stephen bardzo ostrożnie wyśliznął się z objęć żony, podsuwając na swoje miejsce poduszkę, do której od razu się przytuliła. Technikę dyskretnego wymykania się z łóżka opanował po mistrzowsku w ciągu wielu bezsennych nocy, gdy nie mógł wyleżeć w pościeli, a nie chciał budzić żony.

W sypialni panował taki chłód, jakby to była zima, a nie jesień. Stephen po ciemku wymacał przerzucony przez oparcie krzesła wełniany szlafrok. Narzuciwszy go, ruszył po omacku do drzwi swej garderoby. Dopiero zamknąwszy je za sobą, skrzesał ognia.

Garderoba stanowiła jego schronienie podczas bezsennych nocy, gdy chciał za wszelką cenę ukryć ślady kolejnego ataku. W garderobie prócz dwóch szaf i umywalki z dzbankiem i miednicą znajdował się jeszcze ulubiony fotel Stephena, z wysokim oparciem i narożnikami, a przy nim na małym stoliku stał dzbanuszek mleka. Nieoczekiwane upodobanie Stephena do mleka zaskoczyło Hubble'a, który przed kilkoma dniami przybył z Ashburton Abbey. Osobisty lokaj pozwolił sobie nawet gderać na księcia pana, który na tak długo wymknął się spod jego opiekuńczych skrzydeł. Wierny sługa przypominał uderzająco kwokę, która wysiedziała kaczęta i biadoli, gdy niesforne odmieńce pływają po stawie.

Stephen zażył jeszcze jedną pigułkę zwierającą opium i popił szklanką mleka. Zdarzały się dni, gdy mleko było jedynym pokarmem, który nie wywoływał natychmiastowych torsji. Sącząc chłodny napój, Stephen rozsunął zasłony na oknie. Już prawie świt.

Za kilka godzin zawiezie Rosalindę do Richmond na spotkanie z babką i innymi krewnymi. Przyszła nieco do siebie po szoku, jakim było dla niej niespodziewane odkrycie, kim naprawdę jest. Choć smutek nadal czaił się w oczach żony, Stephen czuł, że osiągnęła wewnętrzny spokój. Wydarzenia z wczesnego dzieciństwa okazały się tragiczne, ale przeszłość nie stanowiła już mrocznej zagadki.

Wiedząc, że o zaśnięciu nie ma mowy, póki pigułka nie zacznie działać, Stephen usadowił się w fotelu i zaczął wyliczać w duchu wszystkie sprawy, które już załatwił, i te, które domagały się załatwienia. Testament był gotów. Wszelkie należności zapłacone. Czeki dla instytucji dobroczynnych wysłane. Kirby Manor zostało przepisane na Rosalindę. Wszystko uporządkowane, gotowe do przejęcia przez spadkobiercę. W ciągu kilku dni będzie można opuścić Londyn i wrócić do Ashburton Abbey. Tam też pozostawało jeszcze do załatwienia kilka spraw.

Wysłał już do Walii list do Michaela. Prosił w nim brata, by przyjechał do Ashburton Abbey, gdyż chce się z nim spotkać. Niektóre problemy powinien omówić w cztery oczy ze swym następcą. A poza tym chciał po prostu zobaczyć brata po raz ostatni, choć to spotkanie będzie bolesne dla nich obu. Prawdę mówiąc, Stephen poważnie zastanawiał się, czy nie pozostawić brata w nieświadomości co do swej choroby. Uniknęliby wówczas rozdzierającej serce sceny. Znał jednak na tyle Michaela, by wiedzieć, że nie będzie mu wdzięczny za takie oszczędzanie jego uczuć, nie wybaczy mu, jeśli pójdzie na łatwiznę.

A Claudia? Czy istniała jakaś szansa pojednania z nią? Wysłany przez Stephena list wrócił nierozpieczętowany. Spróbowałby raz jeszcze, ale nie wierzył, by to coś dało. Jego siostra była znana z tego, że jak raz coś postanowi, to nie zmieni zdania.

Ćmiący ból brzucha z przerażającą szybkością przybierał na sile. Stephen jęknął i szklanka wypadła mu ze zdrętwiałych palców. Zerwał się z fotela i w popłochu rzucił się do umywalki w nadziei, że zdąży na czas pochylić się nad miednicą. Nie zdążył. Upadł na podłogę i leżał skurczony, całkowicie przytomny i absolutnie bezradny. Doznawał rozdzierającego bólu, targały nim gwałtowne torsje, niemal pusty żołądek usiłował pozbyć się swej – nieistniejącej – zawartości.

Stopniowo bóle i odruchy wymiotne słabły, ale paraliżująca słabość nie opuszczała go. A więc stało się. Przekroczył nieodwołalnie granicę między jakim takim zdrowiem a niewątpliwą chorobą. Z rozpaczą w sercu Stephen zamknął oczy. Nie był już kimś, kogo można by nazwać w zasadzie zdrowym, aczkolwiek zdarzały mu się okresowe bóle. Był kimś, kto stoi nad grobem i nadludzkim wysiłkiem stwarza od czasu do czasu pozory normalności. Niebawem zresztą nie będzie go stać nawet na to.

Czy starczy mu sił na podróż do Richmond? Musi starczyć! Rosalinda potrzebowała jego wsparcia podczas pierwszego spotkania z rodziną matki. Z myślą o tym Stephen zebrał wszystkie siły i po jakimś czasie podniósł się na czworaki. Pozostał w tej pozycji, dygocząc z wysiłku, do chwili, gdy zgromadził dość energii, by trzymając się kurczowo fotela, stanąć. Po dokonaniu tego osunął się na fotel, mając nadzieję, że po jakimś czasie słabość minie.

Śmierć była o krok. Czuł jej bliskość tak wyraźnie, że nie zdziwiłby się, gdyby zasiadła w fotelu naprzeciw niego i wdała się z nim w konwersację.

Może wyjaśni, co go czeka po przekroczeniu progu? Niebo i granie na harfie przez całą wieczność? Ognie piekielne? A może po prostu nicość? Oto wielka zagadka nie do rozwiązania, złączona z inną, równie niepojętą kwestią: jaki jest cel ludzkiego życia? Czy ma ono w ogóle jakiś sens?!

Poprzedniego dnia odwiedził swego bankiera w londyńskiej City. Po drodze przejeżdżał koło Szpitala Św. Bartłomieja – wielkiego kompleksu budynków o dość chaotycznej zabudowie. Początki szpitala sięgały XII wieku. Stephen spoglądał na wielkie gmachy i nagle poraziła go myśl, że w tych starych murach znajduje się zapewne wielu chorych stojących nad grobem. Ogarnęła go nagle pokusa tak przemożna, że omal nie rozkazał zatrzymać koni. Chciał wyskoczyć z powozu, wpaść do szpitala, znaleźć jakiegoś konającego i zażądać, by wyjawił mu, co widzi i co czuje. Może któryś z pacjentów zna odpowiedź na dręczące go pytania? Może wie, czym naprawdę jest śmierć i zechce podzielić się z nim swą wiedzą?

Stephen podejrzewał jednak, że ci, którzy poznali prawdę, znajdują się tam, gdzie on nie jest w stanie dotrzeć.

Podczas gdy myśli Stephena błądziły po manowcach, ciało odzyskało nieco sił. Ale zdołał podnieść się z fotela tylko dlatego, że za wszelką cenę chciał wrócić do łóżka, w ramiona Rosalindy.

Dzień był słoneczny i Rosalinda uznała to za dobrą wróżbę. Przez całą drogę do Richmond – niewielkiego miasta nad Tamizą, na zachód od Londynu – trzymała męża za rękę. Wyglądał dziś na ciężko chorego. Wiedziała, że wstawał w nocy, bo przebudziła się, gdy wrócił, trzęsąc się z zimna. Bez słowa objęła go i mocno przytuliła. Po pewnym czasie trochę się rozgrzał.

Dalsze ukrywanie jego choroby było już niemożliwe. Każdy, kto znał Stephena, dostrzegał od razu jego chudość i rozpacz w oczach. Rosalinda zdławiła rosnący w jej sercu bunt przeciw niesprawiedliwości losu. Wiedziała, że jeśli raz sobie pofolguje i podda się emocjom, nigdy już nie odzyska samokontroli.

Powóz minął dwuskrzydłową bramę z kutego żelaza i wjechał na podjazd, kończący się półkoliście przed frontowym wejściem do wytwornej willi.

– Prześliczny dom! – zachwyciła się Rosalinda, gdy mąż pomagał jej wysiąść z powozu.

– Czarujący – przytaknął Stephen, wspinając się na ganek.

Zanim zdążył dotknąć kołatki, drzwi otworzyły się i stanął w nich starszawy majordomus.

– Witam wasze książęce mości – odezwał się z głębokim ukłonem. Twarz miał poważną, ale oczy błyszczały mu z podniecenia.

Rosalinda zebrała wszystkie siły. Miała niegdyś w repertuarze rolę marnotrawnej córki, powracającej po latach do rodzinnego domu. Grałam ją wtedy, zagram teraz, powiedziała sobie w duchu.

Weszli do głównego holu, gdzie wyszła im naprzeciw drobna dama o śnieżnobiałych włosach i delikatnych rysach.

Jej twarz jaśniała radością.

– Jestem twoją babcią, dziecinko – oznajmiła wesoło. – Niech no ci się przyjrzę!

Podczas tych oględzin lady Westley nie puszczała ręki Rosalindy, która przypatrywała się z równą ciekawością starej hrabinie. Czuła się przy niej wielka i niezgrabna. Co jak co, ale wzrostu i postury nie odziedziczyła po babce.

Starsza dama, obejrzawszy wnuczkę od stóp do głów, odetchnęła z ulgą.

– Anne miała rację. Jesteś bardzo podobna do Sophii. Ale oczywiście nie jesteś nią, tylko sobą, Rosalindo!

Wnuczka pochyliła się i ucałowała blady jak pergamin policzek hrabiny.

– Nigdy dotąd nie miałam babci – powiedziała. – Nie bardzo wiem, jak powinnam się zachować.

Lady Westley się roześmiała.

– Powinnaś mi dogadzać, i tyle. Wykorzystałam swój sędziwy wiek i nie najlepsze zdrowie, by zapewnić sobie możliwość rozmowy z tobą bez obecności reszty rodziny. Musieli ustąpić. W końcu nie co dzień spada mi z nieba nowe wnuczę… a co dopiero śliczna, całkiem dorosła wnuczka!

Hrabina zwróciła się do Stephena.

– Spotkaliśmy się już parę razy, Ashburton. Co prawda od tej pory upłynęło sporo czasu… Znałam twoją matkę. To była szalona dziewczyna… ale serce miała dobre. Bardzo się cieszę, że należysz teraz do naszej rodziny.

Na wzmiankę o matce w oczach Stephena błysnęła ironia, ale ukłon, który złożył starej hrabinie, był bez zarzutu.

– Podzielam tę radość, lady Westley, i czuję się zaszczycony.

– Chodźmy już, bo moje dzieci i wnuki umrą z ciekawości! Nie mogą się doczekać spotkania z nową krewniaczką – mówiła hrabina, zmierzając z gośćmi w stronę salonu. – Młode pokolenie uważa, że twoje dzieje są niezwykle romantyczne! – Skrzywiła się. – Nie zdążyli się jeszcze przekonać, że romantyczne perypetie w realnym życiu bywają diabelsko kłopotliwe!

Rosalinda się roześmiała. Babcia ogromnie się jej spodobała! Stephen otworzył drzwi do salonu – i w jednej chwili zostali otoczeni ze wszystkich stron przez krewnych. Nie ulegało wątpliwości, że są oni szczerze uradowani widokiem Rosalindy, którą od dawna uważano za nieżyjącą.

Lady Cassell wzięła na siebie obowiązek zapoznania siostrzenicy z pozostałymi członkami rodziny. Rosalinda uświadomiła sobie, że po raz pierwszy od wczesnego dzieciństwa nie musi nikomu niczego udowadniać. Do tej grupy ludzi należała w sposób jak najbardziej naturalny – z urodzenia. Niezbite dowody tej przynależności dostrzegała na twarzach i w ruchach otaczających ją osób – ten sam kolor włosów… takie same wzrost i budowa… Przyglądała się im po kolei, szukając śladów rodzinnego podobieństwa. Jej wuj, lord Westley, był potężnie zbudowany i dobroduszny. Może pogodne usposobienie było rodzinną cechą Westleyów, a ona odziedziczyła je po zmarłej matce? A śliczna nastolatka, Cassandra, mogłaby z powodzeniem być bliźniaczką siedemnastoletniej Rosalindy.

Śmiała się, paplała i próbowała zapamiętać imiona swych krewniaków. Ból po śmierci rodziców odsunął się na dalszy plan; nie zapomniała o ich tragedii, ale należała ona do przeszłości. Rosalinda przekonała się, jakim nieszczęściem jest utrata bliskich i zaznała goryczy samotności. Dzisiaj ujrzała drugą stronę medalu: zakosztowała szczęścia, jakim jest powrót na łono rodziny.

Stephen trzymał się nieco na uboczu podczas ogólnej prezentacji i potem, gdy podano lunch. To był wielki dzień Rosalindy i tylko ona powinna być bohaterką dnia. Dobrze się zresztą złożyło, gdyż Stephenowi po prostu brakło sił na to, by w duecie z żoną odgrywać pierwszoplanowe role. Siedział więc cicho, popijał wino małymi łyczkami i udawał, że je – ani na chwilę nie odrywając oczu od promieniejącej szczęściem żony. Oto jeszcze jedna grupa osób, które przyjdą Rosalindzie z pomocą, gdy wybije jego godzina. Jako hrabianka z urodzenia i księżna przez małżeństwo była bezpieczna w każdym znaczeniu tego słowa.

Znów przyszło mu do głowy, że Rosalinda powinna wyjść powtórnie za mąż. Jej kuzyn James, syn i spadkobierca hrabiego Westleya, od pierwszego wejrzenia stracił dla niej głowę tak dalece, że z pewnością już by się oświadczył kuzynce, gdyby nie miała męża. Był mniej więcej w wieku Rosalindy i robił wrażenie porządnego chłopca. Mogła gorzej trafić!

Temat rozmyślań nie był dla Stephena zbyt miły. Powiódł wzrokiem po pozostałych członkach rodziny. Naprzeciw niego siedziała babka Rosalindy. Kiedy ich spojrzenia się spotkały, stara hrabina powiedziała:

– Zamierzam przejść się po ogrodzie, jak tylko wstaniemy od stołu. Jestem pewna, Ashburton, że zechcesz mi towarzyszyć. – W wyblakłych niebieskich oczach zamigotały swawolne iskierki. – Starość też ma dobre strony! Dama w moim wieku może zaczepić najprzystojniejszego z obecnych mężczyzn, a biedak nie ośmieli się zaprotestować!

Stephen się roześmiał.

– Nie mam wcale ochoty protestować!

Była to szczera prawda. Zbyt hałaśliwe spotkanie rodzinne już go zaczęło męczyć. Zdecydowanie wolał spacer po ogrodzie.

Młodziutka Cassandra pomknęła na górę po szal babuni i wróciła, niosąc również laskę. Towarzyszył jej piesek starej hrabiny, równie wiekowy jak ona: malutki i kudłaty, kroczył z niezwykłym dostojeństwem. Na ten widok Stephen i Rosalinda spojrzeli na siebie i wymienili uśmiechy. A potem Stephen i starsza pani wyszli z domu. Piesek trzymał się nogi hrabiny. Był piękny październikowy dzień; z nieba świeciło szczerozłote słońce. W jego promieniach liście na drzewach i jesienne kwiaty błyszczały złotem.

Jedną ręką opicrając się na lasce, a drugą trzymając na ramieniu Stephena, lady Westley oprowadzała gościa po ogrodzie. Był starannie zaplanowany, troskliwie pielęgnowany i położony na zboczu, które łagodnie opadało ku rzece. Pomysłowo wytyczone kręte ścieżki sprawiały, że wydawał się znacznie większy, niż był w rzeczywistości. Chociaż lato dawno minęło, wszędzie kwitło pełno kwiatów. Podziwiając róże, rosnące pod osłoną ceglanego muru, Stephen powiedział:

– Pani ogród jest niezwykle piękny, hrabino.

– To zasługa słonecznej jesieni! Wkrótce zaczną się przymrozki i będzie po moich kwiatach. Potem opadną liście i ostre zimowe wiatry powieją od rzeki. – Pochyliła się, zerwała złocistą chryzantemę i machinalnie obracała w palcach łodygę kwiatu. – Przykro mi, że już mnie tu nie będzie, gdy powróci wiosna. Spędziłam w tym domu połowę życia i każdej wiosny kwiaty wydawały mi się piękniejsze niż przed rokiem.

– Zamierza pani wyprowadzić się stąd i zamieszkać u któregoś ze swoich dzieci?

– Ależ skąd! Po prostu nie dożyję wiosny – odparła ze spokojem.

Przeszył go dreszcz.

– Przecież nie może pani mieć żadnej pewności…

– Mogę. – Spojrzała mu w oczy. – I mam.

Sądząc, że stara dama jest w tej samej sytuacji, co on, spytał:

– Co pani dolega?

– Starość – wyjaśniła. – Moje ciało niszczeje w coraz szybszym tempie. Pewnie bym umarła wcześniej, ale widocznie czekałam na powrót Rosalindy.

Dotarli do polanki ze starą fontanną z kruszącego się kamienia. Lady Westley popatrzyła na roześmianego amorka, trzymającego wazę, z której woda spływała do omszałego basenu.

– Nie ma większego nieszczęścia niż stracić własne dziecko – powiedziała cicho. – O tym nigdy nie można zapomnieć. Nigdy. Ale patrząc na Rosalindę, mam chwilami wrażenie, że odzyskałam Sophię.

Dotknęła ustami trzymanej w ręku chryzantemy i złożyła ją na wodzie obok pulchnych stopek amorka.

Kiedy ruszyli dalej ogrodową ścieżką, Stephen rzekł:

– Domyślam się, że podobieństwo jest ogromne, ale Rosalinda wychowała się w innych warunkach niż jej matka. I jej życie inaczej się potoczyło.

– Jak pomyślę, że to słodkie maleństwo żywiło się ochłapami ze śmietnika, krew mi się ścina w żyłach! – Hrabina pokręciła głową i po chwili dodała lżejszym tonem: – Pomyśleć tylko: córka Westleyów na scenie! Szkoda, że jej nie widziałam.

– Rosalinda jest całkiem dobrą aktorką, choć teatr nie stanowi istoty jej życia. – Stephen się uśmiechnął na wspomnienie „pani Kaliban". – Widzę, że myśl o wnuczce komediantce nie przyprawiła pani o szok… Sądzę, że byłaby pani dumna z jej talentów.

– Nie tak łatwo zaszokować kogoś w moim wieku – odparła ze śmiechem stara hrabina. – Ale bez względu na to, jak życie się z nią obeszło, Rosalinda jest bardzo podobna do swojej matki. Od pierwszej chwili wiedziałam, że ma równie pogodne usposobienie jak Sophia.

– Nikt nie wie lepiej ode mnie, jaka jest słodka i dobra – potwierdził.

Dotarli do zalanej słońcem ławki, z której można było podziwiać rzekę.

– Siądźmy tu na chwilę – poprosiła lady Westley. – To moje ulubione miejsce. Lubię przyglądać się stąd płynącym łodziom i barkom.

Usiedli obok siebie; piesek przycupnął u nóg swojej pani.

– Sophia była najmłodsza z moich dzieci – powiedziała hrabina. – Omal nie umarłam, wydając ją na świat. Może właśnie dlatego łączyła nas szczególna więź… Chociaż, prawdę mówiąc, z każdym z moich dzieci czuję się silnie związana… I z Anne, moją pierworodną, która tak się o mnie troszczy, i z Richardem, moim jedynym synem… Bóg obdarzył mnie dobrymi dziećmi. To prawdziwe błogosławieństwo!

W sercu Stephena odezwał się dobrze znany smutek. Tak bardzo pragnął dzieci, ale nie zaznał tego szczęścia.

– A ich obdarzył bardzo kochającą matką… To wielkie szczęście, lady Westley!

Zawahał się, czy mówić dalej. Był pod wrażeniem głębokiej wiary hrabiny i jej pogody ducha. Rozpaczliwie pragnął dowiedzieć się, skąd czerpała siły. Nie wypadało zadawać obcej niemal osobie tak osobistych pytań… ale do kogóż innego miał się zwrócić?

– Jak może być pani taka spokojna w obliczu śmierci, hrabino?

Spojrzała na niego z lekkim zdziwieniem.

– Śmierć jest naturalną konsekwencją życia. Czymś, co czeka nas wszystkich i wcale nie musi być takie złe!

– Ja też umieram – rzucił. – Ale daleko mi do pani filozoficznego spokoju.

– Ach, tak… – powiedziała. – Domyślałam się czegoś podobnego. Zwróciłam uwagę na wyraz twojej twarzy, gdy siedzieliśmy przy stole. Spoglądałeś na nas… jakby z zewnątrz. Jak bardzo zaawansowana jest twoja choroba?

Odpowiadało mu jej rzeczowe podejście do sprawy. Większość rozmówców byłaby zaszokowana albo śmiertelnie zażenowana jego wynurzeniami.

– Bardzo zaawansowana. Pożyję jeszcze kilka tygodni… w najlepszym razie. Czuję się tak, jakby silny prąd unosił mnie coraz dalej i dalej od normalnego życia.

– Czy Rosalinda wie o twojej chorobie?

Skinął głową.

– Powiedziałem jej o tym, zanim się pobraliśmy. Może nie zdecydowałaby się na małżeństwo ze mną, gdyby miało trwać długie lata… Ale zgodziła się dotrzymać mi towarzystwa przez ten krótki czas, jaki mi jeszcze pozostał.

– Nie pleć bzdur, młody człowieku! Nikt nie uwierzy, że to małżeństwo z rozsądku. Wystarczy na was spojrzeć! – Twarz jej się zachmurzyła. – Młodemu znacznie trudniej umierać. W twoim wieku nie jest się jeszcze przygotowanym na śmierć. Rosalindzie również będzie ciężko… Ale śmierć nie jest kresem wszystkiego, rozumiesz? Spotkacie się znowu!

Spojrzał jej badawczo w twarz.

– Pani w to naprawdę wierzy, hrabino?

– Ja nie wierzę – odparła ze spokojnym uśmiechem. – Ja wiem!

– Jak można coś takiego wiedzieć? – spytał porywczo. – Skąd ta pewność?!

– Mogłabym to wyjaśnić… ale pewnie mi nie uwierzysz.

– Może i nie uwierzę… ale proszę, niech pani mówi!

Zacisnęła zniekształcone artretyzmem palce na złotej gałce laski i zastanawiała się przez chwilę.

– Jak już wspomniałam, omal nie umarłam w gorączce połogowej po urodzeniu Sophii. Bolało strasznie, a do tego jeszcze byłam przerażona, bo czułam, jak życie ze mnie wycieka. I nagle zorientowałam się, że nie przebywam już we własnym ciele, tylko unoszę się pod sufitem. Pamiętam, jak spoglądałam stamtąd na siebie samą i jak mi było żal tej biednej młodej kobiety w łóżku. Potem usłyszałam, że ktoś mnie woła po imieniu. Odwróciłam się i ujrzałam moją matkę, która zmarła pięć lat wcześniej. Nie mogłam uwierzyć, że to ona, póki mnie nie uściskała. – Lady Westley zacisnęła wargi. – Trudno mi to wyjaśnić, bo w tym momencie nie miałam ciała… ale to był naprawdę uścisk, i to bardzo serdeczny! Ogromnie mi brakowało matki… Potem wzięła mnie za rękę i zaprowadziła do ogrodu pełnego światła. Był to najpiękniejszy ogród, jaki kiedykolwiek widziałam. – Hrabina gestem ręki wskazała otaczający ich park. – Przez długie lata usiłowałam stworzyć ogród na obraz i podobieństwo tamtego… ale to wszystko jest zaledwie bladym cieniem tego, co ujrzały wówczas moje oczy.

Zafascynowany, choć nie w pełni przekonany Stephen spytał niecierpliwie:

– Co było potem?

– Zjawili się inni ludzie, których znałam. Wiedziałam, że umarli. Przybyli, by mnie powitać i pomóc mi, gdybym poczuła się zdezorientowana. – Starsza pani się uśmiechnęła. – Przypominało to urocze spotkanie towarzyskie… tylko było sto razy milsze! Rozejrzałam się dokoła i zobaczyłam, że pośrodku ogrodu stoi świątynia z kryształu i z niej właśnie bije największy blask. Zapragnęłam wejść do niej, bo zrozumiałam, że to promienne światło to miłość.

Spojrzenie hrabiny stało się dalekie, pełne tęsknoty.

– I co? Weszła pani do wnętrza świątyni?

Zamrugała, przywrócona nagle do rzeczywistości.

– Nie… Usłyszałam płacz niemowlęcia i wiedziałam od razu, że to moje dziecko. Nagle znalazłam się w dziecięcym pokoju i zobaczyłam, że mamka trzyma na ręku moją krzyczącą wniebogłosy córeczkę. – Hrabina się uśmiechnęła. – Wcale nie była ładna w tym momencie! Taka czerwona i rozwrzeszczana… Ale bardzo się zmartwiłam, że będzie dorastać bez matki. Przez ścianę przeniknęłam do sąsiedniego pokoju i ujrzałam Anne i Richarda skulonych w kąciku. Anne głaskała braciszka po pleckach i zapewniała go, że mamusia na pewno wyzdrowieje. Ale i ona płakała…

Piesek zaskomlił i stara dama gładziła go po łebku, póki się nie uspokoił.

– Potem znalazłam się znów w moim pokoju. Ciągle unosiłam się pod sufitem, a równocześnie widziałam siebie w łóżku i Jamesa, mojego męża, który trzymał mnie za rękę. Nic nie mówił, ale po twarzy spływały mu łzy. Nigdy dotąd nie widziałam, żeby płakał! – Lady Westley spojrzała znów na Stephena. – Pobraliśmy się z Jamesem, bo nasi rodzice tego sobie życzyli. Ale nasze małżeństwo okazało się nad podziw udane. Dobrze nam było ze sobą. – Hrabina rzuciła Stephenowi szelmowski uśmiech. – I w łóżku, i poza łóżkiem. Mimo to nie miałam pojęcia… aż do tamtej chwili, że James mnie kocha. Nie należał do tych, co deklamują wiersze albo sypią komplementami. Ale w tym momencie ujrzałam, że płonie w nim miłość. Jaśniał tym samym blaskiem co cudowny ogród, który przed chwilą opuściłam. – Ściągnęła brwi. – I wtedy zrozumiałam, że muszę podjąć decyzję. Mogę wrócić do ogrodu lub do mojej rodziny. Wybór należał do mnie.

Stephen wpatrywał się w twarz starej damy, próbując zrozumieć jej uczucia.

– Z pewnością nie wahała się pani długo. Powrót do męża i dzieci nie był przecież wielkim poświęceniem!

– Możesz mi wierzyć albo nie, ale nie był to łatwy wybór – odparła z naciskiem. – Nigdy przedtem nie odczuwałam takiego szczęścia, takiego spokoju jak w tamtym ogrodzie. Byli tam ludzie, których kochałam. I tyle niezwykłych rzeczy, które pragnęłam poznać! Wiedziałam jednak, że moja rodzina mnie potrzebuje, a ogród będzie na mnie czekał. Wyciągnęłam rękę, by dotknąć Jamesa… I w następnej chwili ocknęłam się w moim łóżku, zlana potem, rozgorączkowana. Lekarz powiedział mi, że przez trzy dni leżałam bez przytomności.

Stephen poczuł nagłe rozczarowanie.

– A więc to był tylko sen!

– Mówiłam, że mi nie uwierzysz! – Wzruszyła ramionami. – To rzeczywiście przekracza ludzki rozum… ale tam, w ogrodzie, nasz ziemski rozum niewiele znaczy. Coś ci powiem: spytałam później męża, czy siedział przy moim łóżku, trzymał mnie za rękę i płakał. Strasznie się zmieszał, ale przyznał, że tak było. Jeśli leżałam nieprzytomna, to skąd mogłam wiedzieć, jak się James zachowywał? Może więc naprawdę unosiłam się pod sufitem?

Stephen pomyślał, że mogła mieć w malignie przebłyski przytomności i czuć obecność męża, ale była to piękna historia i dała hrabinie poczucie bezpieczeństwa. Spytał więc tylko:

– Nie żałowała pani potem swojej decyzji, hrabino?

– Nie. Choć było mi bardzo ciężko, gdy straciłam Sophię... I potem, dziesięć lat temu, gdy umarł James... – Uśmiechnęła się promiennie. – Ale niedługo znów ich zobaczę i będziemy zawsze razem!

Kto wie? Może naprawdę spotka się z tymi, których kochała? Jeśli jednak kluczem do niebiańskiego ogrodu była wiara, to on sam był z góry skazany na wieczny mrok.

Chmury przesłoniły słońce i nagle się ochłodziło.

– Lepiej wracajmy, bo się pani jeszcze przeziębi, hrabino! – powiedział. – A pani dzieci i wnuki nigdy by mi nie darowały, gdybym się okazał niegodną zaufania eskortą.

Spojrzała na niego wzrokiem, który przeniknął aż do serca.

– Nie musisz mi wierzyć, drogi chłopcze! Sam się przekonasz, że istnieje życie po życiu.

Pragnął aż do bólu takiej pewności... ale samo pragnienie nie wystarczało. Powiedział bezbarwnym głosem:

– Mam nadzieję, że pani się nie myli.

Wstał z ławki, pochylił się i ucałował hrabinę w policzek.

– Ale choćby była pani w błędzie, lady Westley, jestem szczęśliwy, że mogłem poznać panią bliżej. Nie umiem powiedzieć, czy Rosalinda przypomina swoją matkę. Nie ulega jedna wątpliwości, że jest bardzo podobna do pani... i możecie być nawzajem z siebie dumne.

Była to szczera prawda. Jednak pomagając starej hrabinie podnieść się z ławki i otulając jej chude ramiona szalem, Stephen myślał posępnie, że niepokojące go pytania pozostają nadal bez odpowiedzi.

30

Lunch u Westleyów przeciągnął się do późnego popołudnia. Rosalinda z ochotą zostałaby do rana, gdyby nie spojrzała na Stephena, rozmawiającego w drugim końcu pokoju z jej wujem Richardem. Mąż wyglądał na bardzo zmęczonego. Natychmiast zawstydziła się swego egoizmu, pospiesznie pożegnała się z rodziną i wkrótce byli już w drodze powrotnej do Londynu.

Rosalinda – również zmęczona – usadowiła się wygodnie w powozie i wzięła męża za rękę.

– Było znacznie przyjemniej, niż myślałam! Nie myliłeś się, Stephenie, to prawdziwe szczęście mieć kilka rodzin. Może pewnego dnia poznam także moich francuskich krewniaków?

– Rozmawiałem na ich temat z lordem Westleyem – odparł Stephen. – Powiedział mi, że twój stryjeczny brat, Philippe St. Cyr, walczył po stronie rojalistów i po powrocie Burbonów na tron odzyskał prawa do rodowego tytułu i włości. Majątek St. Cyrów jest podobno w nie najlepszym stanie, ale twój kuzyn stara się przywrócić mu dawną świetność. – Spojrzał na żonę. – Oczywiście według prawa posiadłość należy do ciebie.

– Wielkie nieba! – zdumiała się. – To ja mam jakieś dobra we Francji?!

– Nie uważam, by trudno było udowodnić, że jesteś dziedziczką St. Cyrów.

Rosalinda zastanowiła się przez chwilę.

– Chyba rzeczywiście mogłabym domagać się zwrotu ojcowskiego majątku… ale z tego, co mówisz, jasno wynika, że kuzyn Philippe ma do niego większe prawo. Zapłacił za te ziemie własną krwią i własnym potem. A poza tym nie mam zamiaru przenosić się na stałe do Francji. Niech sobie Philippe zatrzyma dobra St. Cyrów!

Stephen uśmiechnął się do żony.

– Czułem, że tak postąpisz. Jesteś wielkoduszna i szczodra.

Się roześmiała.

– Jestem szczodra, bo dzięki tobie mogę sobie na to pozwolić.

– Polecę memu doradcy prawnemu, by skontaktował się listownie z twoim kuzynem. Philippe St. Cyr powinien się dowiedzieć o twoim istnieniu i o twojej decyzji. Najlepiej będzie, jeśli oficjalnie zrzekniesz się wszelkich praw do tej posiadłości na jego korzyść. – Ścisnął mocniej rękę żony. – Być może kuzyn zechce wyrazić swą wdzięczność, przesyłając ci kilka rodzinnych antyków lub klejnotów, byś nie zapomniała o swym francuskim pochodzeniu.

Nieoczekiwanie Rosalindzie stanęła przed oczyma sypialnia umeblowana w uroczym francuskim stylu, tak różnym od angielskiego. Toaletka mamy…

– Sprawiłby mi tym ogromną przyjemność. – Uśmiechnęła się. – Jeszcze jedna rodzina do poznania i pokochania! Ciekawam, czy okaże się równie miła jak rodzina mamy.

– Westleyowie trochę przypominają mi Fitzgeraldów – zauważył Stephen. – Nie wiedziałem, że wśród arystokracji zdarzają się tak zżyte ze sobą, kochające się rodziny.

U Kenyonów z pewnością nie kultywowano takich tradycji.

– Babcia nazwała twoją matkę szaloną dziewczyną o dobrym sercu – powiedziała niepewnie. – Czy naprawdę taka była? Nigdy mi o niej nie opowiadałeś.

– „Szalona" jest przyjętym w naszych sferach eufemizmem słowa „rozpustna" – odparł sucho. – Moja matka była bardzo piękna, a mój ojciec miał prawdziwą obsesję na jej punkcie. Ich związek był zawziętą, drapieżną walką o władzę; każde z nich chciało pognębić współmałżonka. Ojciec znienawidził siebie i ją za to, że mimo wszystko pożądał jej. Ona zaś z zasady nie uznawała żadnych więzów i żadnego umiaru. Patrząc na nich, dziękowałem losowi, że nie odziedziczyłem ich skłonności do namiętnych porywów. Michael niestety odziedziczył… i drogo za to płacił, póki nie wziął się w karby. – W oczach Stephena pojawił się cień smutku. – A matka rzeczywiście miała dobre serce. Czasem zastanawiałem się, jaka mogłaby być, gdyby nie ciążyło na niej przekleństwo zbyt wielkiej fortuny i niedobranego małżeństwa. Umarła, gdy miałem piętnaście lat.

Zdumiewające! Stephen uważał, że nie ma namiętnej natury. A ona wyczuła w nim tę cechę już podczas pierwszego spotkania… I wszystko, co zaszło między nimi od tej pory, zdecydowanie potwierdzało tę opinię.

Stephen ziewnął, zasłaniając usta ręką.

– Przepraszam! Nie najlepiej spałem dziś w nocy. Jeśli nie weźmiesz mi tego za złe, chętnie bym się zdrzemnął.

Ziewanie jest zaraźliwe. Rosalinda również nie mogła się od niego powstrzymać.

– Doskonały pomysł!

Stephen zamknął oczy i oparł się wygodnie o poduszki. Kiedy z jego twarzy znikło ożywienie, Rosalinda spostrzegła z przerażeniem ogrom zmian, jakie zaszły w jego wyglądzie w ciągu ostatnich kilku tygodni. Schudł tak bardzo, że rysy twarzy wyostrzyły się i wyglądał nie na trzydzieści kilka, ale na pięćdziesiąt lat z okładem. Spostrzegła również niepokojąco żółtą barwę skóry. Choroba wyraźnie zaatakowała wątrobę. Serce ścisnęło się Rosalindzie na myśl, że nie zostało mu już wiele życia.

Złożyła głowę na jego ramieniu, a on objął ją w talii. Taki intymny, taki naturalny odruch… Mimo zmęczenia Rosalinda nie mogła się odprężyć. Radosny dzień, w którym nawiązała serdeczne stosunki z odnalezioną po latach rodziną, pozwolił jej zrozumieć w pełni, czego był pozbawiony przez całe życie Stephen z winy swych krewnych. Zamykając oczy, poprzysięgła sobie, że dołoży wszelkich starań, by zmienić obecną sytuację na lepsze.

Rosalinda wysiadła z powozu Ashburtonów i podeszła do drzwi frontowych Herrington House. Zastukała kołatką i czekała na jakiś odzew z pozornym spokojem, choć była kłębkiem nerwów i miała kurcze żołądka. Pomyślała, że przygotowanie do zawodu aktorki okazało się wyjątkowo pożyteczne w chwili, gdy zapuściła się na zdradliwe wody wielkiego świata. Maria uczyła swą przybraną córkę wymowy, mimiki i gestykulacji, dobrych manier, odpowiedniego doboru strojów oraz maskowania uczuć. Żadna z dam pragnących zrobić furorę w Londynie nie mogła marzyć o lepszym instruktażu.

Lokaj otworzył wreszcie drzwi. Rosalinda wyminęła go i pewnym krokiem weszła do holu, jakby nie ulegało wątpliwości, że zostanie przyjęta.

– Jestem księżną Ashburton – oznajmiła, wręczając lokajowi jedną ze swoich nowiutkich kart wizytowych. – Chcę się widzieć z moją bratową.

Lokaj się zawahał.

– Lady Herrington nie przyjmuje gości o tak wczesnej porze.

Oczy Rosalindy zmieniły się w wąziutkie szparki. Poczęstowała służącego wzgardliwą miną królowej Elżbiety w interpretacji Marii Fitzgerald, spoglądającej na hiszpańską Wielką Armadę. Lokaj aż się skulił pod jej spojrzeniem.

– Oczywiście, wasza książęca mość należy do rodziny – poprawił się z pośpiechem. – Może księżna pani raczy spocząć w salonie? Powiadomię panią hrabinę o przybyciu waszej książęcej mości.

Rosalinda udała się za nim do salonu, ale zamiast usiąść, krążyła nerwowo po pokoju. Salon był efektownie umeblowany, nieskazitelnie utrzymany i miał tyle ciepła co rodzinny grobowiec. Zupełnie tak samo, jak Claudia!

Drzwi otworzyły się i rozwścieczona lady Herrington wkroczyła do pokoju.

– Jak śmiesz wdzierać się do mego domu, kiedy dałam wyraźnie do zrozumienia, co o tobie myślę? Pewnie łudzisz się, że względy przyzwoitości powstrzymają mnie od wyrzucenia cię za drzwi? Mylisz się, i to bardzo!

Jeśli nie wyniesiesz się stąd w ciągu minuty, każę służbie wyprowadzić cię siłą i cisnąć do rynsztoka. To najwłaściwsze miejsce dla ciebie.

Sprawy przedstawiały się jeszcze gorzej, niż Rosalinda przewidywała.

– Zapewniam cię, hrabino, że nie mam zwyczaju wpraszać się tam, gdzie nie jestem mile widziana – odparła tonem spokojnej perswazji. – Musimy jednak porozmawiać o pewnej naglącej sprawie. Jeśli zechcesz poświęcić mi pięć minut, milady, wyjaśnię, z czym przyszłam, i moja noga nigdy więcej tu nie postoi. Słowo honoru!

Wyraz twarzy Claudii stał się jeszcze bardziej odpychający, ale niechętnie wyraziła zgodę.

– Niech i tak będzie. Warto zmarnować pięć minut, jeśli dzięki temu uwolnię się raz na zawsze od twego natręctwa. O ile, oczywiście, można wierzyć twoim słowom.

Stanęła za fotelem z wysokim oparciem, jakby chciała zabezpieczyć się przed czynną napaścią.

Rosalinda odetchnęła głęboko.

– Może spojrzysz na sytuację nieco innym wzrokiem, hrabino, dowiedziawszy się, że jestem córką Sophii Westley, siostry lorda Westleya i lady Cassell.

Claudia spojrzała na nią z niesmakiem i pokręciła głową.

– Bezczelne kłamstwo! Znałam osobiście Sophię Westley. Wyszła za Francuza i została zamordowana wiele lat temu, w czasach terroru. Pierwsze słyszę, żeby miała jakieś dzieci.

Rosalinda poczuła ukłucie bólu. Przed jej oczyma pojawiła się wyraźnie scena śmierci rodziców.

– Miała tylko jedno dziecko, mnie. Jestem w rzeczywistości Marguerite St. Cyr, hrabianką du Lac – odparła spokojnie. – Moja angielska niania zdołała przywieźć mnie do Londynu, zmarła jednak, nie zdążywszy skontaktować się z rodziną mojej matki. Zaopiekowali się mną Fitzgeraldowie. Dobrze znasz, hrabino, dalszy ciąg tej historii. Nie mam zamiaru kajać się przed tobą ani usprawiedliwiać moich przybranych rodziców. Ani oni, ani ja nie mamy się czego wstydzić. Znając jednak twoją obsesję na punkcie „dobrego" urodzenia, sądziłam, że ucieszy cię wieść, iż cała rodzina Westleyów nie ma wątpliwości, że jestem córką Sophii. Jeżeli mi nie wierzysz, hrabino, spytaj kogokolwiek z nich. Albo, jeśli istotnie znałaś moją matkę, po prostu spójrz na mnie. Podobno jestem jej wiernym odbiciem.

Oczy Claudii zwęziły się, gdy mierzyła wzrokiem nieproszonego gościa. Rosalinda odgadła, że bratowa chętnie zadałaby jej kłam, ale nie może.

– Istotnie, przypominasz z wyglądu Sophię – przyznała niechętnie. – Ale jeśli nawet jesteś jej córką, niczego to nie zmieni. Samo pochodzenie nie wystarczy, by stać się prawdziwą damą. Pożałowania godne wychowanie i stałe kontakty z ostatnimi szumowinami pozostawiły na tobie niezatarty ślad. Przypomnij sobie choćby podłe sztuczki, do jakich uciekłaś się, by uwieść mego brata i sprowadzić go z drogi obowiązku!

– Stanowczo przeceniasz moje „sztuczki" i nie doceniasz inteligencji własnego brata – odparowała szczerze ubawiona tą argumentacją Rosalinda. – Ale widzę, że nic nie zmieni twojej opinii o mnie. Podziękuj losowi przynajmniej za to, że w oczach świata, do którego należysz, drugie małżeństwo Stephena jest jak najbardziej godne księcia Ashburton.

Claudia zacisnęła usta.

– Wielki świat może pochwalać, co zechce. Mój ojciec z pewnością nie zaaprobowałby tego małżeństwa!

Kierując się tym, czego dowiedziała się od Stephena o Kenyonach, Rosalinda powiedziała spokojnie:

– Twój ojciec nie żyje. Choćbyś nie wiem jak się starała, nie zapewnisz sobie aprobaty umarłego ani jego miłości.

Claudia raptownie zbladła.

– Opuść natychmiast ten dom!

Czyniąc sobie wyrzuty za to, że dała się ponieść emocjom i odbiegła od tematu, Rosalinda odparła pospiesznie:

– Została mi jeszcze minuta na wyjawienie celu tej wizyty. – Zawahała się, ale postanowiła nie ukrywać prawdy. – Stephen jest umierający. Zostało mu najwyżej kilka tygodni życia. Obrażaj mnie, ile chcesz, ale proszę, spotkaj się z nim, zanim będzie za późno!

Źrenice lady Herrington rozszerzyły się na skutek szoku.

– Stephen umierający? Niemożliwe! Kenyonowie dożywają zwykle późnej starości.

– Stephen z pewnością jej nie dożyje. Cierpi na jakąś straszliwą chorobę wewnętrzną – odpowiedziała Rosalinda z niekłamaną rozpaczą w głosie. – Najlepszy dowód na to, że najlepsi z nas umierają młodo. Stephen to najwspanialszy, najszlachetniejszy ze wszystkich ludzi, jakich znałam! Jest do ciebie bardzo przywiązany, a to, że się go wyrzekłaś, bardzo go boli. Jeśli umrze, zanim się pogodzicie, nie darujesz sobie tego.

– Dobry Boże! – wyszeptała Claudia. Na jej twarzy malowała się udręka. Zamknęła oczy. Kiedy znów je otworzyła, były pełne goryczy. – Świetnie się urządziłaś, nieprawdaż? Ponieważ mój brat jest hojny aż do przesady, wiedziałaś, że odgrywanie przez kilka tygodni roli oddanej małżonki sowicie ci się opłaci! Bogactwo i wysoka pozycja do końca życia!

Choć Rosalinda dobrze wiedziała, że wszelkie protesty nie mają sensu, rzuciła zimno:

– Nie wyszłam za niego dla pieniędzy.

– Czyżby?! – Usta Claudii wykrzywił niemiły grymas. – Czy aby na pewno Stephen umiera z przyczyn naturalnych? A może wzięłaś przykład z Borgiów, uznawszy, że lepiej być bogatą wdówką niż oddaną żoną?

Rosalindzie zaparło dech. Czuła się tak, jakby dostała w twarz. Choć było jasne, że Claudia sama nie wierzy w te oskarżenia zrodzone z przerażenia i bólu, jej słowa parzyły żywym ogniem.

– Nie pojmuję, jak Stephen może mieć siostrę tak do gruntu złą – powiedziała drżącym głosem. – Był już śmiertelnie chory, kiedy się poznaliśmy. Jeśli w to wątpisz, spytaj doktora Blackmera, domowego lekarza Ashburtonów.

Nie mogąc znieść dłużej zjadliwych uwag Claudii, skierowała się ku drzwiom. W ostatniej chwili, z ręką na klamce – wyłącznie ze względu na Stephena – rzekła:

– Za parę dni wyjeżdżamy do Ashburton Abbey. Radzę ci jak najszybciej zrobić rachunek sumienia i zdecydować, na czym ci bardziej zależy: na twojej przeklętej dumie czy na bracie, który cię kocha!

I wyszła, czując pulsujący ból w skroniach. Niestety, nie mogła uwierzyć, że jej słowa zmiękczą serce Claudii.

W drodze powrotnej do Ashburton House Rosalinda zdołała opanować swe emocje. Tego ranka Stephen pozostał w domu. Nie chciała, by zauważył jej przygnębienie. A już z pewnością nie zamierzała mu zdawać relacji ze swej koszmarnej wizyty u lady Herrington.

Jakim cudem w tej samej rodzinie, która wydała pełną zjadliwej nienawiści Claudię, mógł urodzić się Stephen i wyrosnąć na tak dobrego, tak szlachetnego człowieka? Rosalinda pamiętała, jak napomknął kiedyś, że on i jego brat zrozumieli, iż nie sposób dogodzić ojcu, ale do Claudii nigdy to nie dotarło. Poczuła odrobinę współczucia dla szwagierki. Desperackie próby pozyskania aprobaty zmarłego nie mogły się przecież powieść.

Powóz Rosalindy zatrzymał się przed Ashburton House, tuż za wielką karetą podróżną. Młoda księżna wysiadła i odkryła, że przybyli właśnie jej rodzice. Lokaj wynosił skromne bagaże Fitzgeraldów, a matka wpatrywała się z niedowierzaniem w imponującą fasadę książęcej rezydencji.

W nagłym wybuchu radości Rosalinda z okrzykiem „Mamo! Papo!" popędziła na ich spotkanie, jakby miała pięć lat. Thomas znajdował się bliżej i omal go nie zbiła z nóg, rzucając mu się w ramiona.

Uściskał ją z równym entuzjazmem.

– Jak cudownie znów cię zobaczyć, dziewuszko! Ale nie wariuj, upłynęło ledwie kilka tygodni, nie lat!

– Dla mnie to była wieczność! – Zwróciła się do matki i objęła ją, choć, prawdę mówiąc, pragnęła, by mama wzięła ją na ręce i ukołysała jak dziecko. – Nie zapominajcie, że do ślubu ze Stephenem byłam zawsze z wami, przez całe dwadzieścia cztery lata!

– To prawda, ale teraz jesteś księżną, kochanie, i bardzo ci z tym do twarzy. – Maria ze śmiechem odsunęła się nieco i wskazała ręką Ashburton House. – Stangret uparł się, że ma nas przywieźć tu, i kwita! Ale, szczerze mówiąc, czulibyśmy się lepiej w jakimś zajeździe. To dla nas odpowiedniejsze lokum.

– Stephen nie chciał nawet o tym słyszeć, a ja zgadzam się z nim w zupełności. – Rosalinda wzięła pod ramię swą mamę i swojego papę i poprowadziła po schodach do głównego wejścia, pozostawiając lokajowi troskę o bagaże. – Przyjechaliście w rekordowym tempie!

– Nic dziwnego, takim powozem i takimi końmi! – zauważył dobrodusznie ojciec. – A teraz gadaj, dziewuszko, jakiż to nagły interes chce z nami ubić twój małżonek? W liście tego nie wyjawił… ale ty z pewnością wiesz, co mu chodzi po głowie!

– Owszem, wiem. Ale nie będę wyręczać Stephena. Niech sam wszystko wyjaśni! – Weszli razem do głównego holu. Rosalinda zwróciła się do majordomusa: – Każ przynieść do salonu coś do picia. A kiedy adwokat księcia odjedzie, powiedz jego książęcej mości, że przyjechali moi rodzice. Mam nadzieję, że przyłączy się do nas.

Zaprowadziła Fitzgeraldów do salonu. Porcja, która ucięła tam sobie drzemkę, obudziła się i w jednej chwili podbiła serce Thomasa, pakując mu się na kolana z głośnym mruczeniem. Kilka następnych minut upłynęło na wymianie najświeższych wiadomości. Jessica i Simon Kent nie byli jeszcze zaręczeni, ale należało oczekiwać tego lada chwila. Brianowi wyraźnie brakowało nauczyciela łaciny; od wyjazdu Stephena nie poczynił widocznych postępów. Mary Kent przejęła po Rosalindzie funkcję inspicjentki i sprawdziła się w tej roli.

Po pierwszej porcji teatralnych ploteczek Rosalinda zdecydowała się wyjawić rodzicom jedyną z ostatnich sensacji. Opowiedziała im, w jakich okolicznościach odkryła wreszcie, kim jest. Dając wyraźnie do zrozumienia, że jej uczucia do nich nie uległy żadnej zmianie, opisała spotkanie z Westleyami. Thomas i Maria słuchali zaintrygowani. Kiedy Rosalinda skończyła swą opowieść, Thomas powiedział:

– Pomyśleć tylko: kukułka w naszym gniazdku okazała się hrabianką!

– To nie była żadna kukułka, tylko zwykłe kurczątko, strasznie zabiedzone i samotne!

Pojawiły się napoje i różne smakołyki. Rosalinda wystąpiła w roli gościnnej pani domu. Nalewając herbatę, uświadomiła sobie nagle, co powinna była odpowiedzieć Stephenowi, gdy pytał ją, na czym opiera się jej nieugięta wiara. Wierzyła w celowość i miłosierdzie boskich wyroków, gdyż z pewnością sam dobry Bóg kazał Fitzgeraldom zapuścić się w podejrzane zaułki St. Katherine's tamtego pamiętnego dnia przed wielu laty.

Jeszcze tylko dwadzieścia siedem dni...

Konferencja z rodzinnym doradcą prawnym była wyjątkowo męcząca, gdyż Stephen zdecydował się wreszcie wyjawić mu przyczynę ostatnich decyzji, podejmowanych z takim pośpiechem. Prawnik był zaszokowany i zbity z tropu tą nowiną. Biedaczysko ledwie zdążył przywyknąć do tego, że stary książę nie żyje, a już musiał przygotować się na kolejne zmiany i współpracę z następnym księciem Ashburton.

Cóż to była za ulga, gdy robocze spotkanie dobiegło końca, a na dodatek usłyszał o przyjeździe Fitzgeraldów! Podniesiony na duchu Stephen pospieszył na powitanie gości. Kiedy wszedł do salonu, teściowie i Rosalinda gadali jak nakręceni.

Ujrzawszy go, żona zerwała się i podbiegłszy do niego, dała mu całusa. Szepnęła przy tym cichutko:

– Papa umiera z ciekawości, co kryje się za twoim zaproszeniem. Robiłam, co mogłam, by nie domyślił się prawdy!

– Jesteś jak zawsze niezrównana! – Przytulił żonę, bo mając ją tak blisko, nie czuł już zmęczenia, po czym zwrócił się do gości.

– Jak miło znów was widzieć! Mario, wyglądasz cudownie. – Ucałował teściową i potrząsnął ręką Thomasa. – Jak długo możecie u nas zostać?

– Tylko na jedną noc, najwyżej dwie – odparł teść. – Trupa poradzi sobie bez nas, ale większość sztuk w tej sytuacji trzeba skreślić z repertuaru. –

Uśmiechnął się złośliwie. – Mam nadzieję zobaczyć dziś na scenie Keana i wygwizdać go, jak należy!

Przewidziawszy, że teściowie będą chcieli obejrzeć jakieś przedstawienie, Stephen sprawdził, co grają w teatrze przy Drury Lane.

– Dziś Kean wystąpi jako sir Giles Overreach w *Nowych sposobach na stare długi* Philipa Massingera. Z mojej loży trafisz go bez pudła zgniłą pomarańczą.

– Mój mąż nigdy by się nie zniżył do wygwizdywania rywali ani do rzucania w nich zgniłymi owocami – oświadczyła Maria. – Nieprawdaż?

– Nie zniżyłbym się – przyznał. – Ale pomarzyć chyba wolno?

– Marz sobie, ile chcesz! – zezwoliła wielkodusznie.

– Jeśli już mowa o marzeniach… – Stephen usiadł i przyjął z rąk żony filiżankę herbaty. – Czy znacie stary teatr Ateneum w pobliżu Covent Garden?

Maria skinęła głową.

– Oglądaliśmy tam przed wielu laty inscenizację *Światowych sposobów* Williama Congreve'a. Zupełnie znośna była Mirabella, ale Millamanta okropna.

– Nogi miała niezłe – wtrącił jej mąż z przekornym błyskiem w oku.

– Nie lepsze od moich – poinformowała go chłodno Maria.

– Z przyjemnością sprawdzę…

Thomas pochylił się ku żonie z wyraźnym zamiarem podkasania jej spódnicy.

Maria trzepnęła go po łapie. Rosalinda skomentowała to:

– A oni znowu swoje! – znakomicie naśladując Jessicę.

Wszyscy ryknęli śmiechem. Kiedy ucichli, Stephen rzucił niby to od niechcenia:

– Nie mielibyście może ochoty wystąpić ze swoją trupą na scenie Ateneum?

– Byłoby to bez wątpienia interesujące przeżycie. – Thomas wypił łyk herbaty i dokończył: – Wielka szkoda, że nie uda się nam zabrać Ateneum w objazd!

– Prawdę mówiąc, wyobrażałem to sobie nieco inaczej… Zamierzałem zrobić wam prezent z Ateneum, by wasza trupa mogła przenieść się do Londynu na stałe.

Nastąpiła chwila ciszy. Fitzgeraldowie nie wierzyli własnym uszom. Potem Thomas odstawił gwałtownie filiżankę na spodek.

– Co to ma znaczyć, do wszystkich diabłów?!

– Diabły nie mają z tym nic wspólnego. Ateneum wystawiono na sprzedaż i można je nabyć po rozsądnej cenie z całym sprzętem, dekoracjami, rekwizytami i kostiumami. A także skromnym domkiem w pobliżu, gdzie moglibyście zamieszkać. – Stephen uśmiechnął się lekko. – Nieruchomość nie jest obciążona żadnymi zobowiązaniami, a w umowie nie ma żadnych kruczków. Jako właściciel, dyrektor i reżyser w jednej osobie nie musiałbyś opowiadać się przed nikim, drogi teściu, z wyjątkiem własnej żony. Jestem przekonany, że odniesiecie wspólnie wielki sukces.

– Ale… ale…

Oczy osłupiałego Thomasa pobiegły ku Marii. Ich spojrzenia się spotkały.

Stephen zastanawiał się, czy jego i Rosalindę łączyłoby po latach równie głębokie porozumienie. Telepatyczne prądy krążące pomiędzy Fitzgeraldami były tak silne, że Stephen niemal wyczuwał, co mówili do siebie bez słów. Thomas, zaskoczony znienacka i z natury niezależny, bronił się przed tym darem; nie chciał nikomu niczego zawdzięczać. Maria w milczeniu przypominała mężowi lata ciężkiej pracy, braku jakiegokolwiek zabezpieczenia finansowego, ciągłe wyrzeczenia w imię wolności i niezawisłości, marzenia, o których trzeba było zapomnieć…

– Jak moglibyśmy przyjąć taki dar? – odezwał się wreszcie niepewnym głosem Thomas.

– Z wdzięcznością – odparowała Maria, nie odrywając oczu od męża. – Jesteśmy już za starzy na to, by przez dziesięć miesięcy w roku włóczyć się po środkowej Anglii!

Przez wszystkie lata małżeństwa z Thomasem zawsze stawiała na pierwszym miejscu dobro męża i dzieci, a na szarym końcu swój talent i szanse zrobienia kariery. Teraz jednak zapragnęła Ateneum i spodziewała się, że mąż uszanuje to, zaakceptuje zmianę losu.

Thomas lekko skinął głową i zwracając się do zięcia, spytał:

– Ale… dlaczego?! Z jakiej racji?…

– Z czystej wdzięczności. Za to, co zrobiliście dla Rosalindy. I dla mnie. I dla innych. Krótko mówiąc, za waszą niezwykłą dobroć. Żeby choć raz prawdziwa cnota została właściwie nagrodzona!

– Zgódź się, Thomasie, i nie wydziwiaj! – powiedziała Maria. – W iluż to sztukach ni stąd, ni zowąd wszystko szczęśliwie się kończy? Czemu nie miałoby to przydarzyć się i nam? – Podeszła do Stephena i go ucałowała. – Niech cię Bóg błogosław, Stephenie! Nie muszę ci tłumaczyć, ile to dla nas znaczy, bo sam dobrze wiesz! – Zwróciła się do męża. – Co damy na początek? Musi to być samograj, z czterema dobrymi rolami: dla ciebie, dla mnie, dla Jessiki i dla Simona.

Reszta wątpliwości Thomasa rozwiała się na myśl o wspaniałej premierze na deskach londyńskiego teatru.

– Na początek damy oczywiście Szekspira. Może by tak *Opowieść zimową*, co? Role jakby stworzone dla nas.

Maria skinęła głową.

– Doskonały pomysł! Jessica i Simon, tacy młodzi i zakochani, podbiją serca publiczności; ty olśnisz ją swym majestatem, a ja w roli niesłusznie oskarżonej żony doprowadzę wszystkie kobiety na widowni do łez!

– Wspaniale! – zawołał radośnie Thomas, chwycił Marię i okręcił ją w kółko. – Do diabła z Keanem! Jedźmy lepiej od razu do Ateneum!

Roześmiali się wszyscy czworo i poszli za jego radą. Stephen spędził popołudnie w Ateneum z Rosalindą nieodstępującą od jego boku i z teściami, którzy niczym parka jaskółek śmigali we wszystkie strony, snując plany na przyszłość, dyskutując nad powiększeniem trupy i nowym wystrojem teatru. A potem Maria zademonstrowała im, jak jej zdaniem należy grać Millamantę.

Od dawna będę spoczywał w grobie, myślał Stephen, a Thomas i Maria nadal będą rozśmieszać londyńską publiczność i wzruszać ją do łez. Bogactwo ma swoje dobre strony! A najlepszą z nich jest możność spełniania ludzkich marzeń.

31

To był bardzo męczący dzień, toteż Rosalindę ucieszyła decyzja rodziców, którzy postanowili zrezygnować ze spektaklu przy Drury Lane. Za dwa miesiące przeniosą się do Londynu i będą mogli chodzić po teatrach, ile tylko dusza zapragnie... w każdym razie do chwili, gdy Ateneum otworzy znów swe podwoje. Zapewne stanie się to pod koniec zimy, po generalnym remoncie i urządzeniu na nowo całego wnętrza, i po stosownych anonsach w prasie.

Kiedy zjedli obiad, obie panie, pozostawiwszy panów rozprawiających przy porto o interesach, przeszły do salonu. Rosalinda była bardzo rada, że może porozmawiać w cztery oczy z matką, gdyż Fitzgeraldowie mieli zabawić u nich tylko dwa dni.

– Nie wiem, jak wytrzymam do końca objazdu… Ale potem przeniesiemy się wreszcie na dobre do Londynu! – mówiła Maria, krążąc po salonie; była równie pełna energii, jak tamtego dnia, gdy wyciągnęła małą Rosalindę z podejrzanego zaułka. – Wprost nie mogę w to uwierzyć, Różyczko: będziemy mieli własny dom! I teatr, w którym zorganizujemy wszystko po swojemu! A także dość pieniędzy na wszelkie wydatki do czasu, gdy staniemy na nogi i wyrobimy sobie renomę! To coś więcej niż szczęśliwy traf. Stephen jest naszym aniołem stróżem!

Siedząca wygodnie na sofie Rosalinda uśmiechnęła się z pobłażaniem; miała wrażenie, że jest o wiele starsza i doroślejsza od swojej mamy.

Maria przyjrzała się córce i powiedziała żartobliwie:

– Tylko pofolguj trochę swemu małżonkowi! Ty kwitniesz, ale on wygląda na całkiem wykończonego. Nie zapominaj, że mężczyźni to słabe istoty, niełatwo im dotrzymać kroku żonie w małżeńskiej sypialni!

Cała radość, jaką obudził w Rosalindzie przyjazd rodziców, prysła nagle jak bańka mydlana. Znowu stanęła twarzą w twarz z przerażającą wizją rychłej śmierci Stephena. Łzy, które ostatnimi czasy ustawicznie musiała powściągać, popłynęły strumieniami. Rozszlochała się na dobre.

– Co się stało, kochanie? – spytała z trwogą w głosie Maria. – Przecież między tobą i Stephenem wszystko się dobrze układa! Widzę, jak patrzycie na siebie.

– On… on umiera. – Rosalinda usiłowała się opanować. – Wiedziałam o tym jeszcze przed ślubem, ale… och, mamo! Nie przypuszczałam, że to będzie… takie straszne!

Rozpłakała się jeszcze bardziej.

– Dobry Boże… – wyszeptała Maria. Przygarnęła Rosalindę do piersi jak wówczas, gdy przybrana córeczka budziła się po nocach z krzykiem przerażenia. – Jakie to straszne! Taki młody… i taki szlachetny!

Rosalinda płakała bez opamiętania. Puściła wodze rozpaczy. Choć matka nie mogła jej w niczym pomóc, samo wyżalenie się przed nią sprawiało ulgę. Kiedy wreszcie zbrakło jej łez, powiedziała:

– Pociesza mnie tylko jedno: chyba jestem w ciąży.

– Och, Różyczko! Cudownie! Z pewnością to ogromna pociecha dla was obojga!

– Stephen nie wie jeszcze o niczym. Chciałam mieć pewność.

– Opowiedz mi dokładnie, jak się czujesz i czemu przypuszczasz, że dziecko jest w drodze – poleciła matka.

Rosalinda posłusznie wymieniła wszystkie zmiany, które zauważyła w sobie, i opowiedziała o swym wewnętrznym przekonaniu. Kiedy skończyła, Maria skinęła głową z satysfakcją.

– Nie ulega wątpliwości: jesteś w ciąży. Bóg da, że urodzisz zdrowe, ładne dziecko. Nie pozwoli ci ono pogrążyć się w rozpaczy! – Nagle coś sobie uświadomiła. – Mój Boże! Jeśli to chłopiec, będzie księciem! – Pokręciła głową z niedowierzaniem. – Pomyśleć tylko: mój pierwszy wnuk księciem! Dobrze, że odnalazłaś tych swoich arystokratycznych krewnych, Różyczko. Kiedy zabraknie Stephena, będzie ci potrzebne jakieś oparcie… bo przecież musisz zostać w wielkim świecie ze względu na dziecko.

Maria zorientowała się w sytuacji znacznie szybciej niż sama Rosalinda.

– Westleyowie okazali mi wiele serca… – Rosalinda wzięła Marię za rękę i spytała, starając się, by nie zabrzmiało to zbyt płaczliwie: – …Ale ty zawsze będziesz moją mamusią, prawda?

– Prawda, Różyczko. – Maria uśmiechnęła się z taką miłością, że przytłaczający Rosalindę ból na chwilę złagodniał. – Zawsze będę twoją mamusią!

Jeszcze tylko dwadzieścia pięć dni…

Choć Stephen był bardzo rad z wizyty Fitzgeraldów, wyjazd ich powitał z ulgą. Żywiołowość teściów bywała nieraz męcząca, a Stephen wiedział, że powinien oszczędzać siły. Gdy jednak stał obok Rosalindy, machając na pożegnanie jej rodzicom, jak grom poraziła go myśl, że nigdy już ich nie zobaczy. Każdy dzień obfitował teraz w pożegnania z kimś lub czymś.

Kiedy powóz odjechał z turkotem, Rosalinda z uśmiechem zwróciła się do męża.

– Wybieram się do rezydencji Cassellów na lunch w towarzystwie dwóch ciotek. – Podsunęła mu usta do pocałunku. – A dziś wieczorem podzielę się z tobą bardzo ważną nowiną!

Stephen przytulił żonę. Choć jego namiętność słabła, nadal łaknął bliskości Rosalindy i żałował, że przez kilka godzin nie będzie jej w domu. Ale miał jeszcze wiele do zrobienia.

Po wyjeździe żony Stephen przeszedł do gabinetu i wydał polecenie, by mu nie przeszkadzano. Postanowił rozliczyć się ze swych funkcji publicznych. Był sędzią pokoju w hrabstwie Somerset, prezesem rady opiekuńczej dwóch szkół różnego typu, jednym z członków zarządu Muzeum

Brytyjskiego i oprócz tego pełnił kilkanaście innych funkcji. Powolna śmierć miała tę wyższość nad nagłym zgonem, że można się było przygotować i pozostawić swe ziemskie sprawy w przyzwoitym stanie. Im prędzej wszystko zostanie dopięte na ostatni guzik, tym rychlej będzie można wrócić do Ashburton Abbey.

Bóle bardzo go dziś męczyły. Stephen wahał się nieco, gdyż chciał zachować trzeźwość umysłu, ale ostatecznie zażył dwie pigułki z opium. Potem zajął się stertą dokumentów pozostawionych na biurku przez jego osobistego sekretarza. Wszystko było już przygotowane, powinien więc uporać się z tym do końca dnia.

Atak jak zwykle nastąpił nieoczekiwanie. Stephen znieruchomiał, gdy piekący ból oparzył mu przełyk i żołądek. Prawa ręka zacisnęła się tak kurczowo, że trzymane w niej gęsie pióro pękło na dwoje, on zaś zgiął się w pół, targany gwałtownymi torsjami. Dobrze, że zabronił przeszkadzać sobie w pracy! Zdąży odzyskać nieco sił, nim ktoś tu zajrzy.

Trzymając się biurka, wstał z zamiarem przeniesienia się na sofę, stojącą w drugim końcu pokoju. Jednak kręciło mu się w głowie, a nogi odmawiały posłuszeństwa. Nie mógł utrzymać równowagi. Runął na podłogę i nie poczuł nawet zderzenia z nią.

Leżał na boku ze strasznym zawrotem głowy, nie mógł się poruszyć, ból zażarcie atakował jego wewnętrzne organy. Mimo to przeraził się, gdy świat poczerniał mu przed oczyma. Z uporem powtarzał sobie, że nie może umrzeć dziś. Przecież Blackmer obiecywał mu jeszcze trzy tygodnie życia. Co najmniej!

To była jego ostatnia myśl, nim ogarnęły go ciemności.

– Stephen! Mój Boże… Stephen!

Głos Rosalindy przywołał go z kłębowiska ciemnych mgieł. Klęczała nad nim z pobladłą twarzą.

Tak dobrze mu znany szelest halek. Ciepłe palce szukające tętna na jego przegubie. Słodki kwiatowy zapach jej perfum… Zdołał wykrztusić:

– Jeszcze… żyję…

– Bogu dzięki! Kiedy weszłam i zobaczyłam cię na podłodze… – Rosalinda urwała w połowie zdania. Jej oczy były pełne łez. – Czy z moją pomocą zdołasz dojść do sypialni?

Stephen zdał sobie sprawę, że jego świat ograniczył się do wnętrza tego domu. Nie mógł dłużej utrzymywać pozorów normalności. Nigdy już nie zobaczy Ashburton Abbey. O Boże! Nigdy już nie będzie kochać się z Rosalindą. Odpowiedział rwącym się szeptem:

– Nie. Wezwij dwóch lokai.

Rosalinda wstała i pociągnęła energicznie za sznur od dzwonka. Potem uklękła znów obok męża i delikatnie otarła mu chusteczką pot z twarzy.

Kiedy zjawili się lokaje, kazała im zanieść księcia na górę. Jej pozornie spokojny głos był kruchy jak szkło.

Obaj młodzi służący przerazili się, widząc księcia w takim stanie. Bardzo ostrożnie wnieśli go na piętro. Kiedy szli po schodach, mimo oszołomienia Stephenowi przemknęła przez głowę całkiem logiczna myśl: warto przyzwoicie obchodzić się ze służbą!

Gdy dotarli wreszcie do sypialni, od razu zapakowali go do łóżka. W koszuli nocnej, której nie włożył ani razu od ślubu z Rosalindą. Mimo to czuł lodowate dreszcze.

Rosalinda usiadła przy łóżku, trzymając jego rękę w ciepłym uścisku.

– Słyszysz mnie, Stephenie? – spytała, a gdy kiwnął głową, mówiła dalej: – Zaraz wezwę lekarza. Powinnam była zmusić cię do tego natychmiast po przyjeździe do Londynu.

Już miała się podnieść, lecz chwycił ją za rękę i powstrzymał.

– Nie! Dobrze wiem, jak lekarze dręczą konających… gdy pacjent jest bogaty. Memu ojcu puszczali krew, nękali go lewatywami, oblepiali plastrami… dręczyli na wszelkie możliwe sposoby. Nawet umierające zwierzę traktuje się lepiej, niż oni potraktowali ojca. Przysiągłem wówczas, że mnie tak nie upodlą! – Spojrzał żonie prosto w oczy, by pojęła, jakie to dla niego ważne. – Muszę umrzeć i pogodziłem się z tym. Nie mam zresztą wyboru. Ale nie pozwolę tym cholernym rzeźnikom pastwić się nad moim ciałem!

– Może zdołaliby ci pomóc? – spytała błagalnym tonem. – Poprzestałeś na opinii Blackmera. Może się pomylił?! Może twoja choroba nie jest śmiertelna?

– Gdybym miał choć odrobinę nadziei, latałbym po lekarzach, po znachorach, dałbym sobie odczynić uroki! – Z wysiłkiem zaczerpnął powietrza i wypuścił je z płuc. – Ale ciało mówi mi wyraźnie: to już koniec. Obiecaj, że ich nie wezwiesz, Rosalindo! Pozwól mi umrzeć godnie. Proszę cię!

Przygryzła wargę, żeby nie wybuchnąć płaczem. Potem skinęła głową.

– Obiecuję. Podać ci te pigułki przeciwbólowe?

– Są w garderobie na toaletce. Daj mi trzy.

Była to potężna dawka; powinna uśmierzyć ból… przynajmniej na jakiś czas.

Rosalinda weszła do garderoby męża i wróciła z fiolką.

– To te?

Skinął głową.

– Bałem się, że mi ich nie wystarczy do końca… ale Blackmer był widać zbytnim optymistą – zauważył z czarnym humorem. – Jego cukiereczki przeżyją mnie!

Rosalinda uniosła głowę męża i położyła mu na języku trzy pigułki. Potem dała mu wodę do popicia. Nawet tak drobny wysiłek jak połknięcie lekarstwa zmęczył Stephena.

Rosalinda pomogła mężowi oprzeć się o poduszki. Jej płowe włosy wyswobodziły się z upięcia i wiły się wokół twarzy. Jej oczy pociemniały, źrenice rozszerzyły się od bólu. Chociaż ciało Stephena odmawiało posłuszeństwa, jego wrażliwość emocjonalna wzrosła do tego stopnia, że odczuwał strach i rozpacz żony z taką samą siłą jak własne cierpienia. W pewnym sensie było to cięższe do zniesienia niż ból fizyczny, który szarpał mu trzewia.

Pragnął zapewnić Rosalindę, jak bardzo jest mu droga; ile dla niego znaczyły spędzone razem z nią tygodnie. Ale brakło mu słów. Nigdy dotąd nie czynił podobnych wyznań.

Przez ogarniającą go znów ciemność wpatrywał się w twarz Rosalindy, czepiając się rozpaczliwie nadziei, że nie widzi jej po raz ostatni.

Rosalinda trzymała męża za rękę, dopóki nie zasnął. Co teraz powinna uczynić? O wyjeździe do Ashburton Abbey nie było co marzyć… chyba że wydarzy się cud. Poleci Fyfieldowi, sekretarzowi Stephena, by wezwał czym prędzej lorda Michaela. Być może jest teraz w Ashburton Abbey i czeka na brata… A może nadal przebywa w swym domu w Walii. Fyfield musi natychmiast przesłać wiadomość i tu, i tam.

A co z nią? Czy powinna poprosić matkę lub Jessicę, by przyjechały do niej? Ich towarzystwo z pewnością podniosłoby ją na duchu… ale ich wyjazd pokrzyżowałby szyki całej trupie teatralnej Fitzgeralda. Musi sprawę dobrze przemyśleć przed podjęciem decyzji… a w chwili obecnej zupełnie się nie nadawała do przemyśleń ani do podejmowania decyzji.

Oddech Stephena był słaby, lecz równomierny. Widać opium podziałało i ból zelżał.

Rosalinda wstała i wyszła z pokoju, by zlecić sekretarzowi wysłanie listów do lorda Michaela. Poprosiła go również, by zajął się wszelkimi innymi sprawami, które domagały się rozwiązania. Na szczęście cały personel w Ashburton House zaakceptował ją od samego początku i wypełniał jej rozkazy bez szemrania.

Następnie odbyła rozmowę z Hubble'em, osobistym lokajem Stephena. W pierwszej chwili – podobnie jak ona – chciał natychmiast wezwać lekarza. Rosalinda wyjaśniła mu jednak, dlaczego Stephen jest temu przeciwny. Hubble był świadkiem ostatniej choroby i śmierci starego księcia. Wspomnienie tortur, jakie umierający musiał wówczas znosić, przekonało wiernego sługę o słuszności racji Stephena.

Hubble chciał czuwać przy łożu chorego i Rosalinda wyraziła na to zgodę. Lokaj znał Stephena znacznie dłużej niż ona i zasługiwał na to, by traktować go jak członka rodziny. Zresztą sama nie podołałaby wszystkiemu, choćby nie wiadomo jak się starała.

Kiedy Hubble rozpoczął swój dyżur przy chorym, Rosalinda przez jakiś czas stała na korytarzu pod zamkniętymi drzwiami. Pragnęła rozpaczliwie ukryć się gdzieś i wypłakać tak, by nikt tego nie widział i nie słyszał. Niestety znalezienie ustronnego kąta nie było łatwe w rezydencji Ashburtonów, gdzie roiło się wprost od służby.

Rosalinda przypomniała sobie o apartamentach zarezerwowanych dla lorda Michaela i jego żony. Sprzątano tam co tydzień, ale poza tym nikt do tych pokojów nie wchodził. Jak w transie Rosalinda poszła korytarzem w tamtym kierunku.

Meble były okryte pokrowcami, ale to nie miało dla niej znaczenia. Weszła do sypialni. Ze straszliwym bólem w piersi – zupełnie jakby jej wydarto serce – padła na wielkie łoże i zatraciła się w rozpaczy.

32

Jak miło znaleźć się znów w Ashburton Abbey! Stephen przechadzał się po ścieżce przecinającej na skos ogrodzony ze wszystkich stron ogród; nawet chrzęst żwiru pod nogami sprawiał mu przyjemność. Ten kawałek ziemi, należący niegdyś do opactwa, był najmilszym jego sercu schronieniem. Z tym miejscem wiązały się najwcześniejsze wspomnienia Stephena. Ale nigdy dotąd ogród nie wydawał mu się tak piękny jak dziś. Kwiaty w pełnym rozkwicie pachniały odurzająco i kołysały sennie różnobarwnymi główkami w blasku słońca.

Coś tu się jednak nie zgadzało. Jakim cudem znalazł się w Ashburton, i to w pełni lata? Przecież bawił w Londynie. Była jesień! Stephen zmarszczył brwi i przystanął, by przyjrzeć się swojemu otoczeniu. Wszystko, absolutnie wszystko wyglądało całkiem zwyczajnie, włącznie z jego ubiorem. Jak zawsze podczas pobytu na wsi miał wysokie buty, ciemnoniebieski surdut i beżowe spodnie.

O dziwo, wcale nie czuł bólu…

Bardzo zdziwiony podjął na nowo swą przechadzkę. Ogród należał niegdyś do zgromadzenia zakonnego. Ze wszystkich czterech stron odgradzały go od reszty świata kamienne arkady. Dawno temu zakonnice codziennie spacerowały po tych ścieżkach. Teraz, po wielu wiekach chętnie naśladowali je świeccy mieszkańcy Ashburton Abbey. Stephen szczególnie lubił przechadzki podczas burzy po otaczających ogród krużgankach; miło oglądać szalejącą o kilka kroków ulewę z bezpiecznego miejsca pod kamiennym sklepieniem.

Louisa także lubiła to miejsce. W słoneczne dni przesiadywała całymi godzinami w ogrodzie, a w razie kaprysów pogody szukała schronienia pod arkadami.

Ano właśnie! Teraz też tu jest: siedzi na kamiennej ławce i jak zawsze haftuje coś z ogromnym skupieniem. Ten widok wydał się Stephenowi czymś tak naturalnym, że dopiero po chwili uświadomił sobie, iż w tym miejscu za jego pamięci nie było nigdy kamiennej ławki.

Musiało upłynąć jeszcze trochę czasu, nim uświadomił sobie, że Louisa nie żyje.

Czyżby to był sen? Z pewnością! Choć nigdy dotąd senne marzenie nie wydawało mu się tak realne!

– To ty, Louiso? – spytał niepewnie, podchodząc do żony.

Podniosła głowę znad robótki i uśmiechnęła się tak pogodnie, jak nigdy dotąd. Usta jej nie poruszały się i nie słyszał jej głosu, ale treść jej przesłania trafiała wprost do jego mózgu.

– *Witaj, Stephenie! Czekałam na ciebie.*

Przyklęknął na jedno kolano w gęstej trawie, na wprost Louisy. Ich oczy były teraz na równym poziomie. Wyglądała tak jak zawsze – piękna i filigranowa – ale podobnego wyrazu twarzy nie widywał u niej. Była… bardziej przystępna. Nie potrafił znaleźć na to lepszego określenia. Znikła niewidzialna ściana, która zawsze ich rozdzielała.

– Gdzie my właściwie jesteśmy? – spytał. – I skąd się tu wziąłem?

Odłożyła robótkę na kolana i popatrzyła na Stephena niebieskimi oczyma, pełnymi spokoju.

– *To coś w rodzaju… przedsionka do nieba.*

Spojrzał na nią ze zdumieniem.

– Więc naprawdę istnieje życie po śmierci?

– *Śmierć to takie przykre słowo… oznacza definitywny koniec. W rzeczywistości istnieje tylko życie. To, co zwykliśmy nazywać śmiercią, jest po prostu… przeistoczeniem.* – Uśmiechnęła się lekko. – *Przyznaję, że nieraz bywa ono nieco drastyczne.*

Stephenowi przypomniał się skąpany w świetle ogród lady Westley.

– Kilka dni temu pewna kobieta opowiedziała mi o czymś podobnym do tego, co przeżywam w tej chwili. Czyżbym już umarł, a ty zjawiłaś się tu, by pomóc mi w tym… przeistoczeniu?

– *Nie umarłeś jeszcze, ale jesteś tak bliski tego, że zasłona rozdzielająca to, co widzialne, od tego, co niewidzialne, stała się przejrzysta. Właśnie dlatego możemy tu razem przebywać.* – Obdarzyła go melancholijnym uśmiechem. – *Jeśli o mnie chodzi, to istotnie przyszłam tu, żeby ci pomóc… ale przede wszystkim chcę cię przeprosić.*

– Przeprosić? Za co? – spytał ze zdumieniem. – Nigdy mi nie wyrządziłaś przykrości. Zawsze zachowywałaś się jak należy, byłaś ucieleśnieniem dobrych manier. To nie nasza wina, że niezbyt pasowaliśmy do siebie.

– *Mylisz się! To była moja wina.* – Twarz Louisy wyrażała szczerą skruchę. – *Zawsze wiedziałam, nawet w dzieciństwie, że nie jestem stworzona do małżeństwa. Ale dałam się przekonać, że powinnam wyjść za ciebie. Tak bardzo pragnęłam powrócić do Ashburton Abbey! I w końcu zgodziłam się zostać twoją żoną. Jednak dogadzając własnym zachciankom, pozbawiłam cię rodzinnego ciepła, na które tak zasługujesz! Nie mogłam cię obdarzyć czymś, czego nie posiadam. Ale ty jesteś taki dobry i pełen miłości! Chociaż unieszczęśliwiłam cię, traktowałeś mnie zawsze z wyrozumiałością i z szacunkiem. Niewielu mężów zdobyłoby się na to! Czy możesz mi wybaczyć krzywdę, jaką ci wyrządziłam?*

Stephen przestąpił z nogi na nogę, zdumiony i zaszokowany. On miał być pełen miłości?! Nikt dotąd nie powiedział mu czegoś podobnego! Był przecież zawsze chłodny, trzymał się na dystans. Urodzony dżentelmen, powściągliwy, obiektywny. Spolegliwy. Ale tych kilka chłodnych cnót nie miało nic wspólnego z miłością! Prawdę mówiąc, nie bardzo wiedział, co to takiego miłość.

Przypomniały mu się jednak bolesne, bezowocne próby nawiązania kontaktu z Louisą. Uczucie fizycznej i emocjonalnej frustracji, która niekiedy całkowicie go przytłaczała, tłumionego gniewu, który tlił się głęboko w jego wnętrzu. Może były to rozpaczliwe krzyki miłości, której nigdy nie dopuszczono do głosu? Stephena zdziwiło to nowe spojrzenie na sprawę i nieco zaniepokoiło; gdyby to była prawda, musiałby stwierdzić, że nie jest tym, za kogo się zawsze uważał. Nie mógł jednak zaprzeczyć, że gwałtowna namiętność, jaką budziła w nim Rosalinda, zupełnie nie pasowała do obrazu chłodnego, powściągliwego dżentelmena.

Popatrzył w oczy Louisy i dostrzegł w ich czystej błękitnej głębi szczery żal.

– Nie mam ci nic do wybaczenia, moja droga. Ja również czułem, że nie powinniśmy się wiązać, lecz podobnie jak ty dałem się namówić na ten krok, sprzeczny z moimi inklinacjami. Ale oboje mieliśmy jak najlepsze chęci. I jeśli nawet nie łączyła nas miłość ani namiętność, zawsze odnosiliśmy się do siebie uprzejmie… – Stephen się zawahał – …i życzliwie…

Delikatna twarz Louisy się rozjaśniła.

– *O, tak! Nie brakło życzliwości… zwłaszcza z twojej strony. Dziękuję, Stephenie!*

Odczuł wyraźną ulgę. Wyrzuty sumienia, które dręczyły go z powodu nieudanego małżeństwa, nagle się rozwiały. Oboje z Louisą robili wszystko, na co było ich stać.

Louisa znów pochyliła się nad robótką. Siedzieli razem w przyjaznym milczeniu. Nigdy przedtem nie czuł się tak swobodnie w jej towarzystwie. W ogrodzie panowała atmosfera takiego spokoju i bezpieczeństwa, że jeden z bajecznie kolorowych motyli przysiadł na chwilę na ręce Stephena.

Ale Stephen nie dojrzał widać do egzystencji w krainie niezmąconego pokoju.

– Wspomniałaś, że wyszłaś za mnie, gdyż pragnęłaś wrócić do Ashburton Abbey. Przecież nie byłaś tam nigdy przed naszym ślubem!

Louisa wykonała ostatni ścieg, związała ostatni supełek na połyskliwej nici. Potem rozpostarła ukończone dzieło, tak by mógł je obejrzeć. Ten cudowny obraz malowany igłą przedstawiał otoczony krużgankami ogród. Klasztorny ogród z Ashburton Abbey. Nie wyglądał tak, jak w chwili obecnej. Kamienne łuki nie kruszyły się, na grządkach kwitły inne rośliny, w oddali widoczna była przysadzista dzwonnica. Stephen przypomniał sobie stary sztych wykonany przed rozwiązaniem w Anglii zgromadzeń zakonnych. Tak wyglądało Ashburton Abbey, gdy było jeszcze opactwem, ośrodkiem życia religijnego.

Louisa potrząsnęła leciutko swoim dziełem i nagle haftowany obraz ożył. Co więcej, znaleźli się w jego wnętrzu, cofnęli się w czasie. Stali oboje na aksamitnej murawie. Louisa miała na sobie ciemny habit mniszki.

Zwróciła na Stephena oczy pełne spokoju.

– Dawno temu, w poprzednim życiu, żyłam w klasztorze i zaznawałam błogiego pokoju. W późniejszym życiu tęskniłam za moim dawnym domem i pragnęłam wrócić do niego. Kiedy jednak wyszłam za ciebie i zamieszkałam znów w Ashburton Abbey, przekonałam się, że nie stare kamienne mury mnie tu wzywały. Moje serce tęskniło za duchową społecznością, do której niegdyś należałam.

Rozległo się bicie dzwonu – głębokie, uroczyste dźwięki wzywające na modlitwę. Louisa pochyliła głowę.

– Bywaj zdrów, Stephenie. Niech ci Bóg błogosławi!

Odwróciła się i odeszła, stąpając bezgłośnie po trawie w swych powłóczystych szatach. Stephen dostrzegł szereg podobnie ubranych niewiast, zmierzających do zachodniego krużganka. Louisa przyłączyła się jako ostatnia do tej procesji. Głowę miała pochyloną, twarz zakrytą welonem. Kroczyła statecznie w takt bicia dzwonu.

Pierwsza z zakonnic znikła w drzwiach wiodących do kaplicy. Potem jedna po drugiej znikały następne. Kiedy weszła tam Louisa, drzwi zamknęły się bezszelestnie i Stephen został sam.

W ten sam bezgłośny sposób, w jaki przekazywała mu swoje myśli Louisa, dotarły do niego pozostałe wieści na jej temat. Była niegdyś jedną z sióstr zakonnych, które tutaj żyły i modliły się przed wiekami. Czysta i pogrążona w modłach Louisa – wierna swej naturze – miała poczucie spełnienia. Nie zaznała go w swoim drugim życiu, w małżeństwie ze Stephenem. Dlatego właśnie tyle było w niej smutku, który oddzielał ją od męża skuteczniej niż kamienne ściany klasztoru.

Teraz Louisa osiągnęła pełnię szczęścia. Stephen przymknął oczy i złożył dzięki Bogu za to, że zmiłował się nad nią. Była to pierwsza płynąca z głębi serca modlitwa w jego życiu.

Jeśli istotnie żył... Wszak jego życiem była Rosalinda, nie zaś pusty klasztorny dziedziniec, który przemienił się znów w tak dobrze mu znany i tak kochany ogród.

Rozejrzał się dokoła niespokojnie. Serce drgnęło mu z radości, gdy dostrzegł Rosalindę idącą w jego kierunku po jednej ze ścieżek przecinających klasztorny ogród. Szła wsparta na ramieniu idącego obok niej mężczyzny. Rosalinda i jej towarzysz byli odziani w bogate szaty, jakie noszono przed ćwierć wiekiem.

A jednak to nie była Rosalinda! Oczy miała niebieskie, nie brązowe, wzrost trochę niższy... Stephen pojął nagle – i, o dziwo, wcale go to nie zdziwiło – że stoją przed nim Sophia Westley i jej mąż, Philippe St. Cyr – hrabiostwo du Lac.

301

Sophia uśmiechnęła się do Stephena, jakby znali się od kolebki, i podała mu rękę. Pochylił się w głębokim ukłonie. Gdy wyprostował się i przyjrzał jej uważniej, zaskoczyło go, że jest młodsza od swej córki... to znaczy od Rosalindy takiej, jaką była obecnie. A starszy o kilka lat od żony Philippe był młodszy od niego – swojego zięcia.

Sophia trzymała go nadal za rękę. I nagle Stephen ujrzał przed sobą wiele niezwykle plastycznych, zmieniających się szybko obrazów. Widział starą kobietę, która z ogromnym trudem przedziera się przez las, tuląc do siebie przerażone dziecko. Kryje się wraz z nim przed pościgiem, ze swych niewielkich oszczędności kupuje coś do jedzenia i opłaca przewóz na chłopskich furmankach. W końcu kobieta i dziecko docierają do jakiegoś portu we Francji – a może w Belgii? – i wsiadają na statek płynący do Londynu. Stephen nie wiadomo skąd miał pewność, że Sophia i Philippe towarzyszyli w tej podróży swojej córeczce i jej niani, strzegąc ich i wspierając, jak tylko mogli.

Nie zdołali jednak ocalić starej kobiety, gdy jej schorowane serce ostatecznie odmówiło posłuszeństwa w londyńskim porcie. Stephen widział, jak strażnik portowy zbliża się do Rosalindy, a ona ucieka w popłochu na widok jego munduru; małe nóżki niosą ją w labirynt smrodliwych uliczek na tyłach portu.

Sophia i Philippe czuwali nad dzieckiem, w miarę swych możliwości starali się je osłaniać. Sophia poza tym szukała kogoś, komu mogłaby bez obawy powierzyć swą córeczkę. Niestety, bezskutecznie. Była przecież tylko duchem, w dodatku od niedawna; sama czuła się zagubiona.

Aż wreszcie pewnego dnia Sophia dostrzegła Thomasa i Marię; zwiedzili właśnie Tower i ze śmiechem dzielili się wrażeniami. Szczególnie zachwyciły ich klejnoty koronne. Pomiędzy Marią a Sophią istniało wyraźne podobieństwo duchowe, co ułatwiło Sophii nawiązanie kontaktu. To ona zachęciła Marię do spaceru po podejrzanych zaułkach St. Katherine's.

Sophia przywiodła Fitzgeraldów na właściwą uliczkę, a Philippe popchnął swą małą córeczkę prosto w objęcia Marii. Osiągnąwszy swój cel, hrabia i hrabina du Lac mogli wreszcie spokojnie udać się do krainy światła.

– Rozumiem – powiedział (a może pomyślał?) Stephen i nachyliwszy się, ucałował gładki policzek swej teściowej. Potem uścisnęli sobie mocno ręce z Philippe'em. Był ciemnowłosy, przystojny i miał ciepłe, brązowe oczy. Czekoladowe oczy Rosalindy. – Wspaniale wypełniliście swoje zadanie!

– *To nie tylko nasza zasługa.*

Stephen spojrzał w kierunku wskazanym przez Philippe'a. Zobaczył ogród otoczony murem i staruszkę o pogodnej twarzy, pilnującą dzieci igrających w słońcu.

– *To Madame Standish, bohaterska opiekunka naszej Marguerite.*

Starsza pani uniosła głowę i uśmiechnęła się do Stephena, a zaraz potem wróciła do małych podopiecznych. Stephen uświadomił sobie, że miejsce, w którym przebywała ta gromadka, jest czymś pośrednim między niebem a ziemią, zaś pani Standish opiekuje się tymi, którzy zmarli we wczesnym dzieciństwie.

Stephen zwrócił się znów do Sophii i Philippe'a.

– Jestem wam taki wdzięczny – powiedział cicho. – Wiem, że nie ocaliliście swej córeczki ze względu na mnie, ale dzięki wam dowiedziałem się, co to jest szczęście. Moim szczęściem jest Rosalinda. Największą radością mego życia.

– *Powiedz Marguerite, że bardzo ją kochamy i czekamy z utęsknieniem dnia, kiedy znów ją ujrzymy.*

Potem odwrócili się i odeszli. Zmierzali ku słońcu i po chwili znikli w jego blasku.

Z gardłem ściśniętym od nadmiaru emocji Stephen spoglądał za odchodzącymi i czuł, jak światło, w którym się rozpłynęli, wnika w każdą cząsteczkę jego ciała.

Wiedział, że tym światłem jest miłość. Opadł na ławkę, na której siedziała przedtem Louisa.

Widział teraz wyraźnie, jak powstawał mur, który miał chronić go przed udręką miłości. Jego podwaliny zostały położone we wczesnym dzieciństwie, gdy małego Stephena karano boleśnie, ilekroć dawał wyraz swym emocjom. Mur rósł, gdy ojciec szydził z chłopca płaczącego po śmierci ulubionego kotka i gdy ukarał syna strasznym laniem za zabawę z chłopskimi dziećmi. Całe piętra obronnego muru pomogły dorastającemu chłopcu zapomnieć o przerażającym odkryciu, że jego matka nie jest czysta, wierna ani godna szacunku. Strach, gniew, upokorzenie i gorycz zawiedzionego zaufania – tak cegła po cegle rósł mur wokół Stephena, aż wreszcie był bezpieczny od cierpień zwykłego ludzkiego życia.

Ów bastion odgradzał go także od zwykłych ludzkich radości. I kiedy dzieło zostało ukończone, Stephen mógł służyć za wzór angielskiego dżentelmena. Chłodny, zachowujący dystans, obiektywny, nieulegający nieprzystojnym porywom. Nigdy nie zdobywał szczytów ani nie zgłębiał otchłani miłości.

Pod wpływem doznanego wstrząsu i bólu, jaki towarzyszy nagłemu odkryciu prawdy, Stephen był jak lód na rzece pękający podczas wiosennej odwilży. Otaczająca go jasność, będąca czystą miłością, leczyła rany ducha. Stephen uświadomił sobie, że w jego życiu nie brakło miłości, choć nie śmiał nazwać jej po imieniu. Kochał swoją matkę mimo jej wad, kochał siostrę, która umiała dawać, lecz nie potrafiła brać. Zawsze kochał Michaela, choć ich wzajemne stosunki były komplikowane przez rywalizację i poczucie odtrącenia – wywodzące się z nieświadomej potrzeby zdobycia ojcowskiej aprobaty.

Nade wszystko jednak kochał Rosalindę. Jej ciepła życzliwość i zrozumienie od samego początku rozjaśniały mroki jego ducha, a namiętność, która ich połączyła, była przedsmakiem rajskich rozkoszy. Sam fakt, że wbrew wszelkim zasadom prawdopodobieństwa znalazł ją, nie szukając, uznał za niepodważalny dowód boskiej ingerencji w ludzkie życie.

Stephen przymknął oczy i poddał się działaniu błogosławionego światła. Przenikało go na wskroś. Rosalinda… Jego żona, jego ukochana… Pokornie dziękował za to, że okryty cieniem śmierci mógł zgłębić istotę miłości.

I wiedział, że nigdy już nie będzie się bał śmierci.

33

Wypłakawszy wszystkie łzy, Rosalinda leżała na łóżku tak wyczerpana, że choć było jej chłodno, nie miała siły sięgnąć po jakieś przykrycie. Choroba Stephena postępowała w przerażającym tempie. Tak szybko, że Rosalinda nie nadążała za zmianami następującymi jedna po drugiej. Nie była w stanie dostosować się do nich.

Jako żona Stephena musiała jednak stanąć na wysokości zadania bez względu na to, czy chodziło o skłonienie chorego do jedzenia, czy o uszanowanie jego życzenia, by żaden doktor nie zakłócał mu spokoju. Nie mogła sobie pozwolić na żadne słabości, smutne miny, użalanie się nad sobą.

Ściemniało się już. Widocznie przeleżała kilka godzin. Musi zaraz wstać i zastąpić Hubble'a czuwającego przy łóżku Stephena.

Porcja, która leżała obok swej pani, zwinięta w pomarańczowo-czarny kłębuszek, obudziła się i otworzyła wielkie zielone oczy. Ta kotka miała niesamowitą umiejętność przenikania do wnętrza przez najmniejszą szparkę! Widocznie wśliznęła się za Rosalindą do apartamentów lorda Michaela. Potem wskoczyła na łóżko i zwinęła się tak, że jej miniaturowy nosek znalazł się pod ogonkiem, dotrzymując towarzystwa swojej pani przez całe popołudnie. Na szczęście nie była gadatliwa!

Rosalinda uśmiechnęła się blado i podrapała kotkę pod brodą i za uszkami. Udał się Stephenowi ślubny prezent dla żony! Stanowił – zgodnie z zamierzeniem ofiarodawcy – prawdziwą pocicchę w najczarniejszych chwilach. Kocie harce albo liźnięcia szorstkiego kociego języczka mimo woli poprawiały Rosalindzie humor.

Do jej uszu dotarły niewyraźne odgłosy z dołu. Czyżby zjawili się jacyś goście? Stanowczo powinna wstać, umyć zapłakaną twarz i trochę się ogarnąć. Była przecież aktorką! Potrafi opanować się i odegrać rolę niezłomnej, dystyngowanej pani domu. Dokona tego z pewnością... za kilka minut, kiedy zbierze siły.

Otworzyły się drzwi do sąsiadującego z sypialnią saloniku. Stukot obcasów, szelest jedwabiu... Chwilę później ktoś otworzył z impetem drzwi do sypialni.

Przerażająco bezsilna w obliczu takiego najazdu Rosalinda usiadła na łóżku... i ujrzała jedną z najpiękniejszych kobiet, jakie ziemia wydała. Nieznajoma miała ciemne włosy i prześliczną twarz w kształcie serca. Wyglądała niesłychanie szykownie w skromnym kostiumie podróżnym.

Rosalinda jęknęła w duchu. Boleśnie świadoma tego, że ma zapuchniętą od płaczu twarz, zwiesiła nogi z łóżka i stanęła, trzymając się słupka baldachimu.

– Dzień dobry... Pani jest pewnie żoną lorda Michaela? Bardzo... bardzo przepraszam... Wiem, że to pani pokój... nie powinnam była...

– Nie ma powodu do przeprosin! Nikt się mnie przecież nie spodziewał. A pani musi być... – Catherine przechyliła głowę na bok. – ...nową księżną, żoną Stephena?

Rosalinda skinęła głową.

– Mam na imię Rosalinda.

Lady Catherine obejrzała się przez ramię i powiedziała do idącej za nią pokojówki:

– Możesz już odejść, Molly.

Po czym uśmiechnęła się i podeszła do Rosalindy.

– Tak się cieszę, że poznałam cię wreszcie! Mam na imię Catherine.

Rosalinda ujęła wyciągniętą rękę i ku własnemu zdumieniu zaczęła się gęsto tłumaczyć:

– Drugiego dnia mego pobytu w Londynie pożyczyłam sobie jedną z twoich sukien. Stephen zapewniał, że nie będziesz się o to gniewała, ale nie całkiem mu uwierzyłam.

Catherine wybuchnęła śmiechem.

– A powinnaś była uwierzyć! Stephen zawsze ma rację. – Zdjęła kapelusz, potem płaszcz. – À propos: jest teraz w domu?

Widać nie dotarły do niej wieści o chorobie szwagra.

– Owszem, jest, ale bardzo chory. Miał silny atak bólów wczesnym popołudniem. Zapewne jeszcze śpi.

Catherine odwróciła się raptownie. Na jej twarzy malował się niepokój.

– A więc to prawda? Jego lekarz, doktor Blackmer, kilka tygodni temu powiadomił mego męża listownie, że Stephen ma kłopoty z zdrowiem, a mimo to wybrał się w podróż, nie zabierając ze sobą nikogo ze służby. Michael natychmiast wyruszył za nim w pogoń. Do tej pory bezskutecznie szuka brata. – Przygryzła wargę. – Ponieważ Stephen ożenił się z tobą i tak zręcznie wymykał się Michaelowi, wmawiałam sobie, że Blackmer się pomylił. Ja… po prostu nie chciałam przyjąć do wiadomości, że może być poważnie chory.

– Lord Michael wyruszył na poszukiwanie brata? – zdumiała się Rosalinda. – Stephen był pewien, że nikt się nie przejmie jego nieobecnością. Chciał po prostu wyrwać się na jakiś czas z codziennego kieratu.

– I udało mu się to w zupełności! Mój mąż, który nigdy nie odznaczał się cierpliwością, całkiem odchodził od zmysłów! W końcu napisał do mnie ze Szkocji, że daje za wygraną, i prosił, bym spotkała się z nim w Londynie.

– Był w Szkocji?! – spytała z niedowierzaniem Rosalinda.

– Podobno obaj z doktorem Blackmerem, który mu towarzyszy, jechali aż do Edynburga śladem jakiejś pary, którą pomyłkowo wzięli za ciebie i Stephena!

Rosalinda zamrugała oczyma.

– Boże wielki! Sama nie wiem, śmiać się czy płakać?

– Na twoim miejscu wybrałabym śmiech – poradziła rzeczowym tonem Catherine. – Człowiek się wtedy lepiej czuje.

Miała oczywiście rację, ale Rosalindzie w tej chwili było nie do śmiechu.

– Jak myślisz, kiedy twój mąż dotrze do Londynu?

– Chyba jutro albo pojutrze. – Catherine westchnęła, zapalając lampę; bardzo się już ściemniło. – Mam wrażenie, że minęły całe wieki, odkąd wyjechał.

– Im prędzej lord Michael się zjawi, tym lepiej – stwierdziła Rosalinda. – Za dwa dni może już być… za późno.

Catherine oderwała wzrok od lampy i spojrzała na bratową z przerażeniem.

– Jest z nim aż tak źle?

Rosalinda usiadła ciężko w nogach łóżka.

– Jest w stanie krytycznym. Kilka godzin temu… był o krok od śmierci. Obawiam się, że… może odejść w każdej chwili…

Catherine głośno wciągnęła powietrze.

– A co mówi doktor?

– Stephen nie pozwolił wezwać lekarza. Podobno jego ojciec znosił istne męki z winy medyków, którzy poddawali konającego jakimś koszmarnym zabiegom. Stephen nie chciał umierać w podobny sposób.

– Trudno się z nim sprzeczać w takiej sytuacji – przyznała Catherine. – Czy mogę go zobaczyć? Bardzo bym tego chciała… a poza tym mam spore doświadczenie w pielęgnowaniu chorych. Może się na coś przydam.

– Oczywiście!

Rosalinda opuściła apartament lorda Michaela i poprowadziła Catherine do pokoju na drugim końcu korytarza. Była to przytulna sypialnia oświetlona blaskiem płonącego na kominku ognia i kilku świec. Przy łóżku chorego siedział Hubble z posępnym wyrazem twarzy.

Stephen leżał bez ruchu i w pierwszej chwili Rosalinda poczuła skurcz strachu, zanim spostrzegła, że mąż oddycha. Catherine aż się wzdrygnęła na widok szwagra. Wymizerowanie i zapadnięte rysy świadczyły wyraźnie o tym, że stoi na progu śmierci.

Rosalinda podeszła z boku do łóżka i spytała cicho:

– Nie śpisz, kochany?

Stephen otworzył oczy.

– „Śmierci, próżno się pysznisz! Cóż, że wszędzie słynie potęga twa i groza, licha w tobie siła… – wyszeptał. – Ze snu krótkiego zbudzi się dusza człowieka w wieczności, gdzie śmierci nie ma"*.

Na sekundę serce Rosalindy zamarło z przerażenia. Sądziła, że mąż bredzi w malignie. Ale oczy Stephena były zupełnie przytomne i dziwnie pogodne. Uśmiechnęła się z ulgą.

---

* John Donne *Holy Sonnets* (2), X, przeł. Stanisław Barańczak, [w:] *Antologia angielskiej poezji metafizycznej XVII stulecia*, PIW, Warszawa 1982.

– Widać czujesz się lepiej, jeśli próbujesz mi zaimponować sonetami Donne'a!

– Naprawdę jest mi lepiej. Przepraszam, że napędziłem ci stracha. – Uśmiechnął się do niej z wielką czułością. – Muszę ci coś powiedzieć, ale nie teraz... Brak mi sił.

– Może byś się jeszcze zdrzemnął? – podpowiedziała. – Wyglądasz znacznie lepiej. Sen z pewnością doda ci sił.

Spostrzegła, że był nie tylko silniejszy, ale jakiś inny. Nie potrafiła określić, na czym polega różnica.

Ledwo dostrzegalnie skinął głową.

– Dobrze. Pomówimy potem.

Rosalinda nagle uświadomiła sobie, że jego szarozielone oczy są pełne spokoju. I czegoś jeszcze... Szczęścia? Tłumiony strach i gniew na niesprawiedliwość losu, które dostrzegła w nim, gdy tylko się poznali, od tamtej pory towarzyszyły mu wiernie. Teraz jednak znikły całkowicie. Ogromnie to ucieszyło Rosalindę, choć uświadomiła sobie, że pogodzony z losem Stephen jeszcze bardziej oddalił się od niej.

Odpędziła od siebie tę myśl i oznajmiła z uśmiechem:

– Masz gościa.

Bratowa podeszła do łóżka chorego z drugiej strony.

– Jak się masz, Stephenie?

– Catherine! – Twarz mu się rozjaśniła. – Czy Michael też tu jest?

– Jeszcze nie, ale niebawem się zjawi. – Catherine nachyliła się i pocałowała Stephena w policzek. – Bardzo brzydko z twojej strony, żeś złapał jakieś choróbsko!

– Mnie to również nie cieszy – stwierdził sucho. – Napytałem sobie biedy, i tyle. Widzę, że poznałyście się już z moją żoną.

Catherine się roześmiała.

– Pewnie! I zamierzam pogadać sobie z nią przy karafce. Ponarzekamy zgodnym chórem na ciężki los niewiast, które wpadły w łapy Kenyonów.

Stephen zrobił urażoną minę.

– No, no! Dobrze, że nie muszę wysłuchiwać waszych zwierzeń!

– Pewnie, że dobrze! Wbiłbyś się w jeszcze większą jaśniepańską pychę! – odparła Rosalinda.

Głos jej się omal nie załamał. Była taka dumna ze Stephena: nawet w obecnej sytuacji stać go na żarty!

Spojrzał na mrok za oknem.

– Powinnyście obie coś przekąsić. Catherine jest z pewnością głodna po podróży.

– Dobry pomysł. – Rosalinda wzięła do ręki leżącą na stoliku fiolkę z pigułkami. – Chcesz zażyć pigułkę?

Skinął głową.

– Daj mi dwie.

Wytrząsnęła pigułki na dłoń i podała mu do popicia szklankę mleka, które było zawsze na podorędziu. Gdy przełknął lekarstwo, ucałowała go i na chwilę przylgnęła policzkiem do jego twarzy. Skóra Stephena była chłodna, ale nie lepiła się już od potu.

Rosalinda obiecała Hubble'owi, że każe mu przysłać na górę obiad, a później sama zmieni go na posterunku. Potem wyszły obie z Catherine. Gdy znalazły się na parterze, szwagierka powiedziała:

– W listach Michaela roiło się od rewelacji ujawnionych w trakcie poszukiwań. Zdążyłam się już zorientować, że jesteś aktorką, a Stephen przyłączył się na jakiś czas do waszej trupy. Bardzo bym chciała poznać całą historię, o ile zechcesz opowiedzieć mi o wszystkim.

Rosalinda westchnęła. Może Catherine poznawszy całą prawdę, zareaguje tak samo jak Claudia?

– Nie wyszłam za Stephena dla pieniędzy!

Kształtne łuki brwi Catherine uniosły się w górę.

– To dla mnie oczywiste. Wystarczy na was spojrzeć, kiedy jesteście razem!

Rosalinda się odprężyła.

– Rada jestem, że to dla ciebie oczywiste. Claudia jakoś tego nie spostrzegła.

– Claudia to Claudia – stwierdziła sucho Catherine. – Co prawda, nigdy mnie otwarcie nie znieważyła. Muszę to jej przyznać. Ale to chyba dlatego, że nie znosi Michaela. Widocznie uważa, że nie zasługuje na nic lepszego niż taka wulgarna kreatura jak ja.

– Ona śmie krytykować ciebie?!

– Claudia krytykuje wszystkich, a w moim przypadku jest się do czego przyczepić. – W oczach Catherine zamigotały wesołe iskierki. – Wdowa z dzieciakiem, a w dodatku bezwstydnica: pielęgnowała obcych nagich facetów i jak jakaś markietanka włóczyła się za wojskiem po całym Półwyspie Pirenejskim. Okropność! Żadna prawdziwa dama nie zniosłaby takiego życia.

Rosalinda się roześmiała.

– Coś mi się zdaje, że jesteśmy ulepione z jednej gliny, Catherine!

– Z całą pewnością! – Catherine ujęła pod ramię nowo poznaną bratową. – A teraz splądrujemy kuchenne zapasy. Przy jedzeniu opowiesz mi o wszystkim.

W pokoju śniadaniowym przy skromnym posiłku złożonym z zupy, chleba i sera (żadna z nich nie miała ochoty na nic więcej) Rosalinda opowiedziała, jak Stephen uratował tonącego Briana. Jak potem „pan Ashe" przyłączył się do ich trupy. I jak na łące wśród drzew odbył się ich ślub. Potem opisała koleje swego życia. Odkrycie, że biedna znajda była francuską hrabianką, było punktem kulminacyjnym tej porywającej historii.

Z kolei Catherine opowiedziała Rosalindzie o swoich ukochanych dzieciach i o swoim cudownym domu w Walii. Wkrótce stało się jasne, że Catherine ubóstwia także swego męża. Rosalinda odetchnęła z ulgą. Mężczyzna, który zasłużył na miłość takiej kobiety, nie mógł być potworem!

Gdy wypiły wspólnie całe morze kawy, Rosalinda oznajmiła:

– Idę teraz na górę. Zwolnię Hubble'a z posterunku i spędzę noc przy łóżku Stephena. Bardzo bym chciała okazać się wzorową panią domu… ale mam wrażenie, że orientujesz się tu we wszystkim lepiej niż ja.

– Całkiem możliwe. Nie kłopocz się o mnie, dam sobie radę! – Catherine ziewnęła, zasłaniając usta ręką. – Pora spać! To była wyczerpująca podróż. Ale chciałabym cię jeszcze spytać, czy… – zawahała się, ale brnęła dalej – …nie jesteś przypadkiem w ciąży?

Rosalinda aż otworzyła usta ze zdumienia.

– Ależ ty masz oko!

– W kobietach w tym stanie jest coś… jakiś blask… – tłumaczyła Catherine. – A więc to prawda?

Rosalinda skinęła głową.

– Jestem prawie pewna.

– Dzięki Ci, Boże! – Catherine się rozpromieniła. – Tak się cieszę! Stephen szaleje chyba z radości?

– Jeszcze mu tego nie powiedziałam. Zrobię to dziś, jeśli nie śpi.

– A więc módlmy się, żeby to był chłopak!

– Stephen mi powiedział, że Michael bynajmniej nie marzy o książęcym tytule, ale czy ty nie chciałabyś takiego wywyższenia dla synka? – spytała Rosalinda.

– Szczerze mówiąc, ani trochę! Nie mam wątpliwości, że mój mały Mik, jak urośnie, godzien będzie najwyższych zaszczytów, ale dla Michaela tytuł książęcy byłby katorgą… a ja pragnę tylko tego, żeby był szczęśliwy… – Uśmiechnęła się i dodała: – I miał dla mnie czas.

Rosalinda bardzo wątpiła, czy jakikolwiek mężczyzna nie znalazłby czasu dla Catherine. Nadal jednak dręczyła ją ciekawość, spytała więc:

– Dlaczego twój mąż ma taką awersję do książęcego tytułu?

Catherine zawahała się, po czym odpowiedziała, ważąc każde słowo:

– Nie znałam starego księcia, ale wiem, że traktował Michaela skandalicznie. Z wyjątkiem kilku chwil spędzonych ze Stephenem Michael nie wyniósł żadnych dobrych wspomnień z Ashburton Abbey. Od czasu do czasu odwiedza tam Stephena, ale nie chce mieć nic wspólnego z książęcym tytułem i z rodowymi dobrami.

Rosalinda skinęła głową; mogła zrozumieć takie stanowisko. Wstała z miejsca i dotknęła lekko brzucha.

– Zrobię dla was obojga, co w mojej mocy.

Catherine wstała również i uściskała ją serdecznie.

– Tak się cieszę, że Stephen wybrał właśnie ciebie!

Rosalinda odprężyła się w uścisku bratowej. Uświadomiła sobie, że polubiła Catherine przede wszystkim dlatego, że była macierzyńska, opiekuńcza i przypominała jej Marię.

– Ja też się z tego cieszę – odparła cicho. – Mimo wszystko cieszę się z tego.

Kiedy Stephen otrząsnął się z sennych majaków, ujrzał żonę siedzącą przy jego łóżku. Zauważył jej milczenie i sińce pod oczami.

– Czemu, u licha, siedzisz w fotelu – mruknął – kiedy masz pod ręką całkiem wygodne łóżko?!

Zamrugała sennie oczami.

– Naprawdę chcesz, żebym położyła się obok ciebie? Nie daj Boże, żeby ci się przeze mnie pogorszyło!

– Czemu miałaby mi zaszkodzić noc przespana u boku żony? Jestem pewien, że poczuję się lepiej! – Zawahał się. – Ale może ty nie chcesz być tak blisko człowieka w takim stanie…

Rosalinda zrobiła wielkie oczy.

– Zwariowałeś?! A kiedy to nie chciałam być blisko ciebie? – Ziewnęła i dodała, wychodząc z pokoju: – Zaraz wrócę, tylko włożę nocną koszulę!

Stephen westchnął. Pomysł z nocną koszulą wcale mu się nie spodobał. Oboje będą mieli zbyt wiele ubrania na sobie! Ale kto wie, czy jakaś pełna najlepszych chęci dusza nie zapragnie sprawdzić, jak się chory miewa… Stephen zdążył się już zorientować, że umierającym nie przysługuje prawo do prywatności.

Po kilku minutach Rosalinda wróciła do sypialni w cieniutkiej haftowanej koszulce. Splecione w warkocz włosy opadały jej na plecy. Pogasiwszy wszystkie światła z wyjątkiem jednej świecy na toaletce, podeszła do łóżka.

– Podać ci lekarstwo?

– Nie. Ty mi wystarczysz.

Nie chciał marnować bezcennego czasu na narkotyczny sen.

Wślizgnęła się do łóżka i położyła obok niego. Przygarnął ją do siebie. Jakaż ona mięciutka! Jej bliskość napełniła go radością tak wielką, że niemal bolesną. Za to bóle wewnętrzne – o dziwo! – zelżały. A może tylko przestał zwracać na nie uwagę?

– Taka jesteś miła w dotyku – mruknął.

– Ty też.

Czuł jej oddech na szyi. Leżeli tak bez ruchu, nic nie mówiąc przez kilka minut. Potem Rosalinda odezwała się nieśmiało:

– Mam dla ciebie dobrą nowinę. Nie powiedziałam tego od razu, bo wolałam się upewnić. Ja… chyba będę miała dziecko.

Stephen wstrzymał dech. Wprost bał się w to uwierzyć. Potem radość wezbrała w jego sercu i zapieniła się we krwi jak szampan.

– To cudowne! – W nagłym przypływie energii uniósł się na łokciu. W mdłym świetle ujrzał na twarzy Rosalindy wyraz triumfu, z jakim od czasu matki Ewy kobieta oznajmia ukochanemu mężowi, że urodzi się im dziecko. Pogładził płowe włosy żony. – No, no! Zdolna z ciebie dziewuszka!

– Ty też się do tego przyczyniłeś! – Roześmiała się i położyła rękę męża na własnym lekko zaokrąglonym brzuchu, który niczym jeszcze nie zdradzał swego sekretu. – Myślę, że to się zdarzyło na stryszku, kiedy kochaliśmy się po raz pierwszy.

– To prawdziwy cud, Rosalindo! – Opadł znów na poduszki, ale jego ręka nadal spoczywała na ciele żony. – Każde z nas sądziło, że nie może mieć dzieci… a tymczasem wspólnie powołaliśmy do życia nową istotkę!

Pomyślał z goryczą, że nigdy jej nie zobaczy. Chociaż, kto wie?… Może będzie mógł zobaczyć żonę i maleństwo z zaświatów?… Wolałby jednak trzymać własne dziecko w ramionach, dopatrując się w jego buzi podobieństwa do Rosalindy…

Przerwał bezsensowne rozważania. Jeszcze tu był, razem z żoną. On również miał dla niej dobre nowiny. Musiał czym prędzej podzielić się z nią przesłaniem, które do niego dotarło.

– Kilka godzin temu, już po ataku – zaczął – wydarzyło się coś niezwykłego…

Opowiedział jej, jak przeniósł się duchem do Ashburton Abbey. Nie powtórzył Rosalindzie tego, co Louisa mówiła na temat ich małżeństwa, gdyż były to w końcu jej bardzo osobiste sprawy. Powiedział natomiast, że według zmarłej żony śmierć była jedynie przeistoczeniem. Opisał również spotkanie z rodzicami Rosalindy i zapewnił ją, że czuwali nad swoim dzieckiem. Na zakończenie dodał cicho:

– Twoi rodzice kazali ci powtórzyć, że bardzo cię kochają.

Zapadło milczenie. Stephen zaczął się zastanawiać, czy przypadkiem Rosalinda nie rozważa konieczności przeniesienia go do szpitala dla obłąkanych. Nagle usłyszał zdławiony szloch i zrozumiał, że żona płacze z twarzą wtuloną w jego ramię.

– Nie płacz, Rosalindo! Naprawdę nie zwariowałem. – Ucałował ją w skroń. – Może to był tylko bardzo realistyczny sen.

– To przez tę ciążę! Płaczę teraz z byle powodu. – Rosalinda otarła oczy rąbkiem prześcieradła. – Kiedy powiedziałeś, że rodzice czuwali nade mną, serce zaczęło mi śpiewać ze szczęścia!

Potarła policzkiem o jego policzek. Dobrze, że kazał się ogolić Hubble'owi.

– Kiedyś spytałeś, skąd mam pewność, że jest jeszcze inne życie prócz tego, które widzimy wokół siebie. Nie wiedziałam, jak to wyjaśnić. Ale teraz sam odpowiedziałeś na swoje pytanie. Moi zmarli rodzice czuwali nade mną. Czułam to zawsze.

Jeśli Sophia i Philippe są razem, to z pewnością i on spotka się kiedyś z Rosalindą. Gładził ją po plecach, czuł jak bardzo jest mu bliska – fizycznie i duchowo. Problem polegał tylko na tym, że pragnął jeszcze większej bliskości. Chciał wniknąć w nią, usłyszeć jej krzyk rozkoszy, doznać najwyższego uniesienia...

Zdławił cisnące mu się na usta przekleństwo.

– Przedtem nie uświadamiałem sobie, jak dalece pożądanie związane jest z umysłem... jeszcze bardziej niż z ciałem. Tak bardzo pragnę kochać się z tobą... Ale nie mogę. – Uśmiechnął się gorzko. – Po prostu... nie jestem do tego zdolny.

– Nie trap się tym, Stephenie – szepnęła. – Chyba i tak nie mogłabym kochać się z tobą, wiedząc, że to może być ostatni raz...

Poczuł, jak coś go ściska w gardle. Kolejne pożegnanie... tym razem z czymś, co było ogromnie ważne. Czy w świetlistym ogrodzie istniała miłość fizyczna? Pewnego razu wyczytał gdzieś, że obcowanie dusz jest znacznie większą rozkoszą niż stosunki cielesne. Zastanawiał się wówczas, jakim sposobem autor owej złotej myśli zdołał się o tym przekonać. Teraz, gdy doświadczył po wielekroć miłości Rosalindy, wątpił, czy mogło być coś doskonalszego. Zarysowały się jednak przed nim nowe perspektywy. Było coś, z czym mógł wiązać nadzieje.

Rosalinda długo leżała bezsennie po tym, jak Stephen zapadł w sen. Doznania, z których jej się zwierzył, uznała za szczerą prawdę. Jej naturalni rodzice czuwali nad nią i przekazali ją pod opiekę przybranych rodziców. Było to podwójne błogosławieństwo... A jednak przez całe życie towarzyszył jej strach.

Scena tragicznej śmierci rodziców znów stanęła jej przed oczami. To prawda, że nie męczyli się długo... ale koszmar tamtej nocy wycisnął niezatarte piętno na jej duszy. Po tej tragedii nastąpiły tygodnie ucieczki w ustawicznym strachu, zakończonej nagłym zgonem ukochanej niani. Potem zaś były tylko ziąb, głód i paraliżująca trwoga... walka o przetrwanie.

Nic dziwnego, że od tej pory nigdy nie czuła się bezpieczna, choć w cudowny sposób została ocalona. Ukryła swój strach na dnie duszy i starała się ze wszystkich sił być idealną córeczką, by Thomas i Maria zatrzymali ją u siebie.

Mijały lata, a strach nadal był jej nieodłącznym towarzyszem. Lękała się wszystkiego, co nieznane, obawiała się rozstania ze swą przybraną rodziną. Panicznie bała się miłości. Rozmieniała ją więc na drobne, kochając wszystkich po troszę. Wyszła za Charlesa, gdyż stanowił część dobrze jej znanego świata. Małżeństwo ze Stephenem wydało się jej z początku także bezpieczne, gdyż zamierzała powrócić później do dawnego życia.

Ale pokochała Stephena, co już nie było bezpieczne, gdyż z miłością wiązał się ból rozłąki z ukochaną osobą – to przekonanie towarzyszyło jej od śmierci rodziców. Nie mogła więc przyznać się do miłości. Niech to będzie przyjaźń, namiętność, ale w żadnym wypadku nie miłość.

To doprawdy zakrawało na żart! Ona, taka opanowana i rozsądna, w cichości ducha okłamywała samą siebie. Nie umiała nawet przyznać się uczciwie do tego, jak drogi był jej Stephen. Miłość do męża niosła ze sobą zagrożenie, gdyż w razie jego śmierci serce by jej pękło...

Teraz jednak Rosalinda uwierzyła, że kiedyś znów będą razem. I to przekonanie pomogło jej w końcu zapaść w sen.

34

Następnego ranka Stephen obudził się zdumiewająco wypoczęty. Być może dlatego, że Rosalinda nadal spała w jego ramionach. Nawet Porcja spędziła całą noc zwinięta w kłębek na ich łóżku.

Zanim Rosalinda się obudziła, ból zaczął znów dręczyć Stephena, ale złagodniał po zażyciu następnych dwu pigułek. Potem udało się Rosalindzie namówić męża na mleko z żółtkami jaj i miodem. Wypił je i – o dziwo! – nie zwrócił.

Stephen poczuł się na tyle silny, że usiadł na łóżku. Zaprosili Catherine do towarzystwa i całkiem przyjemnie spędzili ranek we trójkę. Stephen odpoczywał wsparty o stos poduszek, które Rosalinda zgromadziła na wezgłowiu, a kobiety paplały jak najęte. Przysłuchiwał się im, uszczęśliwiony, że ma obok siebie dwie z najbliższych jego sercu osób.

Rozważał z zadziwiającą obojętnością, jak długo jeszcze pożyje. Dzień, może dwa? Miał tylko jedno pragnienie: żeby Michael zdążył na czas.

Nagle do pokoju wszedł Hubble. Na jego twarzy malowała się konsternacja.

– Wasza książęca mość! Przybyli hrabiostwo Herringtonowie. Pani hrabina chce koniecznie widzieć się z waszą książęcą mością.

Rosalindzie zaparło dech, a Catherine, siedząca po drugiej stronie łóżka, omal nie upuściła filiżanki. Równie zaskoczony Stephen polecił lokajowi:

– Wprowadź ich tutaj.

Chwilę później Claudia i jej mąż Andrew weszli do sypialni. Na widok Stephena siostra zesztywniała. Domyślił się, że poinformowano ją o jego chorobie, ale nie przypuszczała, że jest z nim aż tak źle.

Z kamienną twarzą podeszła do łóżka.

– Musiałam zobaczyć się z tobą, Stephenie.

– Cieszę się, że cię widzę. I ciebie też, Andrew! – Serdecznie uścisnęli sobie ręce ze szwagrem. Zawsze był z niego porządny chłop.

Rosalinda spoglądała na przybyszów wzrokiem lwicy broniącej chorego lwiątka. Catherine jednak odezwała się uprzejmie:

– Dzień dobry, Claudio. Mam nadzieję, że czujesz się dobrze. Czy u twoich dzieci wszystko w porządku?

Twarz Claudii złagodniała, jak zawsze, gdy była mowa o jej dzieciach.

– W najlepszym porządku, dziękuję. A co tam u twego synka i córki?

– Również miewają się dobrze.

Rozmowa urwałaby się, gdyby Stephen nie wtrącił:

– Jeśli mowa o dzieciach, to możecie złożyć gratulacje Rosalindzie i mnie.

– O! To wspaniała nowina! – Claudia wydawała się zaskoczona, ale i szczerze uradowana. Dzieci zawsze znajdowały drogę do jej opancerzonego serca. – Powinnaś bardzo dbać o siebie, Rosalindo!

– Mam taki zamiar – odparła Rosalinda.

Stephen miał zbyt mało sił, by tracić je na gadaninę o niczym, odezwał się więc:

– Wybacz, Rosalindo, ale może Claudia chciałaby porozmawiać ze mną w cztery oczy…

– Owszem, ale najpierw… – Claudia błagalnym wzrokiem spojrzała na swego męża, jakby prosząc go o wsparcie. Andrew dotknął lekko jej łokcia. Najwidoczniej dodało to jej sił, gdyż podjęła znów z pewnym wahaniem: – Rosalindo, Catherine… Chciałam was przeprosić… Zachowywałam się w stosunku do was… niewybaczalnie.

Całkiem już zbita z tropu Rosalinda powiedziała:

– Przyjmuję twoje przeprosiny. To… zrozumiałe, że kwestia odpowiedniego małżeństwa brata bardzo cię obchodziła.

W oczach Catherine pojawił się ironiczny błysk, ale i ona wymamrotała właściwą formułkę.

Claudia uśmiechnęła się niewesoło.

– Jesteście obie bardziej wielkoduszne, niż na to zasługuję.

– Nie chcę z tobą walczyć, hrabino – odrzekła z godnością Rosalinda. – I nigdy nie miałam takiego zamiaru.

Spojrzała znacząco na Catherine, powiedziała coś półgłosem do lorda Herringtona i wszyscy troje wyszli z sypialni.

Zamiast usiąść, Claudia niespokojnie krążyła po pokoju. Samo patrzenie na nią męczyło Stephena.

– Cieszę się, że przyszłaś – westchnął. – Myślałem, że się już nie zobaczymy.

– Omal do tego nie doszło – odparła siostra, unikając jego wzroku. – Twoja żona odwiedziła mnie, by powiadomić o twojej chorobie, a ja zachowałam się wobec niej horrendalnie.

Stephen wzdrygnął się; mógł sobie bez trudu wyobrazić tę scenę.

– Wygadywałaś zawsze okropne rzeczy, kiedy byłaś zdenerwowana. Co sprawiło, że zmieniłaś zdanie?

Claudia podeszła do okna i wyjrzała przez nie. Z profilu była niezwykle podobna do starego księcia.

– Po wyjściu twojej żony do salonu wszedł Andrew i zastał mnie we łzach. Nigdy przedtem nie widział, żebym płakała. Spytał oczywiście, czym się tak martwię. Wyjaśniłam mu, o co chodzi. Byłam pewna, że przyzna mi rację. Powie, że słusznie potępiłam wasze małżeństwo. Że żadna komediantka nie jest godna tytułu księżnej Ashburton.

– A on ci nie przytaknął?

– Zmarszczył brwi i powiedział, że posuwam się zbyt daleko w swojej obsesji na temat świętego dziedzictwa Ashburtonów. I powiedział coś, co chwilę wcześniej usłyszałam z ust twojej żony: „Już nie zdobędziesz aprobaty ojca, choćbyś nie wiem, co zrobiła!" – Łzy zalśniły w oczach hrabiny. – I dodał, że wybór nowej księżnej to nie moja sprawa... że powinnam uszanować twoją wolę. I przestać wreszcie winić swoich braci za to, że urodzili się mężczyznami, a ja nie!

Nigdy dotąd Stephenowi nie przyszło do głowy, że siostra może tego właśnie zazdrościć jemu i Michaelowi. Ale to miało sens! Andrew był niezwykle spostrzegawczy.

– Gdyby życie było sprawiedliwe, urodziłabyś się chłopcem, Claudie! – powiedział, używając jej dziecinnego przezwiska. – Tylko ty z naszej trójki mogłabyś zostać godnym następcą starego księcia. Ideałem, jaki nasz ojciec sobie wymarzył. – Westchnął, wspominając, ileż to razy doznał ojcowskiej pogardy i szyderstw. – Tylko że on nie traktował sprawiedliwie żadnego z nas. Ponieważ urodziłaś się dziewczynką, nie poświęcał ci uwagi, której tak potrzebowałaś i na którą w pełni zasługiwałaś. Mną gardził, gdyż brakowało mi arogancji, tak bardzo przez niego cenionej. Michaela traktował zgoła haniebnie! – Przyczyn takiego postępowania Claudia doprawdy nie musiała znać. – I tego właśnie do tej pory nie mogę mu wybaczyć. Ale, o ile mi wiadomo, był niezwykle podobny do swojego ojca. I wyrósł w przeświadczeniu o własnej nieomylności.

– A ja, jak sam powiedziałeś, jestem do niego bardzo podobna. – Claudia skłoniła głowę. W bladym świetle poranka widział przygnębienie na jej twarzy. – Nie zdawałam sobie sprawy z tego, jak niezbędne jest dla mnie poparcie Andrew... Wiem, że trudno ze mną wytrzymać, ale Andrew zawsze stał u mego boku, mimo moich wad. – Z trudem przełknęła ślinę. – Nie jestem wcale z siebie zadowolona, Stephenie, ale po prostu nie potrafię być inna. A jeśli przestałam być córką swego ojca, to kim właściwie jestem?

– Jesteś żoną, matką i siostrą – odparł spokojnie. – Nawiasem mówiąc, jesteś również hrabiną Herrington. A co się tyczy Andrew… nie ulega wątpliwości, że twój mąż doskonale cię rozumie. Czy naprawdę sądzisz, że nagle przestanie cię kochać z powodu jednej różnicy zdań… zwłaszcza że, jak sama powiadasz, zawsze znał twoje wady?

– Andrew wcale mnie nie kocha! Jak w ogóle ktoś mógłby mnie kochać?! – zawołała z rozpaczą. Nieme łzy udręki popłynęły jej po policzkach.

Widok jej niedoli sprawiał Stephenowi ból. Przypomniał sobie, jak Claudia chwaliła go i ściskała, gdy jako dziecko stawiał pierwsze kroki.

– Nie mogę podejść do ciebie, Claudio – powiedział. – Jeśli więc chcesz, żebym cię uścisnął, chodź tutaj!

Dawniej to on biegł do niej. Teraz role się odwróciły. Uśmiechnęła się przez łzy, podeszła do Stephena i przysiadła na brzegu łóżka.

– Tak mi wstyd, braciszku – wymamrotała, ocierając oczy. – Jesteś ciężko chory, a ja zamiast ci pomóc, domagam się od ciebie pociechy!

Poklepał ją po ręku.

– Wiesz co? Umieranie nie jest takie trudne. Życie bywa znacznie bardziej skomplikowane.

Z piwnych oczu Claudii znów polały się łzy.

– Nie mogę znieść myśli, że cię utracę – szepnęła. – Jestem przecież od ciebie starsza! To niesprawiedliwe, żebym ja, taka podła istota, była zdrowa i cała, kiedy ty, taki dobry, umierasz!

Uśmiechnął się.

– Może to prawda, że najlepsi żyją krótko?

Przycisnęła rękę do ust.

– Rosalinda powiedziała mi to samo, kiedy była u mnie! A ja niczego w życiu nie zrobiłam, jak należy…

Wziął ją za rękę i przyciągnął do siebie, żeby uścisnąć. Ukryła twarz w kołdrze i płakała dalej. Wiedział, że płacze nie tylko nad nim. Były to również łzy żalu – z powodu obojętności ojca, którego ubóstwiała, ale nigdy nie mogła zasłużyć na jego aprobatę. I z powodu własnej bezradności w obliczu niedoścignłych ideałów.

– Nie bądź taka surowa dla siebie, Claudio. Chyba wiesz, że w dzieciństwie byłaś dla mnie najważniejszą w świecie osobą? Ty jedna słuchałaś mnie, dzięki tobie czułem się kochany. Zawsze radziłaś sobie doskonale z małymi dziećmi. – Uśmiechnął się. – Gdyby nie ten hrabiowski tytuł, byłabyś wspaniałą nianią!

Pewnie jak pani Standish nie zawahałaby się oddać życia w obronie jednego ze swych podopiecznych.

Claudia roześmiała się przez łzy.

– Przynajmniej na coś bym się przydała!

Stephen czuł, że gdyby teraz znalazł właściwe słowa, mógłby siostrze pomóc. I nagle uderzyła go pewna myśl...

– Dlaczego właściwie wyszłaś za Andrew? Mogłaś zrobić jeszcze lepszą partię. Zostałabyś markizą, a nie zwyczajną hrabiną.

– Jak to, dlaczego? Po prostu najbardziej mi się podobał. Kiedy byłam z Andrew, czułam się ładna i inteligentna. I wiedziałam, że mnie pragnie... – Westchnęła. – To cudowne wiedzieć, że ktoś mnie pragnie... choć nigdy nie mogłam zrozumieć, co on we mnie widzi.

– Czy kiedyś żałowałaś swego wyboru?

– Nigdy! – odparła bez namysłu.

– Inaczej mówiąc, kochasz Andrew i zawsze go kochałaś. Czy choć raz powiedziałaś mu o tym?

Claudia wstała i zaczęła wygładzać fałdy sukni.

– Andrew wie, że... że jestem do niego przywiązana.

Stephena nie zdziwiło, że jego siostra nie może wymówić słowa „kocham". On miał podobne opory przez większość życia. Dokładniej mówiąc, aż do wczoraj, gdy nagle znalazł się poza życiem.

– Stary książę wpajał nam swoją hierarchię cnót kardynalnych, Claudio. Na ich czele znajdowały się duma rodowa i zachowywanie konwenansów. Dla miłości nie było w ogóle miejsca. Ale między wierszami mogliśmy bez trudu wyczytać, że miłość jest dowodem słabości i zasługuje wyłącznie na pogardę. Ojciec wszystko odwrócił do góry nogami! Miłość jest najwyższą cnotą, tylko ona nadaje życiu sens. A duma i konwenanse nie zapewnią szczęścia. Dla dobra was obojga powiedz wreszcie Andrew, że go kochasz! A potem powtórz to samo dzieciom. – Uśmiechnął się słabo. – Nawet jeśli miałabyś wrażenie, że język ci od tego uschnie!

Spojrzała na niego niepewnie.

– Naprawdę myślisz, że chcieliby to ode mnie usłyszeć?

– Uważam, to za bardzo prawdopodobne. Nie wmawiaj sobie, że nic nie jesteś warta! Jest w tobie wiele godnych podziwu zalet. Choćby odwaga i niezależność. A jeśli nawet trudno ci mówić o miłości, twoje czyny najlepiej świadczą, że umiesz kochać.

– Ja umiem kochać? – spytała ze zdumieniem.

Była tak zaskoczona, jak do niedawna byłby on sam, gdyby usłyszał coś podobnego.

– Tak, ty. Zawsze miałaś dobre serce, choć język jak brzytwa. – Opadł na poduszki zbyt wyczerpany, by dłużej siedzieć prosto. – I nie zapomnij, gdy następnym razem weźmie cię chętka zranić kogoś słowami albo odezwie się w tobie pogardliwa duma Kenyonów, ugryź się mocno w język!

– Ja... spróbuję. – Spojrzała na niego ze smutkiem. – Niech ci Bóg błogosławi, Stephenie! Nie wiedziałam, jak bolesne będzie rozstanie z tobą... a teraz nic już się nie da zmienić...

Uśmiechnął się ze znużeniem.

– Spotkamy się znowu. Przekonasz się!

Ściągnęła brwi.

– Naprawdę w to wierzysz?

– Nie wierzę, tylko wiem! – powiedział i uświadomił sobie, że jego zapewnienie jest echem słów lady Westley.

– Mam nadzieję, że się nie mylisz. – Pochyliła się i ucałowała go w policzek. – Ja... kocham cię! – Uśmiechnęła się krzywo. – Jakoś mi język nie usechł!

Zaśmiał się słabo.

– Ja też cię kocham, Claudio!

Całkiem łatwo mu się to powiedziało. Czemu aż dotąd nie mógł wykrztusić tych słów?

Kiedy siostra wyszła, obrócił się na bok i westchnął, bardzo zmęczony. Uświadomił sobie nagle, że nie wyznał dotąd Rosalindzie, że ją kocha. A przecież nie ulegało wątpliwości, że pokochał ją od pierwszego wejrzenia. Nawet ostatni dureń zdałby sobie z tego sprawę! Ale on był jednym z Kenyonów, a w ich słowniku nie było słów „kocham" ani „miłość".

Zapadając w sen, powtarzał sobie, że musi koniecznie powiedzieć Rosalindzie, co do niej czuje. Żeby nie wiadomo co, musi jej to wyznać, zanim umrze!

Tik-tak. Tik-tak. Tik-tak. Stojący na kominku zegar tykał niewiarygodnie głośno w zalegającej sypialnię ciszy. Chodnik i jezdnię przed rezydencją Ashburtonów pokrywała gruba warstwa słomy, co miało tłumić odgłosy ulicznego ruchu. I tłumiło aż za dobrze!

Rosalinda poprawiła kołdrę okrywającą Stephena. Było późne popołudnie, a on zasnął zaraz po wizycie Claudii. Rosalinda czuła, jak wzbiera w niej wrogość do szwagierki, gdyż podczas rozmowy z nią stracił tyle bezcennej energii.

A jednak zapłakana Claudia przy pożegnaniu była niemal serdeczna, gdy opuszczała Ashburton House uwieszona na ramieniu swojego męża. Wprost trudno było uwierzyć, że to ta sama kobieta, która podczas pierwszego spotkania z Rosalindą syczała jak żmija. Stephen musiał rzucić na nią jakiś urok… Oby jego skutki okazały się trwałe!

Catherine czuwała razem z bratową przy chorym; siedziała w milczeniu, cerując pończochy, których cała sterta leżała przed nią. Majordomus był zaszokowany, że żona lorda Michaela zajmuje się taką niegodną damy czynnością. Ale Catherine łatwiej było zachować spokój, gdy miała czymś zajęte ręce.

Rosalinda wolała wpatrywać się bezczynnie w twarz śpiącego męża. Robił wrażenie znacznie spokojniejszego od swej żony i bratowej.

Tik-tak. Tik-tak. Tik-tak. Każde tyknięcie oznaczało, że upłynęła sekunda czasu, który pozostał jeszcze Stephenowi do życia.

Rosalinda poczuła nagle, że nie zniesie dłużej tego tykania. Wstała i zdecydowanym krokiem podeszła do kominka. Z najwyższą satysfakcją rozbiłaby ten zegar z pozłacanego brązu o ceglane palenisko, ale z pewnością był wart kupę pieniędzy, a w dodatku stanowił pamiątkę rodzinną! Rosalinda otworzyła więc tylko małe drzwiczki z tyłu zegara i zatrzymała wahadło.

Cóż za błoga cisza! Księżna podeszła do okna i wyjrzała na ulicę. Było już ciemno i mżył uparcie drobny deszczyk. Koszmarna pogoda! Pasowała jak ulał do tego koszmarnego dnia.

Czy Stephen doczeka jutrzejszego ranka? Usłyszała głos Catherine:

– Dobrze, że zatrzymałaś to okropieństwo. Strasznie mi działało na nerwy!

– Doprawdy? A ja myślałam, że ty w ogóle nie masz nerwów! Jesteś taka cierpliwa i opanowana w obecności chorego.

– Mam dużą wprawę w ich pielęgnowaniu. Ale jeśli choruje ktoś bliski, to całkiem inna sprawa! – Catherine westchnęła i potarła skronie. – A Stephen jest mi bardzo bliski i drogi. Zawsze był dobrym przyjacielem dla mnie i dla mojej córeczki. Amanda będzie zrozpaczona!

– Wiem, że to bardzo egoistyczne z mojej strony, ale cieszę się, że tu jesteś. – Rosalinda uśmiechnęła się blado. – Zastanawiałam się, czy nie poprosić matki lub siostry, by do mnie przyjechały. Wiedziałam jednak, że trudno im zachować hart ducha w obliczu choroby. Właśnie dlatego to ja opatrywałam skaleczenia członków naszej trupy.

– Coś mi się zdaje, że brałaś na siebie wszelkie zadania, których te artystyczne pięknoduchy nie wypełniały jak należy – stwierdziła z uśmiechem Catherine. – Talent talentem, ale pończochy też musi ktoś zacerować!

Rosalinda przytknęła czoło do chłodnej szyby.

– Catherine... strasznie się tego wstydzę, ale jakiś uparty głos w moim wnętrzu podszeptuje: „kiedy wreszcie będzie już po wszystkim?" A przecież wcale nie chcę, by Stephen odszedł! Nie wiem, jak zdołam żyć, kiedy go zabraknie...

– Pragnienie zakończenia cierpień Stephena i twoich nie jest zbrodnią, tylko normalną reakcją – powiedziała miękko Catherine. – A ty będziesz żyła, bo musisz żyć dla dobra swego dziecka.

Przypomniawszy sobie, że Catherine straciła oboje rodziców i pierwszego męża, Rosalinda zawstydziła się własnej słabości i się opanowała. Musi być silna ze względu na dziecko – najcenniejszą pamiątkę po mężu.

Z tyłu za nimi rozległ się słaby głos Stephena.

– Rosalindo...

Odwróciła się gwałtownie i podeszła do łóżka.

– Jak się czujesz, kochany?

Wzruszył ramionami.

– Tak sobie.

Inaczej mówiąc, miał znowu bóle, ale nie chciał się skarżyć. Jak mógł być taki spokojny, taki opanowany? Uważała go za bohatera, kiedy uratował Brianowi życie, ale tamten wyczyn był niczym w porównaniu z jego obecną postawą.

Bez słowa podała mu dwie następne pigułki z opium. Kiedy je zażył, pocałowała go w czoło.

– Masz ochotę na mleko z miodem? A może na bulion?

– Wolę mleko.

Sięgnęła po dzbanek z mlekiem, który kucharka umieściła wcześniej w misce pełnej pokruszonego lodu. Kiedy nalewała mleko do szklanki, Stephen powiedział cicho:

– Coś ci chciałem powiedzieć...

Spojrzała na niego z uśmiechem i w tej samej chwili jęknął:

– O Boże!

Osunął się na poduszki w konwulsjach bólu, z twarzą śmiertelnie bladą i z zamkniętymi oczyma. Był to najstraszniejszy atak, jakiego była świadkiem, od czasu tamtego pierwszego, na stryszku. Ściskała z całej siły rękę męża, myśląc z przerażeniem, że w żaden sposób nie może mu pomóc.

Stephen nie miał już sił, żeby znieść taki ból. Po kilku minutach stracił przytomność. Rosalinda i Catherine bez słowa zabrały się do zmieniania zabrudzonej pościeli.

Gdy uporały się z tym i Rosalinda chciała otrzeć mężowi twarz wilgotnym ręcznikiem, Catherine odezwała się nagląco:

– Znam pewnego doktora... Pozwól mi go wezwać!

Rosalinda podniosła na nią zdumione oczy.

– Przecież wiesz, co obiecałam Stephenowi: żadnych doktorów!

– Ian Kinlock nie jest tacy jak inni lekarze – zapewniła ją Catherine. – Poznałam go, kiedy był lekarzem wojskowym. Ma kwalifikacje internisty i chirurga. Ocalił Michaelowi życie, gdy inni postawili na nim krzyżyk. Prawdę mówiąc, głównym powodem tego szaleńczego pościgu za Stephenem było to, że Michael chciał go koniecznie oddać pod opiekę Iana Kinlocka.

Rosalinda nie mogła się zdecydować. Poszanowanie woli męża i pamięć o złożonym przyrzeczeniu zmagały się z rozpaczliwą chęcią uczepienia się każdej, choćby najsłabszej nadziei. Widząc, że bratowa się waha, Catherine przekonywała dalej:

– Pozwól przynajmniej, żeby Ian go zbadał! Z pewnością uszanuje twoją wolę, jeśli nie wyrazisz zgody na bolesne zabiegi. – Catherine zamknęła oczy i przycisnęła rękę do czoła. – Proszę, pozwól mi go wezwać! Nie możemy przecież siedzieć bezczynnie, gdy Stephen umiera!

Rosalinda skapitulowała.

– Dobrze. Poślij po niego – powiedziała z westchnieniem.

Catherine natychmiast wybiegła z pokoju. Rosalinda raz jeszcze otarła mężowi twarz, poprawiła pościel i go ucałowała.

– Kocham cię, Stephenie – szepnęła. – Zawsze cię będę kochała!

Może nie chciałby tego słuchać... Ale ona po prostu musiała mu to powiedzieć.

Hubble wdzięczny za to, że może coś zrobić dla chorego, udał się na poszukiwanie Iana Kinlocka. Odnalezienie chirurga i przywiezienie go do Ashburton House zajęło mu kilka godzin. Do tego czasu stan Stephena uległ poprawie: lżej już oddychał i powoli odzyskiwał przytomność. Rosalinda siedziała przy nim i trzymała go za rękę, wpatrując się w twarz męża z takim natężeniem, jakby siłą swego spojrzenia mogła go utrzymać przy życiu.

Drzwi otworzyły się i Catherine zerwała się na równe nogi.

– Ian! Bogu dzięki, że przyjechałeś!

Rosalinda podniosła wzrok i ujrzała, że bratowa ściska barczystego mężczyznę z szopą niesfornych siwych włosów, który właśnie wszedł do sypialni. Potem wzięła go pod ramię i podprowadziła do łóżka.

– Rosalindo, to mój przyjaciel, prawdziwy cudotwórca, Ian Kinlock. Ianie, oto księżna Ashburton.

Doktor Kinlock odezwał się z wyraźnym szkockim akcentem:

– Pochlebstwa na nic się nie zdadzą, Catherine. Tylko Bóg wszechmogący czyni cuda, którymi zresztą szafuje bardzo oszczędnie. – Skinieniem głowy powitał Rosalindę i postawił swą lekarską torbę obok łóżka.

– Może zechce mi pani opowiedzieć o chorobie swego męża, księżno?

Chirurg był młodszy, niż sądziła w pierwszej chwili. Mimo siwych włosów miał nie więcej niż czterdzieści lat. Był niewątpliwie inteligentny i nad wyraz opanowany. Rosalinda uznała, iż dobrze się stało, że wezwali właśnie jego.

– O ile wiem – powiedziała – bóle wystąpiły u mego męża pod koniec wiosny czy z początkiem lata. Powiedział mi, że opiekujący się nim lekarz postawił diagnozę: obrzęk żołądka i wątroby.

– To raczej opis kliniczny niż diagnoza – mruknął Kinlock. – Jakie są objawy?

Żałując, że nie wypytała dokładniej Stephena, Rosalinda odpowiedziała na pytanie doktora. Catherine oddaliła się, a lekarz zaczął badać chorego. Po bardzo starannym obmacaniu brzucha, mruknął:

– Obrzęk… powinno być wyczuwalne zgrubienie… albo opuchlizna. Nie wyczuwam ani jednego, ani drugiego, choć nie ulega wątpliwości, że chory ma bóle.

Półprzytomny Stephen jęczał pod dotykiem chirurga. Rosalinda wzdrygała się za każdym razem, jakby to jej zadawano ból.

– Chce pan powiedzieć, doktorze, że mój mąż nie jest aż tak chory, jak sądziliśmy? – spytała z nadzieją w głosie.

– Nie ulega wątpliwości, że książę Ashburton jest w stanie krytycznym. – Kinlock zmarszczył brwi i wyjął z torby igłę. – Muszę jednak przyznać, że nie mogę dociec, co jest przyczyną jego cierpień.

Rosalinda zagryzła usta, gdy lekarz ujął rękę Stephena i wbił igłę w sam środek jego dłoni. Stephen prawie na to nie zareagował.

Stephen nie chciał być ofiarą praktyk jakichś szarlatanów, ale powiedział kiedyś Rosalindzie, że gotów byłby iść nawet do zaklinacza czy znachora, gdyby istniała nadzieja powrotu do zdrowia.

Każda nadzieja, choćby najsłabsza, lepsza była od beznadziejności.

35

Moknąc na lodowatym deszczu, Michael i Blackmer przebyli w milczeniu ostatni, najkrótszy odcinek drogi. Wieczór był równie posępny jak nastrój Michaela.

Humor mu się nieco poprawił, gdy wjechali na Grosvenor Square i ujrzeli przed sobą Ashburton House.

– Spójrz no, doktorze, na te oświetlone okna i na tę słomę na ulicy! Stephen tu jest, a może również Catherine. Oby!

Blackmer wyprostował się w siodle. Jego pozbawiona wszelkich uczuć twarz znów nabrała wyrazu.

– Dałby Bóg, żeby pan miał rację, milordzie. Już myślałem, że nasza pogoń nigdy się nie zakończy.

Michael doskonale rozumiał jego uczucia.

W stajni służący poinformował ich, że książę i nowa księżna bawią w Londynie od dwóch tygodni, a lady Catherine przybyła wczoraj. Stajenny zniżył głos do szeptu, gdy oznajmił o ciężkiej chorobie księcia. Podobno zostało mu tylko kilka dni życia.

Michael otworzył drzwi domu własnym kluczem. Wręczenie młodszemu bratu tego klucza było jednym z wielu drobnych gestów, którymi Stephen starał się utwierdzić Michaela w przekonaniu, że jest pełnoprawnym członkiem rodziny Kenyonów, a nie pogardzanym wyrzutkiem. A teraz Stephen... Michael nie pozwolił sobie na dokończenie tej myśli. Nie zważając na to, czy Blackmer idzie za nim, czy nie, wyminął pokoje reprezentacyjne i dotarł do podnóża szerokich schodów, które wiodły do prywatnych apartamentów. Spojrzał w górę i na ławeczce przed drzwiami sypialni Stephena zobaczył swoją żonę. Siedziała z głową opartą o ścianę, a na jej twarzy malowało się zmęczenie równie wielkie jak to, które sam odczuwał.

Instynktownie ściszając głos, Michael wymówił jej imię. Catherine podniosła głowę jakby wyrwana ze snu. Twarz jej się rozjaśniła.

– Michael!

Zerwała się na równe nogi i popędziła po schodach w dół, podczas gdy mąż sadził po trzy stopnie naraz do góry. Zderzyli się na podeście, gdzie schody się rozwidlały, by biec dalej dwoma torami.

– O Boże! Ależ się za tobą stęskniłem, Catherine!

Schwycił ją w ramiona tak energicznie, że jej stopy oderwały się od ziemi. Nareszcie czuł, że jest z powrotem w domu!

– Ja też. I to jak!

Nie zważając na ociekające wodą ubranie męża, Catherine objęła go za szyję i uniosła ku niemu twarz. Pod wpływem jej pocałunku Michael zapomniał o wszystkich trudach i perypetiach ostatnich kilku tygodni.

Postawił żonę z powrotem na ziemi.

– Jak się miewa Stephen?

Westchnęła i oparła się czołem o policzek męża.

– Dopiero co się obudził… ale jest w bardzo ciężkim stanie. Nie zostało mu już wiele życia.

Blackmer, który do tej pory trzymał się dyskretnie z tyłu, w kilku susach znalazł się obok nich.

– Proszę mnie zaprowadzić do niego! – powiedział. – Może zdołam mu pomóc!

Michael pomyślał, że Blackmer oszalał. Czyżby liczył na to, że dokona cudu?

– Dziesięć minut nie zrobi większej różnicy. Chcę najpierw pomówić z moim bratem, jeśli jest przytomny. Proszę przez ten czas coś zjeść i przebrać się w suche ubranie, doktorze.

Michael ruszył znów schodami na górę. Obejmował żonę, nie zważając na to, że nie wypada czulić się przy obcych.

– Jestem jego lekarzem! – zaprotestował gwałtownie Blackmer. – Muszę natychmiast zbadać mego pacjenta!

Michael odwrócił się i tonem, który przyprawiał o drżenie najbardziej zahartowanych w bojach żołnierzy, rzucił tylko jedno słowo:

– Później!

Catherine wtrąciła pospiesznie:

– Nie brak mu opieki, panie doktorze. W tej chwili jest przy nim nasz przyjaciel, doktor Ian Kinlock. Coś go zaskoczyło podczas badania pacjenta, ale nie powiedział, o co chodzi. Może urządzicie sobie konsylium, a Michael przez ten czas porozmawia z bratem?

Blackmer już otwierał usta, by zaprotestować, ale zamknął je z powrotem. Sam wyglądał w tej chwili na chorego.

– Przebiorę się i będę na górze za kilka minut.

Odwrócił się i zszedł na dół, zderzając się z lokajem, dźwigającym ich bagaż.

Michael szepnął do żony:

– Rad jestem, że wezwałaś Kinlocka! Zamierzałem to zrobić zaraz po przybyciu. Jeśli ktoś może jeszcze pomóc Stephenowi, to tylko Ian!

– Powiedział, że nie jest cudotwórcą – odparła posępnie Catherine.

Mimo to Michael nadal trzymał się kurczowo nadziei na cudowne uzdrowienie brata.

– A co myślisz o tej prowincjonalnej aktoreczce Stephena?

Catherine zmierzyła go ostrym wzrokiem.

– Pozbądź się tych idiotycznych uprzedzeń, mój drogi! Rosalinda jest cudowna! I całym sercem kocha Stephena, a on ją. Wielka szkoda, że nie spotkali się dziesięć lat temu! A przy tym jest niesłychanie atrakcyjna. Całe szczęście, że dopadłam cię i zawłaszczyłam wcześniej!

Michael roześmiał się i ukrył twarz we włosach żony. Poczuł jej zapach – słodki, świeży, nieodparty…

– Przestań się dopraszać o komplementy! Będzie na to dość czasu potem.

Pogładziła go po szczeciniastej twarzy.

– A poza tym Rosalinda doskonale wykorzystała miodowy miesiąc i jest już w ciąży. Lepiej módl się, żeby to był chłopiec!

Michael poczuł się jak więzień, przed którym nagle otwierają się drzwi celi.

– To cudowne! Stephen musi być zachwycony.

Przez twarz Catherine przemknął cień.

– Owszem.

Michael bez trudu dośpiewał sobie całą resztę. Dobrze wiedział, jak czułby się w takiej sytuacji, będąc śmiertelnie chory, mając świadomość tego, że nie będzie wychowywał własnego dziecka.

Radość z powitania z żoną zbladła. Znów myślał przede wszystkim o tym, co go sprowadziło do Londynu. Ściągnął przemoczony płaszcz i przerzucił go przez poręcz schodów. Potem z posępnym wyrazem twarzy otworzył drzwi do sypialni brata.

Stephen odzyskał przytomność podczas badania lekarskiego. Choć sprawiało mu widoczny ból, zniósł je po stoicku i nie robił wyrzutów żonie, że wezwała doktora. Mimo to Rosalindę dręczyły wyrzuty sumienia, gdy odsunęła się od łóżka, by mężczyźni mogli porozmawiać bez skrępowania.

Siadła we wnęce okiennej, nie spuszczając oczu ze Stephena. Przypomniało się jej coś, co powiedziała do Jessiki w tamtych dniach, kiedy wszystko było znacznie prostsze. Stwierdziła, że wrodzona godność nie opuści Stephena nawet na łożu śmierci. Prorocze słowa!

Nagle drzwi się otworzyły i do pokoju wszedł jakiś człowiek. Rosalinda od razu stwierdziła, że musi to być lord Michael Kenyon. Choć był brudny i znużony po podróży, wyczuwało się w nim nieustanną czujność, gotowość do działania. Rzucało się w oczy uderzające podobieństwo do Stephena.

Ponieważ Stephen, zajęty rozmową z doktorem Kinlockiem, nie dostrzegł wejścia brata, Rosalinda postanowiła przedstawić się lordowi Michaelowi i mieć to już za sobą. Może będzie tak przejęty chorobą brata, że nie zwróci na nią większej uwagi.

Podeszła więc do niego i powiedziała cicho:

– Cieszę się, że pan przybył, milordzie. Doktor Kinlock właśnie kończy badanie.

Lord Michael zwrócił na nią oczy. Były zielone i przenikliwe, niepodobne do znacznie łagodniejszych, szarozielonych oczu Stephena. Poczuła się jak mysz pod czujnym wzrokiem kota.

A potem – o dziwo! – lord Michael się uśmiechnął. Znikła drapieżność, podobieństwo do Stephena uwydatniło się jeszcze bardziej.

– Witaj, Rosalindo! Catherine już mi o tobie opowiadała.

Uścisnął jej dłoń. Nie mógł się ukłonić jak należy, bo żona uczepiła się jego ramienia.

Wielkie nieba! I to ma być spotkanie, przed którym tak drżała?!

– Aż się boję pytać, co takiego ci nagadała – przyznała całkiem szczerze Rosalinda.

– Powiedziała, że jesteś cudowna i że powinienem okazywać ci wszelkie względy, na które w pełni zasłużyłaś. – Objął Catherine jeszcze mocniej. – A ja zawsze robię to, czego sobie życzy moja żona!

– Nie wierz mu, nie wierz! To tylko takie gadanie!

Ich głosy zwróciły wreszcie uwagę Stephena. Spojrzał w stronę drzwi i uśmiechnął się z wysiłkiem.

– Michael! Zdążyłeś… dosłownie w ostatniej chwili.

Na ściągniętej twarzy Stephena odcisnęło się wyraźnie piętno śmierci. Na ten widok Michael poczuł nagłą duszność, jakby odezwała się trapiąca go w dzieciństwie i nigdy niewyleczona całkowicie astma. Odetchnął kilka razy głęboko, oderwał się od żony i podszedł do łóżka.

– Czy Catherine zdążyła ci już powiedzieć, jak przez całe tygodnie uganialiśmy się za tobą razem z Blackmerem po całej Wielkiej Brytanii?

– Widać nie brak mi sprytu, jeśli wymknąłem ci się z rąk!

Ian Kinlock również spojrzał na Michaela. Dwukrotnie w czasie wojny z Francuzami składał go do kupy, toteż spoglądał na niego okiem rzemieślnika, sprawdzającego, w jakim stanie jest jego dzieło.

– Miło mi cię widzieć, pułkowniku!

– Ja też rad jestem ze spotkania, doktorze! – Michael uścisnął dłoń chirurga. – Już po badaniach?

– Na razie tak. Pogadajcie sobie, a ja muszę sobie przemyśleć to wszystko…

Kinlock podszedł do kominka. Stanął przy nim i zapatrzony w ogień głęboko się nad czymś zastanawiał. Catherine i Rosalinda przeniosły się taktownie w drugi koniec pokoju, poza zasięg głosów obu braci.

Michael opadł na stojący przy łóżku fotel. Czuł się trochę nieswojo. Jak, do licha, należy rozmawiać z umierającym bratem?! Przychodziło mu do głowy mnóstwo spraw, o których mógłby powiedzieć Stephenowi. Ale wszystkie wydawały mu się zbyt błahe.

Stephen wybawił go z kłopotu.

– Najpierw porozmawiajmy o interesach. Myślałem, że uda mi się dopiąć wszystko na ostatni guzik, ale mój czas minął szybciej, niż się spodziewałem. A poza tym Rosalinda powiedziała mi ubiegłej nocy, że spodziewa się dziecka, co oczywiście komplikuje sprawę.

– Ale nadaje jej pożądany kierunek.

– Zgadzam się, że to pożądany obrót sprawy, ale zaskakujący. Nawet mi do głowy nie przyszło, że mógłbym zostawić po sobie syna i spadkobiercę. Od dawna straciłem nadzieję na potomstwo. – Stephen przymknął na chwilę oczy. – Zakładałem, że przejmiesz wszystko zaraz po mojej śmierci. Teraz jednak musisz się przygotować na kilka miesięcy czekania, zanim okaże się, jakiej płci jest dziecko. Wszystkie moje starannie opracowane plany biorą w łeb… a przynajmniej pozostają w zawieszeniu. Mój sekretarz konferuje właśnie z moim adwokatem. Opracowują dokumenty, na mocy których bezzwłocznie obejmiecie z Rosalindą pieczę nad nieruchomościami Ashburtonów aż do narodzin dziecka. Jeśli to będzie dziewczynka, przejmujesz oczywiście wszystko. Jeśli zaś chłopiec, pozostaniesz jego opiekunem aż do pełnoletności. – W oczach Stephena pojawił się wesoły błysk. – Mówiąc prościej, będziesz miał pełne ręce roboty, a tytuł książęcy przejdzie ci koło nosa.

– Stanowczo wolę takie rozwiązanie – zapewnił go gorąco Michael.

– Opiekuj się także Rosalindą. Nie chcę przez to powiedzieć, że moja żona nie potrafi zatroszczyć się o siebie. Przypuszczam zresztą, że niebawem powtórnie wyjdzie za mąż. Nie miej o to do niej pretensji, nie uważaj tego za zdradę wobec mnie.

– Jesteś znacznie bardziej wielkoduszny niż ja – stwierdził Michael z lekkim uśmieszkiem autoironii. – Gdybym umierał, wolałbym myśleć, że Catherine nigdy nie spojrzy na innego mężczyznę i spędzi resztę życia we włosiennicy, z głową posypaną popiołem!

Stephen uniósł ironicznie jedną brew.

– Naprawdę chciałbyś tego?

Nawet w dzieciństwie Michaelowi nigdy nie udało się oszukać brata.

– No, nie… – przyznał. – Chciałbym, żeby była szczęśliwa. Ale nie tak, jak ze mną!

– Jesteś zdumiewająco szczery! – stwierdził Stephen. – Kiedy opuściłem Ashburton Abbey i udałem się na północ, zastanawiałem się, czy nie pojechać do Walii na spotkanie z tobą. Chciałem dowiedzieć się od ciebie, jak to jest, gdy śmierć zagląda w oczy. Wiedziałeś o tym znacznie więcej niż ja. Ale ostatecznie poniechałem tego zamiaru. Duma mi nie pozwalała pytać młodszego brata, jak mam się uporać z lękiem. – Bruzdy na twarzy Stephena się pogłębiły. – Teraz takie względy wydają mi się niewarte uwagi.

– Mam wrażenie, że bez mojej pomocy znalazłeś odpowiedź na dręczące cię pytanie. – Michael wpatrywał się uważnie w twarz brata; widział na niej pełną akceptację wszystkiego, co go czekało. Niemal identyczny wyraz dostrzegł niegdyś na własnej twarzy, gdy podobnie jak teraz Stephen, stał na progu śmierci. – I ogarnął cię spokój, prawda?

– Prawda. – Spojrzenie Stephena powędrowało na drugi koniec pokoju, do Rosalindy. – Bóg mi świadkiem, że nie mam ochoty umierać. Ale w ciągu ostatnich kilku tygodni zaznałem więcej szczęścia niż inni przez całe życie. A gdyby nie moja choroba, nigdy bym go nie zakosztował.

I tym szczęściem była Rosalinda, „prowincjonalna aktoreczka". Michael zawstydził się, że tak się o niej pogardliwie wyraził. Powinien mieć więcej zaufania do rozsądku i intuicji Stephena. Przypomniała mu się przestroga Rafe'a: nigdy nie zakładaj z góry najgorszego! Miał ochotę wymierzyć sobie tęgiego kopniaka za cholernie nieodpowiednią reakcję na wieść o małżeństwie brata. Czasami postępował tak, jak stary książę! Całe szczęście, że niezbyt często mu się to zdarzało.

Nie odrywając oczu od żony, Stephen rzekł cicho:

– Mam wrażenie, że gdybyśmy wiedzieli, że lada chwila nastąpi koniec świata, na ulicach zaroiłoby się od ludzi pędzących do swoich najbliższych, by zapewnić ich o swojej miłości. – Spojrzał znów na brata. – Kocham cię, Michaelu. I żałuję, że nie byliśmy przyjaciółmi przez całe życie.

Ogromny żal i poczucie straty, pulsujące dotąd pod powierzchnią sztucznego spokoju, wyrwały się na wolność i zapłonęły pożogą, która omal nie zwęgliła Michaelowi serca. Nakrył dłonią dłoń brata i zwiesił głowę.

– Ja również cię kocham – powiedział z wyraźnym wysiłkiem. – Teraz też nie bylibyśmy przyjaciółmi, gdybyś nie wyciągnął do mnie ręki w najgorszym okresie mego życia. Nigdy nie zdołam ci spłacić tego długu wdzięczności.

– Nie ma mowy o żadnym długu; obu nam wyszło to na dobre. – Stephen z trudem wciągnął powietrze w płuca. – Claudia zjawiła się tu przed twoim przyjazdem. Ona także chciała naprawić dawne błędy. Jeśli wyciągnie do ciebie gałązkę oliwną, a mam wrażenie, że tak się stanie, nie wrzucaj jej do najbliższego kominka. Pogódź się z Claudią przez pamięć o mnie, dobrze?

– Zrobię to – przyrzekł Michael. Przez pamięć o Stephenie… Czuł, jak słabo bije puls na przegubie brata. Jak długo jeszcze pożyje? O Jezu! Jak długo?! Odetchnął z trudem. – Jeśli nie zmienimy tematu, znów mnie dopadnie astma!

– Jeszcze by tego brakowało! – Stephen przymknął oczy i zbierał siły. – Przejdźmy do dalszych bardzo istotnych spraw. Po pierwsze: nie zdążyłem załatwić wszystkich formalności związanych z kupnem teatru Ateneum dla rodziców Rosalindy. Dopilnuj, by transakcja odbyła się jak najszybciej. Rosalinda wie, jakie przewidywałem warunki finansowe.

Stephen kupował teatr dla swoich teściów? No, cóż… zawsze miał szeroki gest.

– Dopilnuję, by wszystko zostało załatwione zgodnie z twoimi intencjami.

Stephen zwięźle przedstawił inne niedoprowadzone do końca sprawy, dając dowód całkowitego zaufania do Michaela, co poruszyło go prawie tak, jak poprzednia deklaracja braterskiej miłości. Trzy lata temu nie byłoby mowy ani o podobnej rozmowie, ani o bezbrzeżnym zaufaniu.

Stephen wyraźnie słabł. Zdania były krótkie, urwane, przerwy dla nabrania sił coraz częstsze. Michael miał nadzieję, że ten cholerny sekretarz i przeklęty adwokat zjawią się niebawem z gotowymi dokumentami. Jeśli zostaną podpisane, Stephenowi spadnie kamień z serca, a dalsza procedura prawna stanie się znacznie prostsza.

Zapatrzony dotąd w płonący na kominku ogień Ian Kinlock odwrócił się nagle.

– Catherine! Księżno! Podejdźcie tu, proszę. Mam coś do przekazania wam wszystkim.

Obie panie przyłączyły się do Michaela stojącego przy łóżku brata. Na widok ściągniętej bólem twarzy Stephena Rosalinda wzięła z nocnego stolika fiolkę z pigułkami i spojrzała na męża pytająco. Stephen z trudem skinął głową, wytrząsnęła więc na dłoń dwie pigułki i nalała wody do szklanki. Jej troska o zdrowie Stephena i umiejętność odgadywania jego życzeń ogromnie ujęły Michaela. Pod tym względem Rosalinda bardzo przypominała Catherine. A w oczach Michaela podobieństwo do jego żony było najwyższą zaletą.

– Czyżbyś odkrył źródło choroby Stephena, Ianie? – spytała Catherine.

– Owszem. Zastanawiałem się, czy warto wystąpić z tą hipotezą, gdyż wydaje się niewiarygodna… Nie chciałbym też budzić płonnych nadziei. Ale moja teoria pasuje do faktów i wyjaśnia wszelkie zagadkowe aspekty sprawy. – Chirurg przeczesał palcami siwe włosy; niesforne kosmyki sterczały teraz we wszystkie strony. – Jeśli się nie mylę, przyczyna choroby księcia jest całkiem inna, niż wszyscy sądzili. Inne są również szanse na wyleczenie. A jednak mnie samemu wydaje się to niewiarygodne!

Doktor zamilkł, na jego twarzy malowało się wzburzenie.

Stephen mógłby zostać wyleczony?

– Na litość boską, Kinlock, o czym ty mówisz?! – rzucił ostrym tonem Michael.

Lekarz wahał się jeszcze przez dłuższą chwilę, po czym powiedział:

– Moim zdaniem przyczyną choroby księcia jest trucizna.

36

Słowa Iana Kinlocka sprawiły, że wśród zebranych wokół łóżka chorego zaległa martwa cisza. Trucizna? Zaszokowany Stephen odsunął od siebie pigułki podawane przez Rosalindę. Jeśli diagnoza Kinlocka była trafna, pragnął zachować trzeźwość umysłu, a nie popadać w narkotyczne otępienie.

– Czy to możliwe, doktorze?…

– To absurd! – warknął równocześnie Michael. – Któż by chciał zabić mojego brata?!

– Nie twierdzę, że to zbrodnia z premedytacją. Objawy wskazują wyraźnie na zatrucie arszenikiem, substancją używaną zarówno w medycynie, jak i przy wyrobie niektórych przedmiotów codziennego użytku, takich jak na przykład tapety. Mógł więc to być nieszczęśliwy wypadek. – Chirurg przyjrzał się uważnie choremu. – Jeśli trafnie odgadłem przyczynę pańskiej choroby, to można się spodziewać wkrótce całkowitego powrotu do zdrowia.

Michael głośno wciągnął powietrze, a Catherine spojrzała na Stephena i szepnęła:

– Boże wielki!

Powrót do zdrowia? To stwierdzenie było dla Stephena jeszcze większym szokiem niż wieść o truciźnie. Na myśl o odzyskaniu zdrowia Stephena ogarnęło dziwne odrętwienie. Widać tak dalece oswoił się z myślą o rychłej śmierci, że uniknięcie jej wydawało mu się niemożliwe… Nagle poczuł na swej ręce mocny uścisk palców Rosalindy. Odwrócił się do żony i w jej oczach ujrzał błysk nadziei. Jeśli Kinlock się pomylił, Rosalinda załamie się całkowicie.

Stephen odetchnął głęboko i pomodlił się w duchu (raczej ze względu na żonę niż na samego siebie), by przewidywania doktora były słuszne.

– Jak można zlikwidować skutki zatrucia arszenikiem?

– Tak się składa, że odkrył pan instynktownie najskuteczniejszy lek: mleko. Nie tylko łagodzi podrażnienie przełyku i żołądka, lecz także wiąże arszenik i zmniejsza prawdopodobieństwo nieodwracalnych zmian w organizmie. – Kinlock westchnął niespokojnie. – Jeśli się okaże, że moja diagnoza jest słuszna, i jeśli zdołamy odkryć i usunąć źródło zatrucia, powinien pan odczuć ulgę niemal od razu.

Catherine, która była doświadczoną pielęgniarką, zmarszczyła czoło.

– Choroba Stephena może być jakąś odmianą gorączki gastrycznej. Skąd pewność, że to zatrucie arszenikiem?

– Miałem do czynienia z dwoma przypadkami takiego zatrucia i podobieństwo objawów rzuca się w oczy. W jednym przypadku było to celowe otrucie: młoda Hiszpanka postanowiła pozbyć się starego, bogatego męża.

Rosalinda wydała zdławiony jęk i Stephen natychmiast rzucił ostrzegawczym tonem:

– Jeśli oskarżysz moją żonę bodaj spojrzeniem, Kinlock, wstanę z łóżka i wyrzucę cię na zbity pysk! – Poczuł dobrze mu znany, przeszywający ból i dodał z goryczą: – A przynajmniej skłonię Michaela, żeby to zrobił.

Kinlock zbył jego słowa niedbałym ruchem ręki.

– Sam pan powiedział, książę, że choroba rozpoczęła się na długo przed poznaniem obecnej żony. Miał pan kilkakrotne ataki ostrego bólu i uskarżał się na stały ćmiący ból, który jest typowym objawem długotrwałego zatrucia arszenikiem. Przeważnie jest ono skutkiem nieszczęśliwego zbiegu okoliczności.

– Jak może dojść do przypadkowego zatrucia? – spytała Catherine.

– Miałem do czynienia z dzieckiem, któremu zaszkodziły wyziewy z nowej tapety. Mogą być inne formy kontaktu z arszenikiem, wywołujące podobne skutki. – Kinlock spojrzał przymrużonymi oczyma na Stephena. – Nie bardzo jednak rozumiem, jakim sposobem książę Ashburton mógłby zatruć się przypadkiem. Jeśli przyczyna choroby znajdowała się na terenie pańskiej posiadłości, po wyjeździe objawy powinny ustąpić.

– To samo dotyczy celowego otrucia – powiedziała Catherine. – Przez ten cały czas nikt nie towarzyszył Stephenowi. Po wyjeździe z Ashburton Abbey przez kilka tygodni podróżował pod zmienionym nazwiskiem i nikt nie wiedział, gdzie się znajduje. Jeśli rodzony brat nie mógł go odnaleźć, bardzo wątpię, by morderca zdołał tego dokonać!

Stephen przebiegł myślą tygodnie, podczas których walczył z cierpieniem. Nie przebywał stale w jednym miejscu, nie miał też osoby towarzyszącej. Wobec tego ekscytująca hipoteza doktora Kinlocka musiała być wyssana z palca, on zaś cierpiał istotnie na jakąś nieuleczalną chorobę.

Nagle pełne konsternacji milczenie przerwał głos Rosalindy.

– Twoje lekarstwo, Stephenie! – wykrzyknęła z przerażeniem. – To z opium! – Otworzyła zaciśniętą rękę. Na jej dłoni leżały dwie pigułki, których omal nie zażył. – Od kilku miesięcy zażywałeś co najmniej jedną pigułkę dziennie, a ostatnio znacznie więcej!

– Skąd pan wziął te pigułki? – zapytał Kinlock.

Stephen spojrzał na malutkie, pozornie nieszkodliwe kuleczki leżące na dłoni Rosalindy. Przebiegł go dreszcz.

– Przygotował je dla mnie mój stały lekarz, doktor Blackmer.

Ciche skrzypnięcie drzwi zabrzmiało zdumiewająco głośno w pełnej zgrozy ciszy, która zapadła po słowach księcia. Do pokoju wszedł Blackmer. Stephen w pierwszej chwili pomyślał, że ma halucynacje. Potem przypomniało mu się, że doktor towarzyszył Michaelowi w jego zakończonej fiaskiem pogoni.

Blackmer zatrzymał się, czując na sobie spojrzenia wszystkich obecnych.

– Książę Ashburton… Czyżby…

Głos mu się załamał i twarz pobladła.

– Nie ciesz się! Jeszcze żyje! – wybuchnął Michael. Skoczył ku niemu i chwycił go za gardło. – To ty trułeś Stephena arszenikiem, bydlaku!

Przycisnął Blackmera do ściany.

– Zaczekaj! – zaprotestował Kinlock. – Nie mamy pewności, że arszenik był w pigułkach.

Ale Blackmer nie próbował nawet odpierać zarzutów. Wpatrywał się tylko w lorda Michaela, a na jego wymizerowanej twarzy malowało się przerażenie i poczucie winy. Wszyscy obecni zrozumieli to nieme przyznanie się do winy.

Michael powiedział cicho, z nienawiścią:

– Lepiej się pomódl, Blackmer, bo zaraz będzie po tobie.

W jego ręku pojawił się pistolet. Mierzył prosto w głowę doktora.

Zanim zdążył wypalić, Stephen zaprotestował:

– Nie! – Jego ledwie dosłyszalny szept miał w sobie tyle wewnętrznej siły, że zdawał się rozbrzmiewać po całym pokoju. – Nie zabijaj go… a przynajmniej wstrzymaj się z tym.

Michael się zawahał. Potem niechętnie puścił Blackmera i cofnął się o krok. Schował co prawda pistolet do kieszeni, ale przeszywał swą ofiarę morderczym spojrzeniem.

Próbowano go otruć. Nie jest nieuleczalnie chory. Wróci do zdrowia. Będzie żył!

Prawda z najwyższym trudem docierała do umysłu Stephena. Przede wszystkim nie wolno dopuścić do samosądu! Nie wiadomo skąd czerpiąc siły, Stephen zwrócił się do Rosalindy.

– Pomóż mi usiąść.

– Nie umrzesz! – szepnęła z rozjaśnioną twarzą. Podniosła go, otoczyła ramieniem i podłożyła mu pod plecy wszystkie poduszki. – Bogu dzięki!

Stephen przyciągnął ją do siebie i skłonił, by siadła na brzegu łóżka. Dopiero potem skoncentrował się na osobie niedoszłego mordercy.

– Ponieważ to moje życie było zagrożone, mam chyba prawo zadać mu kilka pytań. Czy przyznajesz, Blackmer, że próbowałeś mnie zabić?

– Ja… nie zamierzałem odbierać panu życia. – Lekarz z trudem zaczerpnął powietrza. – Wszystko zaczęło się na wiosnę, od pańskiego zatrucia pokarmowego. Tylko czwarta część przygotowanych przeze mnie pigułek zawierała arszenik. W jednych było go więcej, w innych mniej. Szanse na zażycie śmiertelnej dawki były prawie żadne.

– Ale zażywane systematycznie powodowały chroniczną dolegliwość, przerywaną atakami ostrych bólów po szczególnie bogatej w arszenik pigułce – stwierdził posępnym tonem Kinlock. – Iście szatański plan! Im więcej pacjent zażywał lekarstwa, tym bliższy był śmierci.

– Dobry Boże! Te ostatnie pigułki mogły go zabić…

Przerażona Rosalinda rzuciła trzymane w ręku pigułki do ognia i ze wstrętem wytarła dłoń o suknię.

335

Michael zerknął na brata.

– Ten bydlak przyznał się do winy – rzucił lekkim tonem. – Mogę go już zabić?

– Powstrzymaj jeszcze przez chwilę swoje krwiożercze zapędy. Nadal nie wiemy, dlaczego to zrobił. – Stephen wrócił myślą do przeszłości. Rzeczywiście, pierwsze bóle, stosunkowo niegroźne, wystąpiły po zatruciu pokarmowym. A wszystkie następne ataki rozpoczynały się wkrótce po zażyciu lekarstwa. Kinlock miał całkowitą rację: to był szatański plan. Głosem zimnym jak lód Stephen spytał: – Czym ci tak dojadłem, Blackmer, że skazałeś mnie na śmierć?

– Nie zamierzałem posuwać się tak daleko – odparł Blackmer, opierając się o ścianę. Drżał na całym ciele. – Chciałem tylko spowodować kilka ataków. Potem zastosowałbym nową kurację, wyleczyłbym księcia i zyskałbym sławę cudotwórcy.

– O mały włos nie zabiłeś człowieka dla zaspokojenia własnych ambicji? – spytał Kinlock, nie wierząc własnym uszom. – To niesłychane, by lekarz upadł tak nisko! Nie marnuj na niego kuli, pułkowniku! Zasługuje na to, by go wybebeszyć tępym lancetem!

Stephen próbował zrozumieć motywy mordercy. Musiało powodować nim coś więcej niż pragnienie rozgłosu za wszelką cenę.

– Nie podałeś prawdziwej przyczyny, Blackmer! Jesteś wziętym lekarzem, cieszysz się jak najlepszą opinią. Powodzi ci się dobrze. Od lat przyjaźnimy się z siostrą naszego proboszcza. Nie musiałeś czynić cudów, by zdobyć lepszą pozycję. – Nagle przez głowę Stephena przemknęło makabryczne podejrzenie. – Czy trujesz także innych pacjentów, udając, że ich leczysz? Mój Boże! Przecież to ty opiekowałeś się Louisą podczas jej ostatniej choroby! Czyżbyś i ją…

– Nie! – zaprotestował Blackmer. – Przysięgam: nie eksperymentowałem na innych pacjentach. A księżnej nigdy w życiu bym nie skrzywdził!

O dziwo, Stephen uwierzył tym zapewnieniom. Gdyby Blackmer potrafił tak przekonująco kłamać, posądzony o próbę otrucia Stephena zaprzeczyłby i kwita.

– W takim razie wracamy znów do pytania: czemuż to dla mnie zadałeś sobie tyle trudu? Czy jako republikanin jesteś wrogiem całej arystokracji? Czy też masz awersję wyłącznie do mnie?

Blackmer zwiesił głowę. Jego pierś gwałtownie wznosiła się i opadała. Nie odpowiedział ani słowem.

Przytłaczającą ciszę przerwała Rosalinda. Zwróciła się ostrym tonem do Blackmera:

– Mój mąż wspomniał kiedyś, że jako nieślubne dziecko wychowywał się pan na koszt gminy. Kim był pański ojciec?

Podniósł raptownie głowę i spojrzał jej w oczy. Twarz mu poszarzała.

– Tak. Zgadła pani!

– Przyjrzyjcie się uważnie temu człowiekowi! – Rosalinda zmierzyła przenikliwym wzrokiem Blackmera. Potem spojrzała na Michaela, Stephena i znów na doktora. – Zwróćcie uwagę na jego rysy, wzrost, kolor włosów… i te szarozielone oczy, takie jak u Stephena! Podobieństwo nie jest tak uderzające jak między tobą, mój drogi, a lordem Michaelem. Ale jest, i to wyraźne. Jego ojcem był z pewnością stary książę!

Po tych słowach zapadło milczenie. Wszyscy byli zaszokowani. Pierwszy odezwał się Michael.

– Ten bydlak nie jest moim bratem! – syknął z nienawiścią.

– Michaelu! – Tym jednym słowem Stephen uciszył młodszego brata. Następnie spojrzał na kryjącego się w mroku pod ścianą nieszczęśnika. – Podejdź bliżej, Blackmer!

Doktor zbliżył się do łóżka tak, jakby szedł na ścięcie. Michael ruszył tuż za nim, gotów zaatakować go, gdyby wykonał jakiś podejrzany ruch.

Stephen przyjrzał się z bliska twarzy niedoszłego mordercy i dostrzegł rodzinne podobieństwo. Jak już zauważyła Rosalinda, nie było ono tak wyraźne, jak pomiędzy nim a Michaelem, ale niewątpliwie istniało. Człowiek, który usiłował go zabić, był jego przyrodnim bratem.

– Co by ci przyszło z mojej śmierci? Czy postanowiłeś otruć mnie dlatego, że jestem prawowitym synem, a ty nie? Przecież to nie moja wina. Krzywda, którą mi wyrządziłeś, nie zmieni faktu, że jesteś nieślubnym dzieckiem.

Ponieważ Blackmer nie odpowiadał, odezwała się znów Rosalinda.

– Jemu nie zależało na zemście, tylko na akceptacji. Kim była twoja matka, doktorze?

– Dziewczyną od krów. Umarła przy porodzie. Nie miała rodziny i nikomu nie zdradziła, kto jest ojcem jej dziecka. W takiej sytuacji musiała się mną zaopiekować gmina. – Blackmer przymknął zmęczone oczy. – Pewnego razu, miałem wtedy osiem lat, książę przejeżdżał konno koło zagonu, który pełłem. Przywołał mnie do siebie i powiedział, że jestem jego synem i że zatroszczy się o moje wykształcenie, bym zdobył jakiś porządny fach. Obiecał mi również, że gdy dorosnę, uzna mnie oficjalnie za swego syna.

Ale nie dotrzymał obietnicy. Kiedy umarł, a ja w dalszym ciągu byłem nie wiadomo czyim bękartem, wpadłem we wściekłość. Z czasem przerodziło się to… w rodzaj obsesji. Jak straszliwe było to opętanie, zrozumiałem dopiero wówczas, gdy książę opuścił Ashburton Abbey. Uświadomiłem sobie, że starannie obmyślony plan wymknął mi się spod kontroli i nie mam już żadnego wpływu na bieg wydarzeń.

Otworzył oczy. Zielonoszare tęczówki pociemniały.

– Chciałem… chciałem odegrać znaczącą rolę w twoim życiu, milordzie. Skoro nie mogłem zostać Kenyonem, chciałem być cudotwórcą, który ocali ci życie.

– Pragnął nawiązać z tobą kontakt osobisty – wyjaśniła zwięźle Rosalinda. – Chciał, byś go traktował jak przyjaciela.

Blackmer spojrzał na nią ze zdumieniem.

– Jakim cudem, księżno, rozumie pani moje uczucia lepiej niż ja sam?

– Ja też byłam znajdą – odparła. – Tylko mnie szczęście bardziej dopisało. Ale rozumiem rozpaczliwe pragnienie przynależności. Uznania za członka rodziny.

– Bardzo wzruszające! – zauważył z przekąsem Michael. – Nie zapominajmy jednak, że to nieborzątko omal nie zabiło Stephena!

– Przysięgam na Boga, że nie chciałem wyrządzić księciu poważnej krzywdy – oświadczył porywczo Blackmer. – Jak sądzicie, czemu tak mi zależało na odnalezieniu go? Chciałem za wszelką cenę powstrzymać szkodliwy proces, nim będzie za późno.

– Albo upewnić się, że ofiara rzeczywiście zmarła – warknął Michael. – A gdyby Stephen jeszcze żył, chciałeś opiekować się nim, by inny lekarz nie odkrył, co się święci!

Blackmer westchnął i potarł czoło.

– Nie potrafię dowieść, jakie były moje intencje. Ale można sprawdzić, jak zachowywałem się wobec innych pacjentów. Nigdy nie padło na mnie najlżejsze podejrzenie. Jak przyznał książę Ashburton, byłem ogólnie szanowany.

Stephen wrócił myślami do ostatniej choroby Louisy.

– Kiedy moja pierwsza żona umierała, doktor czuwał przy niej we dnie i w nocy. Wiadomo też wszystkim, że udziela pomocy każdemu, bez względu na to, czy może mu zapłacić, czy nie.

Michael przyznał z wyraźną niechęcią:

– Podczas naszej wspólnej wyprawy byliśmy świadkami tragicznego wydarzenia. Drzewo runęło na dom, w którym znajdowali się mężczyzna i dziecko. Blackmer z narażeniem życia wczołgał się do wnętrza ruiny i zatamował krwotok u jednej z ofiar wypadku. Bez jego pomocy ten człowiek wykrwawiłby się na śmierć, zanim wydobylibyśmy go spod gruzów. – Nachmurzył się. – Przyznaję, że nie brak mu odwagi. Ale większość kryminalistów też się nią odznacza.

– Być może. Nie ulega jednak wątpliwości, że Blackmer to jedna z ofiar naszego ojca. Ty, Michaelu, najlepiej powinieneś go rozumieć. Dziecko wychowywane na koszt gminy za rządów starego księcia bez wątpienia nie miało swego domu, mieszkało kątem to tu, to tam. Było bezpłatnym sługą, którym można pomiatać.

– Łachmany, cięgi i zimne zlewki jak dla wieprzka – powiedział bez ogródek Blackmer. – A niekiedy i inne krzywdy, znacznie gorsze. Dopiero gdy pan, milordzie, objął rządy w Ashburton Abbey, proboszcz został zobowiązany do stałego nadzoru nad sierotami; miał również pilnować, by nauczyły się przynajmniej pisania, czytania i rachunków. Spadł mi kamień z serca, gdy usłyszałem o tych zmianach. Podziwiałem pana za to, milordzie.

– Dziwny wybrał pan sposób okazania swego podziwu – zauważyła z kamienną twarzą Catherine.

– Bardzo mi przykro z powodu tego, co wycierpiałeś, Blackmer. Żadne dziecko nie powinno być traktowane tak haniebnie – powiedział Stephen, zmieniając nieco pozycję. Poczuł znów zmęczenie; głowa ciążyła mu jak kamień. – Ale czy musiałeś mnie truć, żeby zwrócić na siebie uwagę? Wystarczyłoby powiadomić mnie o łączącym nas pokrewieństwie.

Lekarz spojrzał na niego ze zdumieniem.

– Wasza książęca mość uwierzyłby mi na słowo?

– Chyba tak. Można dostrzec rodzinne podobieństwo. Poza tym dobrze znałem obyczaje mojego ojca – odparł sucho Stephen.

– Nigdy mi nie przyszło do głowy, że rozmowa z tobą, milordzie, może coś zmienić. – Usta Blackmera wykrzywiły się boleśnie. – Nie oczekiwałem sprawiedliwości od żadnego z Kenyonów.

A więc arogancja i rozpusta starego księcia nawet po jego śmierci wydawała gorzkie owoce. Omal nie spowodowała zgonu jego syna i spadkobiercy. Cóż za ironia losu!

Stephen ze znużeniem masował brzuch, w którym znów odezwał się ból. Nie pamiętał już, od jak dawna cierpienie wydawało mu się czymś oczywistym.

– Co u diabła mam z tobą zrobić, Blackmer?!

Nastąpiła chwila ciszy, po czym odezwała się Catherine.

– Oczywiste rozwiązanie nasuwa się samo. Oddać winowajcę w ręce policji. Niech go osądzą i powieszą. A jeśli to ci nie odpowiada, Stephenie, możesz go wysłać na drugi koniec świata. Powiedzmy do Australii. Z pewnością przyda się tam lekarz.

– Jeśli istotnie nikomu już nie wyrządzi krzywdy – rzucił Kinlock z kamienną twarzą. – Ten człowiek jest zakałą naszej profesji. Złamał przysięgę Hipokratesa!

Stephen spojrzał na Rosalindę, która nadal stała koło łóżka.

– A ty co o tym myślisz, moja droga?

– Z jednej strony chciałabym, żeby cierpiał tak, jak ty cierpiałeś. Może po roku czy dwóch latach niemiłosiernych bólów trochę bym wobec niego zmiękła. Ale z drugiej strony… – Zamilkła, na jej twarzy odmalował się niepokój. – Któż z nas nie popełnił błędu, który mógłby mieć tragiczne następstwa? Kiedy Jessica była małą dziewczynką, pewnego razu, chcąc wyręczyć mamę, spróbowała wykąpać Briana i omal go nie utopiła. Oczywiście w przypadku doktora Blackmera nie ma mowy o nieumyślnym wyrządzeniu krzywdy. Uwierzyłam mu jednak, gdy zapewnił, że nie zamierzał cię zabić.

Stephen pełnił od wielu lat funkcję sędziego pokoju, często ferował wyroki i zawsze czynił to rozważnie; nigdy jednak nie musiał rozstrzygać sprawy, która dotyczyłaby go osobiście. Przyjrzał się uważnie zabiedzonej twarzy Blackmera. Przyrodni brat czekał ze stoickim spokojem na wyrok.

Od chwili, gdy Blackmer dowiedział się, kto jest jego ojcem, poczucie krzywdy nękało go jak niegojąca się rana. Widok Stephena lub Michaela, zażywających konnej przejażdżki, zwiększał jeszcze gorycz. Oto jego przyrodni bracia korzystają z bogactw i wszelkich przywilejów, podczas gdy on głoduje i zbiera cięgi. W dodatku był o rok czy dwa starszy od Stephena; jako pierworodny syn miałby prawo do książęcego tytułu… gdyby był owocem legalnego związku. Ale on był bękartem. Nikim!

Mimo takiego życiowego startu Blackmer radził sobie nie najgorzej. Zapewniono mu zdobycie podstawowego wykształcenia, on zaś miał takie wyniki, że umożliwiło mu to studia medyczne. Został pierwszorzędnym lekarzem, nie szczędził swym pacjentom czasu ani uwagi, wspomagał najuboższych. Mógł służyć za wzór ambitnego i utalentowanego chłopaka z nizin społecznych, który zdołał się wybić… gdyby zapiekła gorycz nie popchnęła go do zbrodni.

Stephen spojrzał na swego młodszego brata. Michael również był traktowany haniebnie przez starego księcia; mógł jednak korzystać z jego bogactwa. Po przyjęciu do Eton zdołał wyrwać się z Ashburton Abbey, znalazł oparcie w przyjaciołach i dobrze był przyjmowany w ich domach. Mimo to pamięć o fizycznych i psychicznych torturach, które znosił w dzieciństwie, stała się przyczyną konfliktów z otoczeniem i tendencji do autodestrukcji – póki nie okiełznał dręczących go demonów.

W gruncie rzeczy wszystkie dzieci starego księcia były jego ofiarami. Claudia stała się zjadliwa i zgorzkniała, a Stephen – faworyzowany pierworodny syn i spadkobierca – zamknął się w sobie i odgrodził od świata, pozbawiając się tego, co w życiu najistotniejsze. Czy w tej sytuacji należy zniszczyć człowieka, który ucierpiał najbardziej – Blackmera – gdy tłumiony latami gniew popchnął go wreszcie do odrażającej zbrodni?

Pełne napięcia milczenie przerwał beznamiętny głos winowajcy.

– Lord Michael ma słuszność. Choć nie zamierzałem popełnić morderstwa, omal go nie popełniłem. Macie pełne prawo posłać mnie na szubienicę. – Usta doktora skrzywiły się w gorzkim uśmiechu. – Nie oczekuję przebaczenia. Pozwólcie mi jednak, dla spokoju własnego sumienia, wyrazić skruchę. Z mojej winy książę Ashburton znosił prawdziwe męki piekielne. – Spojrzał na Rosalindę. – Pani, księżno, również przeze mnie cierpiała... być może nie mniej niż mąż. – Wzrok Blackmera spoczął na Michaelu. – Wobec pana również zawiniłem, milordzie. Sprawiłem panu wielki ból i oderwałem go od kochanej i kochającej rodziny. Podczas naszej wspólnej podróży nieustannie dręczyły mnie wyrzuty sumienia.

Stephenowi przypomniała się nagle *Burza* – pierwsza sztuka Szekspira, którą oglądał w wykonaniu trupy Fitzgeralda. A konkretnie scena pojednania, zawsze bliska jego sercu. Prospero wybacza swemu bratu, który przed laty usiłował go zabić. Ta scena niezmiennie kojarzyła się Stephenowi z konfliktem pomiędzy nim a Michaelem, choć dzieliła ich nie zbrodnia, tylko wzajemny brak zaufania.

Stephen odetchnął głęboko. Całe ciało miał obolałe, a w żołądku rozżarzone węgle. Przez długie miesiące znosił męki z winy Blackmera. Powinien być na niego wściekły... ale nie miał dość sił, by odczuwać gniew.

Zawsze starał się postępować sprawiedliwie... Czego w tym wypadku domagała się sprawiedliwość?

Najistotniejsze było to, że Blackmer nie chciał go zabić. Pełniąc funkcję sędziego pokoju, Stephen nauczył się odróżniać szczery żal za grzechy od fałszywej skruchy. Doktora naprawdę trapiły wyrzuty sumienia, więc jego zapewnienie, że nie chciał go zabić ani trwale okaleczyć, zasługiwały również na wiarę.

Będąc głową rodu Kenyonów, Stephen uważał za swój obowiązek naprawienie krzywd wyrządzonych przez ojca.

– Gdybym wysłał go do Australii, Ashburton zostałoby pozbawione opieki medycznej... i to dobrej. Wolę więc wybrać inne rozwiązanie. – Z surowym wyrazem twarzy Stephen spojrzał przyrodniemu bratu prosto w oczy. – Czy możesz mi dać słowo honoru... słowo Kenyona, że nigdy już nie skrzywdzisz nikogo z rozmysłem?

Zaskoczony Blackmer zamrugał i wyjąkał:

– Daję słowo.

– Wracaj więc do swego domu i swoich pacjentów – zawyrokował Stephen i dodał sucho: – Choć jestem przekonany, że nigdy już nie popełnisz zbrodni, nie zdziwisz się chyba, że wolę powierzyć zdrowie swej rodziny i służby opiece innego lekarza.

– Jak to? Miałbym uniknąć kary? – spytał Blackmer, nie wierząc własnym uszom. – Po tym wszystkim, czego się dopuściłem?

Stephen nakrył dłonią dłoń żony. Kontakt z nią dodał mu sił i pomógł zrozumieć, czemu prawie nie odczuwa gniewu.

– Choć skutki działania trucizny nie należą do najprzyjemniejszych, w moim przypadku opłaciły się sowicie. – Spojrzał na żonę, wpatrującą się weń ciemnymi, pełnymi powagi oczyma. – Gdyby nie twoje machinacje, nigdy nie spotkałbym Rosalindy.

Nigdy też nie zbudziłaby się w nim wiara w nieśmiertelność dusz, która nadała nowy wymiar jego życiu.

Spojrzenie Stephena spoczęło znów na Blackmerze.

– Zostaniesz oficjalnie uznany za syna starego księcia. A gdybyś chciał używać nazwiska Kenyon, nie zgłoszę sprzeciwu. Kiedyś, w przyszłości, postaram się poznać cię bliżej. Ale jeszcze nie teraz.

Nieugięty stoicyzm Blackmera nie wytrzymał tej próby.

– Wielki Boże!... Co za wielkoduszność... Dopiero teraz widzę w pełni, czego się dopuściłem. – Zasłonił ręką oczy, starając się odzyskać panowanie nad sobą. Po chwili odjął rękę od twarzy i powiedział cicho: – Możesz być pewny, że... gdy odejdę, nie zgrzeszę więcej⋆.

Stephen obejrzał się na Michaela.

– Czy zaakceptujesz ten wyrok? Nie wymagam, byś zaprzyjaźnił się z Blackmerem. Zrezygnuj tylko z zabicia go.

⋆ Parafraza cytatu biblijnego (J 8,11): są to słowa Jezusa skierowane do jawnogrzesznicy, która mimo oczywistej winy nie zostaje ukarana.

Michael westchnął.

– Uwaga Rosalindy o tym, że wszyscy popełniamy karygodne błędy, skłoniła mnie do rachunku sumienia. Przyjaciele nieraz wybaczali mi grzechy... nie mogę więc mieć do ciebie pretensji, Stephenie, kiedy i ty postanowiłeś wybaczyć. – Objął Catherine. – Najważniejsze jest to, że wyzdrowiejesz, bracie! Ale świętość nigdy nie była w moim stylu. Pozostawiam ją tobie i naszym żonom.

Stephen zbyt już zmęczony, by wykonać najmniejszy ruch, zwrócił oczy na Iana Kinlocka.

– Tylko pan, doktorze, nie należy do rodziny i może spojrzeć na sprawę obiektywnie. Czy zgodzi się pan zachować całą sprawę w tajemnicy?

– Chyba tak... – Chirurg spojrzał z odrazą na winowajcę. – Nie mogłeś wybrać sobie innej profesji, Blackmer? Twoja zbrodnia byłaby mniej szokująca. Przysięga Hipokratesa zobowiązuje!

– Nigdy sobie nie wybaczę, że ją złamałem, doktorze Kinlock – odparł z naciskiem Blackmer. – Może się panu wydawać, że ten czyn uszedł mi bezkarnie. Zapewniam jednak, że kara będzie dotkliwa... i dożywotnia.

Kinlock zmierzył go przenikliwym wzrokiem i skinął głową z ponurą satysfakcją.

Rosalinda spojrzała na tłoczących się wokół łóżka chorego i oświadczyła stanowczy tonem:

– Jeśli wszystko zostało już powiedziane, najwyższy czas, byśmy stąd wyszli. Stephen musi odpocząć.

– Ty zostań... – szepnął do niej Stephen tak cicho, że ledwie dosłyszała. Po zażegnaniu kryzysu opadł całkiem z sił.

Kinlock przyjrzał się uważnie choremu.

– Jak najwięcej snu i mleka. I żadnego arszeniku! Zajrzę tu za dwa dni sprawdzić, czy wszystko idzie dobrze.

Wziął swą torbę lekarską i wyszedł z pokoju.

Catherine spojrzała na Blackmera i oświadczyła chłodno:

– Każę dla pana przygotować pokój.

– Jest pani bardzo dla mnie łaskawa, lady Catherine, ale będzie lepiej, jeśli zatrzymam się w zajeździe.

Kiwnęła głową potakująco i ucałowała Stephena w policzek.

– Ian twierdził, że nie jest cudotwórcą... a jednak zdarzył się cud – szepnęła. – Bogu niech będą dzięki!

Michael położył rękę na ramieniu brata. W tym przelotnym, niemym geście wyraził wszystkie swoje uczucia. Potem wraz z żoną opuścił pokój. Blackmer, złamany i samotny, ruszył także ku drzwiom.

Coś w jego postawie przypomniało Stephenowi Michaela, gdy był o krok od załamania. Zdobył się na jeszcze jeden wysiłek.

– Nie możesz zmienić przeszłości, Blackmer, ale przyszłość zależy od ciebie. Ojciec wyrzekł się ciebie, nie miałeś matki… Ożeń się i postaraj, by twoja rodzina była szczęśliwa.

Blackmer przystanął.

– Chciałem to zrobić… ale uważałem, że nie mam prawa do takiego szczęścia. Zwłaszcza że moja wybranka jest córką i siostrą duchownego… a ja bękartem, którego rodzony ojciec nie chciał uznać.

– Niech się pan jej oświadczy, Blackmer! – wtrąciła żywo Rosalinda. – Stephen dał panu szansę nowego życia. Niech ją pan dobrze wykorzysta!

Twarz doktora nieco się rozjaśniła.

– Postaram się – powiedział i wyszedł, zamykając bezgłośnie drzwi.

Słabość, którą Stephen dotąd odsuwał od siebie, ogarnęła go jak gęsta londyńska mgła. Obrócił się na bok, pociągając za sobą na łóżko żonę, której rękę nadal kurczowo ściskał. Pragnął wyznać, jak bardzo ją kocha, ale nie miał już sił.

– Rosalindo – szepnął ledwo dosłyszalnie. – Różyczko…

Łzy błyszczały w jej oczach, gdy położyła się obok niego na kołdrze i objęła męża, tuląc jego głowę do piersi.

– Śpij, mój kochany – sapnęła. – Śpij i nabieraj sił!

Stephen westchnął z zadowoleniem, wtulił się w jej kochające ramiona i odpłynął w przyjazny mrok.

Rosalinda obudziła się, czując na uchu dotknięcie warg Stephena. Otworzyła oczy i powitała męża promiennym uśmiechem. Był już ranek. Słoneczne światło wypełniało pokój, a oni leżeli głowa przy głowie, połączeni uściskiem. Wystarczyło jej jedno spojrzenie na twarz Stephena, by zrozumieć, iż wyszedł już z cienia śmierci. A więc jego ocalenie nie było snem, zrodzonym z rozpaczy! Stephen będzie żył.

– Nie pytam nawet, czy dobrze wypocząłeś. Przez całą noc spałeś jak suseł!

– Chyba masz rację. Nawet nie zauważyłem, kiedy przebrałaś się w tę śliczną koszulkę… A może miałaś ją na sobie, gdy rozgrywał się nasz wielki melodramat, tylko ja nie zwróciłem na to uwagi?

Rosalinda się uśmiechnęła.

– Wstałam w środku nocy, przebrałam się i wróciłam do łóżka. A ty się nawet nie poruszyłeś!

– Gdyby wkroczył tu regiment wojska, też bym nie zareagował. Od miesięcy nie spało mi się tak dobrze! – Poruszył palcami, zginając je na próbę. – Już mi znacznie lepiej. Odrętwienie rąk i nóg wyraźnie ustępuje. Bóle brzucha też zelżały.

– To cudownie! – Przeciągnęła się rozkosznie. – Chce mi się skakać z radości... ale wolę się przytulić do ciebie. A ty musisz być jeszcze bardziej uradowany!

– To dziwne... ale wczoraj wieczorem, kiedy się dowiedziałem, że wyzdrowieję, nie czułem nic. Chyba tak się zżyłem z myślą o śmierci, iż nie od razu dotarło do mnie, że będę żył. – Uśmiechnął się szeroko. – Ale dziś rano wszystko wygląda inaczej! Nadal nie lękam się śmierci, cieszę się jednak ogromnie, że jeszcze nie muszę rozstawać się z moim ciałem. – Przesunął ręką po boku żony od ramienia po biodro. – Nawiasem mówiąc, ta zmiana sytuacji wymaga, byśmy dokonali rewizji naszej umowy małżeńskiej.

Rosalinda spojrzała na niego i jej serce zmieniło się w bryłkę lodu.

– O czym ty mówisz?

– Z pewnością pamiętasz, że prosząc cię o rękę, podkreśliłem zalety naszego związku. Gdyby się okazało, że do siebie nie pasujemy, powiedziałem, nie musisz się zamartwiać, bo nasze małżeństwo potrwa najwyżej kilka miesięcy. A ty odparłaś wówczas, że będziemy spijać samą śmietankę. – Ręka Stephena zatrzymała się na biodrze żony. Czuła jego ciepły dotyk przez cienką koszulę. – Teraz jednak okazuje się, że będę ci siedział na karku Bóg wie jak długo... i oprócz śmietanki przyjdzie nam jeść zwykłe mleko, ser i inne niewymyślne potrawy...

– Ach, ty potworze! – zawołała, a jej serce zaczęło znów bić. – Powinnam wygonić cię z łóżka za takie żarty! Myślałam, że w zmienionej sytuacji zapragnąłeś poszukać bardziej odpowiedniej żony!

Spojrzał na nią ze zdumieniem.

– Nie mówiąc już o tym, że wymiana starej żony na nową jest praktycznie niewykonalna, jaka żona, twoim zdaniem, byłaby dla mnie bardziej odpowiednia?

Rosalinda pomyślała, że należało trzymać język za zębami. Teraz przepadło, musi odpowiedzieć.

– Bardziej podobna do Louisy. – Przełknęła z trudem ślinę. – Taka żona, którą mógłbyś pokochać.

Po chwili milczenia odpowiedział z całą powagą:

– Nie kochałem Louisy ani ona mnie. Prawdę mówiąc, nasze małżeństwo było wyjątkowo nieudane, choć oboje mieliśmy dobre intencje.

– Ja… widać opacznie zrozumiałam twoje niedomówienia na jej temat – powiedziała zaskoczona Rosalinda. – Sądziłam, że kochałeś ją tak bardzo, iż inna kobieta mogła ci się przydać… tylko w łóżku.

– Naprawdę myślałaś, że jesteś mi potrzebna tylko w łóżku? Zawdzięczam Blackmerowi i chwilom spędzonym w dolinie cienia śmierci więcej, niż myślałem! To była prawdziwa szkoła życia, choć się do niej nie prosiłem. – Odgarnął jej włosy do tyłu. – Jak wszyscy Kenyonowie nie uważałem miłości za niezbędny element swojego życia… póki nie doszło do tego widzenia, snu czy wycieczki po niebie… Wszystko jedno, co to było. Dopiero wtedy zrozumiałem, że miłość jest istotą życia. – Zapragnąłem cię od pierwszego wejrzenia. Polubiłem od chwili, gdy zaczęliśmy ze sobą rozmawiać. A kiedy po raz pierwszy kochaliśmy się, zrozumiałem, że muszę cię mieć przy sobie, póki będę żył. Jednak dopiero wtedy, gdy byłem już bliski śmierci i pożądanie należało już do przeszłości, uświadomiłem sobie, ile dla mnie znaczysz. – Przysunął się jeszcze bliżej i pocałował ją z bezmierną czułością. – Kocham twoje ciało, twój umysł, twoją duszę… Przedtem nie byłem w stanie tego wypowiedzieć, więc teraz oświadczam uroczyście: kocham cię, Rosalindo. Nigdy dotąd nie powiedziałem tego żadnej kobiecie.

Zrobiła wielkie oczy.

– Naprawdę?

– No… powiedziałem to wczoraj Claudii. – Uśmiechnął się. – Ale braterska miłość to całkiem co innego!

Poczuła, jak ciepło płynące z serca rozchodzi się po całym jej ciele, topiąc lód ukryty w najgłębszych zakamarkach.

– Ja też cię kocham – szepnęła. – Z początku bałam się do tego przyznać nawet przed sobą, potem nie chciałam obciążać cię swą miłością, której może wcale nie pragniesz… Ale w głębi serca zawsze wiedziałam, jak wygląda prawda. Kocham cię i zawsze będę cię kochała!

Pocałował ją znowu.

– Moje serduszko, moja ukochana… – powiedział miękko. – Warto było stanąć na progu śmierci, by cię odnaleźć, najpiękniejsza, najdoskonalsza Różo nad różami.

Nawet teraz, gdy pławiła się w cieple jego miłości, odezwało się w niej wrażliwe sumienie.

– Jeśli już mówimy sobie całą prawdę, to muszę ci coś wyznać. Daleko mi do doskonałości, choć zawsze do niej dążyłam. Starałam się być idealną córką, niezastąpioną inspicjentką… Chciałam być dla ciebie najwspanialszą żoną, zawsze serdeczną, kochającą, roztropną… – Spojrzała z niepokojem na męża; czuła się niepewnie i tak bardzo potrzebowała zapewnienia, że wszystko jest w porządku. – Gdyby nasze małżeństwo trwało tylko kilka miesięcy, pewnie byś się nie połapał… ale przez te wszystkie lata, które nas czekają, nie zdołam cię utrzymać w błędzie. Jestem humorzasta, egoistyczna… i nigdy nie dorosnę do ideału. Wolę cię z góry ostrzec, żebyś sobie za wiele nie wyobrażał.

Roześmiał się i przytulił ją jeszcze mocniej. Ich ciała przylgnęły do siebie. Wielka szkoda, że nie miał jeszcze dość sił, by dać wyraz namiętności, przepełniającej mu serce i duszę. Jak długo przyjdzie mu czekać, zanim znów będą się kochali?

Chyba niezbyt długo, sądząc z tego, co już się z nim działo.

– Wobec tego wnoszę poprawkę do mego oświadczenia. Nie jesteś doskonała. Z pewnością, jeśli się nad tym głębiej zastanowię przez tydzień czy dwa, znajdę taki czy inny dowód twojej niedoskonałości. Ale… – zniżył głos do szeptu – …dla mnie i tak będziesz zawsze tą niezrównaną i jedyną.

Epilog

Oczywiście książę i księżna Ashburton mieli najlepszą lożę w teatrze Ateneum. Krew Rosalindy pieniła się jak szampan, gdy wraz ze Stephenem przybyli do teatru na premierę pierwszej sztuki, którą trupa Fitzgeralda debiutowała na londyńskiej scenie. Była to *Opowieść zimowa* Szekspira. Po pięciu miesiącach remontu i po gruntownej zmianie dekoracji powołane znów do życia Ateneum urzekało bogactwem barw, elegancją ornamentów i blaskiem kryształowych żyrandoli.

Zanim Rosalinda zasiadła w swym fotelu, stała przez chwilę przy barierce loży, przyglądając się widowni. Damy i dżentelmeni w olśniewających wieczorowych strojach zajmowali miejsca w lożach i na parterze, tłoczyli się w galerii. Śmiech i ożywione rozmowy były tak donośne, że zagłuszały dźwięki orkiestry. W loży naprzeciwko zajmowali właśnie miejsca Cassellowie i Westleyowie. Rosalinda pomachała do krewniaków, a następnie pozdrowiła księcia i księżnę Candover, którzy specjalnie przybyli na najnowszy spektakl trupy Fitzgeralda. Przecież to oni odkryli ją i patronowali jej od dawna.

Zjawili się także inni przyjaciele Rosalindy, która zrobiła furorę w wielkim świecie. Dostrzegła wśród tłumu Strathmore'ów, Aberdare'ów i St. Aubynów. Wiedziała też, że wiele innych zaprzyjaźnionych z nimi par znajduje się na miejscach niewidocznych z książęcej loży.

– Mamy komplet, Stephenie! Wszędzie pełno twoich przyjaciół... i wygląda mi na to, że zebrał się tu dzisiaj cały Londyn!

Książę uśmiechnął się i objął żonę.

– Tym razem nie będę już musiał podczas antraktu ściągać widzów z ulicy!

Bardzo zadowolona Rosalinda spojrzała w twarz mężowi. Trudno było uwierzyć, że pięć miesięcy temu Stephen stał na progu śmierci! Teraz był zdrów i silny. I nieprzyzwoicie wprost przystojny! W cichości ducha dodała: a jaki z niego wspaniały, pełen inwencji kochanek! Doceniała to zwłaszcza teraz, gdy była w zaawansowanej ciąży.

Szczęśliwie zakończony taniec ze śmiercią pozostawił w umysłach i sercach młodej pary niezatarty ślad: oboje rozkoszowali się każdym dniem, godziną i minutą, świadomi wartości życia. Dyskutowali często nad jego sensem i celem; pełni wdzięczności i determinacji przysięgali, że nigdy nie zlekceważą wielkiego daru miłości, nie uznają jej za coś oczywistego i należnego im.

– Wyglądasz wyjątkowo przystojnie, mój miły! – powiedziała Rosalinda.

– A ty jesteś urzekająco piękna. – Patrzył na nią takim wzrokiem, jakby chciał ją pocałować, i powstrzymał się tylko dlatego, że obserwowało ich bacznie pół Londynu.

Rosalinda roześmiała się i usiadła bardzo ostrożnie w fotelu.

– Jestem wielka jak szafa!

– Nie przeczę – przytaknął. – Ale niezwykle piękna szafa.

Usiadł po prawej ręce żony i dyskretnie położył rękę na jej pokaźnym brzuszku. Dziecko kopnęło z ogromną energią.

– Nasza mała jest dziś wyjątkowo ożywiona. Przypuszczam, że ma w sobie coś z Fitzgeraldów: podnieca ją atmosfera premiery.

Rosalinda zachichotała.

– A ja ci powiadam, że nasz syn, jak każdy arystokrata, domaga się uwagi i należnych względów. Nic dziwnego: przecież to krzyżówka Kenyona ze St. Cyrem!

Drzwi loży się otworzyły. Weszli hrabia i hrabina Herrington. Claudia wydawała się znacznie młodsza i przystępniejsza niż pięć miesięcy temu.

– Dobry wieczór, Stephenie! Gratulacje, Rosalindo: twoja rodzinna trupa z pewnością odniesie dziś wielki sukces.

O dziwo, Rosalinda i Claudia bardzo się zaprzyjaźniły. Co prawda lady Herrington bywała czasem kąśliwa, ale nie żyła już w ciągłym napięciu i stała się zdumiewająco tolerancyjna. Zwierzyła się kiedyś bratowej, że swą przemianę zawdzięcza Stephenowi.

Małomówny jak zwykle Andrew skłonił się Rosalindzie i uścisnął rękę Stephena, potem zaś pomógł żonie zająć miejsce. Obchodził się z nią tak, jakby była z porcelany. Claudia zrewanżowała mu się bardzo, ale to bardzo gorącym spojrzeniem.

Rosalinda uśmiechnęła się na ten widok, zasłaniając usta wachlarzem. Wyraźne ocieplenie stosunków pomiędzy Claudią i Andrew nastąpiło również pod wpływem brata; dzięki niemu siostra rozpoczęła nowe życie.

Stephen szepnął żonie do ucha:

– Miło patrzeć na małżeństwo z dwudziestoletnim stażem, które zachowuje się jak para nowożeńców! Jak sądzisz, czy i my za dwadzieścia lat będziemy się tak czulić do siebie?

– Oczywiście!

Z najskromniejszą w świecie minką pod osłoną wachlarza obdarzyła swego męża przelotną, lecz nad wyraz nieprzystojną pieszczotą. Stephenowi zaparło dech.

– Co masz w programie na dzisiejszy wieczór, droga księżno?

– Zamierzam udać się za kulisy, by uczcić triumf trupy teatralnej Fitzgeralda. – Zerknęła z ukosa na Stephena. – A potem wrócę do domu i spróbuję uwieść własnego męża.

Uśmiechnął się. Tak, jakby już byli sami.

– Przyjdzie ci to bez trudu.

Rosalinda zerknęła w stronę sceny i spostrzegła, że Maria (w kostiumie Hermiony) zerka zza kulis. Była niezwykle podniecona. Widząc, że przybrana córka ją obserwuje, pomachała jej ręką i znikła.

Rosalinda widziała oczyma duszy, jakie zamieszanie panuje w tej chwili za sceną; była jednak pewna, że gdy tylko kurtyna pójdzie w górę, wszyscy staną na wysokości zadania i dzięki nim teatr znów roztoczy swe czary. Mary Kent, siostra Simona, idąc w ślady Rosalindy, łączyła dobre rzemiosło aktorskie z talentami urodzonej inspicjentki. W maju zamierzali się pobrać z Jeremiahem Jonesem, tydzień po weselu Jessiki i Simona.

Stephen zapytał żonę:

– Żałujesz, że nie stoisz teraz za kulisami, czekając na swoje wejście, by wraz z innymi rzucić czar na widzów?

– Bynajmniej! – odparła z całkowitą szczerością. – Nie wyobrażam sobie, bym gdzie indziej mogła być równie szczęśliwa, jak tutaj z tobą.

Do loży Ashburtonów przybyli ostatni goście: lord Michael z żoną i z prześliczną czternastoletnią Amandą, córką Catherine. Dziewczynka była niesłychanie podekscytowana, gdyż po raz pierwszy wystąpiła w pełnej gali, uczestnicząc w rozrywkach dorosłych.

Wszyscy z ożywieniem witali nowo przybyłych. Claudia i Michael nie zbliżyli się do siebie, ale traktowali się nawzajem kurtuazyjnie. Rosalinda ogromnie polubiła Michaela, który pod pewnymi względami był niezwykle podobny do Stephena, a zarazem całkowicie od niego różny.

Spojrzenie Rosalindy powędrowało znów w kierunku męża. Był teraz filarem Kenyonów, głową rodu nie tylko na zasadzie tradycji, ale dzięki zaletom charakteru. Najlepszym dowodem jego wielkoduszności była przyjaźń, która zawiązała się między nim a jego przyrodnim bratem, noszącym już oficjalnie podwójne nazwisko Blackmer-Kenyon. Doktor poszedł za radą Stephena i poślubił swą poczciwą wybrankę. Obserwując ich razem, Rosalinda była pewna, że małżeństwo z czasem uleczy okaleczoną duszę Blackmera.

Ze śmiechem i z szelestem jedwabnych sukien Catherine ucałowała policzek Rosalindy i usiadła przy niej z lewej strony. Ona również była w ciąży; spodziewała się rozwiązania kilka tygodni po Rosalindzie. Nie ulegało wątpliwości, że Michael i jego żona po długiej rozłące przeżyli bardzo udany – choć nie pierwszy – miodowy miesiąc.

Orkiestra zamilkła, by po chwili zagrać z temperamentem marsza triumfalnego. Wszystkie rozmowy ucichły, wszystkie oczy zwróciły się ku scenie.

Rozległ się łoskot werbli i kurtyna poszła w górę, odsłaniając przepiękne wnętrze królewskiego pałacu. Rosalinda odchyliła się na oparcie fotela i chwyciła męża za rękę. Palce Stephena zacisnęły się na jej przegubie; podniósł do ust rękę żony i ucałował ją w nadgarstek. Szepnął:

– Niech nas urzeknie ten czar!

Z uśmiechem spojrzała mu w oczy.

– Już urzekł, najdroższy… Już nas urzekł.

Podziękowania

Chciałabym wyrazić specjalne podziękowanie dla Michaela Millera, który podzielił się ze mną swym cudownym doświadczeniem, jakim było wstąpienie do otchłani i powrót z niej. A także jego żonie, Laurie Grant Miller, dzięki której poznałam tę historię z obu stron.